Desarrollo de las Ideas Filosóficas en Costa Rica

Clásicos Costarricenses

Desarrollo de las Ideas Filosóficas en Costa Rica

Constantino Láscaris

UNIVERSIDAD AUTONOMA DE CENTRO AMERICA

Editorial STVDIVM

1983

199.7286
L341d3   Láscaris Comneno, Constantino
          Desarrollo de las ideas filosóficas en Costa
       Rica. — 3. ed. — San José: Editorial Stvdivm,
       1983
          520 p. — (Colección Clásicos Costarricenses)

       ISBN 9977—63—002—X

       1. FILOSOFIA COSTARRICENSE. I. Título

Tercera edición

Portada: Franco Céspedes

Editorial Stvdivm
Universidad Autónoma de Centro América
Apartado postal 7651
1.000 San José — Costa Rica.
Teléfono: 23-67-66
Télex: 2907 UACA CR

VNIVERSITAS AVTONOMA CENTROAMERICANA
HOC DICAT LASCAREANVM OPVS
STVDIO GENERALI CIVITATIS CAESARAVGVSTANAE
IN EIVS CONSTITVTIONVM APPROBATIONIS
XIII A. KAL. IVN.
PRIMAEQVE INAVGVRALIS LECTIONIS
IX A. KAL. IVN.
QVADRINGENTESIMO ANNO

DATVM APVD AEDES VNIVERSITATIS
SANCTI IOSEPHI IN COSTA RICA
MENSE MAII H. S. MCMLXXXIII.

"SED MAGIS AMICA VERITAS"

CONSTANTINO LASCARIS

(1923-1979)

Guillermo Malavassi V.

"Dicen que nací el 11 de setiembre de 1923, en Zaragoza, España, y que fui bautizado en el Pilar ..."

"Estudié (y no solamente en el sentido de estar en clase, sino de verdad), en un colegio de jesuitas, desde los siete hasta los trece años ..."

"Acabé la secundaria en un instituto del Estado, al cual le debo el respeto al 'catedrático', es decir, al universitario que se entrega a enseñar a los jóvenes desde la altura de un saber bien adecuado y con los 'métodos' universitarios españoles, es decir, suponiendo que el adolescente es un hombre que ha de hacerse responsable de sí mismo: si es capaz de estudiar aprobará; si no, se le suspenderá; y en todo caso, allá él con su futuro, pues el futuro es empresa radicalmente personal ..."

"Empecé la Facultad de Derecho a los dieciocho años. Me gustó, pero empecé a asistir por distracción a un curso de filosofía. Un hombre, Eugenio Frutos, marcó entonces mi vida. Al año siguiente pasé a Filosofía y Letras, para dedicarme a la filosofía. El motivo radical fue que me fijé como norma de vida el pensamiento ... Lo que quería era saber qué es el hombre, el mundo y la vida ..."

"... publiqué mucho, sin duda demasiado ..."

"Realicé viajes de estudio a Francia, Bélgica, Italia y Portugal. Cuando desde París iba a salir para Alemania, conocí a la que luego sería mi mujer. Me casé y seguí en Madrid dando clases y publicando. Tengo dos hijas, guapas, simpáticas e inteligentes, que no se parecen, al menos en lo estético, a su padre ..."

"Desde 1957 trabajo en la Universidad de Costa Rica. Soy director de la Cátedra de Filosofía en los Estudios Generales y profesor de Filosofía Antigua en el Departamento de Filosofía. Estoy contento en aquel pequeño país, que me ha acogido con toda cordialidad y simpatía". *(Autobiografía,* visita a Puerto Rico, 1964).

"La Revista de Filosofía de la Universidad de Costa Rica cumple en 1982 veinticinco años de publicarse. Nada mejor que conmemorar esta fecha evocando a su fundador, el fundador de la Escuela de Filosofía y principal impulsor de los estudios académicos de filosofía en Costa Rica, Constantino Láscaris Comneno".

"Para ello recogemos a continuación algunos artículos publicados en la prensa nacional, y seguiremos recogiendo, en el futuro, material relativo a su trabajo en el país. ("CRONICA", *Revista de Filosofía de la Universidad de Costa Rica*, Vol XX, N.º 51, Junio 1982, p. 79)".

"... Constantino fue el demiurgo de la institucionalidad de la filosofía en Costa Rica" (Murillo, Roberto, *Constantino Láscaris, Ib.*, p. 80).

"En pocos intelectuales he podido admirar el mismo respeto por su especialidad como en don Constantino, especialidad que es al mismo tiempo limitación y fecundidad. Hablando de la especialidad en Láscaris, hay que apresurarse en aclarar que no se trata de determinado conocimiento monolítico, negador de otros intereses culturales; con la expresión de especialidad se quiere señalar el punto de arranque para otros análisis y posturas intelectuales. La historia —singularmente la historia del pensamiento filosófico— era su especialidad. Con su correspondiente matización mediante un historicismo sin extremos de rigidez alguna. Esto le orientaba hacia una tolerancia profundamente humana, puesto que el historicismo no sólo tiene presente la época histórica, sino también cada una del tiempo biográfico, la evolución del hombre de carne y hueso, del hombre concreto. Para él la persona humana es la natural dimensión de su reflexión filosófica. (Olarte, Teodoro, *Constantino Láscaris C., ¡presente!*, "La Nación", S. J. C. R., p. 15 A., 27-VIII-79).

"Su voz era la voz de la cultura universal ..."

"Espíritu agnóstico y escéptico, creyó en muy pocas cosas, pero las creyó con toda el alma: creyó en la cultura, en la libertad y abrigó una inmensa fe por Costa Rica ..."

"La caballerosidad de Constantino era proverbial. Después de todo le venía de sangre. Hace mucho tiempo tuve en mis manos una vez su título de Doctor en Filosofía, que estaba conferido a 'Su Alteza Imperial el Príncipe D. Constantino Láscaris Comneno, Duque de Sinope, etc., etc.' Sin embargo, no parecía tomarse demasiado en serio su abolengo y siempre dio la impresión de creer mucho más en la aristocracia del pensamiento, aunque su amabilidad y cortesía eran absolutamente democráticas". (Mas Herrera, Oscar, *Constantino Láscaris Comneno*, Ib., 12-VIII-79).

"Partiendo de una tesis sobre Quevedo, Constantino fue predominantemente existencialista, en la línea de Heidegger, Sartre y Antonio Machado. Ningún tema le hacía sentirse 'chez soi' más que el de la libertad en que el hombre escoge libre y autorresponsablemente su esencia; ningún acto más execrable a sus ojos que la mala fe de los que delegan su razón y su libertad para comulgar con ruedas de molino. Si bien en más de una ocasión elaboró técnicamente sus reflexiones ontológicas sobre la nada y la libertad, su mayor gusto era vincular tal pensamiento con la historia de las ideas o con las situaciones concretas de la sociedad. Lo que sabemos de su vida personal es hondamente solidario de su filosofar, aunque nunca ocupó la atención de sus prójimos con sus problemas personales, pues fue en extremo pudoroso, reservado y estoico. Hacía lo posible por ser materialista 'craso' —por oposición a esa madera de hierro que es el materialismo dialéctico— y en los últimos tiempos iba logrando algo del vivir epicúreo, del disfrute de las buenas cosas de la vida de los sentidos, dentro del más riguroso sentido del respeto al prójimo y de la independencia personal . . ." (Murillo, R., *Ib.*).

"Hace alrededor de diez años que fallecía en Zaragoza S. M. el Rey Eugenio Segundo, destronado y en el exilio. Dejaba tres varones, a saber, don Teodoro, Príncipe de Bizancio y profesor de filosofía. S. E. don Juan Arcadio Láscaris-Comneno, y nuestro profesor de filosofía, don Constantino Láscaris-Comneno, de idéntica categoría, como Alteza Real, pero viviendo en el más profundo anonimato. Este es el héroe de nuestra historia . . ."

"Hombre de poderosa y lúcida inteligencia creadora, de bonhomía innata, se daba a sus alumnos con su palabra, su gesto, su magnanimidad cultural . . ."

"Los diálogos con personajes políticos, educadores, profesionales o profesores de las demás universidades lo iban convirtiendo en lo que a poco llegó a ser: UN VALOR NACIONAL . . ."

". . . fue nuestro mejor Triunviro, nuestro Platón permanente, nuestro conferenciante . . . dada su vasta cultura y su ameno acento aragonés . . ."

"Por todas partes, aquí y allá, el nombre de Láscaris era tema de discusión, de admiración y de elogio . . ."

"En sus andaduras dejó un reguero de divagaciones filosóficas; vadeó los ríos, escaló las cimas y vino a dejar en la pared de una pulpería de Cahuita una sentencia socrática que el caminante no entendía por ser griego lo escrito, pero pensaba: ¡'Láscaris!' ¿Quién no conocía aquel ensoñado filósofo de nuestros campos con huella de peregrino impenitente, de maestro incansable? . . ."

"Un funesto día —Constantino Láscaris Comneno— nieto de reyes por nueve siglos, se recogió en la alta noche sin estrellas. Apagó los faros del auto y dejó encendidas sibilinamente las turbias pupilas pequeñas. Abrió su cuarto y se tendió en la cama. Traía un cansancio desde la caída de Constantinopla. Lo encontraron muerto —y dicen que vestido— tres días después . . ."

"Su charla llenaba el alma de los campesinos . . ." (Marín Cañas, José, *Palabras en el acto académico en honor de Constantino Láscaris Comneno*, "La Nación", S.J. C.R., p. 15-A, 14-IX-79).

EL DR. LASCARIS
Y LOS FUNDAMENTOS DE LA FILOSOFIA

* * *

La enseñanza de la filosofía en el primer año común de los Estudios Generales aparecía un tanto indefinida antes de la llegada del Dr. Láscaris al país.

Una vez que llegó a Costa Rica en 1956 y se hizo cargo de llevar adelante su tarea, comenzó a despejarse lo relativo a la enseñanza de la Filosofía: se trataría, precisamente, de la tarea más seria y difícil: fundar una cátedra colegiada de FUNDAMENTOS DE FILOSOFIA.

* * *

La concepción que el Dr. Láscaris tuvo de esos "Fundamentos" era grandiosa y aparecía en dos trabajos suyos: "CONCEPTOS, METODOS, FUENTES Y BIBLIOGRAFIA DE FUNDAMENTOS DE FILOSOFIA", junto con "CONCEPTO E HISTORIA DE LOS SISTEMAS FILOSOFICOS".

Su modo de entender los FUNDAMENTOS DE LA FILOSOFIA, contemplaban, en apretada síntesis, este mínimo de cuestiones:

1) Justificación docente de la disciplina: necesidad de que todo universitario posea una formación básica en Filosofía; función rectoral de la filosofía en el cuerpo de los saberes; valor formativo de la filosofía.

2) Concepto de Fundamentos de Filosofía: delimitación de lo que se entiende y se ha entendido por Filosofía: origen del vocablo "Filosofía" (tesis suya era negar el origen *humilde* del vocablo, señalando en cambio que se frata de un contraste con el concepto de *sabio* de la época homérica); estudio del origen histórico y filosófico del filosofar: el hombre *zaumásico,* el zaumasein en el pensamiento helénico y tres actitudes fundamentales en la historia de la filosofía: el *zaumasein* como actitud helénica, la *cura* como

actitud latina y la *curiosidad* como actitud de la Europa Moderna (con la salvedad de la reacción filológica contemporánea que tiende a la revaloración de los conceptos clásicos). Como consecuencia de todo ello, conviene estudiar la raíz antropológica de esta actitud del hombre de quedarse perplejo ante lo divino o la huella de lo divino en la naturaleza y así considerar el principio del filosofar...

* * *

En este examen, el Dr. Láscaris considera raíz íntima del filosofar *el deseo-de-aprender,* divulgación inmortal del primer párrafo de la *Metafísica* de Aristóteles ("Todo hombre por naturaleza apetece saber" 980 a 21). Y el Dr. Láscaris sostenía: el hombre filosofa porque ante él las cosas se le hacen presentes sin revelarle por ello su ser íntimo; esta presencia es patencia del misterio y el hombre se ve impelido por su misma constitución íntima a preguntarse por el qué son las cosas; el filosofar es simplemente "el deseo de aprender su quididad". Esta actitud netamente objetivista, recibe una delimitación, decía el Dr. Láscaris, "por la peculiaridad de un determinado hecho que le hace misterio al hombre: la muerte". Y tal cosa lo llevaba a plantear "La Filosofía como saber soteriológico". Parto, decía, del famoso texto del *Fedón:* la filosofía es meditación sobre la muerte, tesis que examina, su perduración, y halla "que se mantiene en todos los pensadores que han creído en la existencia del alma, e incluso en gran parte de quienes vacilan sobre el problema". En torno de este tema, manifestaba: "Concluyo: si la filosofía tiene algún sentido es porque sirve al hombre de norma para prepararse para el hecho más decisivo de su existencia (i. e.: morir). De ello sacaba dos consecuencias: "1), el saber por el saber mismo es el pecado satánico del orgullo; 2), la filosofía como norma de conducta precisa del saber puramente especulativo como su fundamentante". Y agregaba: "La conjunción en San Agustín de la corriente estoica y de la temática cristiana hace que sea el pensador que mejor ha centrado la temática..."

* * *

Respecto de la filosofía y la sabiduría, así argumentaba: "veo la Sabiduría como meta a lograr mediante la Filosofía, lo cual implica el concebir la Filosofía como un permanente Filosofar: en Filosofía no recibimos nunca soluciones, sino problemas e imperativos; la Filosofía no es un *factum*, sino un *fieri;* y cada hombre tiene que hacerse cargo y enfrentarse con el problema fundamental de su propia vida". En lo que hay un eco de su Maestro

Heidegger: *Freiheit zum Grunde* ...

Por ello, a continuación determina el Dr. Láscaris:

"La Filosofía como saber por el saber mismo, desligada de valor entrañablemente individual, sólo ha sido sostenida por los autores de "Manuales"; los mismos escolásticos han subalternado la Metafísica a la Etica y ésta a la Teología Moral. El reducir la Filosofía a la Metafísica, sólo muestra nuestra ausencia de temperamento filosófico. Por lo demás, el valor soteriológico de la Filosofía no condiciona, sino en razón de fin, el saber especulativo".

Con toda esta profunda introducción, pasaba luego el Dr. Láscaris a estudiar finalmente "El concepto de *Fundamentos de Filosofía*". Así razonaba: "Por *Fundamentos* entiendo (prescindiendo de discusiones lingüísticas) los temas fundamentales de ... Los Fundamentos de Filosofía serán *los temas fundamentales de la Filosofía*. El problema estriba en delimitar cuáles son esos temas fundamentales. Niego la existencia —agregaba— de un criterio único. Y pretendo realizar la delimitación utilizando simultáneamente varios: cuáles son los temas de la Filosofía que realmente mueven al hombre a filosofar (criterio *empírico);* cuáles son los temas vivos de nuestro tiempo (criterio *vital);* cuáles son los temas permanentes ante el hombre (criterio *histórico);* cuáles son los temas asequibles a la edad y preparación de los alumnos (criterio *didáctico)".* En 1955 proponía el desarrollo con base en noventa lecciones, cuya completa y hermosa enunciación omito en gracia de la brevedad.

* * *

Luego se ocupaba del *método.* En brevísima síntesis lo recuerdo. Argüía: la Filosofía encierra su propio método: es el filosofar mismo; hay métodos subsidiarios: dialécticos, análisis y síntesis, deducción e inducción, el método fenomenológico. Se ocupa, asimismo, del método docente. Para ello estudia la posibilidad de la enseñanza y su posibilidad epistemológica. Su conclusión es "que el maestro, todo docente, ante el discípulo sólo puede realizar una tarea subsidiaria; es el discípulo mismo quien forja el saber, ayudado por el maestro".

* * *

En cuanto a lo particular de la enseñanza de la Filosofía, vertebra su doctrina sobre estas líneas maestras: para el filosofar es conveniente el aprendizaje de la Filosofía; hay naturaleza filosófica (según la terminología platónico-agustiniana) frente a otras no-filosóficas (comentaba: ello, en los cursos de carácter general, dirigidos a no especialistas, plantea graves problemas: y recuerdo yo: y a él le tocó con frecuencia precisamente hacer eso). La misión del Profesor es despertar a quienes tienen condiciones naturales; y a quienes no las poseen, procurar inculcarles el respeto al filosofar: la Didáctica es un arte; quien no posee las condiciones naturales de buen maestro, no podrá aprender a serlo.

Trata él, pero por brevedad los omito, los asuntos atinentes a las fuentes de la Filosofía y sólo recuerdo su parecer sobre el programa: es obra provisional; "considero como el más acertado el esquema ciertamente más tradicional: el elaborado por Jenócrates, divulgado por los estoicos, reelaborado por el agustinismo y copiado en gran parte por Comte. Así divido la Filosofía —escribió— por los tres grandes campos de que se ocupa: *lo real, lo ideal y el hombre como ser implicado entre ambos*".

* * *

Esa manera de concebir los FUNDAMENTOS DE LA FILOSOFIA tenía el Dr. Láscaris cuando llegó al país el 1º de julio de 1956. Así la propuso; así la aprobaron los Decanos de la, a punto de nacer, Facultad de Ciencias y Letras, Dr. Enrique Macaya (Q. de D. G.), Decano, y Prof. José Joaquín Trejos F., Vice Decano. Y en los informes la CATEDRA DE FUNDAMENTOS DE FILOSOFIA ocupaba el primer lugar. Y las conferencias con los temas: *Introducción al concepto de Filosofía. El mundo. El hombre. La historia. El conocimiento. El arte. La moral. La religación* y *La filosofía de la filosofía* penetraron en el alma nacional; hubo colegas filósofos que se formaron y re-formaron junto al maestro Constantino; y aquellos FUNDAMENTOS DE LA FILOSOFIA todo lo penetraron: el corazón de treinta mil discípulos, toda la vida académica, llegaron hasta los colegios de segunda enseñanza, se "aplicaron" hasta a nuestro Folclor incluyendo sus tres manifestaciones más típicas: "la carreta pintada, los tamales y la banca nacionalizada" . . . Y hubo expansión en revistas, libros, tesis, bibliotecas, editoriales, vocaciones filosóficas y D. Constantino, cumpliendo el evangélico, *nisi granum frumentum mortuum fuerit,* ni podía con aquella expansión infinita, de jornadas sin tregua, de lecturas sin fin, de correspondencia inacabable. Y un día renunció de *su* cátedra . . .

Creo que no renunció: es que tan grande fue el intento, tan rica la siembra, que en ello se le fue la vida. Por tal motivo se ha sugerido que esa CATEDRA DE FUNDAMENTOS DE FILOSOFIA, *ad perpetuam rei memorian,* lleve el nombre de quien fundamentó los fundamentos y desde esa fundamentación han corrido el filosofar y el desarrollo de elevadas calidades humanas, como una renovación del saber y del ser nacionales, que obliga a todos los que lo conocimos y disfrutamos su saber y su amistad, a guardar con veneración su recuerdo en lo recóndito del alma y a honrarlo públicamente como se lo merece.

* * *

Hay un aforismo filosófico: lo primero que debe leerse por quien gusta de la filosofía, es un libro de Fundamentos de Filosofía; pero es lo último que debe escribirse. El Dr. Láscaris estudió mucho lo relativo a la fundamentación de la Filosofía y no fue sino en 1961 que escribió su primer libro de FUNDAMENTOS DE FILOSOFIA, expresión admirable de su gran sapiencia.

BIBLIOGRAFIA DE CONSTANTINO LASCARIS

En la Revista de Filosofía de la Universidad de Costa Rica se ha publicado una bibliografía preparada por el mismo Dr. Láscaris, la que contiene cuatrocientos dieciséis referencias entre artículos de revistas, reseñas, libros, traducciones y artículos en diarios y semanarios. Tal bibliografía está incompleta. En 1969 Constantino Láscaris resumió así su *curriculum:*

"Doctor en Filosofía por la Universidad de Madrid (1945). Adjunto de Historia de la Filosofía en la Universidad de Madrid (1945). Adjunto de Historia de la Filosofía en la Universidad de Madrid (1947-1955). Colaborador del C.S.I.C. español. Director de la Cátedra de Fundamentos de Filosofía en los Estudios Generales de la Universidad de Costa Rica (1963). Director a.i. del entonces Departamento de Filosofía (desde 1969). Director de la Revista de Filosofía (desde 1957). Autor de once libros de Historia de la Filosofía, un centenar de colaboraciones con Revistas especializadas. Premio Nacional de Historia. Subdirector de la Escuela de Filosofía" (Cfr. *Revista de Filosofía de la Universidad de Costa Rica,* Vol. XIX, Nos. 49-50 [Enero-Diciembre 1981] ps. 171-179).

Constatino Láscaris, además, fundó el Instituto de Estudios Centroamericanos, la Sección de Historia de la Ciencia y de la Técnica, fue cofundador de la Asociación Costarricense de Filosofía, creador de los Estudios Generales Libres, comentarista por la radio y por la televisión, articulista por la prensa que llegó a ser casi un oráculo en Costa Rica.

Sus obras escritas más divulgadas en el país han sido:

Desarrollo de las ideas filosóficas en Costa Rica, S. J., ECR, 1965, 623 ps. Premio Nacional de Historia. Hay segunda edición.

Historia de las ideas en Centro América, S. J. EDUCA, 1970, 485 ps.

Teoría de los Estudios Generales. Selección de . . . UCR, 1958, 97 ps.

Fundamentos de Filosofía, UCR, 1961, 278 ps. Hay segunda edición.

Génesis del Discurso del Método, Madrid, 1956. Editado junto con su traducción del *Discurso del Método,* UCR, 1961.

La carreta costarricense, MCJD, 1975, 210 ps. Hay segunda edición.

Palabras, ECR, 1976, 173 ps.

Parménides, sobre la naturaleza, UCR, (sfe), Trad., introd. y paráfrasis, 55 ps.

El costarricense, EDUCA, S. J., C. R., 1975, 447 ps.

Pronto aparecerán bajo el sello editorial de esta universidad, *Cien casos perdidos,* colección de noventa y tres artículos que el Dr. Láscaris dejó listos para su publicación.

La generosidad, el asiduo trabajo intelectual, la ayuda continua a los demás en su trabajo, el sostenido interés por el bien público, su capacidad notable de comunicación con el prójimo por los diversos medios, para darse a entender contribuyendo a formar sólida opinión pública, hicieron de Constantino Láscaris un varón extraordinario que justifica llamarlo benemérito de la cultura nacional.

Montes de Oca, 13 de marzo de 1983.

INTRODUCCION

A *lo largo de los cinco años que llevo residiendo en Costa Rica, he procurado documentarme sobre las producciones nacionales. Ahora he puesto en orden el resultado de esas lecturas mías. He cuidado especialmente de recoger el material bibliográfico en la forma más completa que me ha sido posible, lo cual no quiere decir, ni mucho menos, que sea completo.*

Una primera dificultad ha sido el hecho de que gran parte de la producción intelectual costarricense se halla en forma de artículos y no de libros. El artículo en Costa Rica suple y equivale al libro, dentro del ámbito nacional. Y ello se agrava a la hora de intentar situar las corrientes de pensamiento.

Una segunda dificultad proviene de lo que considero una característica de este país: su vocación intelectual. Comparativamente con los restantes países del Caribe, Costa Rica juega mal papel en cuanto a folclore, del que carece, y en cuanto a arte, por el que no hay vibración colectiva; pero 'en cambio la vocación intelectual es dominante y se trasluce en toda la vida social. Yo he sido el primer sorprendido al ir encontrando mucha más materia para este libro de la que había presupuesto.

He prescindido de los indígenas precolombinos, tanto porque no soy especialista en la historia de sus culturas, como porque opino que no hicieron filosofía [1]. He rastreado la época colonial, con poco éxito. Me ha interesado especialmente el siglo XIX; aunque en él no puedo hablar de filosofía en sentido técnico, las corrientes ideológicas son interesantes; Costa Rica ofrece el peculiar atractivo de mostrarse como una nacionalidad estructurada por ideólogos, en un lapso de tiempo relativamente breve.

En el siglo XX he examinado, por una parte, las ideologías políticas, y por otra la Filosofía. En los capítulos correspondientes a aquéllas he prescindido, o procurado prescindir, de los políticos y

---

1 Me remito a los estudios de Jorge A. Lines, *Sukia: Tsúgür o Isogre*, "Rev. Arch. Nac.", IX 1-2 (1945), p. 17-43; *Costa Rica aborigen*, "Mundo Hispánico", 141 (Madrid, 1959), p. 43, y muy especialmente: *La Concepción del Mundo de los aborígenes de Costa Rica*, "Rev. Filos. Univ. C. R.", I, 3 (1958), p. 231-247.

de la política, para atenerme al pensamiento abstracto impreso. No he pretendido escribir una Historia de Costa Rica, sino una exposición de un aspecto de sus producciones escritas. Políticos importantes en cuanto políticos, no son mencionados, y en cambio expongo a veces a quienes no han participado en la política.

La parte de Filosofía técnica, a su vez, la he acometido según dos planos distintos: los pensadores que han desarrollado "Filosofía General" y aquéllos cuya obra escrita se muestra perteneciente a una disciplina filosófica especializada. Supongo que también habré cometido errores de apreciación, por más que he procurado evitarlos.

Tuve largo tiempo la tentación de escribir sólo sobre pensadores ya difuntos. El motivo es evidente: evitarme malentendidos, disgustos y descontentos. Pero vencí la tentación y enrostré la penosa tarea de hablar de quienes acaso lean lo escrito por mí. El motivo será evidente para quienes lean este libro: es precisamente en el siglo XX cuando en Costa Rica hay Filosofía, y, por tanto, de suprimir lo contemporáneo, hubiera tenido que suprimir la totalidad de la obra, ya que filosóficamente las ideas del siglo XIX en este país sólo tienen sentido como introducción a las del XX.

He procurado ser objetivo y expositivo. No he evitado, sin embargo, dar juicios y opiniones, cuando se me han ocurrido. Es humano que haya figuras y obras que me atraigan más que otras. Pero he procurado con toda honestidad no ceder a mis gustos.

Si alguien, seguro que más que alguien, se siente desacertadamente tratado o considera descabaladamente expuestos sus escritos, sepa que lo lamento. Sin ser costarricense, me he interesado por las creaciones de este país más que los costarricenses. Creo poder decirlo con orgullo y sin menoscabo para nadie. Costa Rica, felizmente para sus habitantes, no tiene sensibilidad histórica. Y para no ser yo quien lo diga, citaré a Mario Sancho: "Somos hombres sin sentido histórico, sin apego a la tradición, sin ánimo ni gana de conservar la memoria de nuestro pasado"[2]. El costarricense es un pueblo de sabia convivencia, retirado en unos valles altos fuera de las grandes rutas de los conquistadores: así, no ha sufrido la tremante comezón de los pueblos desgarrados por las pústulas de las conquistas o de las luchas fratricidas; y así, su sentido colectivo no es histórico, sino social: Costa Rica se ha dirigido a la Filosofía Social en lugar de a la Filosofía de la Historia.

Si la humanidad escribe el futuro, no con sangre, sino con el espíritu, Costa Rica, vaticino, contribuirá de manera valiosa al reencuentro, racional y razonable, de los hombres.

* * *

---

2 *Memorias* (1962), p. 209.

A muchos amigos he molestado para reunir datos y obras con que entretejer este estudio. Los libros tomados en préstamo creo haberlos devuelto todos, y conste que con dolor. Vaya mi agradecimiento a todos estos colaboradores amables. Pero no puedo salir tan fácilmente del paso con el Prof. Rafael Obregón, que me prestó documentos y notas personales suyas que me han sido de inestimable valor. Desde aquí le ruego que se considere coautor de lo que de acertado haya en estas páginas.

También debo señalar, y me complace hacerlo, que he sido precedido por un pionero, de cuya obra inédita he disfrutado. Aunque de enfoques diferentes, el estudio de Mario Fernández Lobo [3] ha facilitado mi trabajo. En lugar de citarlo con frecuencia más adelante, he preferido hacer constar aquí mi deuda.

San Pedro, Costa Rica, a 31 de enero de 1962.

Constantino Láscaris C.
Profesor de la Universidad
de Costa Rica.

---

3 *Historia documental del Pensamiento Costarricense,* Tesis de Grado. Univ. de Costa Rica, (1956), Bibl. Univ.

PROLOGO A LA SEGUNDA EDICION

*E*N *términos de estricta investigación, un libro no necesita prólogo. Sin embargo, a veces el autor quiere decir algunas cosas que no encajan en los capítulos normales del libro. Eso me sucede a mí esta vez, pues deseo dar a los lectores algunas explicaciones, probablemente innecesarias, pero cuya formulación tranquilizará mi conciencia.*

El origen de este libro fue, a poco de mi llegada a Costa Rica, el año 1956, mi pregunta: ¿Qué ha habido de filosofía en el país? Ante la respuesta general negativa, mi actitud fue de desconfianza. Me interesaba saber qué habían pensado, fuera lo que fuera, los hombres que habitaron este lugar de la tierra en que yo estaba viviendo. Probablemente, influyó también mi temperamento, mezcla que no he sabido dosificar de erudito analista de biblioteca y de hablador socrático. Fui leyendo todos los libros, ensayos y artículos que pude encontrar, escritos en y sobre Costa Rica, y de entre ellos fui anotando lo que me parecía alcanzaba el nivel del pensamiento abstracto. Esas notas eran para mí. Pero un día me encontré con un enorme legajo de apuntes. Me decidí y empecé a estructurarlas con vistas a una publicación. El resultado fue este libro.

Tuve plena conciencia de que no era un libro ordinario de Historia de la Filosofía. Correspondía más bien a lo que en Hispanoamérica se suele llamar Historia de las Ideas. Había encontrado pensadores que correspondían plenamente y con rigor cronológico a las corrientes del pensamiento vigentes internacionalmente en cada época. Sin embargo, lo titulé "Desarrollo de las Ideas Filosóficas en Costa Rica". Este título fue duramente criticado; más fue "choteado" y tomado a burla. El título pretende mostrar la impresión del autor, la mía, de que en Costa Rica se ha dado, a lo largo de su historia, un madurar positivo del pensamiento filosófico. Eso lo pensé hace diez años. Hoy, no es ya una impresión, sino un hecho. En estos diez años se ha publicado de Filosofía, y con un rigor técnico digno internacionalmente, más que en los ciento cincuenta años anteriores. Al preparar esta segunda edición, esto me ha planteado un problema difícil: debería alargar el libro otro tanto... O escribir otro sobre estos diez años. Sin embargo, he preferido no hacer ninguna de esas dos cosas. Algún joven vendrá que lo acometa. Me he limitado a señalar de manera somera el desarrollo ins-

titucional de la Filosofía y algunos de los nombres de la generación de jóvenes que hoy se encuentran comprometidos con la tarea de ser filósofos. Probablemente, no tengo ni perspectiva ni pretensiones de vidente.

Cuando publiqué el libro, me llevé, claro es, sorpresas. Me esperaba el interés de los historiadores y la reacción, cuando menos polémica de los políticos. No sucedió nada de eso. Los historiadores guardaron hermético silencio, y todavía no sé lo que pensaron, si es que leyeron el libro. Con los políticos me sucedió lo mismo. Ninguno de los reseñados se dio por enterado ni para bien ni para mal. Sin embargo, problemas de nomenclatura que yo había resuelto según mi buen saber y entender, han quedado ya en la jerga política; algunos capítulos incluso fueron usados en campañas electorales, lo cual me gustó.

Esos capítulos de ideas políticas son, por lo demás, los que, desde hace tres años, me han detenido en la preparación de esta segunda edición. Cuando escribí el libro, yo era un profesor extranjero que veía la política nacional "desde fuera", y me las daba de objetivo. Luego, un día me naturalicé costarricense y últimamente he hablado mucho, demasiado, sobre política. Ello me restaba aquella aparente objetividad. Además, una cosa era recoger el pensamiento de los hombres de sus libros, y otra verlos actuar. Para explicarme: cuando viví en Francia, aunque yo me declaraba, y me sigo declarando, sartriano, no traté de conocer a Sartre; me interesaban sus ideas y no su biografía. Esto me ha sucedido con los políticos costarricenses, y por ello presento mis disculpas al lector: no he hecho nada, en ningún momento, por conocer o tratar a ningún político nacional. Ello no ha sido obstáculo, claro es, para que haya tenido y tenga mis preferencias políticas.

En todo caso, el capítulo central de Ideas Políticas, a diferencia de lo que he dicho del Filosófico propio, no ofrece grandes novedades: la senectud o desaparición de las figuras centrales y la crisis de la generación intermedia.

Hubo un gremio que reaccionó violentamente contra este libro: el de los poetas. Confieso que había cometido un pecado deliberado: la inclusión de un ensayo sobre el mundo poético de Centeno Güell. Y no me había molestado en explorar otros mundos poéticos. Aunque me tomó de sorpresa, esa reacción no me empavoreció. Quizá algún día yo mismo escriba ese libro especial; si lo escribe otro, me alegraré. Por hoy, no es tarea inmediata en mis planes de trabajo.

Como he señalado, el origen de este libro fue "libresco". Fue mi visión de la concepción del mundo de los costarricenses, a través de la letra impresa. Un día se me planteó la duda de si la letra impresa expresa realmente el ser de la vida cotidiana; postulé la negativa y escribí otro libro, antilibresco: "El costarricense". Es-

pero que aparezca impreso al mismo tiempo que esta segunda edición. Los considero complementarios. En este van individuos, costarricenses concretos. En el otro, he pretendido describir al costarricense en su vida diaria. No pretendo haber acertado en ninguno de los dos casos.

Después de escrito este libro, me interesé por los temas centroamericanos. Como uno de mis principales vicios es el de escribir libros, ese interés cuajó en dos libros: "Historia de las Ideas en Centroamérica", que publiqué hace cuatro años; y unas "Ideas Contemporáneas 'en Centroamérica", que espero publicar para 1975. Resultado de esos estudios fue la conciencia de que debía haberlos hecho antes de escribir sobre Costa Rica. Los movimientos del pensamiento son, con una década de aproximación, homogéneos en todo el Caribe, y también en Centroamérica.

Este libro se agotó en poco más de un año. Se me dieron dos explicaciones. Que era el único que se vendía sobre Costa Rica en aquel año, y lo compraban los turistas (esto me dejó muy preocupado, lo confieso, pues se habrán formado de Costa Rica una imagen muy peculiar). O bien, que como "bombeteaba" a muchos, solo con que lo comprasen quienes veían figurar su nombre, se agotaba la edición. Me curé de esta segunda explicación, al darme cuenta de que venía de quienes no figuraban en el libro.

Una objeción me hizo de palabra una vez el Dr. Roberto Murillo: una página en blanco (entre Calderón Guardia y Figueres) no explica los problemas de 1948. Tiene razón. Pero ni entonces pretendí explicarlos, ni lo voy a pretender ahora. No hago una historia de Costa Rica. Reclamo que la hagan los historiadores.

Mi mayor satisfacción como autor de este libro ha sido el ver que más de una docena de tesis de graduación universitaria partieron de él. Y claro está que superaron los pequeños resúmenes que yo había escrito. Y esto me satisfizo.

Por de pronto, deseo señalar un hecho. La mayor dificultad con que me encontré en la elaboración del libro, fue la poca ayuda de la mayor parte de las personas a quienes la solicité. Con contadas excepciones, puedo referirme a una casi general falta de interés. Tanto, que hubo momentos en que vacilé en seguir investigando. Hubo una idea que me mantuvo en la tarea. Fue el pensar en que es característica casi general que el que viene de fuera, como era mi caso, se interesa por las cosas de casa más que el que las ha visto todos los días. Así, los madrileños en general no visitan el Museo del Prado, y el Museo del Louvre es para todos menos para los parisinos. Será un efecto de perspectiva, o una necesidad de sondear raíces, frente a un vital vivir esas raíces sin necesidad de conocerlas teóricamente. Podría haberse dado otro caso; el no creer en la existencia de una trayectoria filosófica nacional. Precisamente estimo haber puesto de relieve en mi libro que en Costa Rica no *se ha dado una Filosofía, con rigor técnico, antes de los·últimos treinta años. Pero en cambio, Costa Rica muestra una trayectoria intelectual de siglo y medio, de indudable trasfondo filosófico. Más, sin haber captado esa trayectoria ideológica, la historia del país se reduciría a una sucesión de gobernantes en su mayoría de pocas aristas.*

La diferencia entre la Costa Rica nación independiente y las otras naciones de Centroamérica, sólo es comprensible en cuanto que se aprecie cómo Costa Rica elaboró un Estado racionalmente, lo que no han hecho los otros países. Las guerras civiles centroamericanas son la resultante y no la causa de no haber construido el Estado. Ahí se da un engaño de perspectiva. Al ser naciones con fronteras y con una aparente soberanía, se da por supuesta la existencia del Estado. Pero éste no es algo que nace con una simple declaración de independencia o con la promulgación de una constitución. Estos actos formales son accidentales, si los hombres concretos no instauran una forma de convivencia viable. El estudio de cómo los costarricenses del XIX emprendieron esta tarea es extraordinariamente instructivo, pues pone de relieve varios hechos: 1º, esta tarea es pensante; más aún, es filosófica. Sin tener unas ideas de raíz filosófica de cómo estructurar el Estado, éste no es viable. No basta con decir que se respetaba a la persona humana, o que no se quería sacrificar el comercio con la guerra civil; hay que buscar las raíces de por qué se quería esto. Y su estudio pone de relieve que hoy en Centroamérica hay cinco naciones, pero solo una es Estado. Las otras todavía tienen que construirlo. 2º, para esta tarea, es conveniente el aislamiento, y Costa Rica disfrutó en el XIX de condiciones óptimas, por carecer su territorio de valor estratégico. Deseo señalar en este aspecto la diferencia entre la "pobreza" y, no la riqueza, sino la "riqueza fácil". Cuando se habla de que la Costa Rica colonial era pobre, hay que entender, no que era pobre, sino que había que trabajar. Los famosos párrafos de algunos gobernadores que se suelen citar como señal de pobreza, carecen de valor, pues eran para pedir a continuación la exención de impuestos. Frente al dinero fácil obtenido por tener un canal de valor internacional, o yacimientos petrolíferos, que son siempre fuentes de corrupción, el territorio costarricense era de una riqueza gigantesca, pero que exigía para actualizarla del esfuerzo individual. 3º, Es desde mediados del siglo actual, cuando Costa Rica se enfrenta a los problemas del internacionalismo, impuesto por la industrialización, y puede hacerlo por ser, ya desde antes, Estado. Sólo cuando un país realmente es Estado, puede dar el paso de renunciar a parte de la soberanía, mientras que el país que no lo ha madurado, cuando renuncia a parte de su soberanía no entra en una estructura supra-nacional, sino que cae en ser protectorado o colonia.

El siglo XIX me ofreció así, como investigador, un panorama sugestivo. Por una parte, la construcción liberal del Estado. Al decir liberal quiero decir estatista, pues la concepción de los liberales costarricenses correspondió siempre a la del llamado liberalismo continental (europeo), frente al inglés. Incluso Mauro Fernández, aparentemente britanizado, era centralista, pues de toda su obra lo único que quedó fue precisamente la creación de la inspección ministerial. Esta concepción liberal del Estado se vio frenada (a veces, estimulada, por reacción) por la actitud ultramontana, que se prolonga de Mons. Llorente a Thiel. La ideología de Desttut de Tracy, luego el positivismo y el krausismo, fueron los supuestos doctrinales, que orientaron desde Osejo a Castro, y de Castro a Ricardo Jiménez.

Filosóficamente, el XIX costarricense es un siglo de poca filosofía en cuanto a profesores y exámenes de filosofía, pero es un siglo de actuación pensante filosóficamente fundada.

El tránsito de siglo permitió un paso más. La diferencia que va de Zambrana a Brenes Mesén, de Thiel a Sanabria, del Ricardo Jiménez ministro al Ricardo Jiménez Presidente, es la que va de la empresa de construir el Estado a la de encontrárselo ya funcionando y tener que engrasarle los engranajes para hacerlo funcionar ante circunstancias nuevas. El crecimiento de la población y la apertura al comercio internacional en escala apreciable, permitía el desarrollo de un pensamiento en cuanto tal. Es el paso del intelectual al pensador.

En este punto, se me planteó el problema más delicado, dentro del plan de la obra. No pretendía escribir una historia política de Costa Rica, tanto porque no es mi campo, como porque no soy historiador de vocación. No me interesan los acontecimientos políticos en cuanto tales. Pero quería seguir estudiando en el XX las ideas políticas. El resultado era tener que trazar una línea divisoria entre políticos y doctrinarios políticos. Terminé haciéndola, y el resultado es que la mayoría de los políticos importantes los dejé de lado, y en cambio incluí a figuras que no actuaron en política. Un artículo de contenido abstracto sobre temas políticos me interesó más que todas las presidencias desempeñadas. Así, por citar un caso extremo, decidí no incluir a Cleto González Víquez, pese a su valor de "clásico" en la política costarricense. Se me hicieron muchas observaciones sobre este vacío, que no lo era tal en mi opinión. González Víquez era un hombre de mente de historiador, amante de lo concreto y sin ningún interés por la especulación abstracta. Encontré, sin embargo, un pequeño estudio suyo sobre el Derecho, y entonces lo incluí, aunque sigo pensando que fue una concesión al prestigio del político, y no del doctrinario. Con la generación siguiente de políticos, el problema era más grave, pues algunos viven todavía; y con la actual, no digamos.

Sin embargo, la dificultad más grande que encontré en el campo de las ideas políticas, fue el de la nomenclatura, pues el sentido de las palabras cambia al cruzar el Atlántico. Por ejemplo, en América no suelen establecerse matices dentro del marxismo, como sí se hace en Europa (bolcheviques, mencheviques, trozquistas, laboristas, socialistas, etc.); o bien, no suele hacerse distinción entre liberalismo y neoliberalismo; o, 'en el caso concreto de Costa Rica, lo que en Europa se denomina Democracia Cristiana se ha mostrado bajo otras formas, como el Partido Reformista, por ejemplo. Algo curioso es cómo una doctrina política europea cualquiera, al cruzar el Atlántico es sistemáticamente clasificada un paso más a la izquierda de como se la clasifica en Europa, cuando, en realidad, con el trasplante esa ideología ha dado un paso hacia la derecha. En algunos momentos me tienta el pensar que América es un continente que "conservaduriza" rápidamente las ideologías innovadoras. Si se estudia la evolución de las tesis de los partidos políticos de los últimos años, se puede ver que todos se han hecho conservadores en comparación con la postura inicial.

Sin embargo, el capítulo de ideas políticas es secundario dentro del plan de la obra. Los capítulos centrales son los que titulé Filosofía General y Filosofía Social. Propiamente son el meollo del tema. En ellos pretendí recoger, de manera somera, a los pensadores que en el siglo actual se han enfrentado sistemáticamente con la Filosofía. Ya no se trata de simples ideologías, sino de un madurado y reflexivo pensar sobre los problemas filosóficos. Y ciertamente que Costa Rica ofrece una contribución a la filosofía muy apreciable en el Continente. Ello es natural dada la trayectoria nacional. En Costa Rica han sido intelectuales, antes que otra cosa, los hombres que han contado. Y ello ha propiciado la actitud responsable racional. El contraste con los países caribeños es marcado Por esto, Costa Rica no sufre las convulsiones típicas del Caribe, pues en esos países se carece de la convivencia al no adoptar los hombres una actitud racional ante la vida, y al no adoptar esta actitud, los conflictos no tienen solución política (y la palabra política, si está usada noblemente, se entiende como filosofía política), sino cruenta. Sólo un país que se ha hallado a sí mismo, y que ha construido sus estructuras estatales, puede dar filosofía, y puede a su vez guiarse filosóficamente.

En este punto, soy platónico. Es decir, considero que la filosofía (no sólo la enseñanza de la filosofía) no es simplemente una actividad cultural al lado de otras cualesquiera. Un pueblo puede tener poesía, danza o economía desarrolladas, y sin embargo hallarse en un estadio infra-racional. Solamente cuando la colectividad se autoorganiza mediante el saber de lo general y madurando la virtud de la prudencia intelectual, se ha dado el paso de pueblo "primitivo" a pueblo "moderno". Mientras que otros países hispano-

americanos, con su independencia, dieron un paso atrás y cayeron en el tribalismo, Costa Rica supo mantenerse en la línea de la "modernidad", que quiere decir actitud pensante ante los problemas. La diferencia que va del empírico (el que aprende una profesión ejerciéndola, y saliendo del paso con recetas hechas) al académico (que posee el saber general, el cual sólo se adquiere estudiando, y luego lo aplica a la práctica), se da también entre pueblos. Y son modernos los segundos, y los primeros están, o han recaído, en el primitivismo.

Por todo esto, creo que estudiar Filosofía es fecundo. Porque madura el espíritu para la manera humana de realizar la acción, que, .o es filosófica, o es bestial.

Por este motivo, quise 'estudiar también la vertiente filosófica de las distintas disciplinas. La Filosofía del Derecho, de la Educación, de la Ciencia, etc. y su grado de desarrollo, son síntoma fehaciente del grado de madurez del Derecho, de la Educación, de la Ciencia, etc. Unas veces mis conclusiones fueron más halagüeñas que otras. En algunos campos el país muestra desorientación, o cruce de corrientes no siempre clarificadas. Por ejemplo, en Filosofía de la Educación la trayectoria costarricense es mucho más pobre que en los otros campos, aunque superficialmente pudiera esperarse otra cosa. Comparando Filosofía de la Educación con, por ejemplo, la Filosofía de la Ciencia, se aprecia en los doctrinarios de esta segunda una osadía intelectual y un empuje vital muy superior (pese a las sin comparación mayores dificultades por las exigencias internas de la disciplina).

En conjunto, el libro, tal como me quedó, adolece de un defecto. Ni es obra de síntesis (pues es prolijo y detallista), ni por el contrario es exhaustivo. Para quien busque la información resumida, peca de extenso; y para quien crea hallar la bibliografía y el examen completos, resultará insuficiente. Mantener el equilibrio es difícil y no pretendo en absoluto haberlo hallado. Es más, a veces no lo he pretendido. He recogido lo que he encontrado y lo he contado como he podido, sin preocuparme de si salía largo o corto. Si quiero decir una vez más que ya va siendo hora de que Costa Rica empiece a preocuparse por editar las fuentes. No hay una edición de obras completas (ni buena ni mala) de casi ninguno de los personajes importantes que han construido Costa Rica. Y su conocimiento es la única manera de mantener vigilante la conciencia de las propias raíces telúricas. Para leer a José María Castro, Bruno Carranza, Brenes Mesén, etc., hay que hacer verdadera labor de búsqueda de archivos o molestar a los amigos inquiriendo si tienen algo por azar. Hace un mes encargué a unos estudiantes de la Universidad un trabajo en el que tenían que utilizar un libro de Moisés Vincenzi, editado hace tres años, y no pudieron encontrarlo ni en librerías ni en bibliotecas públicas. No hay colecciones edita-

das de los documentos importantes, fuera de dos (y muy incompletas).

Costa Rica se enfrentará en los próximos decenios (que ya han comenzado) con la tarea de convertirse de Estado pequeño en Estado de exigencias grandes, por el crecimiento de la población y por la necesidad de industrializarse. Y entonces corre un peligro, el de dejarse de ser-se, perdiendo su idiosincrasia en un internacionalismo irreflexivo. Entre el extremo, por ejemplo, de los mexicanos, de pretender inventarse una pretérita mexicanidad anti-malinchista, al de no conocerse en el pasado, puede haber términos medios moderados. Costa Rica corre el peligro de autodesconocerse si no le pone remedio. Y el remedio consiste en editar las colecciones completas de documentos, en editar, en ediciones críticas, las obras (completas, pues las seleccionadas siempre son seleccionadas a gusto del seleccionador) de quienes forjaron una manera de ser y de pensar. Por ejemplo, Moisés Vincenzi merece una edición de Obras Completas, y mientras no se haga, su nombramiento de Benemérito de la Patria será papel y no carne nutricia.

Y dejo de hacer más consideraciones. De seguir, el prólogo sería más largo que el libro y no quiero que me suceda a mí lo que a mi maestro Sartre con Genet.

San Pedro de Montes de Oca, abril de 1975.

P.S. *He intercalado en el texto numerosas notas nuevas y referencias bibliográficas, así como bastantes páginas nuevas. No creo valga la pena señalarlas en detalle.*

La obra de Luis Barahona, Historia del Pensamiento Político en Costa Rica, *debería ser citada en bastantes capítulos. La señalo ahora como fundamental.*

I

LA PROVINCIA DE COSTA RICA HASTA EL AÑO 1800

LA PROVINCIA DE COSTA RICA

E N el año 1502, Cristóbal Colón, Gran Almirante de la Mar océana, inadvertidamente halló una costa, que, por una dudosa frase suya, fue denominada Costa Rica. Más tarde, se halló más allá otra costa, y el territorio montañoso de en medio quedó bautizado con el nombre de la primera, Costa Rica. Así nació para los españoles un espejismo: un país de inmensas riquezas que no eran las que buscaban.

En aquel territorio había indios (chorotegas, güetares, etc.), no se sabe cuántos, pero a juzgar por el número de entierros y restos funerarios que dejaron, debieron ser muchos [1].

Los españoles tomaron en el Caribe a México, la Nueva España, como centro de colonización; luego, siguiendo las rutas de los aztecas, tomaron a Guatemala como segundo centro; más tarde, Nicaragua se desarrollaría como centro de tercer orden. La Costa Rica quedó pronto como provincia colateral sin interés.

América es dos continentes unidos por un istmo. Pero este istmo es muy largo y los dos continentes son bastante diferentes. El lugar exacto de discontinuidad es Costa Rica, tanto para la flora (límite del pino, que llega hasta el río San Juan), como para la fauna (coyote al Norte, mono tití al Sur), como para los indios (aztecas y caribes), como para las vías de navegación (canal de Panamá, canal de Nicaragua), como para la rivalidad comercial entre los centros coloniales (Guatemala y León, Panamá), como para las presiones culturales (México, Colombia). Esta razón de discontinuidad coadyuvó a que la provincia de Costa Rica quedase marginal durante muchos años.

50.000 Kms^2. de orografía difícil, bosques tropicales y palúdicos, ríos torrentosos, terrenos intransitables, y en lo alto de la cordillera, valles pequeños poco aptos para cultivos en gran escala, no fueron lugar que fascinase a los conquistadores. La mayor parte de los que allí arribaron, siguieron camino. Durante un siglo, todo el XVI, se dieron intentos, pequeños, de sometimiento de indios y algunos pocos españoles se afincaron en unos valles altos del in-

---

1 Según B. A. Thiel, *Rev. Costa Rica en el s.* XIX (1902), p. 13, en 1502 eran 27.200. Personalmente, opino que esta cifra es pequeña.

terior, poseedores del clima más perfecto que el mundo entero ha fabricado, la primavera perpetua.

Aparte de otros intentos de penetración, el conquistador de lo que iba a ser la Provincia de Costa Rica fue Vázquez de Coronado. El profesor Carlos Meléndez es autor de un estudio [2] en que pone de relieve las ideas del conquistador; acaso más exacto en este caso, poblador. Vázquez de Coronado forja la idea de unidad territorial de la Provincia y se perfila como un discípulo de Vitoria. Existe "un derecho natural que no conoce diferencias de condición jurídica entre los hombres y que conduce al desarrollo de una común ciudadanía" (C. Meléndez, p. 347). Convencido del sentido misional de la conquista. El forjador de la "república de españoles y naturales" se muestra en sus cartas preocupado por la organización del país. Partidario de las encomiendas, supo ver su aspecto positivo como medio de incorporación del indio. "hay necesidad, decia, a mi parecer, que V.S. reparta lo pacifico o me envie comision para repartirlo o hacer depositos hasta que Su Majestad otra cosa provea, para que los indios sepan a quien han de acudir hasta tanto que se tasen, que aunque no den tributo, para su pacificacion es necesario; y no haciendose hay dos daños: el uno que me aprovecha a mi poco pacificar muchas provincias, si se han de quedar sin saber a quien han de acudir ni que han de hacer, y ocupado en la pacificacion de unas, las otras se olvidan de lo pasado, como no tiene a quien acudir, y hase de tornar de nuevo a pacificarlas; el otro daño y mas principal es que como los soldados en tres años que ha que estan en esta tierra no ven provecho ni esperanza de él y han gastado lo que tienen y las haciendas del Licenciado Cavallon y mia, conozco de ellos que nadie sera bastante para tenerlos" (p. 365-366).

Costa Rica dio mucho oro, pero en condiciones difíciles, tanto que será a principios del XIX sobre todo cuando se lo explote. En el XVII no daba ningún producto agrícola de fácil conservación. El indio, o era abúlico, o se fue a las montañas de Talamanca. La subsistencia diaria era fácil, en una tierra que rinde sin regarla. Los hombres de empresa siguieron yendo hacia el Sur.

En el XVIII la situación empieza a cambiar; ya no abundan ante los ojos de nuevos españoles territorios vírgenes, por lo que aumenta la inmigración peninsular. En la costa rica, la del Atlántico, se desarrolla una riqueza, el cacao, y así crecen plantaciones explotadas con esclavos y zambos. La primera mitad del siglo es de auge. Luego vienen las razzias de los piratas Mosquitos, y en poco tiempo Matina es desierto. El Gobernador tendrá que hacer anualmente regalos "voluntarios" a los Mosquitos, para contenerlos. A final del siglo, bajo forma de contrabando, los Mosquitos abaste-

---

2 *Anuario de Estudios Americanos.* XXII (1958), p. 335-372.

cerán a la provincia de los productos que necesita, a mitad del precio a que los proporciona la Capitanía General.

El aumento, aunque lento, de población, y la inseguridad de la costa, hacen que a lo largo de ese siglo (entre 1706 y 1782) se vaya poblando la parte alta. La administración española lo había previsto al establecer la capital de la provincia en el valle del Guarco, fundando la ciudad de Cartago. Según el Gobernador Sáenz Vázquez, en 1676, el valle de Cartago tenía 600 habitantes, entre "españoles, mestizos y mulatos". En el XVIII, los valles altos llegan a tener 30.000 habitantes y a comienzos del XIX la población total será de los 60.000.

La topografía de país montañoso con valles pequeños al interior de la cordillera y laderas escalonadas hasta el mar al exterior, propicia el aislamiento. Además, el país sólo ofrece dos estaciones, seca y húmeda. Los montañeses de país lluvioso se aislan, apegados a su rincón, formando clanes insolidarios. En el último tercio del XVIII, las autoridades obligarán por la fuerza a concentrarse en núcleos urbanos. Aún así, Costa Rica se gesta como un país agrario, localista, integrado por familias coexistentes.

En el paso de los años del XVI al XIX los indios desaparecen. Parte por las guerras, parte por explotación y gran parte por abulia ante la necesidad de trabajar, van desapareciendo. De varias decenas de miles la cifra baja a unos 3.000. Por zonas, la mezcla fue intensa; en general, muy paliada. La india de Costa Rica no fue fecunda con el español.

Aunque pequeñas, hubo misiones franciscanas casi permanentes, que hicieron lo posible por "reducir" a los indios a vivir en poblados y por acostumbrarlos al trabajo permanente. Los tres siglos de la colonia fueron de pelea constante entre los franciscanos y los corregidores, y con frecuencia se acusaron mutuamente de explotar a los indios. Según los informes de los Obispos de León de Nicaragua, en sus visitas pastorales, las prevaricaciones fueron muchas. Por una parte, los corregidores y algunos Gobernadores intentaron suplir la falta de negros con indios en sus plantaciones [3]. Por otra parte, los misioneros, hombres enérgicos, exigían rendimiento. Costa Rica tenía fama de pobre; y parece ser que muchos de éstos habían tenido que salir de otras provincias por su conducta. En 1675 se les prohibió castigar a los indios, y los informes, quejas y procesos por cobros abusivos fueron abundantes [4]. Entre otros, fue típico el caso

---

3   "Los indios de encomienda eran por entonces el artículo de comercio más apetecido, la piedra angular de la colonia". Manuel de Jesús Jiménez, *Noticias de Antaño* (San José, 1947), II, p. 160.

4   Especialmente: R. Blanco Segura, *Hist. Ecl. Costa Rica* (San José, 1960), p. 80, 88-89, 108, 116, 118, 120-121, 164, 166, 198-199. *Vid.* Eladio Prado; *La Orden Franciscana en Costa Rica,* (Cartago, Imp. El Heraldo, 1925). Cf. F. Montero Barrantes, *Elementos de Hist. Costa Rica* (1892), p. 93, 124, León Fernández, *Historia de Costa Rica* (1889), p. 190-191, 204, 216, 217, 243, 244, 246-247, 300-302, 341, 345, 350-351, 356, 358, 361, 402-404, 406-407, 418, 446, 454, 476.

de la imposición de raciones dobladas. En general, se refleja en la provincia, en la práctica, la pelea entre franciscanos y dominicos (ausentes éstos, se apoyan en su doctrina los Obispos de León y los Gobernadores) respecto al trato a dar a los indios.

En 1569, Perafán de Rivera hizo repartimiento de indios en Cartago, a petición de los conquistadores. El franciscano fray Juan Pizarro, siguiendo la tesis generalmente mantenida por la Orden, lo apoyó: "... menos inconveniente era repartir la tierra, que no quede desamparada y despoblada, porque, de lo uno no se le sigue a Dios Nuestro Señor ni a su Magestad ningun servicio, antes de servicio en la continuacion de las abominaciones que cada dia cometen los naturales con sus idolos, muertes e sacrificios; y de lo otro se les sigue conocidamente gran servicio con la salvacion de las animas, destos infieles, porque, segun dice San Gregorio, ningun servicio mayor se puede hacer a Dios Nuestro Señor que traer las animas que andan descarriadas a su santo conocimiento"[5].

Informe al Rey del Gobernador Artieda de Costa Rica en 1583:

"Hallé la tierra tan señoreada de los frailes de San Francisco que en ella residen, que tenian abarcado lo espiritual y lo temporal, y como habia tantos dias que lo hacian e yo les he ido a la mano y coartadoles algun tanto la mucha soltura y libertad que tenian, háseles hecho de mal ... Certisimamente crea V.M. que si ellos pudiesen quedarse solos con los indios de la tierra, lo harian; porque es tanta su ambición y codicia el dia de hoy, que si algunas molestias y vejaciones los naturales reciben es de ellos, que los traen acosados con sus contrataciones y resgates; y si los encomenderos envian á sus pueblos por algunos indios y no los hallan, les hacen entender que se huyen porque los maltratan y traenlos ellos ocupados en sus granjerías..." LEON FERNANDEZ, *Historia* ... p. 123.

Todos los informes de los Gobernadores y los de los Obispos, durante la Colonia, están llenos de descripciones llorosas de la miseria de los pobladores. Sin embargo, bastaron los años en que se cumplió la libertad de comercio ordenada por Carlos III, para que empezase a cambiar la situación. El comercio directo con Panamá y el contrabando con los Mosquitos se mostró fecundo para la Provincia, a diferencia de la anterior obligación de hacer todo el comercio por Guatemala y León. A final del XVIII las capitales vuelven a imponer su control comercial y la provincia ve reaparecer la miseria. De ahí, la reacción separatista.

Costa Rica se encontraba administrativamente unida a la Capitanía General de Guatemala. Pero doce a quince días de viaje por malos caminos sólo lograban encarecer los objetos e impedir

---

5 *León Fernández, Documentos,* V. p. 19.

la exportación de productos agrícolas. Ya en 1572 se mostraron los primeros intentos de lograr autonomía administrativa [6]. En los primeros años del XIX el problema será candente. Además, Costa Rica descubrió la calidad de sus tierras para el tabaco y también descubrió que no se lo dejaban cultivar en su propio beneficio.

Respecto al cumplimiento religioso de los colonos, se planteó el problema de su diseminación por los campos, y de la excusa de su *desnudez,* pues la falta de telas era problema grave en la provincia: "... cuando más concurren a la Iglesia los Domingos y días festivos la décima parte de los habitantes, que son los que pueden presentarse medianamente vestidos" [7]. Fue uno de los motivos por los que las autoridades forzaron a la población a habitar en la inmediación de las iglesias. Pero según Fray Benito Garret, Obispo de León, en su pastoral sobre Costa Rica, eran muchos los que huían al campo como medio de abstenerse de los sacramentos [8], por lo cual les exige que se agrupen y hagan oratorios. No se agruparon y entonces el Obispo lanzó su excomunión sobre los rebeldes con los clásicos anatemas: "Malditos sean...; huérfanos se vean sus hijos y sus mujeres viudas...; el Sol se les oscurezca...;" etc.

* * *

Si no de filosofía, tampoco de nivel cultural podemos hablar en esta época. En el XVIII comenzaron a funcionar algunas escuelas de primeras letras. De cultura media o superior no puede hablarse. En 1711, el Obispo Arloví se queja de que los misioneros recoletos eran "faltos de instrucción teológica" [9], y en 1785 el Gobernador Perié decía: "y en Cartago..., en que no se conoce teólogo alguno" [10]. Y no se referían precisamente a alta teología.

Un intento hubo a fines del XVIII de crear un centro de enseñanza de tipo medio. El Gobernador Acosta ofreció pagar de su propio peculio un maestro de Filosofía para Cartago [11]. En 1782, el Obispo Tristán, en su visita pastoral a Costa Rica, fundó en Cartago un Seminario para la enseñanza de "Gramática, moral y filosofía". Este Seminario funcionó irregularmente. En 1794, Baltasar de la Fuente, Bachiller en Filosofía y Teología por Guatemala, solicitó el permiso para enseñar Filosofía y Teología en Cartago, diciendo que "antes no había quien la enseñase". Enseñó gramá-

6 R. Blanco Segura, *Hist. Ecl. Costa Rica,* p. 70.

7 *Informe del cura...* (1782), en *Colección Doc. Hist. Costa Rica,* publ. R. Fernández Guardia (1907), X p. 115.

8 Cf. R. Blanco Segura, *Hist. Ecl Costa Rica,* p. 150-152; León Fernández, *Historia de Costa Rica* (1889), p. 302-303.

9 R. Blanco Segura, *Ib.,* p. 98.

10 *Colección Doc. Hist. Costa Rica, publ.* R. Fernández Guardia (1905), X, p. 181.

11 Luis Felipe González, *Historia Instr. Públ. C. R.,* I, p. 101.

tica y moral y dio un curso de Artes durante un año. Luego pasó dos años en Guatemala. A su regreso, quiso volver a enseñar, pero se dieron largas rencillas con el P. Esquivel, que pretendía lo mismo, y pronto no enseñó ninguno [12].

En 1777, con motivo de un proceso por brujería, el Asesor Lic. Enrique del Aguila, de León de Nicaragua, escribió informe dirigido a los vecinos de la Provincia de Costa Rica, con consideraciones generales sobre las supersticiones.

Es un escrito muy interesante, dirigido a quitar preocupaciones obsesivas, y muestra una actitud "ilustrada", ecuánime y paternalista. Los ejemplos son igualmente típicos ilustrados y la actitud desarrollada es plenamente racionalista. Responde al tipo de escritos del P. Feijóo [13].

Una excepción a este panorama la ofrece la figura de Liendo y Goicoechea, que merece estudio especial.

José Antonio Liendo y Goicoechea

Nació en Cartago, Provincia de Costa Rica, en 1735. Huérfano de padre, a los doce años entró en la Orden Franciscana, en Guatemala. En la Universidad de San Carlos se doctoró en Cánones. De 1765 a 1767 permaneció en España. A su regreso a Guatemala, explicó Filosofía, Física y Matemáticas en el Convento de su orden, y Filosofía y luego Teología en la Universidad, reemplazando a los profesores jesuitas, expulsados en aquel año. Desempeñó amplia actividad en la Sociedad Económica. Propició la reforma de los planes y métodos de estudio en la Universidad. Colaboró en La Gaceta de Guatemala sobre temas variados. Murió en 1814.

En la Universidad de Guatemala, impartiendo la cátedra de Filosofía de Escoto, introdujo las Ciencias experimentales: "Franquea esta escuela el libre acceso a numerosos aspectos cartesianos y de otros filósofos y científicos modernos, fomenta los métodos experimentales y eleva el método histórico a su alta jerarquía". José Mata Gavidia añade: "Quien a más de su admirable formación científica y humanista realizó en Guatemala el antiguo movimiento de los franciscanos de Oxford, que hoy también por medio de su orden iba a iniciar el derrocamiento de la Física de Aristóteles". Desde 1769, abre el "primer curso de filosofía, según el sentido moderno", como el mismo Liendo afirma (solicitud de jubilación, en marzo 1802), y sigue: "Les enseñé de paso los principios de Geometría, Optica, Geografía y Astronomía". "Para promover en esta Universidad esta nueva Filosofía me fundé primeramente en su misma utilidad, considerando que era la única que podía instruir

12 *Ib.* p. 60-62.
13 *Vid.*, Anastasio Alfaro, *Arqueología Criminal Americana*, (San José 1906), p. 76-93.

en la verdadera Física. En segundo lugar, el General de toda mi orden Fr. Pascual de Baricio en una carta despachada de oficio, en que da algunas reglas sobre el método de los estudios regulares encomienda el curso incomparable de Física Experimental, que dictó Fr. Fortunato de Brixia. En tercer lugar tuve presente la aprobación del Rey nuestro señor ha dado a esta nueva Física en España; y aún el Reverendísimo Mi General de Indias aprobó mi curso y método después de habérsele escrito en contra, de que tengo en mi poder instrumento constante. A más de lo dicho, una de las constituciones de esta Universidad ordena, que se lean en ella alternativamente doctrinas contrarias, para que el celo de la disputa sirva al adelantamiento de la juventud; y efectivamente esta Real Universidad jamás hubiera permitido que introdujese en ella esta dicha Phisica experimental, si sus sabios individuos no hubieran presentido, y conocido con antelación los frutos, y evidentemente aumento de luces, que se están experimentando en estos estudios". Tuvo número importante de discípulos, que divulgaron los nuevos métodos; de ellos dice: "han explicado en este año (1782), Actos Públicos los más delicados Fenómenos de Física y elevados principios de Metaphisica".

El hecho es que se aficionó por el experimentalismo en Física. Sustituyó la doctrina de los cuatro elementos por el corpularismo, de origen cartesiano. En sus publicaciones es fácil entrever su proximidad con Feijoo. En todo caso, fue el primero que divulgó en Centroamérica las ideas científicas racionalistas de principios del siglo XVIII; eso sí, ya adaptadas a través de los pensadores eclesiásticos españoles. Es impresionante el efecto que produjo por traer consigo "libros y aparatos".

Como pensador carece de originalidad y ni siquiera se le puede considerar como un expositor brillante. Sin embargo, inició en Centroamérica la apertura a la modernidad, provocando una reacción general en el ambiente.

Proposiciones de Física que presentó en 1769:

"Ni el agua, como decía Thales; ni la tierra, como parecía a Pherécides; ni el aire, como juzgaba Anaximandro; ni el fuego, como creía Hipase; ni todos los cuerpos juntos son los elementos de los seres físicos.

"Todos los compuestos sensibles se resuelven en agua, tierra, aceite, sal y mercurio.

"Los seres físicos obran en el organismo sensitivo: el movimiento se propaga por las fibras nerviosas que lo componen: a este movimiento sigue la percepción del alma: he aquí la sensación.

"El objeto que se nos presenta en ésta no es el mismo objeto sensible, sino el movimiento de los nervios sensitivos. Luego, ningún accidente es sensible por sí mismo, ni necesario para que los cuerpos sean sensibles.

27

"La perfecta dureza de un cuerpo consiste en el enlace de sus partículas trabadas y encadenadas, de suerte que no dejen ningún vacío.

"No se encuentra en los cuerpos esta concatenación perfecta.

"La fluidez no es otra cosa que la unión leve de las partecillas que apenas se tocan.

"El olor es aquella sensación que causan los efluvios que exhalan las sustancias sulfúreas; y el sabor es producido por las partículas que obran en el órgano del gusto.

"El sonido es el movimiento vibratorio de las partes minustísimas de un cuerpo comunicado al aire que circunda a éste y llevado al órgano del oído.

"Del número de vibraciones, mayor o menor, en igual espacio de tiempo, resulta el sonido agudo o grave.

"De la correspondencia de vibraciones que comienzan y acaban en un mismo tiempo, nace la consonancia.

"El eco no es más que el sonido reflejado, formando un ángulo igual al que hizo en su incidencia.

"A esta misma ley obedece la luz cayendo en un plano, pero cuando pasa de un medio ralo a otro denso, se quiebra, acercándose a la perpendicular y apartándose de ésta en el caso contrario".

Desempeñó la Cátedra de Teología Moral de 1782 a 1802. Primero exponía los principios del Derecho Natural y de Gentes, luego los lugares teológicos, y una breve historia del origen de ambos Derechos. Procuró cuidadosamente evitar el "autor único". Cita como bibliografía recomendada por él obras de Bertí, Tourmeli, Colet, Duhamel, Seherminier, Henno, Geneto, Van Roy, y Conccina. "Con este método, he conseguido la utilidad, y provecho, de que cada estudiante sepa en la clase cuánto han enseñado los referidos autores". Y se muestra fuertemente racionalista: "...no admitir conclusión que no esté fundada en la razón, por los cánones sagrados, y fundamentos de la revelación". Es de suponer, por lo demás, que en Teología se mantuvo dentro de un escotismo moderado.

Presentó un proyecto de reorganización de los estudios universitarios que, aunque no fue aprobado, influyó la posterior organización. José Mata Gavidia comenta: "En Filosofía se rompe el trazo de las formas cerradas de escuela y se le da un carácter de especialización, por eso al problema crítico del conocimiento no se le arrumba al plano meramente de Lógica instrumental, sino que se abre cátedra especial de Lógica y de Metafísica, como también de Física, se abre cauce para la Philosofía Moral o Etica, y como conexas complementarias de lo científico plantea estudios de Geometría, Optica, Machinaria, Astronomía, Esphera, no olvidando la experimentación..." "...crea las auxiliares disciplinas del Derecho Internacional "De Gentes" y cimenta la cátedra de Filosofía del Derecho bajo el nombre de "Derecho Natural", entre cuyos autores cita a los clásicos Hugo Grocio, Heinecio y al gran jurista español Covarrubias . . .".

Como típico enciclopedista dominó en él la preocupación social: remediar las causas de la pobreza y mejorar la condición de los indios. Sin embargo, se matuvo estrictamente en el plano de la caridad y no en el de las preocupaciones sociales de su tiempo.

En sus poesías carece de aliento lírico. Tendió a veces a la sátira ligera y a la ironía.

De Liendo se han hecho los elogios más desmesurados y ha sido comparado con Voltaire, Rousseau, Quevedo, etc. Son meras hipérboles.

OBRAS

Acto Público de Tesis de Física Experimental, presidido en Guatemala en el año 1769.

Acto Público de Teología Dogmática, (en que defendió el autor esta proposición: *Omnia Catholicae Fidei Dogmata, atque celebrioris sac, Theolog. comtroversiae propugnabuntur).* Guatemala (1792).

Acto Público de Religiones, Gaceta de Guatemala.

Acto Público de Legibus, Guatemala.

Discurso gratulatorio de la Junta Pública de la Sociedad de Guatemala, Guatemala, (1798). p. 4.

Disertación canónica sobre lo que pueden recibir los Obispos de Indias en las visitas de sus diócesis, Ms.

Disertación Político-Económica sobre los medios de destruir la mendicidad u socorrer a los verdaderos pobres de Guatemala. Guatemala, (1797). p. 4.

Elogio fúnebre de dicho señor Gálvez, Presidente de Guatemala y Virrey de México. Imp. por Sánchez Cubillas, (1785). p. 4.

Elogio fúnebre de los Españoles muertos en la gloriosa defensa de España. Guatemala en 1810.

Memoria patriótico-económica sobre hospicios, Ms.

Memoria sobre el trabajo de los Indios. Gaceta de Guatemala.

Cáthedras y Plan de Estudios (de la Universidad de Guatemala), Rev. Archivos Nacionales (1938), p. 46.

Relación . . . los indios de Pacura. . ., "Rev. Archivos Nacionales", (1938), p. 47-59.

Aprobación de la obra *Breve relación de la solemnidad con que se recibió en Guatemala el Real Sello de Carlos IV,* (1793).

Carta a fray Ramón Casaus, en: SALAZAR, RAMON, *Historia del desenvolvimiento. . .,* I, p. 110-111.

Carta a. . ., en: VALLEJO, *Historia de Honduras,* ?

Curso de Física (Nueva Filosofía) enviado al Rey. (Catálogo del Archivo de San Francisco de Guatemala, clasificado en 1787), Ms. perdido.

Notas a: JOSE MARIANO MORIÑO, *Tratado del Ziquilite y Añil de Guatemala* (1799); (Manila, Impr. Filipinas, 1826).

BIBLIOGRAFIA

"Anales de la Sociedad de Geografía e Historia", (Guatemala). t. XII, p. 29.

BONILLA, ABELARDO, *Historia y Antología de la Literatura Costarricense* (San José, 1957), t. I, p. 57-62.

DIAZ VASCONCELOS, LUIS ANTONIO, *Apuntes para la Historia de la Literatura Guatemalteca* (Guatemala, 1950, 2ª ed.), p. 205-209 y 408-9 y 449.

DIEGUEZ FLORES, MANUEL, *Tradiciones y artículos literarios,* (Guatemala, Tipogr. Sánchez, 1923). Cap. reprod.: ECHEVERRIA, R. A. *Antología de prosistas guatemaltecos* (1957), p. 93-98.

CASTRO, JOSE MARIA, *Discurso pronunciado por el señor Rector...,* el 4 enero 1863.

CORONEL URTECHO, JOSE, *Reflexiones sobre la Historia de Nicaragua* (León 1962), I, p. 184-195.

El Padre José Antonio Goicoechea..., "Boletín de la Biblioteca Nacional", N 2 (julio 1937), Guatemala.

FERNANDEZ GUARDIA, R., *Carlos IV y el Padre Goicoechea.* "Rev. Costa Rica", V, 3 (1924), p. 57-63.

FERNANDEZ GUARDIA, RICARDO, *Fray José Antonio de Goicoechea...* "Rev. Archivos Nacionales", I, 12 (1936), p. 87.

GONZALEZ, LUIS FELIPE, *Historia del desarrollo de la Instrucción Pública en Costa Rica,* (1945), p. 49-52.

LAMADRID, LAZARO, *Una figura centroamericana.* (San Salvador, Tip. La Unión, 1948), c. XV.

La personalidad de Fray..., "Rev. Arch. Nac. Costa Rica", VII (1943), p. 536.

MARTINEZ DURAN, CARLOS, *Las Ciencias Médicas en Guatemala,* (Guatemala, 1941), cap. XVII.

MATA GAVIDIA, JOSE, *Panorama filosófico de la Universidad de San Carlos al final del siglo XVIII,* (Guatemala, 1948), p. 14 y 22-27.

MELENDEZ, CARLOS, *Algunos detalles familiares...,* "Rev. Filosofía", 9 (San José, 1961), p. 69-78.

Méritos y servicios de Fray..., "Rev. Arch. Nac. Costa Rica, XIII (1949), p. 27-39.

MOLINA, FELIPE, *Bosquejo de la. República de Costa Rica* (Nueva York, 1851), p. 67-68.

SALAZAR, RAMON, *Historia de veintiún años.* La independencia de Guatemala (Guatemala, 1928), p. 28-32 y 57-59.

SALAZAR, RAMON, *Historia del desenvolvimiento intelectual de Guatemala* (Minist. Educación Pública, Guatemala, 1951), c. XV.

"Revista de los Archivos Nacionales". (San José, 1938), p. 1-88.

Temas de Filosofía Moderna sustentados en 1785 en la Universidad de San Carlos de Guatemala, ed. por José Mata Gavidia, (Guatemala, 1949).

VALLADARES, MANUEL, *Un fraile de Cartago y un tribunal de Nueva España,* "Revista de Costa Rica", año VI, N° 10 (1925), p. 201-206. Reproducido en: *Estudios Históricos* (Guatemala, 1962), p. 45-53.

VELA, DAVID, *Literatura Guatemalteca* (Guatemala, 1943), t. I, c XVI.

II

COSTA RICA EN LA PRIMERA MITAD DEL SIGLO XIX

ULTIMOS AÑOS DE LA PROVINCIA

(1800-1821)

E L primer cuarto del XIX es un período de transición, en que va manifestándose la idiosincrasia que luego encontrará su marco político. Por toda Centroamérica se difunden de manera lenta, pero constante, las ideas "ilustradas". Las Cortes de Cádiz vendrán a darles su marchamo oficial. Ya en 1792, Mons. de la Huerta Caso se preocupó por los primeros brotes de "filosofismo" y publicó el 20 de febrero de dicho año una pastoral condenándolo. Tal filosofismo era la Enciclopedia y a veces un poco de Voltaire. Al tomar conciencia de las limitaciones económicas e ideológicas, se desarrolla progresivamente un estado de insatisfacción. Durante un momento, pareció que las Cortes de Cádiz serían cauce de expresión de este estado de ánimo, pero la reacción en la Península Ibérica, y sobre todo la independencia de México, de la cual fue consecuencia la de Centroamérica, planteó la necesidad de autodeterminación.

José Antonio López de la Plata, Diputado en las Cortes de Cádiz por Nicaragua, en 1812, informó: "...la deplorable situación del Reyno de *Goatemala*, ..., á causa de las pocas consideraciones que mereció al Gobierno anterior, que... no cuidó de otra cosa que de mantener á los americanos en la ignorancia o barbarie consiguiente al sistema Colonial, sufocando sus luces y procurando ahogar en su nacimiento qualquiera establecimiento útil [1].

La situación en Costa Rica era ligeramente diferente. No tenía problemas con la Metrópoli, con la que no guardaba relaciones directas. En cambio, se sentía maltratada económicamente por las capitales próximas. Por ello, durante estos veinte años en Costa Rica no hubo sublevaciones políticas, pero sí motines contra las restricciones del comercio.

---

[1] *Colecc. Doc. Hist. Costa Rica,* publ. R. Fernández Guardia (1907), X, p. 395. Comp. 399.

Es imposible delimitar la tenue difusión de las ideas liberales, pues en la provincia tuvo lugar oralmente, y por escrito sólo encontramos ecos que señalan su presencia [2].

En 1811, el pueblo de Guanacaste y Nicoya (el más próximo a Nicaragua, entonces ya en efervescencia política), así como algunos barrios de Cartago y San José, se alzaron e hicieron motines reclamando la suspensión de los estancos de aguardiente y tabaco. En informe oficial de 1º enero 1812, dirigido al Gobernador, se dice: "... se sublevó el pueblo de *Guanacaste* contra los chapetones que había en el lugar y armada toda la plebe, y quitaron el estanco de aguardiente y de tabaco, y estando hateado el P. Don José Antonio Bonilla en dicho pueblo, la plebe, siguiendo el sistema de la libertad, le quitó los tres esclavos que llevaba; ..." [3]. El 29 del mismo mes las autoridades informan: "..., no se reconocerá ninguna de aquéllas autoridades voluntariamente constituidas, ..." [4]; y siguen: "... este pueblo lo que quiere es la libertad en este ramo" [tabaco y aguardiente] [5].

Las autoridades trataron de sofocar la revuelta por las armas, pero llegó tan lejos, que prudentemente dejaron en suspenso los estancos por cuatro años.

Las autoridades y los arrendatarios de los estancos procuraron justificar su actitud hablando de los males de la embriaguez, pero la situación era otra. La provincia se encontró con que desde las capitales (y desobedeciendo las leyes de la Península) se le impedía comerciar con sus productos. El cultivo del tabaco había sido el gran hallazgo económico de fines del XVIII y no se permitía a la provincia sacarle provecho. Igualmente, la prohibición de comerciar con Panamá y de utilizar el puerto de Puntarenas en el Pacífico, violentamente reafirmada [6], como medios de obligar a la provincia a hacer todo su comercio por tierra a través de León, levantaron los ánimos.

Pero hay tres aspectos que me interesa destacar: 1º, las autoridades designan a los revoltosos como poseedores de ideas liberales; 2º, estas ideas se refieren a cuestiones mercantiles; 3º, los revoltosos liberan a los esclavos.

---

2 En 1810 hubo cierta actividad por las ordenanzas llegadas de la Península o retransmitidas desde Guatemala, para evitar posibles infiltraciones del "partido francés". No he encontrado que en Costa Rica tuvieran que ser aplicadas.
"Rev. Arch. Nac.", XXIII, p. 1-6 (1959), p. 132-137; *ib.*, p. 7-12 (1959), p. 186-190.

3 *Colecc. Doc. Hist. Costa Rica*, (1907), X, p. 369.

4 *Ib.*, X, p. 373.

5 *Ib.*, X, p. 374.

6 *Ib.*, X, p. 379.

Aunque se impuso el orden, los ánimos mantuvieron las mismas ideas, y de manera pública, lo cual quiere decir que eran de general difusión. El 14 septiembre del mismo año, una autoridad informa: "...el Alcalde Salinas me ha perdido el respeto y me ha dicho públicamente que todos han de vender..., y otras muchas desvergüenzas..., queriendo salvarse con decirme que él era de la patria y que había de ver por ella, dándome a entender de que yo hacía injusticia" [7].

Los sesenta mil habitantes de la provincia [8], setenta mil contando el Guanacaste [9] han comenzado, pues, a desarrollar un patriotismo local, frente a los Chapetones y a los Corregidores. Hay orgullo en esa afirmación: "...que él era de la patria [la provincia] y que había de ver por ella,...". Y este patriotismo, evidentemente, había nacido por la conciencia de ser tratados con *injusticia.*

Los habitantes de la provincia, en esos años, habían mejorado bastante de nivel de vida (al menos, los habitantes de los valles altos), pero tenían conciencia de que, en otras condiciones, su vida hubiera podido ser mejor. El Cabildo de Cartago, en 1820, dirá: "...no en vano los descubridores de esta provincia la pusieron el nombre de *Costa Rica,* pues según se advierte en el Diccionario americano la etimología de este nombre se deriva de la abundancia de minas que ella encierra y se prueba con que la mina de *Tisingal* ha dado más millones que la del Potosí" [10]. Y sigue afirmando que a pesar de ello la provincia vive en la miseria por las trabas oficiales [11].

Por otra parte, los vecinos de las ciudades de la provincia dispondrán ya, aunque modestamente, de medios para fundar algunas escuelas de primeras letras, e incluso una de nivel medio, la Casa de Enseñanza Pública, de San José, de la que luego hablaremos. Esto quiere decir también que se había despertado la conciencia de la conveniencia de los estudios, y no precisamente por los empleos públicos, que no los había.

El Ayuntamiento de Valle Hermoso utilizó en seguida con las Cortes de Cádiz el léxico liberal. Así, vemos en 1913:

---

7 Hasta 1814 no se permitió habilitar el puerto de Puntarenas para el comercio exterior.

8 *Ib.,* X, p. 332.

9 *Ib.,* X, p. 570.

10 *Ib.,* X, p. 579-580. Cf. año 1775. León Fernández. *Historia de Costa Rica* (1889), p. 404-406.

11 Cincuenta mil vasallos de Carlos IV..... pedían a Dios en el año 1800, no que conjurase el incendio de los enciclopedistas porque ellos no lo veían, sino que aplacase sus iras, manifiestas en las nubes de langostas..., en los recios huracanes...". Manuel de Jesús Jiménez, *Noticias de Antaño* (1946), I, p. 29.

"El carácter de Padres de la Patria de que estamos rebestidos, al paso que nos indica el exemplo de la obediencia nos preceptúa estrechísimamente y bajo graves penas en ambos fueros de no consentir en cosa que perjudique nuestros vecindarios ó nos degrade de los derechos que la naturaleza y leyes nos conceden, sin apurar antes los recursos que ellas nos permiten. Sentado este principio inconcuso y hablando siempre con respeto, . . .

"Jamás hubiera creido este Cabildo que cuando se trata de poner á los Españoles en el uso de aquella libertad que naturaleza concedió a todo hombre y corroboraron las leyes, hubiese quien intente volverlos á la esclavitud y opresión en que gemían.

" . . . dejarnos perecer ni encadenar es contra todo derecho.

"*Costa Rica* ni pide ni quiere sino lo que le está concedido y ha jurado defender, es decir, su libertad Civil. Sin ella el hombre es esclavo, es infeliz y dexa de ser Ciudadano; y como quiera que de sólo pensarlo se revuelve la naturaleza, se degrada la cualidad de hombre, se quebrantan nuestros fueros y se bulnera grandemente nuestro honor y representación . . .

" . . ., obligándolos contra su libertad Civil á que precisamente compren los efectos que produce la Capital [Guatemala], para que así se fomenten sus Comerciantes á costa de la desolación de los demás pueblos de la provincia, con total abandono de la agricultura tan recomendable, . . .

"¡O feliz tiempo donde se puede sentir lo que se quiere y decir con libertad lo que se siente" ! Muchos años ha, Señor, que sufrían los pueblos el pesado yugo de las Capitales, siendo tratados los vasallos de V. M. como viles esclavos; y así brumados con tan pesada carga gemían en el olvido y no podían sufrirla, . . . , haciéndolos hasta la vida odiosa. Por qué ¿puede ser, Señor, en ningún tiempo buen Servicio de Dios ni de V. M. la total desolación de los Pueblos, la evidente ruina de los vecinos, la común congoja de las familias? . . . Todo esto y mucho más ha sufrido con resignación la miserable *Costa Rica,* pero ahora se le hacen más sensibles las injusticias por que advierte la inobservancia de nuestra sabia Constitución" . . . [12].

En todo caso, los habitantes de la provincia seguían siendo reacios a pagar impuestos. En 1815 fueron los diezmos los que provocaron la amenaza de excomunión por el Deán de León [13].

---

12 *Ib.,* X, p. 423-435.

13 *Ib.,* X, p. 502-503.

La situación de los indios era mala. En informe a las Cortes de Cádiz se dice: "... los Indios, esta porción embilecida y degradada de la humanidad" [14], un año después de que se había extinguido "el tributo de los indios" [15].

El desarrollo de las ciudades trajo consigo el de las diversiones. Se introdujeron bailes y representaciones teatrales, que fueron perseguidas por parte del clero, lo que llevó a la Real Cédula de 18 de abril 1803 prohibiendo a los eclesiásticos imponer penas de ninguna especie por motivo de bailes o cantares obscenos, por ser ello privativo de la autoridad civil.

De los pocos casos que tramitó el Tribunal de la Inquisición en Costa Rica, es interesante acaso el de Esteban Courti, uno de los primeros médicos que hubo en el país, de gran prestigio, que fue reducido a prisión por herejía y remitida la causa a México [16]; y el del estudiante Pablo Alvarado Bonilla, que en 1808 fue encarcelado en Guatemala por autor de un papel anónimo titulado *El Hispano Americano*, por contener éste cláusulas "sediciosas" e "ideas libertarias" [17]; había nacido en Cartago en 1785 y allí fue maestro de escuela en 1803.

Así, pues, el nivel cultural de la provincia era muy bajo, pero las condiciones de vida permitían ya darse cuenta de ello y procurar cambiarlo.

Ricardo Fernández Guardia ve esos años de la siguiente manera:

"Costa Rica era la provincia más atrasada del reino de Guatemala y la más pobre. Sus 50.000 habitantes vegetaban miserablemente en gran aislamiento, ... No había en toda ella una imprenta ni un médico, ni una botica. Sus industrias eran de las más rudimentarias y vivía a duras penas de los productos de su agricultura y del pequeño comercio que hacía casi exclusivamente con Nicaragua y Panamá. Limitada la instrucción pública a unas pocas escuelas de primeras letras y a la Casa de Enseñanza de Santo Tomás recién establecida con sólo las asignaturas de gramática y filosofía, la clase alta era en general casi tan ignorante como las otras, ..." [18]

---

14 *Ib.*, X, p. 399.

15 *Ib.*, X, p. 462.

16 León Fernández, *Historia de Costa Rica* (1889), p. 447-448. Redih, Frences, *La causa del Doctor Esteban Corti*, "Rev. Costa Rica". VI. p. 1-2 (1925). p. 2-33.

17 Luis Felipe González, *Hist. des. Instr. Públ. en Costa Rica*, I, p. 13 y 15.

18 *Historia de Costa Rica: La Independencia* (San José, 1941), p. 2-3. Hernán G. Peralta, *El Derecho Constitucional en la Independencia de Costa Rica*, San José, Impr. Trejos, 1965, p. 59.

Florencio del Castillo

Nació en Ujarrás, Costa Rica, en 1778. Se graduó de Bachiller y se ordenó de sacerdote en el Seminario Conciliar de León de Nicaragua en 1802. De 1806 a 1808 residió en Costa Rica, interviniendo en un proyecto de creación fallido de Seminario Conciliar, y en este año volvió a León, donde desempeñó una cátedra de Filosofía en el Colegio Tridentino, fue Vicerrector del Seminario Conciliar, e intervino en la erección en Universidad del Colegio de San Ramón por las Cortes de Cádiz. Participó como representante de la Provincia en las Cortes de Cádiz, permaneciendo en España de 1811 a 1814. En este año salió para México; intervino activamente en política a favor de Iturbide, llegando a ser Presidente de la Legislatura de Oaxaca, donde también fue Gobernador de la Diócesis. Murió en 1834.

La figura de Florencio del Castillo adquirió especial relieve por sus actuaciones en las Cortes de Cádiz, en cuyas sesiones intervino activamente, y de las que fue Secretario y Presidente de sesiones. Manifestó amplia soltura en los debates y habilidad en las luchas políticas.

Su intervención más interesante fue, con el grupo de Diputados americanos, en la lucha para lograr una representación mayor en número de los Diputados americanos (63 sobre 303, en un principio), dando como argumento la igualdad, en cuanto españoles, respecto a los peninsulares y atacando que los Diputados americanos hubieran sido puestos deliberadamente en minoría. Intervino ampliamente también por la abolición de las mitas y encomiendas, atacando duramente las situaciones de hecho. Su tesis central es la misma que venía siendo sostenida en las Leyes de Indias: la igualdad de españoles e indios. Pero sostiene que no basta la igualdad en las leyes, que además no habían sido respetadas en la convocatoria a Cortes, sino que debe propiciarse su realización, que considera impedida por las mitas. Tres de sus discursos son valiosas exposiciones doctrinales. Justifica acerbamente su opinión contraria al servicio personal obligatorio de los indios para los curas y misiones, que considera altamente nocivo.

En estos aspectos, Florencio del Castillo representa, más que una reacción americanista, sobre todo un ataque a los privilegios de los "criollos" y del clero. En este sentido, es también interesante su defensa de la autonomía municipal. Indudablemente su actitud responde a las ideas del siglo XVIII, ya divulgadas, al considerar que las diferencias entre los hombres se deben a la educación y no a la naturaleza: "Dotados los hombres de unas mismas facultades, aquéllos hacen mejor uso de ellas, que mejor las han cultivado; de modo que el hombre lo debe todo a su educación". Luchó también porque los negros pudieran recibir la ciudadanía.

OBRAS

Los discursos de Florencio del Castillo en las *Actas de Sesiones* de las Cortes de Cádiz.

Reproducidos en parte en:

FERNANDEZ GUARDIA, RICARDO, *Don Florencio del Castillo,* (San José, 1925).

El diputado..., en *Colección Doc. Hist. Costa Rica,* publ. R. FERNANDEZ GUARDIA (1907), X, p. 439-440.

El presbítero..., Ibídem (1909), p. 172-174.

Carta que desde la ciudad de México dirige... Florencio del Castillo, "Arch. Nac.", Nº 234 (8 diciembre 1822).

BIBLIOGRAFIA

AGUILAR MACHADO, A., *El Presbítero don Florencio del Castillo,* en: *Miscelánea* (1948), p. 85-88.

BONILLA, ABELARDO, *Historia y Antología de la Literatura Costarricense,* (1957), I, p. 63-71.

FERNANDEZ GUARDIA, RICARDO, *Historia de Costa Rica: la Independencia,* (San José, 1941), p. 26-27; p. 37, nota 4.

GONZALEZ, LUIS FELIPE, *Historia del desarrollo de la Instrucción Pública en Costa Rica,* (San José, 1945), p. 57, 110-140. *...informes...,* en *Colecc. Doc. Hist. Costa Rica,* publ. R. FERNANDEZ GUARDIA (1907), X, p. 332-337. *Ib.,* p. 440-447; p. 460-464; p. 579.

LABRA Y MARTINEZ, R. M., *Don Florencio del Castillo,* "Pandemonium", (1914), p. 227-235.

SOTO HALL, MAXIMO, *Presbítero Don Florencio del Castillo,* en: *Un vistazo sobre Costa Rica en el siglo* XIX, (San José, 1941); p. 235-242.

DE LA INDEPENDENCIA A LA SOBERANIA

(1821-1848)

Los habitantes de Costa Rica se enteraron un día del año 1821 que se había declarado Guatemala independiente de España. La provincia marginal quedaba incluida en la independencia. La primera reacción fue de desasosiego y bien pronto se siguió el ejemplo de León de Nicaragua, que se declaraba a la expectativa en tanto se aclarasen "los nublados del día". A ningún costarricense se le ocurrió tomar la palabra "independencia" en sentido pleno, pero entrevieron todos que muchas cosas iban a cambiar[19]. Para salir del paso provisionalmente se dio una Junta de Gobierno local[20]. Pronto se manifestaron dos tendencias diferentes: la nostalgia de la Monarquía[21], que encarnó en el más próximo Imperio mexicano de Iturbide; y la decisión republicana, planteada por Rafael Osejo y que se impuso por encajar en la Federación centroamericana de Estados republicanos, que planteó el 17 de diciembre 1823 la Asamblea Nacional Constituyente de la Federación, la cual adoptó el sistema de gobierno popular, representativo y federal. Así, Costa Rica pasó a ser un Estado republicano dentro de la Federación.

Y hubiera seguido siendo una provincia con nombre de Estado si la Federación se hubiera manifestado viable. Pero durante un cuarto de siglo Costa Rica vio con horror que el resto de los Es-

---

19 El Ayuntamiento de San José, ciudad de ambiente republicano, el 30 octubre 1821, levantó acta, fechada en " . . . 1821 años, primero de nuestra libertad", en la que usa la terminología divulgada por Rousseau: "1º. que habiéndose proclamado y jurado la absoluta independencia del Gobierno español . . . , se ha roto y chancelado el pacto social fundamental que ataba y constituía á los pueblos de esta provincia bajo la tutela de las autoridades establecidas en Guatemala y León.
"2º. que en tal estado, por un orden natural, han quedado disueltas en el Reino las partes del Estado anteriormente constituido, y restituídos todos y cada uno de los pueblos á su estado natural de libertad é independencia y al uso de los primitivos derechos.
"3º. que por consiguiente los pueblos deben formar por sí mismos el pacto social bajo el cual se hayan de atar en nueva forma de Gobierno".

20 El "Pacto Social Fundamental Interino de Costa Rica", de 1º diciembre 1821 dijo: " . . . deseando esta Provª. conservarse libre, unida, segura y tranquila . . ."; art. 1º: La Provª de Costa Rica está en absoluta libertad y posesión exclusiva de sus derechos . . .".

21 Como señaló L. Montúfar, en el acta de independencia centroamericana de 1821 "no se hablaba de la forma de gobierno y daba lugar a monárquicas aspiraciones". *Memorias Autobiográficas* (1898), p. 17.

tados caía en guerra civil incesante y sangrienta. Costa Rica, ni tenía los problemas internos de los otros Estados (ventaja de la pobreza y del aislamiento), ni quería resolverlos por las armas. El resultado fue un progresivo aislamiento, cautamente mantenido, y del que salió beneficiada.

"Hecha la independencia y elevada Costa Rica al rango de Estado en la Federación..., ese mismo aislamiento que tanto le había perjudicado, se convirtió en principio de felicidad, impidiendo que el país fuera envuelto en las prolongadas guerras que tuvieron lugar entre los demás Estados y el Poder Federal, ó de unos Estados contra otros; al paso que el comercio libre, la paz general, la extinción de piratas, el ingreso de forasteros, y la introducción de nuevos cultivos y de maquinaria le comunicaron al país un rápido impulso que lo ha conducido al grado de prosperidad en que se mira" [22].

La situación resultó paradójica. Un gobierno federal inoperante, y con frecuencia inexistente, y un Estado que se reentra en sí mismo y de hecho practica la soberanía, aunque guardando formalmente el pacto cómún. Pero este aislamiento supuso automáticamente, para una población trabajadora y pacífica, instalada en un territorio fecundo, un ritmo de progreso increíble e inesperado.

La modesta Casa de Enseñanza Pública, fundada en 1814, proporcionó gran parte, ya por profesores, ya por alumnos, de los hombres que llevaron adelante la maduración del Estado. Por otra parte, cierto número de sacerdotes formados en León realizó muchas de las reformas de la administración pública [23].

Como incontrovertible se afirmó desde un principio el liberalismo económico. También el liberalismo político [24], aunque a los terratenientes les parecieron excesivas las pretensiones de reforma propugnadas por Rafael Osejo.

En el Pacto de Concordia se estableció: "La religión de la provincia es y será siempre la Católica, Apostólica, Romana, como única verdadera, con exclusión de cualquier otra". La Asamblea de 1822 aprobó este artículo [25]. El 2 mayo 1826 el Congreso Federal

22 Felipe Molina, *Bosquejo de Costa Rica* (Nueva York, 1851), p. 4-5.

23 Blanco Segura Ricardo, *Cinco clérigos ilustres durante los años de la independencia,* en: *Anales Acad. Geogr. Hist.* (1966), p. 24-33. Loaiza Norma, "Pablo Alvarado, precursor de nuestra independencia", *La Nación* 15 setiembre 1973.

24 "el sistema de la libertad". Claro es que se trató de un liberalismo republicano como representativo, y moderado, pero claramente concebido y desarrollado. Ver, por ej., *Docum. relativos a la Indep.,* por F. M. Iglesias (1902), I, p. 226. "Los principios eternos é imprescriptibles de Libertad, Igualdad, Seguridad y Propiedad...", *ib.,* (1902), III, p. 315.

25 La Junta Gubernativa, el 7 marzo 1823, "... declaró que nuestra adorable Religión Católica, Apostólica Romana, no está de ningún modo en oposición con ninguna forma de Gobierno y que lejos de ésto se conviene muy bien tanto con el Gobierno Republicano como con el Monárquico y cualquier otro". *Docum. relativos a la Indep.,* por F. M. Iglesias, tomo II (1900), p. 351. Esta declaración sirvió para combatir las tesis monárquicas predicadas por algunos sacerdotes y por la resistencia de los franciscanos a prestar el juramento de fidelidad.

dispuso excitar el celo de los gobiernos particulares de los Estados para que construyeran cementerios destinados a la sepultura de los extranjeros no católicos, lo cual no se hizo [26]. La muerte, en 1839, en Cartago, de un norteamericano protestante y la negativa del Vicario a permitir su entierro en el cementerio común, así como el estado de progresiva putrefacción del cadáver, obligaron al Gobierno a obligar a que se habilitase terreno.

El Jefe del Estado Carrillo ordenó el sepelio en el cementerio, tuvo lugar bajo la vigilancia de dos compañías de soldados y luego quedó una guardia. El 26 de julio 1839 escribió al Vicario:

"Los hombres deben mirarse siempre como hombres: en todo tiempo sus huesos han santificado el lugar donde están depositados; y las bendiciones eclesiásticas de los cementerios, son puramente establecidas para hacer más respetables aquellos lugares. ¿De qué influye, pues en este respecto, el cadáver de un protestante o de cualquiera otro hombre que no sea católico? ¿Dejó por eso de ser hombre?... Jesucristo fue tolerante y este distintivo del Maestro lo han olvidado sus discípulos... arreglen los Curas sus procedimientos y no se repita otra vez el horroroso espectáculo de tener insepulto un cadáver por más de cincuenta horas por disputas insustanciales..."

En 1824, la Asamblea desestimó la petición del Municipio de Cartago de que se sometiera al Congreso Federal una moción que prohibiera dentro del territorio de la Nación el "ejercicio público o privado de cualquiera otra religión". Y en 1825 se desestimó una moción del Diputado Joaquín de Iglesias para que se dictara "una ley penal para los extranjeros que no se sujeten exteriormente al culto público de nuestros misterios".

El proyecto de Constitución de 1825, art. 25, decía: "La Religión del Estado es la misma de la República, la Católica, Apostólica Romana, la cual será protegida por leyes sabias y justas".

Así, pues, desde un principio se continuó con el Estado confesional, pero evitando la intolerancia.

La evolución de las Constituciones a este respecto la veremos al examinar el período siguiente.

En todo caso, la preocupación inmediata fue la de fortalecer el Estado. En 1825, el Gobierno erigió el país en diócesis y nombró un Obispo; la cautela del designado, que dio largas, hizo que la situación se mantuviera equívoca hasta la erección canónica de 1850. Mons. Sanabria llega a afirmar que la legislación dada entre 1824 y 1850 "constituyó a la Iglesia bajo un régimen de absoluta tutela" [27]. Es el problema general de todos los Estados nacionales, aunque, comparativamente, la afirmación es muy exagerada.

---

26 La Real Orden de 6 noviembre 1813 había prohibido los cementerios en las Iglesias y ordenado que se hicieran fuera de las poblaciones y con cercado.

27 V. Sanabria, *Anselmo Llorente...* (1933), p. 18.

En 1832, el Congreso Federal declaró la tolerancia de cultos.

El 17 de abril 1824, la Asamblea Nacional Constituyente declaró libres a los esclavos de uno y otro sexo y de cualquier edad.

El 23 siguiente declaró que todo hombre es libre en la República. Adoptado en Costa Rica el 28 mayo del mismo año. Se calculó que en Costa Rica había en aquel año unos cincuenta esclavos, que fueron liberados.

Para terminar con una discusión sobre la libertad de cultos, "El Noticioso Universal" (abril 1834) declaró editorialmente que no daría en adelante cabida a artículos de polémica religiosa.

La ley de 18 octubre 1824 prohibió las órdenes conventuales y votivas en Costa Rica [28]. Y la de 12 marzo 1830 sujetó los religiosos al Ordinario. El Jefe del Estado Braulio Carrillo, el 31 marzo 1835, reiteró la supresión de los diezmos, restringió el número de días festivos y reglamentó las procesiones fuera de los templos.

En 1828 se prohibieron, ante su creciente difusión, los libros irreligiosos, para conservar "en su pureza la religión católica". Sin embargo, a los tres años no se había hecho "índice" y se seguía un decreto del gobierno de México. En 1832, el Gobierno Federal consideró inconstitucional este decreto, que la Asamblea de Costa Rica abolió en el mismo año [29]; el Gobierno adujo como ejemplos a la misma Inquisición y sus criterios, y a la dificultad que encierran obras como la del casuista Sánchez.

Es ilustrativa a este respecto la solicitud *Sobre la disolución de las costumbres* presentada ante el Gobierno por el Pbro. José María Esquivel el 15 mayo 1830 [30], en que se queja "de la inacción de los jueces" y afirma: "La libertad de cultos y la tolerancia son dos cosas muy arduas y difíciles de permitirse en un Estado católico...". La actitud superior fue entender que se refería nada más a escándalos callejeros.

En 1843 se dio el Decreto de erección de la Universidad de Santo Tomás [31]. Lo considero el acontecimiento cultural decisivo que marca una nueva etapa, más que la declaración de soberanía del año 1848, que venía a ratificar una situación de hecho, y era eco de la declaración de soberanía de Guatemala.

---

28 El informe de la Comisión (Rafael Osejo, Manuel Mª Peralta y José Mª Alfaro) en: "Rev. Arch. Nac.", Costa Rica, XXIII, 7-12, (1959), p. 205-206.

29 *Docum. Hist. posteriores* . . . , I, p. 334-337; p. 544-548.

30 *Ibid.*, I, p. 440-441; *vid.* p. 442-443.

31 El control de la enseñanza por las instituciones públicas fue mantenido rigurosamente. En 1823, el Ayuntamiento de Cartago afirmó, en la teoría y en la práctica ". . . este Ayuntamiento se reserva un derecho o conocimiento exclusivo en esta materia (las escuelas)". *Doc. relativos a la Indep.*, por F. M. Iglesias (1902), I, p. 188.

La Casa de Enseñanza Pública

Gracias a la Constitución de Cádiz, funcionó el Ayuntamiento de San José aunque sólo durante unos meses. Una de sus primeras medidas fue la creación de la Casa de Enseñanza. Además de primeras letras, debía tener "gramática, filosofía, sagrados cánones y teología moral". Se comisionó al Pbro. Manuel Alvarado, Síndicc Procurador del Ayuntamiento, para contratar profesores en León de Nicaragua. De los dos Profesores solicitados, sólo pudo contratarse uno, el Bachiller Rafael Osejo, para la Cátedra de Filosofía.

Para la elección de otros profesores, se comisionó al Bachiller Osejo, después de habérsele nombrado Rector del establecimiento.

Al profesor de Filosofía se le asignó un sueldo de 300 pesos anuales.

Al año siguiente, al cesar el Ayuntamiento, la Casa de Enseñanza se encontró sin existencia oficial y sin protección. Durante la visita canónica, año 1815, el Obispo de Nicaragua Nicolás García Jerez la tomó bajo su protección. Nombró Rector al Pbro. José María Esquivel y fijó normas de funcionamiento y estatutos. Estos determinan, entre otros puntos, la enseñanza de "teología moral o escolástica". El Obispo, que quería que la Casa de Enseñanza fuese un Seminario conciliar, la puso bajo la advocación de Santo Tomás de Aquino: ". . . guardándose en los estudios el orden de latinidad, Filosofía, los sagrados cánones, derecho real y teología moral o escolástica, se conforma en lo demás . . . con las constituciones que rigen el Seminario de León de que debería depender".

En 1817, por falta de medios, se cerró la clase de Teología Moral. Prácticamente la Casa subsistió con las contribuciones voluntarias de los vecinos de San José, que por suscripción pública construyeron el edificio.

En 1817 cesó Osejo como Profesor de Filosofía y le sustituyó para tres años el Pbro. Juan de los Santos Madriz [32]. La cátedra estaba económicamente dotada hasta 1820.

El segundo Rector, Pbro. José María Esquivel había realizado sus estudios eclesiásticos en León, y fue propuesto Profesor de Filosofía en el Seminario de Cartago que fundó el Obispo Tristán. Trabajó en este Seminario hasta 1802. En la Casa de Enseñanza fue Profesor de Teología Moral.

El Pbro. Alvarado solicitó al Rey la aprobación de la fundación de la Casa de Enseñanza, con carácter de Colegio Seminario de-

---

32 Esta es la sola vez, que yo sepa, que Juan de los Santos Madriz se interesó por enseñar Filosofía. Nacido en 1785, Doctor en Derecho Canónico por León, sacerdote, Primer Rector de la Universidad en 1844, fue uno de los políticos representativos de aquella época y de más constante intervención en la cosa pública. Murió en 1852. De tendencia liberal, ni en su posterior docencia, ni en sus discursos universitarios conservados, se ocupó de Filosofía. *Vid.*: Rafael Obregón, *Los Rectores de la Universidad* . . . (1955), p. 51-56; Luis Felipe González, *Hist. Instr. Pública Costa Rica*, I, p. 108-109.

pendiente de la Universidad de León, por sugerencia del Obispo, y para que los alumnos pudiesen optar a grados menores; también solicitó que concediese del fondo de comunidades la suma de 200 pesos anuales para el mantenimiento de la Cátedra de Filosofía. En 1819 el Fiscal de Nueva España denegó la petición, aduciendo la más urgente necesidad de escuelas de primeras letras y la no conveniencia de que estudiasen los pobres.

El 10 de diciembre de 1824 el Congreso decretó la creación de la Casa de Enseñanza, fórmula para dar carácter oficial a la institución. Y el 26 de enero siguiente decretó el reglamento provisional. La reglamentación del 26 abril 1825 fue elaborada por el Lic. Pedro Zeledón, el Pbro. Manuel Alvarado y Joaquín Rivas. Entre otros puntos, estableció Filosofía que debía comprender la dialéctica. Además, Etica. No aparece la Física escolástica y sí Física experimental [33].

Juan Mora, Jefe del Estado, en el *Mensaje* a la Asamblea, de 1º marzo 1829, dice: "... y se echa de menos el establecimiento de estudios mayores, el cultivo de la filosofía, del derecho y otras ciencias que deben adornar a un pueblo libre"; y propone una renta, modesta, que fue aprobada [34]. Al año siguiente, el 1º mayo 1830, el Ministro General Joaquín Bernardo Calvo informó que "se eregirán muy presto las Cátedras que sea posible, ..." [35].

El mismo, en su *Mensaje* a la Asamblea de 25 abril 1831, dice: "... y el día 29 del último agosto se abrió y dió principio a un curso de filosofía en la casa de enseñanza pública de esta misma ciudad, que se conserva con adelantamientos; y si bien ellos serían ya más conocidos y efectivos por la aplicación constante y metódica del digno catedrático encomendado a aquél, parece que las deserciones de la juventud, mal dirigida por opiniones opuestas, obstruye algún tanto los resultados y desalienta a los cursantes que existen y aún al catedrático". Sigue informando de los esfuerzos del gobierno para evitar la deserción de los alumnos, que atribuye a "la falta de civilización o rudeza de los indígenas de estos pueblos", que dejan "burladas las esperanzas y solicitud del gobierno y del catedrático de filosofía" "... el ejecutivo quisiera que la legislatura se dignase dar un nuevo impulso al importantísimo de educación, decadente aún en nuestros días, y bajo una forma de gobierno que la exige imperiosamente" [36]. El mismo, en *Mensaje* de 1 marzo 1832,

---

33 Mons. Sanabria, refiriéndose al período posterior a 1825, dice: "De las escuelas de gramática y de los estudios de filosofía no había derecho a esperar una formación eclesiástica medianamente aceptable. Es cierto que la Casa de Santo Tomás hubiera podido suplir hasta con ventajas al Colegio de San Ramón (de León), pero la vida de esta institución no era estable". Víctor Sanabria, *Anselmo Llorente ...,* p. 19.

34 *Docum. Hist. posteriores ...,* I, p. 362.

35 *Ib.,* I, p. 419.

36 *Ib.,* I, p. 445-446.

dice: "La deserción que por causas imprevistas se sucedió en la cátedra de filosofía, provista por el ejecutivo hacia fines del año de 30, de los alumnos que con tanto entusiasmo se habían dedicado a ella, la hizo decaer y llevar a su total exterminio ... el ejecutivo ... ha librado un nuevo nombramiento de catedrático en sujeto hábil y experto para el caso ..." y se extiende sobre la importancia de esta enseñanza [37]. El mismo, en *Mensaje* de 1 marzo 1833, dice: "La ciudad de Cartago sostiene clase de filosofía y latinidad y probablemente se irán planteando otras en ésta [San José] y las demás ciudades, a consecuencia de los recursos que de día en día se proyectan. El ejecutivo recomienda a la legislatura este negocio como de suma importancia y como que es el móvil principal de la pública prosperidad" [38].

En este año 1833 el Profesor de la Cátedra de Filosofía fue el Lic. Toribio Argüello, nicaragüense, de salud delicada [39], era abogado. Ignoro si las dificultades a que se refieren los documentos oficiales eran por motivo doctrinal o de índole simplemente escolar. Desde 1837, lo fue el Dr. Nazario Toledo, del que hablaremos luego.

En 1822, el Pbro. Manuel Alvarado renunció al Rectorado de la Casa. Parece haber sido motivo fundamental la conducta con tendencia extraconfesional del profesor de la clase de gramática, Jacinto García, que se defiende: "En cuanto a lo segundo, sobre la frecuencia de sacramentos, debo decir a V. S. que no es de su incumbencia [como Rector] el estar a la mira de mis operaciones en esta parte ..." [40].

En 1822, la Junta Gubernativa aprobó la erección en Cartago, por no haber ninguna, de la casa de enseñanza de San Miguel. Por suscripción de los vecinos se reunió suficiente dinero para las clases de primeras letras y para la de latinidad; igualmente, se donó un edificio. El 29 septiembre, el Pbro. Félix Romero se ofreció a enseñar un curso de filosofía, gratis. No tengo noticia de que haya llegado a funcionar [41].

Vemos, pues, el lento desarrollo del primer centro organizado de nivel medio. De origen municipal, y supliendo la ausencia de Seminario eclesiástico, pasó pronto a ser el centro de cultura *superior* del país. Su importancia fue doble, pese a sus altibajos: dar la formación previa para cursar estudios después en Guatemala o León, y dar la base cultural a gran parte de los futuros dirigentes del país.

---

37 Ib., I, p. 748.
38 *Ib.,* I. p. 577. Por primera vez en el Estado General de la Tesorería General aparecen sueldos de catedráticos en 1832. *Ib.* I. p. 584.
39 Indice de Doc. Período Federal. año 1833. "Archivos Nacionales". Nº 4390. f. 1. y Nº 4391. f. 1.
40 *Doc. Hist. posteriores ... ,* I. p. 65-69.
41 *Docum. relativos a la Indep.,* por F. M. Iglesias, tomo II (1900). p. 226-229.

En 1843 el Ministro José María Castro transformó la Casa de Enseñanza en la Universidad de Santo Tomás.

De los personajes destacados en este período, merecerá nuestra atención Rafael Osejo, una de las figuras centroamericanas más interesantes. Veremos brevemente algunos otros, para situar el desarrollo de las ideas.

BIBLIOGRAFIA

Bonilla, Abelardo, *Historia y Antología de la Literatura Costarricense,* (San José, 1956).

Gonzalez, Luis Felipe, *Historia del desarrollo de la Instrucción Pública en Costa Rica,* (San José, 1945); I, p. 69-88; II (1961), p. 13-17, 35-42.

Gonzalez, Luis Felipe, *La Casa de Enseñanza de Santo Tomás,* (San José, Imp. Nacional, 1941).

Documentos relativos a . . . , en Colección Doc. Hist. Costa Rica, publ. R. Fernandez Guardia (1907), X, p. 546-563.

Doc. Hist. posteriores . . . (1923), I, p. 65-69, 86-92, 156-160

Proyecto de Estatutos . . . , "Arch. Nac.", doc. Nº 141 (2 octubre 1822).

Rafael Francisco Osejo

Nació en León, Nicaragua. Mestizo o mulato.

Obtuvo el grado de Bachiller en ambos Derechos por la Universidad de León. Supongo que en 1808, pues en este año un Bachiller se quejó ante el Presidente del Reino por cuanto el Colegio de San Ramón, de León, había conferido el Grado de Bachiller en Filosofía a un mestizo, queja que no fue atendida a pesar de estar fundada jurídicamente. Desempeñó seguidamente la Cátedra de Filosofía, "en la que brilló de manera extraordinaria" (J. H. Montalván).

Fue contratado en 1814 por el Ayuntamiento de San José para desempeñar la Cátedra de Filosofía y fue designado Rector del establecimiento, en vista de las buenas recomendaciones que traía de León, especialmente la del Obispo García Jerez. Tomó posesión en abril de 1814.

Después de un año de prueba, y por haber cesado el Ayuntamiento en sus funciones, los vecinos de San José, el 3 de mayo de 1815, se comprometieron a contribuir al sostenimiento de la Casa de Enseñanza, "expresando que el objeto principal de ese establecimiento era el de que se enseñase filosofía, clase que debía ser dada por el Bachiller Osejo llamado por ellos con ese fin y quien querían que la desempeñara durante el tiempo que fuera su voluntad y subsistieran esos planteles, por la plena satisfacción que tenía de su honradez, religiosidad, aptitud, conducta y amor a Fernando VII" [42].

---

42 Luis Felipe González, *Hist. desarrollo Instr. Públ. C. R.,* (1945), I, p. 76.

Rafael Osejo era "de carácter recto y altivo a la vez que dulce, afable e insinuante". Según que los escritos del período siguiente provengan de republicanos o absolutistas, es presentado como un hombre de extraordinaria capacidad y bondad, o como un ente retorcido y corruptor. Antes de entrar en la política por el 1821, los sentimientos son unánimes en el primer sentido.

En 1817, al cesar de Profesor en la Casa, se le invitó a enseñar la filosofía en un Seminario proyectado en Cartago, lo que no llegó a hacer, a pesar de reiteradas invitaciones [43].

Al promulgarse la Constitución de 1820, se le prohibió explicar en público los derechos que confería a los ciudadanos.

Fue abogado y actuó como defensor de los indios frente a la mala administración de León, actividad por la que fue acusado malintencionadamente de *alzar* a las indios.

Los principios liberales de las Cortes de Cádiz habían impresionado los ánimos de algunos, que encontraron en Osejo el "oráculo". Estos principios se centraron en soñar con la emancipación. Por ello, Osejo no tardó en convertirse en el blanco de los ataques de los absolutistas. En 1821, encontrada por la Provincia de Costa Rica la emancipación, Osejo se dedicó a predicar las ideas republicanas. Inició la convocatoria de legados de los pueblos que debían nombrar una Junta Superior gubernativa. Instalada ésta el 25 de octubre de 1821, Osejo, delegado por la Villa de Ujarrás, actuó de Secretario. Es interesante la tesis que sostuvo de que los Ayuntamientos no tenían facultades para nombrar un Gobierno, pues esta atribución sólo correspondía al pueblo. "El liberalismo costarricense surgió, pues, por esta época con caracteres firmes siendo su abanderado el Br. Osejo" (J. H. Montalván).

Por maniobras de los absolutistas se anuló su acta de nombramiento. Ujarrás volvió a nombrarle en noviembre del mismo año, pero nuevamente se volvió a anular este nombramiento: "La exclusión de Osejo de la Junta fue un rudo golpe para el incipiente partido republicano" (Ricardo Fernández Guardia).

A fines de 1821 se trasladó a vivir a Cartago. Cuando la adhesión de Guatemala a México, en noviembre de 1821, los republicanos se decidieron a luchar contra la anexión, alentados sobre todo por Osejo, que se dedicó a escribir memorias y hacer tertulias para divulgar las ideas republicanas. Los liberales lograron, al menos, aplazar el juramento de obediencia al Imperio mexicano.

El 3 de mayo de 1823 se reunió el primer Congreso Constituyente, del cual Osejo fue Secretario. Redactó el Reglamento y fue miembro de la Comisión encargada de elaborar el proyecto de Es-

---

43 En 1830 (27 julio) nuevamente fue nombrado Profesor de la Cátedra de Fisolofía en la Casa de Enseñanza Pública de San José; al año siguiente (10 julio) renunció y fue sustituido por Toribio Argüello.

49

tatuto Político. El 13 de febrero de 1823 fue Legado de San José en la Junta Gubernativa reunida en Cartago.

Sugirió la unión con Colombia, como medio de evitar la unión al Imperio mexicano, y salvaguardar la república. El Congreso acordó la separación del Imperio de Iturbide y estableció un gobierno republicano separado de México, Guatemala y León. El 20 de marzo, Osejo ocupó la Presidencia de la Diputación Permanente, que asumió los poderes públicos de la Provincia. El 29 tuvo lugar la reacción imperialista de Cartago y la persecución violenta de Osejo, que huyó a San José. Tomó parte en la lucha de Ochomogo al lado de los liberales y como recompensa de sus esfuerzos se encontró con que, al firmarse la paz, la única condición mantenida era la de que él no entrase en el gobierno [44].

El 30 de julio de 1823 fue declarado Benemérito de la Patria. Posteriormente fue Magistrado de la Corte de Justicia. Representante por Ujarrás, participó en todas las sesiones de la Asamblea. Reelecto en 1827, 1830 (actuó como Secretario) y 1831 (actuó como Presidente). En 1832 redactó la que fue primera ley sobre compulsión de la enseñanza primaria. En 1834, como Diputado Federal partió de Costa Rica, a donde ya no volvió. En 1835, representante por Segovia. En 1838 fue Senador por León en el Gobierno Federal. En 1840, Jefe Político de San Salvador. Después pasó a Honduras. En 1843 se hicieron desde Costa Rica gestiones para su regreso, sin lograrlo.

Parece ser que el General Máximo Jerez hizo un viaje especial para visitarle en Honduras, probablemente en relación con el problema de límites, en el que Osejo intervino como representante de Nicaragua ante Honduras.

Murió en Honduras, ignoro el año.

Cuatro veces hubo de defenderse en Costa Rica de variadas acusaciones políticas, y lo hizo brillantemente.

No he logrado determinar el contenido de sus cursos de Filosofía en la Casa de Enseñanza. Es de presumir que sobre todo trataban de Lógica escolástica: " ... olvidándome de que sólo fui llamado para leer un curso de filosofía, traté de fundar un formal establecimiento de instrucción pública, desde las primeras letras, hasta las lecciones de mi cargo, ·entendiendo en la elección de maestros, arreglo de sus operaciones y en el buen orden y distri-

---

44 El Ayuntamiento de Cartago, en 1824, dolorido por haber perdido la capitalidad, que por obra de los republicanos pasó a San José, en una de sus solicitudes de que volviese la capital a Cartago, atacó duramente a Osejo, presentándolo precisamente como traidor a la causa republicana. No considero que esta inculpación fuera seria, pues se halla intercalada entre un cúmulo de deliberadas tergiversaciones. La misma impresión me ha hecho la discutida carta a Saravia, prácticamente de sondeo. Las rivalidades personales son suficientes para explicar el problema.

Puede verse la tesis contraria brillantemente sostenida en: Hernán G. Peralta, *Agustín de Iturbide y Costa Rica*, p. 125-188, especialmente 168-171.

bución del tiempo que debían consumir en la educación cristiano civil los alumnos, . . . ".

Antes de 1820 mantuvo una actitud recatada. Desde esta fecha, exterioriza sus ideas, sobre todo como nervadura de la construcción del Estado costarricense. Su acción política fue siempre al servicio de su concepto del Estado republicano soberano.

En 1823 firmó (y nadie se lo negó) : " . . . haber sido [yo] el único (o el primero por lo menos) en proclamar la independencia del gobierno español y promover los derechos del pueblo, a quien pedí se convocase como el único en quien reside esencialmente la soberanía, . . . "

" . . . siempre me he puesto al frente de los desvalidos, haciéndome el blanco de sus enemigos".

" . . . la idea y el deseo de la libertad de Costa Rica y de que se dictare sus leyes, han agitado mi corazón desde antes de la independencia de España".

Divulgó " . . . el sistema de la libertad, bajo el aspecto único que los más célebres publicistas creen capaz de producir la felicidad pública . . . ".

Su inclinación hacia Colombia se debió al republicanismo de Bolívar. Consideró el primer deber de América excluir "todo otro poder que no emane de su seno", es decir, europeo. Y justificó el secesionismo de Costa Rica, porque fue el medio de evitar las guerras civiles que desangraron a los demás países. Sostenía que Costa Rica "podría darse sus leyes y gobernarse por sí misma en lo que fuese dable" [45].

Predicaba la filantropía y promovió la tolerancia religiosa. Este fue el principal motivo de las persecuciones que sufrió por los absolutistas de Cartago.

"La justicia debe ser la senda del hombre; la verdad sincera y franca su único idioma; la beneficencia para con sus semejantes, el objeto de sus desvelos".

Justifica el comercio con el extranjero, pero insiste sobre todo en la necesidad de sistematizar y ampliar la agricultura: "Es por tanto, pues, ciertísimo y fuera de toda disputa que Costa Rica puede recoger cuanto la naturaleza ha ordenado produzca la común madre, y que sin temor de error puede decir a boca llena que tiene en sí mismo cuantos elementos son necesarios para ser tan grande, como es posible. Tristemente somos miserables . . . ".

---

45 " . . . se hizo . . . por don Rafael Francisco Osejo, una explicación clara y patética de las distintas formas de Gobierno, Despótico, Constitucional, y Democrático, y después de ella, considerando al pueblo perfectamente ilustrado y advirtiéndole que estaba en libertad todo ciudadano para decir nominal o simultáneamente lo que sintiese, todo el pueblo, sin disentir uno solo, expresó que elegía, quería y defendería el Gobierno Republicano". " . . . es el sistema más humano, favorable y análogo al hombre . . ."
23 febrero 1823. Doc. relativos a la Indep., por F. M. Iglesias (San José, 1902), I, p. 229.

Justifica el lujo como móvil de desarrollo económico siempre que se apoye en la industria y la agricultura desarrolladas.

"La instrucción de la juventud es la cosa más interesante . . . ".

Frente a la clase alta, que pretendió en un principio de la independencia organizar un Estado "ilustrado", sostuvo que el gobierno debía provenir de elección del pueblo y no por intermedio de los Municipios.

Sostuvo la libertad de la tasa del interés.

Primer profesor de Filosofía en el país, también fue el de mayor éxito, ya que las contribuciones económicas de los vecinos de San José fueron especificando la cátedra a la que se daba preferencia.

Si en 1825 (el 31 de enero) un periódico extranjero, *El Indicador* de Guatemala, pudo hablar de "el espíritu verdaderamente filosófico que dirige sus [de Costa Rica] reformas e instituciones", indudablemente se debió a la obra de Osejo.

OBRAS

Editadas por el Dr. Zelaya, Editorial Costa Rica, 2⁹ volumen.

BIBLIOGRAFIA

Bonilla, Abelardo, *Historia y Antología de la Literatura Costarricense,* (San José, 1956).

Calvo, J. B., *República de Costa Rica* (1886), p. 255-256.

Fernandez Guardia, Ricardo, *Historia de Costa Rica: la Independencia,* (San José, Ed. Lehmann, 1941).

Gonzalez, Luis Felipe, *Hist. Instr. Públ.,* I, p. 76-85.

Jimenez, Manuel de Jesus, *Noticias . . . ,* I, p. 76-78 y 114.

Montalvan, Jose H., *El Bachiller Francisco Osejo,* "Cuadernos Universitarios", N⁹ 7 (León, 1957).

Montufar, L., *Reseña Hist. Centro-Amér.* (Guatemala), IV, p. 265-8.

Peralta, Hernan G., *Agustín de Iturbide y Costa Rica,* (San José, Ed. Soley, 1944).

Perez Zeledon, Pedro, *El Bachiller Osejo,* "Boletín de las Escuelas Primarias", II N⁹ 48 (1900).

Solera Rodriguez, Guillermo, *Beneméritos de la Patria,* (1858), p. 15-18.

Sotela, R., *Bachiller don Rafael Francisco Osejo,* "Rev. Costa Rica", IV, 11, (1923), p. 188-189.

Zelaya, Chester, *El Bachiller Osejo y la introducción de las ideas ilustradas en Costa Rica,* San José, Univ., 1967, p. 18.

José Santos Lombardo

José Santos Lombardo representa el tipo humano contrario a Osejo y durante muchos años fueron antagonistas en la lucha política.

Nació el año 1775 y desempeñó numerosos cargos representativos en la política. Partidario del Imperio de Iturbide, luego derivó al republicanismo. Murió en 1831. Nos interesa ahora como autor de un *Catecismo Político,* escrito en 1822, en forma de preguntas y respuestas, y que fue de uso en las escuelas.

No creo que fuera fácil encontrarle la filiación inmediata, pero la remota es muy fácil, pues se trata de la doctrina aristotélica de los regímenes políticos, expuesta en forma elemental. Lo primero que en él destaca como significativo es que no plantea *una* forma política del Estado, sino que, frente al gobierno "despótico", enfrenta el "monárquico" y el "republicano", el primero sujeto a la arbitrariedad del gobernante, mientras que los otros dos son vistos como regímenes de legalidad, aunque señala la posibilidad de evolución del régimen monárquico en despótico, corrupción que halla en los Reyes de España.

La situación concreta de Costa Rica está bien reflejada en el siguiente punto:

"¿Y entre los gobiernos justos, cuál merece la preferencia?

"Todos son buenos cuando las potestades están bien equilibradas sin preponderancia de ninguna parte, para que no pueda degenerar en ninguno de los extremos viciosos y así estén siempre los derechos de los ciudadanos a cubierto de la arbitrariedad. Con todo, para los Estados reducidos puede ser preferible el gobierno republicano, porque en él los ciudadanos sacrifican una parte menor de su libertad individual; pero para un pueblo de mucha extensión, desde luego puede asegurarse que el más conveniente es el monárquico constitucional".

OBRAS

Catecismo Político dedicado al pueblo por don..., en *Docum. Hist. posteriores...,* I, p. 98-100.

BIBLIOGRAFIA

CASTRO Y TOSI, NORBERTO DE, *Biografía de Don José Santos Lombardo,* "Rev. Arch. Nac.", VI, 3-4 (1942), p. 197-202.

Víctor de la Guardia

Mención aparte de Osejo, la figura más representativa de la ideología liberal que ofrece esa época es la del Víctor de la Guardia. Es el que con mayor rigor supo exponer esa ideología.

Nacido en 1772 en Panamá, fue Intendente de la Provincia, Diputado ante México y para el Gobierno de Granada, Oidor honorario de la Audiencia de Guatemala, Diputado en el Congreso costarricense, y agricultor. Murió en 1825 [46].

Doctrinariamente, son interesantes dos escritos suyos, sobre todo las *apuntaciones* que dirigió en 1824 a los Diputados del Congreso. Cita a Aristóteles, Montesquieu y Bernardi.

"La Legislación tiene por objeto al hombre en el uso racional de sus facultades, para contribuir con él al bien general del Estado. La primera ley de la sociedad es que todos los hombres subsistan y hallen en ella su bienestar; de este principio nace la libertad; ...

"La religión, la moral y el derecho son las tres partes esenciales de la legislación. Con la primera enseña la ley al ciudadano a tributar a Dios la adoración patria que se le debe y a vivir honestamente. Con la segunda se le inspiran máximas de virtud, para que no dañe a sus semejantes, y con el tercero le prescribe el orden de dar a cada uno lo que le pertenece.

"Con estos tres objetos debe abrazarse de un golpe de ojos las tres bases esenciales de todo gobierno, fundadas en la ley natural, a saber: la propiedad, la seguridad y la libertad de todo individuo, teniendo presente que conforme a un principio de derecho público, el hombre es inviolable mientras no aparece delincuente delante de la ley.

"Por derecho de propiedad entiendo aquella prerrogativa concedida al hombre por el Autor de la naturaleza de ser dueño de su persona, de sus talentos y de los frutos que logre por su trabajo. Por derecho de libertad entiendo la facultad de usar como uno quiera de los bienes adquiridos y de hacer todo aquello que no vulnera la propiedad, la libertad y la seguridad de los demás hombres; y por el derecho de seguridad entiendo que no puede haber autoridad ni fuerza alguna que oprima al hombre, y que éste jamás puede ser víctima del capricho, del rencor o la malicia del que manda.

---

46 "Don Víctor de la Guardia y Ayala (1772-1827). Alcalde Mayor. Relación de los Méritos y Servicios de don Víctor de la Guardia y Ayala, natural de Penonomé. 1806. "La Política del Mundo", tragedia en tres actos y verso. Fue estrenada en Penonomé en 1809. La publica en 1902 don Ricardo Fernández Guardia como una reliquia histórica. San José, Costa Rica. Imprenta de María viuda de Lines. 140 p."
J. A. Susto, *Panorama de la Bibliografía en Panamá*, 1971.

Sigue sosteniendo que el Estado debe apoyarse "en estos principios liberales".

"Deben las leyes motivarse, porque todos los miembros de la sociedad a quienes perjudican o aprovechan y que renuncian a la libertad natural y absoluta de no hacer lo que se hace o hacer lo que no se hace, para limitarla a los preceptos de la ley, tienen derecho de saber el motivo que indujo a promulgarlas; y satisfechos de su conveniencia las obedecen con respeto y no se da lugar a los apóstrofes con que inútilmente han declamado la filósofos contra el servilismo . . . " .

"La igualdad y la libertad no degrada al ensalzado sino ensalza al degradado, pues es abolido el derecho señoril: queda la soberanía refundida en la nación, todo hombre es soberano de sí mismo y la nación de todo el Estado; pero la autoridad consiste en la ley y no en el hombre . . . ".

Puede apreciarse un hombre empapado de Montesquieu, Rousseau y los ilustrados en general. Un hombre de aspiraciones políticas dieciochescas, que las halla realizadas y exige su cumplimiento. El último párrafo citado es alegato a la Junta Gubernativa por abuso de un alcalde. La claridad, el rigor y la consecuencia de las ideas políticas de Víctor de la Guardia no habían sido alcanzadas antes en Costa Rica y se tardará varios decenios en encontrar algún otro político ideológico.

OBRAS

Don . . . a los Diputados al Congreso, en *Docum. Hist. posteriores . . . ,* I, p. 239-244.

Don . . . a la Junta Gubernativa, Ibíd., I, p. 212-215.

La Política del Mundo (1809). Ed. R. FERNANDEZ GUARDIA, (1902).

La Reconquista de Granada, poesías (?).

BIBLIOGRAFIA

J. Francisco Trejos Quirós, *Víctor de la Guardia, "Rev. de Costa Rica",* III, 1 (1921), p. 28-29.

SOTELA, ROGELIO, *Escritores de Costa Rica* (1942), p. 7.

"Archivos Nacionales", doc.: N° 217 (7 agosto 1822).

"Archivos Nacionales", doc.: N° 896 (7 agosto 1822).

RODRIGO MIRO, *La Literatura Panameña* (1970), p. 68-73.

"Los Guardia o La Guardia", *Diplomática Internacional,* 11 (San José, 1969, p. 21-25.

José Toribio Argüello

Nació en León, Nicaragua. Estudió en el Colegio Tridentino, luego Maestro en Artes y Licenciado en Leyes. Tuvo por compañeros a Rafael Osejo y Florencio del Castillo. En 1816 era profesor en la Universidad de León. En 1820 fue electo Diputado por Guatemala; en diciembre salió para España; en las Cortes presentó varias propuestas jurídicas [47].

"De carácter enérgico, fuerte; de ideas sumamente avanzadas para aquella época, respaldaba siempre sus convicciones con la acción. De rectitud inquebrantable y de gran valor participó con el fulgor de sus ideas y con su arrojo juvenil en aquellas terribles horas de agitación nuestra, en el período socio-político más difícil, en las agitadas y pasionales luchas que siguieron a nuestra emancipación política, en las iniciaciones de una nueva vida republicana que dejara huellas indelebles de sangre y de lágrimas.

"Por sus vigorosas ideas estuvo en contra del Acta de los Nublados y en contra de la Anexión a México y sostenía siempre el estandarte de la Unión siendo un Federalista de pensamientos y de acción. Esos ideales los expuso y mantuvo al asistir como Diputado al primer Congreso Federal de Centroamérica llevando su firma la famosa Constitución de 1824, promulgada el 22 de noviembre de ese mismo año".

"En ese Congreso abogó con singular energía y elocuencia por los siguientes postulados . . . : igualdad de los hombres, división de los poderes públicos, tolerancia religiosa, manumisión de los esclavos, . . . , libertad de expresión, escrita y hablada."

En 1823 había sido Diputado en la Asamblea Nacional Constituyente de Nicaragua.

"Por los datos recogidos el Licdo. Argüello salió de Nicaragua en 1830. Estaba ya decepcionado por los embates de la política. Federalista convencido sentía que sus ideales socio-políticos estaban siendo duramente combatidos y atacados por las olas pasionales que se formaron homicidas en la contienda sangrienta de Cerda y Argüello, que siguieron en la época en que fue necesaria la intervención pacificadora, en los problemas que se presentaron después en las Administraciones del patricio Herrera y del Dr. José Muñoz que ahogándola de tumbo en tumbo la llevaron a la desmembración en 1838. Se ha afirmado que el Licdo. Argüello llegó a Costa Rica en 1830 llamado por el Br. Rafael Francisco Osejo, ya convertido en político de acción, pues ambos comulgaban con las mismas ideas" [48].

---

47 S. Salvatierra. *Contrib. Hist. Centroam.* (1939), II, p. 481 y 483.

48 Citas de un trabajo inédito del Dr. José H. Montalván, Vice-Rector de la Universidad Nacional de Nicaragua, a cuya amabilidad debo su conocimiento.

Llegó a Costa Rica en 1828, indudablemente en condición de exiliado y "condenado a muerte". En 1830 figuró como Alcalde de Guanacaste; en octubre de ese año se avecindó en San José; pronto ejerció como abogado y fue nombrado Magistrado de la Corte.

El 27 de julio de 1830 fue nombrado profesor de la Cátedra de Derecho Civil en la Casa de Enseñanza Pública. El 4 enero 1831 propuso un plan de reforma de la Cátedra de Filosofía; a pocos meses, Rafael Osejo renunció a ésta y fue nombrado por concurso Toribio Argüello. El 3 enero 1833 se ordenó requerirle por abandono de la Cátedra.

El 11 julio 1832 se presentó al Jefe del Estado un Memorial suscrito por vecinos de San José, Cartago, Alajuela y Heredia, solicitando la expulsión del ciudadano nicaragüense Toribio Argüello. Daban estas razones: que cuando ingresó al país (1828) lo hizo como expulsado de Nicaragua por sus desmanes cuando formaba parte del gobierno depuesto; que si vino a Costa Rica fue para salvar su vida, por el "horror" que había despertado entre sus conciudadanos; que antes de entrar a Costa Rica había expresado amenazas de guerra a este país; que como abogado ha provocado disensiones y como Magistrado ha introducido el desbarajuste en la Corte. El Jefe del Estado ordenó una investigación y el 11 enero 1833 desestimó la demanda, declarando que el acusado "descansara tranquilo en el asilo que se le concedió por este Gobierno...".

En 1834 tuvo dificultades graves con individuos que le injuriaban, acusándole de muertes en Nicaragua. El proceso incluye una curiosa poesía difamatoria.

Toribio Argüello era un típico "ilustrado", de carácter más inquieto aún que Osejo. Parece que murió a poco del segundo proceso.

BIBLIOGRAFIA

"Archivos Nacionales", Nº 10846 (22 septiembre 1830).

"Archivos Nacionales", Nº 10828 (31 octubre 1830).

"Archivos Nacionales", Nº 4168 (27 julio 1830).

"Archivos Nacionales", Nº 10842 (4 enero 1831).

"Árchivos Nacionales", Nº 11072 (11 julio 1832).

"Archivos Nacionales", Nº 13482 (3 enero 1833).

"Rev. Arch. Nac.", XII, 1-2 (1948), 41-46.

"Rev. Arch. Nac.", XV, 10-12 (1951), 991.

MONTALVAN, JOSE H., *Vida universitaria de Nicaragua,* (Managua, Talleres Nacionales, 1950).

MONTALVAN, JOSE H., [inédito].

SALVATIERRA, S., *Contrib. Hist. Centroamericana* (1939), II, p. 481-3.

III

COSTA RICA EN LA SEGUNDA MITAD DEL SIGLO XIX

LA ESTRUCTURACION DEL ESTADO HASTA 1902

COMO hemos visto, en el período que va de 1821 a 1848, la Provincia de Costa Rica se erige en Estado Federado y en un lento proceso va pasando a Estado soberano, con altibajos ciertamente, y manteniendo siempre abierta la posibilidad jurídica de la reintegración en la Federación. De hecho, el aislamiento del país obliga a los políticos a buscar el fortalecimiento de la cosa pública. Este fortalecimiento, en el plano de las ideas realizadas en las instituciones, que es el que ahora nos interesa, va a ser híbrido: partiendo del regalismo y confesionalismo del Estado español colonial, tenderá a forjar el Estado según estructuras liberales; y partiendo de la imitación de la Constitución norteamericana, tenderá al centralismo. Son dos procesos convergentes y contradictorios, que darán como resultado la real imitación del estatismo liberal francés, realizado en gran parte en los finales de siglo.

Seguiremos este proceso especialmente viendo el desarrollo jurídico de las relaciones de la Iglesia y el Estado, que fueron fruto en todo momento de las tensiones ideológicas; y de la actitud del Estado respecto a la enseñanza.

El Pacto Social Fundamental Interino de Costa Rica (1 diciembre 1821), art. 2, declara: "La religión de la provincia es y será siempre la Católica, Apostólica, Romana, como única verdadera, con exclusión de cualquier otra"; y el art. 3 pone limitaciones a la presencia de extranjeros y amenaza con el extrañamiento al inmigrante que trate de diseminar *sus errores.*

A consecuencia de este art. 3 hubo una expulsión en 1824.

Los Estatutos Políticos de la Provincia de Costa Rica (17 marzo 1823, y 16 mayo 1823), art. 7 y 8, reproducen esos artículos del Pacto Social.

Lo que se ha convenido en llamar Acta de Independencia de los pueblos de Centro-América (15 septiembre 1821), punto 10, hizo una profesión de fe religiosa. Y en la Constitución Política de la República (22 noviembre 1824), art. 11, establece: "Su religión es la Católica, Apostólica, Romana, con exclusión del ejercicio público de cualquier otra" [1].

---

1 Las discusiones en torno al proyecto de ley federal sobre libertad de culto y su Consulta a Costa Rica: "Rev. Arch. Nac.", XII, 11-12 (1948) p. 571-589.

Pueden verse dos diferencias importantes entre el texto del Estado costarricense y el de la República Federal. El primero enuncia una profesión de fe ("como única verdadera"), que no aparece en el segundo; y en cambio el segundo especifica la "exclusión del ejercicio público" de cualquier otra, lo que supone la aceptación del ejercicio privado. Marco Tulio Zeledón dice: "La intolerancia religiosa se advierte en nuestro *jus publicum* desde la emisión del Pacto Social..." [2].

A consecuencia de la Constitución de la República, la Asamblea costarricense desestimó en 1824 aquella propuesta del Municipio de Cartago de que se prohibiera "el ejercicio público o privado de cualquiera otra religión". Es de suponer que el Municipio pretendía precisamente adaptar la Constitución de la República al Pacto Social, pero la Asamblea lo entendió en sentido contrario.

La Ley Fundamental del Estado Libre de Costa Rica (25 enero 1825), art. 25, establecía: "La Religión del Estado es la misma de la República, la Católica, Apostólica, Romana, la cual será protegida con leyes sabias y justas" [3].

Marco Tulio Zeledón [4] mostró cómo todos estos artículos son adaptaciones, muy literales, de las Constituciones españolas de Bayona (6 junio 1808) y de Cádiz (19 marzo 1812).

Desde esta Constitución, todas han consignado la libertad de expresión [5].

El 2 mayo 1826, el Congreso Federal acordó sobre cementerios para no católicos. Y en 1839 el Gobierno costarricense, como hemos visto, zanjó enérgicamente un caso de sepelio de protestante.

El 12 marzo 1830 el Gobierno sujetó a los religiosos a la jurisdicción del Ordinario secular. Y el 9 febrero 1831, se promulgó en Costa Rica el decreto federal de 28 julio 1829 sobre extinción de conventos.

Al no haber, por una parte, casi ningún extranjero en Costa Rica, y por otra no ser realizada la erección de diócesis, el Estado, en esta época, no encuentra más problema frente a sí que el de procurar su fortalecimiento recabando el patronato real español. La extraordinaria importancia del clero católico en el proceso de la independencia llevaba a conjugar la tendencia confesional con el localismo independentista.

---

2 *La libertad de conciencia...*, p. 3.

3 El art. 2 garantizó la libertad de pensamiento, de palabra y de escritura.

4 *La libertad de conciencia...*, p. 4-5

5 Núñez, Francisco María, *El Régimen de opinión pública en Costa Rica a la luz de su legislación,* "Rev. Arch. Nac.", VI, 3-4 (1942), p. 221-224.

La situación es permanente hasta el decenio de 1840. Entre 1841 y 1848 la situación cambia. En parte por acontecimientos políticos (Gobierno de Morazán, ruptura con la Federación), pero sobre todo por la evolución económica y demográfica del país. Se inicia ya de manera regular un comercio internacional [6], es ya relativamente apreciable la presencia de extranjeros, especialmente comisionistas de comercio [7]. Ello va planteando problemas que la legislación no prevé, pero que la idiosincrasia costarricense de montañeses de valles altos resuelve en un sentido de convivencia pacífica. Además la orientación de la Federación era ya liberal. La revisión de la Constitución de la República de 13 febrero 1835, publicada como Ley Fundamental el 23 marzo 1835, fue de tendencia tolerante, garantizando a todos los habitantes de la República el derecho de adorar a Dios según la propia conciencia e imponiendo al Gobierno Federal la obligación de proteger la libertad del culto religioso; también señaló a los Estados el deber de cuidar de la actual religión de sus pueblos, sin especificar cuál [8].

El Código General del Estado de Costa Rica, promulgado por el Jefe del Estado Carrillo el 30 de junio 1841, imponía la pena capital como traidor a quien conspirase directamente y de hecho para que el Estado dejase de profesar la Religión Católica.

Después del breve período de gobierno de Morazán, la Constitución de 9 abril 1844 sigue en la misma línea; sección III, De la Religión, art. 54, establecía: "El Estado libre de Costa Rica sostiene y protege la Religión Católica Apostólica Romana que profesan los costarricenses". Art. 55: "La potestad eclesiástica en los asuntos que no sean de conciencia obrará siempre en consonancia con la civil, y la ley determinará el modo y la forma de verificarlo".

El momento crítico se da en 1847. Ante los problemas ya presentes, la reacción es cortarlos. Así, la Constitución de este año (21 enero), título II, sección IV, art. 37, estableció: "El Estado profesa la Religión Católica Romana, única verdadera; la protege con leyes sabias y justas y no permite el ejercicio público de alguna otra". El art. 38 repite el 55 de la de 1844, con la única diferencia de escribir Potestad Eclesiástica con mayúsculas. Puede verse que en ese artículo 37 están refundidos todos los textos anteriores en el sentido de la confesionalidad del Estado.

Refiriéndose a esta Constitución, escribió Cleto González Víquez: "... por ser la única intransigente que ha tenido Costa Rica en toda su historia constitucional" [9]. Esta situación fue vista por el liberal Lorenzo Montúfar de la siguiente manera: "... en el siste-

---

6 En 1853 se promulgó el Código de Comercio.

7 En 1883, subirán oficialmente a cerca de 5.000 los extranjeros.

8 M. T. Zeledón, *Ib.*, 5-6 L. Montúfar, *Reseña Histórica de Centroamérica*, II, p. 102.

9 *Obras históricas*, I, p. 129.

ma religioso . . . se quiso imitar a los Estados Unidos siguiendo, con respecto al culto, las leyes españolas, que son las leyes del mundo que más distan de la legislación norte-americana. . . . , se formó aquí una república con los andrajos de una monarquía. . . . El Presidente de la República Centro-americana tenía y hoy los presidentes de sus cinco fracciones, tienen derecho de poner la mano en el incensario. Empero este derecho no se les da de balde. Se les exige en cambio que mantengan la Iglesia y que ella pueda ingerirse, á su vez, en asuntos que son puramente civiles. De esta manera, las dos autoridades siempre están en pugna" [10].

Sobre esta Constitución de 1847, el Dictamen de Comisión decía: "El Código Sagrado es el único que ha humanizado a los hombres y los ha hecho tolerantes, fijando de esta manera el orden de la sociedad. ¿Cómo se puede, a vista de estas razones, prostituir los dogmas y abrir la puerta a otras creencias?" [11]. Puede verse que el tono del dictamen es polémico y, en consecuencia, más intransigente. Y sin embargo pretende justificar su postura precisamente por *tolerante;* eso sí, entiende que lo fundamental es guardar: *el orden de la sociedad.*

El 31 agosto 1848 Costa Rica se declaró República. La situación cambia con la acción en el Gobierno de José María Castro, cuyas ideas veremos más adelante. "Ilustrado", y de orientación liberal, procuró adaptar la legislación a la nueva situación. A su petición, el Congreso reformó la Constitución de 1847 y dio el 22 noviembre 1848 la "Constitución reformada", que en título IV, art. 15, dice: "La Religión Católica Apostólica Romana es la de la República: el Gobierno la protege y no contribuirá con sus rentas a los gastos de otro culto". Como veremos, durante treinta años este artículo fue norma permanente [12]. Además, la Constitución limitó los casos de aplicación de la pena de muerte, excluyendo el citado antes del Código de 1841.

El proceso social de efervescencia había cuajado así en una formulación confesional del Estado, pero admitiendo, según Castro, la libertad de cultos. Adaptando una frase de otro terreno, podría decirse que se promulgaba un trato de religión más favorecida a la Católica, pero sin imponerla.

De 1851 es la primera obra de conjunto sobre Costa Rica [13] y considero interesante la descripción que Felipe Molina hace del país:

---

10 L. Montúfar, *Memorias* . . . , p. 426-428.

11 Cf. González Víquez, Cleto, *Obras Históricas,* Apéndice I, p. 337.

12 "En parte, fue fruto (la libertad de cultos) de la mentalidad liberal de algunos; pero más que nada fue una necesidad ineludible dentro de la vida y conceptos políticos modernos". R. Blanco Segura, *Hist. Ecl. Costa Rica,* p. 218.

13 Felipe Molina, *Bosquejo de Costa Rica,* (Nueva York, 1851), p. 128.

"Esta perfecta homogeneidad i esta absoluta ausencia de castas y de clases sociales, prueban que Costa Rica es un país eminentemente republicano, y que allí no puede existir, como no existe, ni el despotismo ni la anarquía" (p. 6). " . . . nuestras instituciones eminentemente liberales y . . . la política ilustrada de nuestro gobierno" . . . (p. 8). "La Iglesia Católica Romana es la dominante en el país: pero la libertad de cultos en público y privado, ha sido solemnemente reconocida por la Constitución, y consagrada en los tratados [internacionales]" (p. 42-43).

Refiriéndose a estos años, Lorenzo Montúfar escribió: "El pueblo de Costa Rica se compone de propietarios. Casi no hay persona en el país· que no posea una finca, grande ó pequeña, y lo necesario para hacerla producir. Así es que todos tienen negocios" [14].

Los tratados internacionales a que se refiere Felipe Molina fueron: el de 10 marzo 1848 con las Ciudades Anseáticas, y el de 27 de noviembre 1849 con la Gran Bretaña, que garantizaron a los súbditos de estos países el ejercicio de su religión [15]. En consecuencia, en 1850 se levantaron en San José un cementerio y una capilla protestantes. Sin embargo, los tratados no previeron nada sobre matrimonios, que siguieron sujetos a las autoridades católicas.

La prensa, desde 1850, se dedica "a reproducir artículos de sabor volteriano y enciclopedista. Ya tenemos, por consiguiente, lo que se ha bautizado en nuestros tiempos con el nombre de prensa liberal. En aquellos años son sus principales representantes, don Bruno Carranza, don Adolfo Marie, don Lorenzo Montúfar y don Emilio Segura" [16]. Es exacta la aseveración de Mons. Sanabria, excepto en que el apelativo de "prensa liberal" no sea de la época. Más adelante hablaremos de este tema.

Es interesante, pues en adelante será caballo de batalla, que el Reglamento de Instrucción Pública de 4 octubre 1849 estableció que "para abrir escuelas privadas los particulares necesitan autorización del Consejo de Instrucción Pública"; y coloca a todas bajo su inspección.

---

14 *Memorias* . . . , p. 306.

15 El tratado de 10 de marzo 18l8 con las Ciudades Hanseáticas, art. III, estipuló: "Los ciudadanos de las Repúblicas contratantes, residentes o transcúntes en los territorios de la otra gozarán . . . en el ejercicio de su religión de la misma protección, seguridades, derechos y privilegios concedidos o que se concedieren a los ciudadanos o súbditos de la nación más favorecida".
El tratado de 27 noviembre 1849 con la Gran Bretaña, art. XIII, estipuló que los súbditos británicos "no serán inquietados, molestados ni perturbados en manera alguna en razón de su creencia religiosa, ni en los ejercicios propios de su religión, ya dentro de sus casas particulares o en los lugares destinados para aquel objeto, conforme al sistema de tolerancia establecido en los territorios, dominios, establecimientos de las Altas Partes contratantes, con tal que respeten la Religión, de la nación en que residen, así como la constitución, leyes y costumbres establecidas".

16 V. Sanabria, *Anselmo Llorente* . . . , 186. Vid. en el capítulo sobre Bruno Carranza el análisis de "El Eco de Irazú".

Por primera vez, la Constitución de 9 abril 1844, título IV, art. 181:

"La ilustración es un derecho sagrado de los costarricenses y el Estado lo garantiza en todos los conceptos por medio de disposiciones legales".

La Constitución de 1847, art. 168, estableció: "Es un deber sagrado del Gobierno erigir los establecimientos y dictar todas las medidas que están a su alcance para ilustrar al pueblo, ...". Art. 170: "La instrucción de ambos sexos es uniforme en todo el Estado bajo los principios que establece el Reglamento General y bajo la inspección y dirección del Jefe Direc.or..., cuya autoridad no intervendrá en el régimen particular de la Universidad".

En el art. 169: "La instrucción es un derecho de todos los costarricenses y el Estado lo garantiza: ... 5º, y por la publicación libre de todo manuscrito literario que tenga por objeto la difusión de las luces conforme a las creencias y leyes del país".

La Constitución Política de 15 abril 1869, estableció: Art. VI: "La enseñanza primaria de ambos sexos es obligatoria, gratuita y costeada por la Nación. La Dirección inmediata de ella corresponde a los Municipios y al Gobierno la suprema Inspección". Art. VII: "Todo costarricense o extranjero es libre para dar o recibir la instrucción que a bien tenga en los establecimientos que no sean mantenidos con fondos públicos".

La Constitución de 1871 mantuvo los mismos principios de la de 1869.

En 1850 tuvo lugar la erección canónica de la Diócesis de San José y en 1851 fue electo Obispo Mons. Anselmo Llorente. El Gobierno hizo uso del derecho de presentación de la antigua Monarquía española.

Se habían suprimido los diezmos, indemnizando a la Iglesia. En 1852, al desarrollarse el cultivo del café, propiciado por el Gobierno, que veía en él una poderosa fuente de riqueza, el Obispo Llorente replanteó la cuestión de los diezmos, aplicada al café. La cuestión llegó a términos violentos. El Ministro de Gobernación Joaquín Bernardo Calvo, el 4 agosto 1852, le escribió: "...U. S. Ilustrísima hace intervenir aquí las leyes divinas y todo el arsenal de una teocracia que hoy ha dejado de existir, ...". "Se contenta igualmente por ahora [el Gobierno] con protestar... contra doctrinas anárquicas que tienden a establecer dos poderes rivales [el Estado y la Iglesia] en el Estado; contra la idea, de que tratándose de intereses temporales en que estriba casi exclusivamente la prosperidad de Costa Rica, un gobierno extraño [Vaticano] sea el único a quien deba someterse el asunto de diezmos". Al ser la Iglesia subvencionada por el Estado, la polémica fue una de las causantes principales del posterior exilio del Obispo.

En 1852 se firmó Concordato con la Santa Sede. En el art. 1º se proclamó el principio de que la Religión Católica, Apostólica y Romana era la religión del Estado. El art. 2º, que la enseñanza en general sería impartida de acuerdo con la doctrina católica; a los Obispos correspondería la dirección de las materias eclesiásticas y la vigilancia de los demás ramos de la enseñanza para que no hubiera nada contrario a la religión. El art. 3 daba al Obispo el derecho de censura sobre los escritos contrarios al dogma, a la disciplina de la Iglesia y a la moral, y el Estado ofrecía su apoyo. El art. 20 determinaba que el Estado no impediría el establecimiento de comunidades religiosas en la República.

La Universidad de Santo Tomás, que veremos aparte, había sido creada por el Gobierno en 1843. Se deseaba que tuviera el título de Pontificia y Mons. Llorente hizo la tramitación, que tuvo por efecto el Breve "cum Romani Pontifices" de 31 mayo 1853, por el que se declaraba "Pontificia dicha Universidad literaria de San José de Costa Rica".

Entre otras muchas condiciones, atañen a nuestro estudio las siguientes:

"3. El Obispo señalará los ejercicios piadosos que deban practicarse en la Universidad para los jóvenes cursantes.

"4. Velará el Obispo a fin de que la enseñanza de todos los demás ramos sea conforme a las doctrinas de la Fe y Moral cristiana y reclamará siempre que tuviere motivo, al Gobierno, que proveerá de acuerdo con el Obispo, según la necesidad.

"5. Quedando firme el cuidado del Obispo acerca de la Universidad, él mismo velará de un modo especial sobre la conducta religiosa y moral de todos los que componen la Universidad.

"6. Los profesores de cualquier ramo de enseñanza harán ante el Obispo la profesión de Fe, . . . ; así como harán la misma profesión de Fe ante el Obispo, los jóvenes que recibieren grados en cualquier Facultad.

"9. Serán suprimidas de los Estatutos las recomendaciones que en ellos se hacen de ciertos libros prohibidos, y no se recomendarán a los jóvenes para la literatura otros libros que estuvieren prohibidos".

El Presidente Juan Rafael Mora no lo pasó a aprobación del Congreso a causa de la reacción de los liberales, por lo cual no se aplicó.

La Constitución de 1859 (26 diciembre), título III, art. IV, repitió el art. 37 de la Constitución de 1847.

Al discutirse en la Constituyente el proyecto, circuló el rumor de que la Asamblea quería cambiar el *status* de la religión del Estado. A solicitud del Gobierno el Obispo Llorente publicó una circular desmintiendo el rumor.

"El único matrimonio reconocido era el católico; . . . Pero si ambas partes eran disidentes era inútil que recurrieran a la Iglesia para la celebración del matrimonio, y el que celebraran delante de su ministro o delante de su cónsul, en estricto rigor carecía de protección legal. Dichosamente en 1863, y con toda discreción, se dictó una ley (diciembre de 1863) sobre matrimonios extranjeros" [17].

La Constitución de 1869, título III, art. 5, volvió a repetir el art. 37 de la Constitución de 1847, pero modificando el final: ...y no contribuye con sus rentas a los gastos de otros cultos, *cuyo ejercicio sin embargo tolera"*. No hace, pues, más que explicitar lo implícito, pero era un cambio significativo.

En la de 1869 se promulgó la libertad de enseñanza con carácter absoluto. Sin embargo, el Reglamento de Instrucción Primaria de 10 noviembre del mismo año no limita aquel principio.

Es interesante señalar que al discutirse el texto de esta Constitución de 1869, el Diputado Salvador Lara abogó por el libre establecimiento de cultos y la denominación del católico como "dominante" en el país. No fue aprobada la moción. El texto aprobado reconocía la libertad de cultos, pero mantenía la confesionalidad del Estado.

La Constituyente de 1870 discutió el proyecto de constitución presentado por la comisión. El art. 13 era: "La Religión Católica Apostólica Romana es la del Estado. El Tesoro Nacional contribuye a su mantenimiento. Párrafo único: es permitido el ejercicio de cualquier otro culto religioso". El golpe de Estado de 8 octubre disolvió la Asamblea y el proyecto quedó sin aprobar.

El 19 mayo 1870 murió en Atenas un alemán protestante y fue enterrado en un potrero. El cónsul protestó y el Ministro Lorenzo Montúfar propuso el decreto, firmado el 23 mayo 1870, que disponía que en las cabeceras de provincias y de cantón se señalase un terreno, costeado por la nación, para sepultura de los no católicos, y en el cual podrían éstos edificar templos y capillas de su culto, y que podría ser ampliado [18]. El Gobernador Eclesiástico, Pbro. Rivas, protestó de la autorización de erección de templos y capillas, pues sostenía hay diferencia entre tolerar y autorizar un hecho. La protesta no fue atendida por el Gobierno.

El ambiente respecto a los problemas de política eclesiástica llegó a envenenarse en tal grado que el Decreto de 20 junio 1870, sección 2, art. 2, excluyó a los sacerdotes de participar en la Convención Nacional.

El Gobierno del General Guardia se inició bajo un amplio signo liberal, pero pronto mostró una evolución; el General Guardia procuró mantener una política de equilibrio [19], que ofreció alti-

---

17 V. Sanabria, *Anselmo Llorente*, p. 123.

18 Lorenzo Montúfar, *Memorias . . .*, (1898), p. 490-491.

19 "En este punto soy indiferente. Conozco el pueblo costarricense y juzgo que aquí el fanatismo es planta exótica. El principio de tolerancia religiosa está tan encarnado en todo el pueblo que lo mismo da que entre un jesuita como que entre un volteriano o un judío o un Musulmán. Nadie aquí se ocupa de la creencia ajena. En este punto Costa Rica es liberal más por su carácter que por nuestras instituciones". Tomás Guardia, (carta . . . , 1876). "Rev. Arch. Nac.", VI, 9-10 (1942), p. 512.

bajos, pero en su conjunto representó un retroceso de las tendencias liberales. "Nuestra Iglesia —escribió Mons. Sanabria— en el período 1871-1880, no hubo de sostener luchas exteriores de ningún género" [20]. A comienzos de 1876, el General Guardia admitió a los jesuitas en el país y les encargó del Colegio San Luis Gonzaga de Cartago. Le dio al Colegio (de nivel secundario) funcionamiento autónomo, pero con inspección y tribunales del Estado. En 1881, ignoro los motivos, se privó al Colegio de poder conferir grados académicos (Bachillerato).

El Gran Consejo Nacional, a iniciativa del Gobierno, expidió, el 17 octubre 1877, la Ley de Garantías. El art. 3 de la Ley estipuló: "La libertad de cultos es un hecho, y la presente ley lo consagra". Monseñor Bruschetti, Vicario Apostólico, protestó (Gaceta Oficial, N° 48, 13 noviembre 1877) por considerarlo contrario al Concordato y a la encíclica "Quanta Cura" [21]. El Ministro de Culto, Dr. José María Castro contestó (Gaceta Oficial, Ib.) que no era posible la rectificación y justificó doctrinalmente el artículo por entender que libertad significaba tolerancia. La discusión siguió: Bruschetti el 9 de noviembre, Castro el 14 del mismo mes.

El artículo 51, de 1871, por ley de 26 abril 1882, quedó: "La Religión Católica Apostólica Romana es la del Estado, el cual contribuye a su mantenimiento, sin impedir el libre ejercicio en la República de ningún otro culto que no se oponga a la moral universal ni a las buenas costumbres".

A pesar de estos avances jurídicos liberales, en conjunto la década del 70 fue vista como conservadora: "...y las 'novedades' sufren un eclipse, diez años de represión que estallaron incontenibles en el año 1884, en el cual hubo solamente extremistas" [22].

El estatismo docente fue mantenido en el campo de la enseñanza. Así vemos que José María Castro en su *Memoria* de Instrucción Pública en 1879 decía que "programas, libros de texto, exámenes y grados son los medios legítimos de la ingerencia del Estado en las escuelas que no sustenta con sus fondos; medios por los cuales puede prevenir los efectos de la enseñanza oficial, *inflamada* en las ideas del siglo y en los principios democráticos sean por los cuales puede prevenir que los efectos de una enseñanza particular, inspirada en otras doctrinas y otros intereses adversos al lustre y prosperidad de Costa Rica".

---

20 M. T. Zeledón, *op. cit.*, 7; V. Sanabria, *Primera vacante* ... , p. 261-262.

21 "... el tratado con Inglaterra fue una aprobación implícita de la libertad de cultos. Los cementerios fueron la ocasión para el avance de la legislación liberal, y la muerte de Zuhorn lo fue para aprobar explícitamente la tolerancia de cultos, aun más la libertad de cultos, sólo que no se emplean estos últimos términos, como lo hace la ley de Garantías del 77 en su artículo 3 en que se proclama con todas sus letras la libertad de cultos. Contra esta ley de Garantías protestó Mons. Bruschetti, usando el mismo razonamiento empleado por el Dr. Rivas en 1870, a saber que una cosa es la tolerancia de cultos, con la que estaba conforme, y otra la aprobación explícita de la libertad de cultos". V. Sanabria, *Anselmo Llorente*, p. 125-126.

22 V. Sanabria, *Anselmo Llorente*, p. 227.

La ley de 4 de agosto de 1881 consignó que todo establecimiento de enseñanza de cualquier clase y grado quedaba bajo la inspección y vigilancia del Supremo Poder Ejecutivo, y sujetos a su
aprobación, los profesores, programas, estatutos y reglamentos de
aquellos que fueron sometidos o subvencionados por los fondos nacionales o municipales.

En 1880 fue electo Obispo de Costa Rica Mons. Thiel, del
que veremos más adelante las ideas que sostuvo. En 1880, el antiguo Vicario, Pbro. Domingo Rivas, que también veremos más
adelante, estaba exiliado en Nicaragua; el General Guardia levantó
el exilio a petición del nuevo Obispo.

Entre 1882 y 1884 recrudecieron violentamente las polémicas
en torno a motivos confesionales y en ellas Lorenzo Montúfar lució
su habilidad combativa. Como era general en Centroamérica, la
polémica gravitó especialmente en torno a los jesuitas y al cuarto
voto.

Siendo Presidente el General Próspero Fernández, la reacción
liberal dominó la situación. Hubo dificultades con las autoridades
eclesiásticas, problemas de orden público, etc., que terminaron el 18
de julio con la expulsión de los jesuitas y del Obispo Thiel, y el
encarcelamiento preventivo de un sacerdote.

El problema central fue el de la enseñanza laica. Los hermanos Fernández Ferraz, de los que hablaremos más adelante, habían sido desplazados del Colegio San Luis Gonzaga de Cartago.
Apoyado por el nuevo Gobierno, Juan Fernández Ferraz organizó la
enseñanza del Instituto Universitario, en San José, y en los programas (6 enero 1883) no aparecía enseñanza religiosa[23]. Por otra
parte, el Colegio de Abogados propició una serie de reformas legales, que incluían, entre otros puntos importantes, el divorcio, y el
matrimonio civil[24].

En general, la atmósfera dominante entre intelectuales y abogados era aconfesional[25]. El resultado fue la falta de comprensión

23 En 1884, el Instituto Nacional alquiló el edificio antiguo del Seminario, al lado
de la Univ., que había quedado sin empleo.
   Mons. Thiel lo alquiló para facilitar sus gestiones para que en el Instituto
se impartiese enseñanza religiosa; logró en el mismo año que en él se dijese
misa. Aprovechando la petición del Instituto de poder abrir paso en la fachada
que daba a la Univ., contestó que accedería si se introducía la enseñanza de la
religión, entre otros puntos. El Instituto Nacional no aceptó. El Ministro de
Policía resolvió el pleito ordenando se abriese aquel paso por razones de higiene
(fue el famoso pleito *de los urinarios*). Y el Instituto dejó sin efecto el nombramiento de capellán eclesiástico. Dos años después el Instituto dejó el edificio.
V. Sanabria, . . . *Thiel*, p. 121-124.

24 *Memoria de los trabajos del Colegio de Abogados de Costa Rica*, (San José, Imp.
Nacional, 1884).

25 "El positivismo, el Krausismo y el racionalismo eran doctrinas de moda en aquellos años (1883 ss.), entre los intelectuales y profesionales, y desde luego, muchos de los profesores de las escuelas superiores, también entre los del Instituto
Nacional que llegaron a más, a saber, a pretender independizar su enseñanza de
todos los criterios religiosos y aun a inspirarle criterios arreligiosos y también
irreligiosos . . .". V. Sanabria, . . . *Thiel*, p. 105.

y el fortalecimiento de los poderes del Estado, que se sentía constreñido. En conjunto, el cambio más importante fue sin duda el establecimiento constitucional de la libertad de cultos.

El año 1884 fue el año de las reformas liberales:

18 julio: extradición del Obispo y de la Compañía de Jesús.

19 julio: secularización de los cementerios.

22 julio: prohibición de las comunidades de religiosos, sujeción de los religiosos a las leyes de la República, desconocimiento legal de los votos, entrega a sus padres de los menores de edad entrados en estado religioso.

22 julio: prohibición al clero de ingerirse en la dirección de la enseñanza de los establecimientos públicos y de combatir dicha enseñanza en cuanto laica.

28 julio: denuncia del Concordato.

1 septiembre: reglamentación de las procesiones.

Más tarde se atribuyó a José María Castro el haber sido el principal orientador de esta época [26].

En este mismo año, el Gobierno desestimó una solicitud del Gobierno Eclesiástico para que se compeliera a un sacerdote a administrar un curato determinado. El Ministro Esquivel lo explicó así: "La obligación de desempeñar un curato es puramente religiosa; no hay ley, y mientras se respete la libertad de conciencia no puede haberla, que autorice el empleo de la fuerza pública para hacer que una persona llene sus deberes religiosos. La abjuración de un credo es perfectamente legítima y contra ella, lo mismo que contra la desobediencia al superior en jerarquía eclesiástica, no cabe más correctivo que el uso de las conminaciones espirituales" [27]

En 1887 se suprimió la pena de muerte [28]. Igualmente, cierto número de días festivos.

El Código Civil de 1887, art. 59, reconoció el matrimonio eclesiástico una vez inscrito en el Registro de Estado Civil. En el título IV, cap. IV introdujo el matrimonio civil facultativo. En el art. 54 reservó a la autoridad civil el conocimiento de las demandas de divorcio. El Código introdujo el Registro del Estado Civil, que antes no era llevado por el Estado. También reconoció la libre testamentifacción y la libertad civil de la mujer.

Bajo la Presidencia de Bernardo Soto, y siendo Ministro de Instrucción Pública Mauro Fernández, se inició la organización de la enseñanza. 1886: Fundación de la Escuela Normal, Ley General de Educación Común. 1887: Fundación del Liceo de Costa Rica y del

---

26 V. Sanabria, . . . *Thiel*, p. 108.

27 *Memoria de Culto*, 20 mayo 1886. "En tiempo de Carrillo la policía obligó en alguna circunstancia a algún sacerdote a obedecer las órdenes de su superior eclesiástico". V. Sanabria. . . . *Thiel*, p. 256.

28 En el Código penal de ese año.

Instituto de Alajuela. 1888: Fundación del Colegio Superior de Señoritas, supresión de la Universidad (de ésta hablaremos más adelante). La Ley General de Educación Común (26 febrero 1886) sustituyó la religión por la Moral en las escuelas primarias de acuerdo con la tendencia laicista. [29].

Los Decretos de 13 junio 1890 y 4 agosto 1892 restablecieron, aunque con limitaciones, en la enseñanza pública el Catecismo Cristiano y la Historia Sagrada.

En 1889, entre Ricardo Jiménez, Ministro de Instrucción Pública, y Mons. Thiel, se planteó la que se llamó "cuestión religiosa", polémica a propósito de la enseñanza laica, atacada por el Obispo [30].

La polémica se generalizó y tuvo sus repercusiones durante el gobierno siguiente, con el Presidente Rodríguez.

El Pbro. Rivas la planteó oficialmente en su discurso de 8 mayo 1890. Los católicos esperaban que el Presidente Rodríguez haría "la revisión del proceso del ochenta y cuatro, cuando menos en relación con la enseñanza religiosa" ... [31]. El Presidente prefirió una fórmula de término medio, manifestada en el Decreto de 13 junio 1890, que mantenía la enseñanza laica, pero dejaba tiempo para que "si sus padres y tutores lo desean" pudiera organizarse la enseñanza religiosa, y siempre con carácter voluntario. Mons. Thiel lo consideró "importante paso". El Presidente, en su *Mensaje al Congreso,* 1 mayo 1892, anunció que presentaría un "proyecto de ley" por el cual se establezca como asignatura libre, la instrucción religiosa en las escuelas del Estado". Lo presentó el día 3 siguiente. Sin embargo, la Unión del Clero lo impugnó por insuficiente. El 22 junio fue rechazado el proyecto por el Congreso, que el 25 julio dio un voto de censura al Presidente y clausuró sus sesiones. El 4 agosto, el Presidente Rodríguez emitió como decreto el mismo texto del proyecto de ley. El 18 agosto se dio el reglamento de la enseñanza de la religión en las escuelas primarias. [32].

Aunque no tuvo repercusión propiamente doctrinal, es importante el desarrollo del Partido Unión Católica entre 1891 y 1894.

Al regresar el Obispo Thiel del destierro, lo organizó. Participó en las elecciones municipales de 22 noviembre 1891, obteniendo el triunfo. En las elecciones para Diputados del 3 de abril de 1892, se presentó, pero triunfó el Partido Nacional (liberal). Luego el Presidente Rodríguez instauró temporalmente la dictadura. En 1893, el Obispo publicó una Carta Pastoral: "Sobre el justo salario de los jornaleros y artesanos y otros puntos de actualidad que se relacionan con la situación de los destituidos de bienes de

---

29   German Solís, *El Gobierno del Lic. Bernardo Soto,* "Universidad", 20 septiembre 1971.

30   V. Sanabria, ... *Thiel,* p. 272-278.

31   V. Sanabria, ... *Thiel,* p. 284.

32   Cf. sobre todo este proceso: V. Sanabria, ... *Thiel,* p. 283-293.

fortuna", divulgando las ideas del Papa León XIII. El Gobierno censuró al Obispo por su publicación. A principios de 1894 tuvieron lugar las elecciones a Diputados. El Partido Unión Católica triunfó, pero, al anularse algunas actas, perdió la mayoría absoluta. Descontentos algunos de sus miembros, hubo alzamientos armados. El Presidente Rodríguez suspendió las garantías y preparó elecciones de segundo grado, que ganó el candidato del Gobierno Rafael Iglesias, que actuó para descartar de la política al Partido Unión Católica [33].

La opinión de Mons. Sanabria fue: "La Unión Católica era un partido estrictamente ideológico". "... luchaban contra las reformas liberales" (p. 299). "Este fue uno de los pocos bienes de aquella aventura política de la Unión Católica: enseñó tolerancia a los liberales, ... La Iglesia también aprendió otra lección: que la política partidarista no es el camino que debe trajinar"... (p. 349).

En el programa: combatirá "con toda energía y decisión los principios, doctrinas y propaganda del Liberalismo", para "mantener a los fieles en la Unidad Católica".

Desapareció como Partido en 1894.

Consecuencia de las luchas del Partido Unión Católica fue que en 1895 el Congreso aprobó una ley que prohibió a clérigos y seglares hacer propaganda política "invocando motivos de religión o valiéndose, como medio, de las creencias religiosas del pueblo".

La Presidencia de Rafael Iglesias se prolonga hasta 1902. Es opinión bastante generalizada, y divulgada por Cleto González Víquez que ya la estructura básica del Estado costarricense adquirió sus perfiles netos y vino a coincidir con la idiosincrasia nacional. Sí considero que a partir de este tránsito de siglo las condiciones del país muestran mayor madurez. El censo de 1892 dio una población de 262.661 habitantes. En la segunda mitad del XIX, Costa Rica continuo, pues, la marcha ascendente de crecimiento, aumentado por la inmigración, que se intensifica en esos años.

Estudiaremos ahora los ideólogos de esa mitad del XIX. Pocos propiamente pueden ser considerados filósofos. Por consiguiente, ese período sigue perteneciendo nada más a la historia de las ideas.

* * *

Bajo la Presidencia de Próspero Fernández, en 1882, se fundó la Biblioteca Nacional. En 1888 la Biblioteca Universitaria le fue

---

33 Carlos Monge, *Historia de Costa Rica* (San José, 1958), p. 204-208. Iglesias Castro, Rafael, *Apuntes de don ...*, (San José, Ed. Lehmann, 1961). V. Sanabria, ... *Thiel*, p. 295-357.

incorporada. En 1890, el Ministro Ricardo Jiménez dio nueva organización a las Bibliotecas Públicas (Nacional de San José, y la del Instituto de Alajuela). Estos hechos responden ya a la segunda generación de ilustrados, que veremos en el xx.

BIBLIOGRAFIA

BLANCO SEGURA, *Historia Eclesiástica de Costa Rica* (San José, Imp. Nacional). p. 245-248.

GONZALEZ VIQUEZ, CLETO, *Obras históricas* (San José, 1958).

SANABRIA, VICTOR, *Anselmo Llorente* (1933), p. 117-126.

SANABRIA, VICTOR, *Bernardo Augusto Thiel* (San José, 1941).

SANABRIA, VICTOR, *Primera vacante...* (San José, 1935).

UGALDE PEREZ, FRANCISCO, *Estudio comparativo y crítico de las diversas constituciones que han regido en Costa Rica* [tesis de grado como abogado], (21 diciembre 1908).

ZELEDON, MARCO TULIO, *La libertad de conciencia como dogma del Derecho Político moderno,* (San José, 1952), p. 18.

Los Estudios de Filosofía

Para poder examinar la organización de la enseñanza de la Filosofía en este período, tenemos que ver, como marco, la Universidad de Santo Tomás, y el proceso de desarrollo de la enseñanza media. Esto hace que el problema, aunque compuesto de muy pocos elementos, resulte complejo y, muchas veces, de aristas espinosas. Es uno de los temas, en Costa Rica, polémicos y que ha provocado más y más dispares pareceres. Sin embargo, todavía no existe una Historia de la Universidad, a la cual remitirme, sino solamente enfoques parciales.

Intentaré plantear la situación en su conjunto, y luego examinarla por partes, pero es fundamental tener en cuenta que los hechos nos muestran el cruce, violento, de dos procesos distintos: el intento de desarrollo de la Universidad, y la poderosa aparición desde mediados del siglo de una clase media que requiere una enseñanza media no satisfecha por la Universidad. Entre el 1860 y el 1880 se dan diversos intentos intrauniversitarios por afrontar el problema, pero se mostraron insuficientes. El Estado, a través del Ministerio de Instrucción Pública, la recabó para sí, en forma gradual pero neta, entre los años 1869 y 1875, dándose frecuentes fricciones y roces, que culminaron en la colisión de 1888, con la supresión de la Universidad. Examinaremos en detalle esos pasos.

Este proceso no es original. En sus líneas generales, ofrece, aunque con diferente desenlace, el mismo proceso acaecido en

Francia y en España, y tiene lugar con una diferencia cronológica de más de dos décadas de retraso. Se trató simplemente de la asunción por el Estado de la Enseñanza Media como consecuencia de dos hechos: el fracaso de la sociedad (de la iniciativa privada), y las ideas del liberalismo "continental" (estatista centralista).

Otro hecho de importancia para nuestro estudio es el de que en Costa Rica en el siglo XIX no hubo nunca enseñanza de la Filosofía en nivel universitario. Como veremos, la Filosofía impartida dentro de la Universidad fue siempre de nivel secundario y propedéutico para los estudios propiamente "superiores" o profesionales.

La Universidad de Santo Tomás

Como hemos visto, durante la primera mitad del siglo XIX funcionó en San José la Casa de Enseñanza Pública, que cumplió la función de centro de cultura, "superior" respecto al país, media comparada con las Universidades centroamericanas. El aislamiento del Estado respecto de la Federación Centroamericana y la ideología de José María Castro, llevaron a su conversión en Universidad. Así, en 1843 se crea la Universidad de Santo Tomás, elevación en grado de la institución ya existente.

En la historia de la Universidad de Santo Tomás se distinguen claramente cuatro etapas: 1ª, de 1843 a 1850, o proceso de iniciación universitaria; 2ª, de 1850 a 1874, o proceso de amplificación y maduración; 3ª, de 1874 a 1888, o de reducción de pretensiones universitarias (se limitan los estudios profesionales a la Facultad de Derecho) e intentos de organizar la enseñanza media intrauniversitaria; 4ª, desde 1888 (durará hasta el 1941), o supresión de la Universidad como tal, pero continuación de lo único existente en el período anterior (Escuela de Derecho), y organización administrativa de la Enseñanza Media por el Ministerio de Educación Pública.

Examinaremos brevemente el proceso ideológico de estas cuatro etapas.

El decreto de 3 marzo 1843, de erección de la Universidad, nos ofrece los siguientes considerandos y artículos:

"1º. Que sólo la ilustración pone al hombre en el importante conocimiento de sus derechos y obligaciones; que refrena y dirige sus pasiones; que siembra en su corazón los gérmenes de la dignidad y del honor, y que inspirándole sublimes y nobles sentimientos le hace justo, útil, benéfico y patriota.

"2º. Que de esta manera la ilustración es el baluarte indestructible de la libertad de los pueblos, el firme apoyo de su tranquilidad, el Paladión de sus derechos y la primordial causa de su engrandecimiento y prosperidad;

"3ª. Que por lo mismo, es el primer deber de un buen Gobierno promover la instrucción pública...

"5º. ...que el Gobierno haga cualesquiera sacrificios porque en el Estado se cultiven las ciencias...

"Art. 1º, Se erige en Universidad la Casa de enseñanza pública de esta Ciudad (San José), quedando bajo los auspicios de Santo Tomás antiguo patrón de dicha casa.

"Art. 5º, En la cabecera de cada uno de los Departamentos del Estado, habrá una clase de latinidad, y otra de Filosofía, dotadas por el tesoro de la Universidad, ..."

Es, pues, y lo que veremos después de organización, cursos, etc., lo confirma, una Universidad de espíritu típicamente dieciochesco. Esto se explica por la falta total de tradición escolástica en el país. Así, veremos que nunca la Universidad adoptó los modos, por ejemplo, de la Universidad colonial de San Carlos, ni tuvo nunca una orientación escolástica. Fue Universidad confesional, en lo religioso, pero no en lo filosófico ni en lo jurídico. Recuérdese que no hizo uso nunca de la Bula de erección en Pontificia.

La mente de sus organizadores, José María Castro, Nazario Toledo, Nicolás Gallegos, etc., era, liberal ilustrada. Son la "ideología" francesa y la Escuela Escocesa los dos pilares doctrinales; es decir, empirismo, pre-positivismo, y ello bañado en ese espíritu dieciochesco de respeto a la religión purificada de las supersticiones.

En 1844 se instala la Universidad, con el siguiente cuadro de estudios:

Filosofía, Br. Nicolás Gallegos.
Gramática, Dr. Vicente Herrera.
Jurisprudencia, Dr. José María Castro.
Teología, Br. Francisco Calvo.

De este cuadro interesa destacar dos hechos: 1º, son cuatro disciplinas, dos de nivel medio (Filosofía y Gramática), que serán el germen de la enseñanza media, y dos de nivel superior, que serán el germen de dos Facultades profesionales; 2º, todos los profesores tenían entre 22 y 25 años de edad.

Pronto se abren otras Cátedras, por ejemplo, de Matemáticas.

En 1849, en un discurso oficial en la Universidad, se dirá: "...las aulas de la Universidad están casi desiertas"; "...por falta de alumnos se ha hecho necesario suprimir algunas Cátedras, y otras, por la misma causa, no hemos tenido la dicha de verlas instaladas" [34].

Estas palabras no reflejaban un estado de ánimo pesimista, sino un deseo de mejoría. Así, la ley de 4 septiembre 1850 estructuró la Universidad en Facultades, y se instaló como nuevas las de Ciencias Legales y Políticas, y Medicina, y se previó inminente la

---

34 Lic. Baltasar Salazar. Profesor de Matemáticas y más tarde de Filosofía.

de Ciencias Eclesiásticas y Teología. Ya el Reglamento de Instrucción Pública de 4 octubre 1849 había mejorado en mucho a la Universidad. Con la reforma, se eligió Rector a Nazario Toledo, su principal inspirador.

Es de señalar que en todo momento (con la única excepción del año 1869) se consideró como indiscutible la autonomía universitaria. Además, la Universidad tuvo rentas fijas, las cuales, limitadas a la enseñanza superior, hubieran sido decorosas.

En 1851, la Universidad tenía "12 profesores y cerca de 150 alumnos" [35], lo que eran cifras normales.

Así, en este segundo período, la Universidad se nos muestra como una institución de cultura superior, autónoma, dotada de rentas fijas propias, encargada de manera exclusiva de la formación profesional y cultural del país, integrada por las personas de mayor prestigio nacional, y con un cuadro de profesores y un número de alumnos, discreto.

Las Facultades fueron: Filosofía y Humanidades, Ciencias Matemáticas y Físicas, Medicina, Leyes y Ciencias Políticas, Teología y Ciencias Eclesiásticas. Sin embargo, Medicina y Teología tuvieron una vida muy precaria y casi debo decir que fueron nada más intentos no madurados de Facultades, ambas por falta de profesorado preparado, medios y alumnos. La de Ciencias Matemáticas y Físicas, en la práctica fue una escuela de agrimensores. La Universidad intentó contratar profesores extranjeros, pero, ignoro las causas, no lo logró, aunque supongo sería por razones económicas.

También es de tener en cuenta que, dentro de la Universidad, las Facultades no tuvieron nunca vida propia. Era la Dirección de Estudios la que siempre tuvo la autoridad y el control de todos los detalles.

Según las circunstancias de la llegada al país de intelectuales extranjeros asilados, se abrieron algunas Cátedras nuevas. Por ejemplo, en 1863 la de Economía Política, con el Dr. Macaya como Profesor.

En 1863 funcionaban las Cátedras, cada una con dos o tres cursos, de Filosofía, Física, Gramática Castellana y Latina, Matemáticas y Geografía, Derecho Civil, Derecho Público, Cánones, Economía Política, y la Universidad tenía 131 miembros: 4 socios, 10 doctores, 35 licenciados; 82 bachilleres. Es interesante este aspecto, pues se va a dar la paradoja de que fueron *miembros* de la Universidad casi todos los prohombres del país, independientemente de que la institución tuviera vida boyante o deslucida.

En 1867, a la clase de Física experimental se agregó otra de Química, con su laboratorio.

---

35 Molina, Felipe, *Bosquejo* . . . , 47. En 1859 habrá la misma cifra de 150.

Prácticamente, la Facultad de Filosofía y Humanidades estaba integrada nada más por las Cátedras de Filosofía y Gramática Castellana y Latina. A estas Cátedras ingresaban los adolescentes con los conocimientos de la escuela elemental, primaria, y en ellas debían recibir la preparación suficiente para cursar luego las otras cátedras, ya profesionales.

Es interesante que la Cátedra de Cánones se mantuvo como complementaria de la de Derecho Civil, pues los alumnos de ésta tenían interés en conocer el Derecho Canónico para poder litigar ante los tribunales eclesiásticos.

Hubo luego Cátedras de Inglés y Francés. En 1867 la Facultad de Matemáticas y Físicas tenía Cátedras de Agrimensura, Física, y Geometría y Algebra.

En los años 1870 a 1874 la Universidad entró en crisis. En 1871 sólo funcionaron las Cátedras profesionales de Derecho. En 1872 se restableció Historia Natural y Química, con Farmacia, pero se cerraron a los tres meses por falta de alumnos. Empezaron a darse clases de teneduría de libros, y se volvió al curso de Geografía (capacitación para agrimensores).

Las causas de esta crisis fueron cuatro: 1a, poco interés de los jóvenes de clase pudiente por los estudios (se dedicaban a la explotación agrícola, mucho más productiva); 2ª, falta de preparación previa de los alumnos (éstos seguían llegando con la preparación primaria, pero lentamente la Universidad ganó conciencia de que ésta era insuficiente); 3ª, falta de recursos económicos suficientes para atender a los estudios superiores y poder organizar, además, en debida forma, los secundarios; 4ª, la urgencia de la ampliación de los estudios secundarios, por la elevación del nivel de vida del país a consecuencia del éxito de los cultivos, especialmente del café [36].

Así, los directivos de la Universidad se encontraron abocados a tres tareas: preparación profesional de juristas, organización de la enseñanza media, capacitación para profesiones prácticas.

En 1872, José María Castro decía en acto oficial: "La Universidad no satisface ya las exigencias de la civilización y del desarrollo actual del país ... A la Administración del Estado corresponde levantarlas (las bases insuficientes; leyes y presupuestos económicos). El Jefe de la Nación lo ha prometido ... Todos anhelamos el adelanto de esta Academia" [37].

Es decir, el país había progresado vertiginosamente y la Universidad se había quedado pequeña. Y la reacción de la Universidad fue solicitar los medios para poder cumplir con las tareas (nuevas en cuanto a sus dimensiones) que el país le exigía.

---

36 Ya en 1854, el Dr. Nazario Toledo, en su *Discurso* rectoral se quejaba de que la preocupación por la agricultura y el comercio alejaban a la juventud, pues sólo concurrían a la Universidad los de las clases más humildes de la sociedad.

37 *Discurso* rectoral de 1º enero 1872.

Empieza a despuntar ya en algunas cabezas la idea de que la Universidad *sobra* y en cambio faltan escuelas "prácticas". A ello la Universidad respondió organizando, de su propio peculio, Colegios y escuelas (de enseñanza media y profesional, como veremos) y subvencionando otras muchas.

José María Castro, un año más tarde, decía:

" . . . llegó a nacer la idea de transformar este instituto científico en simple Colegio de instrucción secundaria. No hay razón para creer que ambos no pueden cultivarse en un mismo plantel. Así se ha hecho hasta ahora, y así puede continuarse haciendo bajo otro orden que provea mejor a la perfección de una y otra. Cierto es que un edificio sin buenos cimientos no ofrece seguridad; pero cierto es también que cimientos sin edificio no pueden alcanzar la importancia que reunidos." "Hay más, sin que se lo hayan propuesto los respetables autores de la idea indicada, la supresión de la Universidad vendría con el tiempo a reconcentrar los grados literarios en las familias acomodadas que pueden mandar sus hijos a adquirirlos en el extranjero." "Muchas son las familias que a ella [la Universidad] deben la mejora de su situación; muchos los hombres que en ella se han formado sin dejar al país, y que de ella han salido a figurar con lucimiento." [38]

El resultado práctico fue la iniciación del tercer período, que abarcará los años 1874-1888: los estudios superiores se reducen al Derecho y la mayor parte de los medios se emplea en enseñanza media (ya iniciada como tal desde 1872). El intento del 1882 de volverla a toda su amplitud en los estudios superiores fracasó, y ciertamente por incompleto respecto a los secundarios [39].

Este período, que es de agotamiento de la Universidad, abocada a una tarea para la que no tenía medios, ofrece un proceso

---

38 *Discurso* rectoral de 1º enero 1873.

39 En discurso de 24 junio 1883, el Dr. Eusebio Figueroa, Ministro de Instrucción Pública, hizo su instalación.
   "La Universidad de Santo Tomás . . . . fue privada hace cerca de diez años de su organización y reducida a la Facultad de Jurisprudencia. Hoy recobra el lugar perdido; vuelve a la vida . . . hoy no dependerá sino de las leyes."
   "En este recinto . . . . se han ofrecido también holocaustos; aquí se ha quemado incienso al Poder, aquí se han puesto en juego intrigas por intereses misérrimos."
   No quiero decir con esto que la Universidad debe convertirse en escuela de agricultura, ni que debe destruirse la rigurosa escala de la enseñanza; que esto implicaría una contradicción . . ., no, aquí, debe enseñarse, por necesidad, ... la filosofía y otras asignaturas preparatorias, como en otros tiempos, sin olvidarse la ciencia de los deberes". "Se ha visto a la ciencia ayudando a forjar las cadenas de los pueblos; pero la moralidad no transige jamás con los tiranos."
   "La libertad de enseñanza y la tolerancia religiosa son principios constitucionales" . . . "Tan repugnante sería que se arrastrase por los cabellos a un fanático o ignorante en nombre de la libertad y de la tolerancia, como que éste, invocando esas mismas divinidades, o usando de la fuerza bruta, cerrara el paso a los pensadores que buscan la verdad . . ."

paralelo de sentido contrario: el progresivo fortalecimiento del Ministerio de Instrucción Pública. Entre 1883 y 1887, pero sobre todo desde 1885, éste se plantea el problema, que era serio, de los Liceos y Colegios; y lentamente va legislando para someterlos a su inspección y control.

Aunque lo estudiaremos más adelante desde otros puntos de vista, fue fundamental, para desatar la crisis, la intervención del Ministro de Instrucción Pública, Mauro Fernández. En 1885 elogió el funcionamiento de la Universidad [40]. Pero fue de hecho limitando la intervención de ésta en la secundaria, sobre todo con la organización de la inspección ministerial y del control de planes en los colegios privados (que en esos años empiezan a aparecer).

El 1º diciembre 1887 la Universidad acordó la incorporación del Instituto Americano, de Cartago, a petición de su Director Juan F. Ferraz, "con el carácter de Cátedra Departamental" (es decir, dependiente de la Universidad).

El 18 enero 1888, el Ministro envió comunicación al Rector impugnando la incorporación a la Universidad del Instituto Americano. El argumento básico fue "el precedente que tal acto establecería en materia de segunda enseñanza, sustrayendo un Instituto particular a las disposiciones de la ley que garantiza la validez académica de la enseñanza libre..." (es decir, de la inspección y control ministeriales). Y aducía diversos textos legales. Una conclusión importante: la Universidad ya no tiene el derecho de nombrar examinadores para el Bachillerato.

La Universidad nombró una Comisión de estudio, que elevó informe el 3 febrero 1888, el cual, una vez aprobado, transcribió el Rector al Ministro, el día 11. El informe niega que la Universidad hubiera perdido sus prerrogativas en la materia. Y se alude directamente al deseo del Estado de "centralizar en el poder todas las esferas de acción...".

El Ministro el 21 febrero siguiente volvió sobre los mismos argumentos, y después de siete considerandos jurídicos, concluyó: que la Universidad no puede establecer Cátedras Departamentales; que los colegios privados deben cumplir la inspección·ministerial; que la incorporación del Colegio Americano es nula.

Esta colisión entre la Universidad y el Ministerio fue consecuencia, formalmente, de la dualidad de los textos jurídicos: los esgrimidos por ambas partes eran correctos. Indudablemente, también hubo imprudencia por parte de la Universidad, que recababa un derecho que, en la práctica, le había sido cercenado; eso sí, la Universidad tenía conciencia de haberse sacrificado a sí misma por favorecer la secundaria. Pero ciertamente tenía razón el Minis-

---

40 *Memoria* . . . al Congreso, 1885.

terio en su tesis del fracaso de la Universidad en este campo [41]. De una manera directa, también estaba en juego la autonomía universitaria, pues el Ministerio había empezado a anunciar planes de reforma de sus estudios. En todo caso, la Universidad erró en el planteamiento de la crisis. El Ministro aprovechó la coyuntura y clausuró la Universidad.

El Ministro de Instrucción Pública Mauro Fernández, en su *Memoria* al Congreso, 1888, atacó duramente a la Universidad. En ella, dice, sólo hay cinco Catedráticos de Derecho. "El Gobierno no tiene noticia de que existan programas... Los Catedráticos trabajan aisladamente...; no hay decano que gobierne la Facultad... Los exámenes de fin de curso fueron calificados de sobresalientes y buenos: pero la forma en que esos ejercicios se verificaron deja mucho que desear... el Jurado no puede formar juicio exacto...". "...ese Cuerpo casi sin vida,..." "Cada vez que meditemos sobre lo que encierra ese edificio, llamado Universidad, el desencanto será inmediato..." Luego plantea la necesidad de reforma, y de realizarla por etapas: primero, la organización completa de la Facultad de Derecho. Entre las materias que faltan, entre otras, señala: "la historia y su filosofía, la filosofía del Derecho"; luego, "el establecimiento de los estudios físico-matemáticos." Para lograr esto, propone: que se destine el edificio de la Universidad a otros servicios públicos; que se haga un edificio especial para Derecho; que en diez años se capitalicen 300.000 colones para mantener tres escuelas. Más tarde, Medicina.

Puede observarse en esta *Memoria* la dualidad entre los proyectos de futura y lejana reorganización de la institución y el comenzar por confiscarle el edificio.

El Presidente Soto, a propuesta de su Ministro, presentó dos decretos al Congreso: declarar abolida la Universidad; destinar a oficinas públicas el edificio [42].

El 7 de agosto se reunió la Asamblea Universitaria, que acordó solicitar el retiro de dichos dos decretos. Nueva Asamblea el día 15. Sesenta y nueve miembros de la institución elevaron violenta protesta, entre ellos: Juan F. Ferraz, Nazario Toledo, Pedro León Páez, Elías Jiménez Rojas, etc.

El 22 de agosto el Congreso los aprobó.

---

41 La Universidad fracasó en extensión, pero no en calidad. Gracias a los Fernández Ferraz, el Instituto Nacional y el Instituto Universitario fueron de extraordinaria calidad.

42 "El Presidente Soto, ..., realizó sus deseos, primeramente manifestando, que tendían no solo a destruir la Universidad, sin crear nada en cambio, nótese bien, sino también a destinar inmediatamente el edificio de la Universidad a otros usos ajenos a la enseñanza. Si fue o no un paso hacia el progreso... juzguen los jóvenes de hoy día... Respecto a la otra medida *sui generis* referente a la casa, no dicen los estudiantes de Derecho que, desde 1888 andan de casa en casa, saliendo de una que amenaza ruina, para entrar en otra donde no pueden estirar los brazos?"

J. M. Z. en: "El Fígaro" (15 julio 1897).

Elías Jiménez Rojas lo consideró: "El yerro más trascendental que se haya cometido en Costa Rica ... " [43].

Este malentendido entre el Estado y la Universidad tuvo consecuencias fatales para la cultura del país. Es curioso observar que, *materialmente,* la supresión de la Universidad no cambiaba nada, pues seguía funcionando la Escuela de Derecho [44], que era la única con vida desde 1874.

La tragedia estuvo en que el Estado se lanzó a organizar los estudios de secundaria sin contar con una Universidad que la respaldase, y sobre todo, sin intentar siquiera organizar la preparación del profesorado medio. El resultado inmediato fue la iniciación de la cuarta etapa. La enseñanza del país, progresando administrativamente, quedó culturalmente acéfala. Costa Rica, desde el tránsito de siglo, tuvo una primaria buena, pero una secundaria enteca, sin profesorado, elementalizada. Al estudiar la figura de Valeriano Fernández Ferraz, veremos un juicio tajante.

Sin embargo, no es muy seguro que la prosecución de la Universidad hubiera salvado el nivel de la secundaria. Los restantes países del Caribe, con o sin Universidad, también cayeron en una secundaria primarizada.

Es probable que hubiera por medio esguinces políticos, como algunos señalaron, pero no creo fueran la causa fundamental [45].

Lección de aquel suceso; la necesidad de cooperación del Ministerio y la Universidad, y la necesidad por parte de ésta de preparar Licenciados para el profesorado medio, pero sin interferir administrativamente. Antes la Universidad, en este cuarto período el Ministerio, cada uno fracasó ante el problema.

* * *

En 1890, a propuesta del Lic. Montero, que había sido el principal defensor de la Universidad, se aprobó por Asamblea una ley (29 julio 1890), acordando la reorganización de la Universidad y aprobando sus Estatutos. El 1 agosto siguiente recibió el "ejecútese" del Secretario de Instrucción Pública Valverde. Sin embargo, nunca fue cumplida.

---

43 Apuntes, tomo IV, 34 (1938), p. 274.

44 En 1891 los defensores de la Universidad propusieron una ley, que se aprobó el 1º julio, de que, en tanto se restableciera la Universidad, la Facultad de Derecho fuera administrada y dirigida por el Colegio de Abogados. Así, dejó de depender del Ministerio y pudo funcionar.

45 "... desapareció el cuerpo que integraban todos los hombres de ciencia y de letras y los estudiosos del país y que era, naturalmente, el llamado a dirigir la enseñanza, y cayó ésta bajo la férula de una Secretaría de Estado, servida como lo quieren las circunstancias políticas." Alfonso Jiménez R., p. 127.

Esta ley es interesante en dos aspectos. Como visión de la Universidad es bastante moderna, pero entrega a ésta la **Segunda** Enseñanza, reactualizando el ya viejo problema. El artículo 2º dice: "La Universidad es el centro de todos los demás establecimientos de segunda enseñanza y de la Facultativa de la República, inclusive los privados,..." *(Ibíd.,* art. 101). Y el grado de Bachiller (art. 138) sería culminación de una "Facultad". Además, conservaba el título de "Bachiller en Filosofía" (art. 264) como secundario.

Restablecer estos puntos sin buscar su articulación con la legislación sobre Secundaria era esterilizar la Ley desde sus inicios. Nuevamente faltó perspectiva y comprensión de las realidades.

Para Filosofía establecía, entre otras, una Facultad de Filosofía y Letras, con tres años de duración (art. 263) y el siguiente plan de estudios: "Psicología, Etica, Estética, Lógica, Teodicea, Historia de la Filosofía, Literatura General, Literatura Española, Clásicos Latinos". Es decir, se trataba de una Facultad específicamente de Filosofía.

Lástima para el país que, en lugar de Ley tan ambiciosa, no se estableció, de acuerdo con el Ministerio, una Facultad de Filosofía que hubiera preparado Licenciados para ejercer el Profesorado medio. Se tardará más de medio siglo en hacerlo, cuando se palparon las consecuencias de su ausencia.

BIBLIOGRAFIA SOBRE LA UNIVERSIDAD DE SANTO TOMAS

BONILLA, A., *Hist. Ant. Lit. Costarr.* (1957), I, p. 26-27 y 78-81.

BONILLA, A., OBREGON, R., MACAYA, E., *Significación cultural de la Universidad de Santo Tomás en la Costa Rica del siglo XIX.* "Rev. Filos. Univ. Costa Rica, III, 9 (1961), p. 75-93.

FACIO, RODRIGO, *La Universidad de Santo Tomás de Costa Rica,* prólogo a: OBREGON LORIA, R., *Los Rectores . . .* p. 7-32.

GONZALEZ, LUIS FELIPE, *Influencia extranj. C. R.* (1921).

GONZALEZ, LUIS FELIPE, *Hist. Instr. Públ. Costa Rica,* (1961), II, p. 31.

JIMENEZ R., ALFONSO, *Notas de Historia,* Apuntes, Supl. 3, (1942), p. 115-122.

JIMENEZ R., ALFONSO, *Efemérides de la Historia,* "Rev. Arch. Nac.", VII, 3-4 (1942), p. 125-128.

FERNANDEZ FERRAZ, VALERIANO, *Proceso del modernismo pedagógico en Costa Rica,* (1905).

NAVARRO BOLANDI, HUGO, *La generación del 48,* (México, 1957), p. 25-30.

OBREGON LORIA, RAFAEL, *Los Rectores de la Universidad de Santo Tomás de Costa Rica,* (San José, Ed. Universitaria, 1955), p. 181.

SANABRIA, V., *Anselmo Llorente . . .* p. 154-159.

TOVAR, ROMULO, *El concepto de Universidad en el Doctor Don José María Castro,* Repertorio Americano, XXIII, 24 (26 diciembre 1931). Reprod. en: OBREGON LORIA, R., Los Rectores... (1955). p. 81-91.

IGLESIAS, FRANCISCO MARIA, *Memoria rectoral,* 12 enero 1851.

CARRANZA, RAMON, *Informe... al Ministro...,* 7 junio 1871.

CASTRO, JOSE MARIA, *Discurso...,* 1 enero 1873.

HERRERA, VICENTE, *Discurso...* (de inauguración del curso por el Ministro), 1875.

FIGUEROA, EUSEBIO, *Discurso...,* 24 junio 1883.

FERNANDEZ, MAURO, *Memoria... al Congreso por el Ministro...,* 1885.

FERNANDEZ, MAURO, *Memoria al Congreso por el Ministro...,* 1888.

CASTRO, JOSE MARIA, *Informe...* rectoral, 1861.

TOLEDO, NAZARIO, *Discurso...,* 1853.

JIMENEZ, RICARDO, *Memoria de Instrucción Pública,* 6 mayo 1890.

Grados de Doctor, Licenciado y Bachiller en Filosofía por la Universidad de Santo Tomás

Desde 1840 la Casa de Enseñanza Pública de San José había conferido el grado de Bachiller en Filosofía, lo cual significaba Bachiller propiamente, o primer escalón para poder seguir estudios universitarios.

Entre 1844 y 1888, la Universidad de Santo Tomás confirió los tres grados, de Doctor, Licenciado y Bachiller, con derecho exclusivo en el país. Además, los grados obtenidos en otros países, para ser válidos en Costa Rica, debían ser reconocidos por la Universidad.

Para obtener el grado de Doctor en Filosofía, la Universidad no tuvo nunca estudios organizados. Sólo una vez lo confirió, a Nicolás Gallegos, que estudiaremos más adelante; era Profesor de Filosofía en la misma institución y su grado de Doctor fue en forma de especial honor.

Tampoco tuvo nunca la Universidad estudios completos para la Licenciatura en Filosofía, aunque previó la forma de optar a este título y lo confirió. El Reglamento de Instrucción Pública promulgado por decreto de 4 octubre 1849, estableció, para el grado de "Licenciado en filosofía i humanidades", "haber hecho un estudio extenso de los ramos que señala la parte primera del artículo 84 (es decir, para Bachiller) i haber abrazado el estudio de la historia literaria i de la historia de la filosofía" (art. 90, 1º).

En 1849 obtuvieron este grado de Licenciados en Filosofía: Adriano Rojas y Baltazar Salazar. Ignoro si hubo otros.

El grado de Bachiller en Filosofía fue el más frecuentemente conferido por la Universidad [46]. Los primeros habían sido conferidos por la Casa de Enseñanza Pública en 1840.

El Reglamento de Instrucción Pública de 4 octubre 1849, estableció como primera la "Facultad de filosofía i humanidades" (art. 45) y le asignó como fin "promover el cultivo de los diferentes ramos de filosofía i humanidades, i ayudará con sus luces i trabajos al Consejo de instrucción pública" (art. 56). El art. 57 le ordena que dé "una atención especial á la lengua materna, á la historia de la República i á la estadística general". Para obtener el grado de "Bachiller en filosofía i humanidades" requirió "que el candidato haya reunido examen de la lengua castellana i de dos idiomas, de los cuales uno ha de ser precisamente el latin, de aritmética, elementos de algebra, geometria y física, i principios de cosmografía: de geografía, principios generales de historia antigua y moderna: historia i fundamentos de la religión: i principios de literatura, de psicología, lógica i elementos de moral" (art. 79, 1º). Para las demás, en general, se requería como previo este grado. El examen de grado, público, y de una hora de duración como mínimo, versa en esta Facultad sobre "latín, el idioma castellano, principios de historia, principios de literatura i filosofía" (art. 84, 1º).

Por el artículo 223, los estudios de "humanidades" abarcan ocho disciplinas, y la octava es "Filosofía mental y moral, i derecho natural". Por el artículo 226, la clase de filosofía sería diaria, y en dos cursos (dos años).

La primera Asamblea Constituyente había fijado tres años para la filosofía [47].

El Consejo de Instrucción Pública, el 4 enero 1851, resolvió un proyecto de ley al Congreso sobre: que no se pudieren conferir órdenes menores a los que no hubieren obtenido el Bachillerato en Filosofía, y mayores a los en Teología. No se cumplió, a pesar de la afirmación de que "Monseñor Llorente exigió a los manteístas que hicieren el curso de Filosofía en la Universidad, exigencia que se mantuvo con más o menos rigor aún después de haberse establecido en el Seminario las clases sobre materias eclesiásticas" [48].

La Ley de 1 abril 1875, que fijó el programa de estudios mínimo para optar al grado de Bachiller, incluyó: "Filosofía".

Como índice del movimiento de títulos, recojo los datos que he encontrado (incompletos), comparativamente con los de Bachiller en Leyes.

---

46 Según los Estatutos de la Universidad (septiembre 1843), para optar al grado de Bachiller en Filosofía se necesitaba haber ganado dos ramos de gramática castellana y latina, uno de matemáticas y geografía, y dos en Filosofía.

47 Nazario Toledo, *Discurso* rectoral de 1853.

48 V. Sanabria, *Anselmo Llorente,* p. 159.

1848:   Bachilleres en Filosofía: 5

1852:   Bachilleres en Filosofía: 5
         Bachilleres en Leyes: 5

1861:   Bachilleres en Filosofía: 8

1862:   Bachilleres en Filosofía: 7
         Bachilleres en Leyes: 3

1863:   Bachilleres en Filosofía: 7
         Bachilleres en Leyes: 1

1864:   Bachilleres en Filosofía: 2
         Bachilleres en Leyes: 1

1875:   Bachilleres en Filosofía: 14

1884:   Bachilleres en Filosofía: 5
         Bachilleres en Leyes: 5

1885:   Bachilleres en Filosofía: 8
         Bachilleres en Derecho: 3

1887:   Bachilleres en Filosofía: 9
         Bachilleres en Derecho: 2

1888:   Bachilleres en Filosofía: 10
         Bachilleres en Derecho: 3

Posteriormente al 1888, el Ministerio de Instrucción Pública confirió el grado de Bachiller, previo haber cursado cuatro cursos en un Liceo o Colegio y examen ante examinadores nombrados por el Ministro.

La Cátedra de Filosofía en la Universidad de Santo Tomás: Organización, Profesores, Orientación.

Como hemos visto, en un principio se le asignaron tres años, pero en seguida se refundieron en dos, y así se mantuvo hasta el 1872. Cada uno de esos dos cursos era de una hora diaria. En general, ambos estuvieron a cargo del mismo catedrático.

De 1844, sabemos que el horario era: a las seis y a las once del día [49]. Supongo que la de las 11 correspondía ya a la tarde.

---

49 "El Mentor Costarricense" (22 junio 1844).

La primera orientación vino dada por Nicolás Gallegos y Nazario Toledo, y fue continuación de la ya difundida a través de la Casa de Enseñanza Pública en sus últimos años. Con Nazario Toledo, Desttut de Tracy y Condillac; con Nicolás Gallegos, la Escuela Escocesa y Condillac. Por otra parte, Nazario Toledo introdujo dentro del horario de Filosofía, algo de Física experimental [50].

En 1853, Nazario Toledo decía:

"El curso de Filosofía deberá ´sufrir reformas, . . . Este estudio es preciso convertirle en un curso de humanidades, donde el aprendizaje de los diversos ramos sea más extenso, más profundo y se halle dividido ·como corresponde y clasificado según las profesiones, que más tarde abrazarán . . . . . . conviene que tenga mayor ensanche y por consiguiente sea más larga su duración. La primera Asamblea Constituyente calculó muy bien esta materia, cuando fijó el término de tres años para la duración de lo que entonces se llamaba un curso de Filosofía, que era un conjunto de diversas materias, y no una ligera ojeada de los rudimentos filosóficos, como es en el día.

"En la cátedra de Filosofía, se han hecho notables los adelantamientos que se lograron este año en la Física, en cuyo ramo se presentaron actos muy lucidos en que se explicaron muchos fenómenos prácticos con las máquinas e instrumentos correspondientes" [51].

Esta situación se mantuvo, a satisfacción general, hasta 1855; este año y el siguiente fueron de profesorado interino, y luego pasó a titular el Lic. Ezequiel Salazar y en 1869 el Bachiller Ezequiel Gutiérrez, que lo fue hasta 1871. Ambos tuvieron suplentes interinos, por motivo de viajes. Su orientación fue bastante ecléctica. Ezequiel Gutiérrez puso como textos las obras de Monlau, de Rey y Heredia, y de Balmes. Puede por tanto afirmarse que se seguía en la línea de un comienzo, algo actualizada [52].

En 1872 no funcionó.

De 1873 a 1875, encontramos en la Universidad un curso de "Filosofía Racional", a cargo del Lic. José María Céspedes. Como no funcionaba más que la Facultad de Derecho, supongo que se trató de una cátedra especial, incorporada a ésta. Céspedes, cubano, exilado, era krausista y de él hablaremos más adelante. Por tanto, la orientación de la Cátedra es de suponer que seguía la filosofía panenteísta. Céspedes también tenía a su cargo la Cátedra de Derecho Natural, en la que seguía a Ahrens.

---

50 Actas de la Dirección de Estudios, de 22 enero y 6 marzo 1845.

51 *Discurso* rectoral de inauguración del curso, 1853. En 1862, Cátedra independiente de Física.

52 Para justificar la creación del Instituto Nacional, el Ministro Herrera (discurso de inauguración) afirma: "Alumnos ha habido cursando las clases de Derecho (antes de esa reforma de 1875), que de las ciencias filosóficas apenas saben unas muy pobres definiciones . . ."

El Profesorado de Filosofía fue:

1844: Nicolás Gallegos, titular.

1845: Lic. Lucas Alvarado, interino.

1846-1854: Dr. Nazario Toledo, titular.

1848: Bachiller Matías Trejos, interino.

1855: Lic. Julián Volio, interino.

1856: Ramón García, interino.

1857-1862: Lic. Baltasar Salazar.

1858: Doctor Nicolás Gallegos, interino

1859: Constantino Arias, interino.

1863: Lic. Ezequiel Gutiérrez, titular.

1864-1865: Bachiller Francisco Oreamuno, interino.

1866-1871: Lic. Ezequiel Gutiérrez.

1867: Dr. Pedro Hern, interino.

1869: Bachiller Elías Jiménez, interino.

1871: Alvaro Contreras, Ramón Carranza, interinos.

1873-1875: José María Céspedes.

De Nicolás Gallegos y Nazario Toledo hablaremos al tratar de los liberales ilustrados; y de José María Céspedes, con los krausistas. Los interinos no creo tuvieran, a nuestro juicio, gran interés; Julián Volio y Ramón Carranza fueron personas de relieve, pero no mostraron dedicación por la filosofía.

Baltasar Salazar se licenció en Filosofía por la Universidad de Santo Tomás en 1849. Fue Decano de la Facultad de Humanidades en 1850. Fue Profesor también de la Cátedra de Matemáticas [53]. Se conservan varios discursos suyos pronunciados en actos universitarios, muy interesantes para la vida universitaria, pero sin interés filosófico.

Ezequiel Gutiérrez, nacido en Cartago, 1840, diplomático muchos años, fue Presidente del Congreso, Designado a la Presidencia, Presidente de la Corte Suprema de Justicia y Candidato a la Presidencia. Se había educado en Inglaterra [54]. En sus *Memorias* Valeriano Fernández Ferraz dice: "... mi respetable amigo don Ezequiel Gutiérrez, que andaba por allá (España) en busca de un Director de Escuela Normal primaria". Ese viaje tuvo lugar en 1869, poco antes de la venida a Costa Rica del Dr. F. Ferraz, por lo que es de suponer que influyó en su ánimo para hacer el viaje. Murió en 1920.

---

53 Acta Dirección de Estudios, 15 mayo 1865.

54 Mata Gamboa, Jesús, *Monografía de Cartago* (1930), p. 25.

Obras de texto de que tengo noticia, fueron (los años son aquellos de que he visto constancia):

1843: FELIX VARELA, *Física, Moral.*

1847: NICOLAS GALLEGOS, *Lógica.*

NICOLAS GALLEGOS, *Etica.*

DESTTUT DE TRACY, CONDILLAC Y LOCKE (obras de consulta).

1864: VARELA, *Física,* además.

1867: P. HENU, *Etica.*

1871: MONLAU, *Psicología.*

REY Y HEREDIA, *Lógica.*

BALMES, ... [55].

1873: AHRENS (?).

La Teología Moral se dio varios años por la obra de LARRAGA.

El número de alumnos, de los años que conozco, entre los dos cursos, fue: 1848, 14; 1855, 30; 1856, 10; 1862, 9; 1867, 54; 1871, 44; 1874, 8; 1875, 25. Cifras casi siempre superiores a las de otras Cátedras.

La Biblioteca Universitaria dispuso según años de obras de Condillac, Desttut de Tracy, Buffon, Lacroise, Tocqueville, Thiers, Chateaubriand, Fleury, Segni, Mably, Bacon, Locke, Hume, Adam Smith, Bentham, Darwin, Stuart Mill, Hamilton, Spencer, Comte, Littré, Cousin, Taine, Fouillée, Janet, Renan, Guyau, etc.

Las Cátedras Departamentales

Para facilitar el ingreso a los estudios profesionales universitarios, se adoptó en Centroamérica el sistema de Cátedras Departamentales, imitando el régimen francés.

En la práctica consistían en unos profesores particulares (la mayor parte de las veces uno solo) que impartían, en una ciudad sin Universidad, estudios que capacitaban para optar al grado de Bachiller.

Intentando reglamentar estos estudios, el Supremo Poder Ejecutivo de Centroamérica dictó el decreto de 22 enero de 1824, en los siguientes términos:

"Art. 1º Se establecerán cátedras de filosofía en todos los pueblos de los Estados donde se puedan dotar, ó los maestros quieran enseñar gratuitamente.

"Art. 2º Es á cargo de las municipalidades hacer efectivos estos establecimientos bajo las reglas siguientes:

---

55 *Informe* del Rector Carranza, 7 junio 1871.

"1ª, El Maestro deberá ser Bachiller en filosofía, ó habilitado al efecto por la diputación provincial.

"2ª, Deberá obtener permiso de la municipalidad...

3ª, Las municipalidades pondrán en conocimiento de la universidad á que corresponda, los cursos que se ábran con expresión del día que comiencen y concluyan, del nombre del Maestro y de los cursantes...

"4ª, Los cursos serán quatro en el tiempo de dos años quatro meses continuos a excepción de los días festivos: el 1º de aritmética: el 2º de geometría.: el 3º de filosofía moral; en que precisamente se explicarán los deberes del hombre en sociedad: el 4º de geografía experimental.

"Art. 4º—Las Universidades por ahora y mientras sus claustros proponen las reformas que se les han pedido, arreglarán también sus estudios de filosofía al presente decreto:..."

El artículo 5º del decreto de 3 mayo 1843, de erección de la Universidad de Santo Tomás estableció: "En la cabeccra de cada uno de los Departamentos del Estado, habrá una clase de latinidad, y otra de Filosofía, dotadas por el Tesoro de la Universidad,..."

La Universidad de Santo Tomás procuró en seguida organizarlas. En la práctica, estas cátedras, en general, tuvieron una vida muy precaria. Algo menos, la de latinidad, que consistía en Gramática latina y castellana.

En 1843 la desempeñó en Cartago el Pbro. Juan Manuel Carazo, que seguía en 1844. En 1843-45, el Pbro. Joaquín Flores, en Heredia. En 1844 en Alajuela, Baltasar Zeledón [56].

En 1844 sólo se pudo poner una en funcionamiento en Cartago.

En 1845 las hubo en Cartago, Heredia, Alajuela y Guanacaste. Pero inmediatamente las autoridades de Guanacaste protestaron, pues necesitaban más urgentemente escuelas de primeras letras

En la práctica, todo dependió de que hubiera una persona que se ofreciera a dar esa enseñanza. Por este motivo, la de Gramática tuvo mejor suerte. En varios casos, hubo de cerrarse el curso, por "deserción escolar".

Como ejemplo, puede citarse el concurso a oposición para las Cátedras de Filosofía de Alajuela y Heredia, convocado el 17 agosto 1844, vuelto a convocar el 30 octubre 1844 y al que en diciembre no había concurrido todavía nadie. En adelante ya no se convocaron a oposición, sino que la Universidad se limitó a estudiar las propuestas de las autoridades locales, cuando las había. A posteriori, se nombraba titular.

---

56 1835, en Cartago, clases de Filosofía, por el Coronel Ildefonso Paredes, español de Murcia. En ese año pasó a Colombia. *Revista de Costa Rica,* I, (1971), p. 9.

Se pueden distinguir, con buena voluntad, dos períodos. El primero, hasta 1851. En éste, hubo: En Cartago, cursos en 1844 y 1845, a cargo del Br. Aniceto Esquivel, con asistencia de alumnos "menor" de cuarenta y ninguno se presentó a examen [57] y en 1850-1851, por el Pbro. Br. Francisco Calvo, sustituido en 1852 por el Lic. Julián Volio. En Alajuela, en 1845 profesor el Sr. Lucas Alvarado, al que se le llamó la atención y pronto fue separado, y en 1847, Br. Nazario Ocampo. En Heredia, 1845, con ocho alumnos presentados a examen por el Pbro Joaquín Flores; en Guanacaste en 1845, pero se suspendió en seguida. En 1851, el Vice-Rector Francisco Iglesias decía: "En las cabeceras de provincia se han cerrado las clases de filosofía, pues en unas no ha habido cursantes suficientes, y en otras no se ha hecho oposición (de candidatos) a ellas" [58].

Luego, en Alajuela, funcionó una en 1864, pero sólo hasta mayo.

En Heredia fue titular el Sr. Pedro Navas desde 1861, y renunció en 1864, pero en 1862 fue desempeñada por el Lic. J. Gregorio Trejos, con 21 alumnos en 1862 [59]. En 1863 no funcionó por inasistencia de los alumnos. En 1864 fue nombrado profesor el Bachiller Eleodoro Trejos, que presentó 4 alumnos a examen.

En Cartago funcionó en 1862 y 1863 a cargo del colombiano Dr. Pedro de León Páez, del que volveremos a hablar más adelante. Con excepción de éste, no merecen atención especial ninguno de los profesores mencionados [60].

Este vacío obligó a la Universidad a buscar otros caminos, para hacer frente a la preparación previa de sus estudiantes.

La Enseñanza de la Filosofía en los Institutos Secundarios

Como he explicado antes, en Costa Rica en el XIX toda enseñanza de la Filosofía fue secundaria. Unas veces intrauniversitaria y otras extrauniversitaria.

Ahora vamos a ver la que, de hecho, fue extrauniversitaria. Jurídicamente, continuó siendo universitaria, pues el grado de Bachiller, hasta 1888, lo fue, y además el Instituto Nacional y el Instituto Universitario funcionaron en, y con dinero de, la Universidad. Pero ya la orientación "infra-universitaria" estaba decidida,

---

57 "El Mentor Costarricense" (1º agosto 1844). Se admitió su renuncia el 11 abril 1845. Acta de esta fecha de la Dirección de Estudios.

58 *Memoria,* de 12 enero 1851.

59 El Pbro. J. Gregorio Trejos explicó en 1862 "Lógica, Etica y Metafísica" y anunció para 1863 "Física".

60 Estos son los datos que constan en algunas de las Actas de la Dirección de estudios. Es posible que esporádicamente hubiera algunos más.

sobre todo por obra de Valeriano Fernández Ferraz, el profesor que imprimió carácter de Liceo (de Instituto Secundario), al modo español, a los dos más importantes (San Luis Gonzaga, de Cartago, y Nacional), seguido por su hermano Juan (en el Universitario), y ya transfundido luego a los demás. Es importante destacar que, como veremos luego al estudiar el krausismo, por obra de los Fernández Ferraz, la Secundaria costarricense, en pleno, se gestó bajo la orientación filosófico-pedagógica del krausismo español.

Hemos de distinguir forzosamente dos períodos. De 1869 a 1888, o gestación de los Institutos secundarios *more* krausista. Y de 1888, en adelante, o desarrollo administrativo de la Secundaria dirigida por el Ministerio de Instrucción Pública. Como veremos, en el primer período la Filosofía ocupa lugar destacado, básicamente con sus tres disciplinas "krausistas" (Lógica, Psicología y Etica). En el segundo, la Filosofía, por falta de profesores, se irá perdiendo, precisamente a medida que el número de Liceos crece. Finalmente quedará implantada, nominalmente, la Psicología [61].

El Colegio San Luis Gonzaga de Cartago fue creado en 1842, pero no funcionó hasta la llegada de Valeriano Fernández Ferraz en 1869. Aparte de interregnos breves, ofrece tres períodos de evolución: 1º, 1869-1875, krausista; 2º, 1876-1884, con los jesuitas; 3º, en adelante, con la organización pública general, aunque autónomo.

De 1871 a 1875, el plan de estudios de Filosofía fue: Psicología y Lógica, en cuarto año; Metafísica, Psicología y Lógica en Quinto año. Profesor: Valeriano Fernández Ferraz. Textos, los mismos oficiales en España: *Psicología* de Monlau; *Lógica y Etica* de Rey y Heredia.

En el segundo período, en 1876-1877 no hubo filosofía. En 1878-1879, la "Filosofía y Lógica" estuvo a cargo del P. Camilo Konick, S. J. De 1882 a 1884, hubo Lógica, a cargo de los PP. Francisco Pavón, S. J. y Benjamín Ruiz, S. J.

En el tercer período, en 1894, fue profesor de "Filosofía" el Dr. Federico Pizarro. De 1895 a 1898, fue profesor de "Psicología" Valeriano Fernández Ferraz. De 1899 a 1902 lo fue el Prof. Clodomiro Picado.

El Instituto Nacional, creado en 1875, no tuvo Filosofía en este año. El Director, Dr. Renard Thurmann, que había sido contratado para Filosofía, no llegó a 1876. En 1876-1878, Profesor de "Filosofía", Mauro Fernández; texto: Monlau. De 1879 a mayo 1882, profesor de "Psicología, Lógica, Moral y Teología racional" (en dos cursos), Valeriano Fernández Ferraz. El resto de 1882, Juan de Dios Trejos. En 1883, profesores de "Psicología, lógica, historia de la filosofía, y filosofía de la historia'" (en cuatro cursos), Mauro Fernández y José Torres Bonet.

---

61 Para la historia general de estos Colegios me remito a los estudios de Luis Felipe González.

El Instituto Universitario tuvo en 1884 "Psicología, Lógica, Etica, Teodicea"; en 1885, "Psicología y Lógica"; y en 1886, "filosofía elemental". A cargo de Juan Fernández Ferraz. Rafael Montúfar fue el profesor de Antropología y Derecho Natural.

El Liceo de Costa Rica (1864-1867), dirigido por Máximo Jerez, tuvo, según anunciaba el "programa": "Filosofía: Lógica, moral científica y derecho natural, metafísica en sus diferentes ramos, física general y especial", explicada por Máximo Jerez. Texto, Balmes.

El Colegio de Santo Tomás, en 1873-1874, anunció: Lógica, Psicología, Teodicea, Etica, Derecho Natural e Historia de la Filosofía, por José María Aguirre; "Lógica mnemónica, estética, ideología pura, gramática", por el Lic. Rafael Machado.

El Colegio de San Agustín de Heredia (1875-1876, 1879-1880), anunció disciplinas filosóficas, que no llegaron a darse. Profesor, nombrado, Eleodoro Trejos Gutiérrez.

El Colegio de San José (1882) tuvo: Psicología, Lógica y Etica (en dos cursos), a cargo de José Torres Bonet.

El Colegio Central (1883), tuvo "Filosofía", a cargo del Br. Joaquín Iglesias.

Las luchas para expulsar a Valeriano Fernández Ferraz del Colegio de Cartago en 1873, la instalación de los jesuitas en 1875 y su expulsión en 1884, tuvieron poca repercusión para la enseñanza de la Filosofía. Sí la tuvo en cambio la orientación netamente laicista que dio Juan Fernández Ferraz al Instituto Universitario, las luchas consiguientes con el Obispo Thiel, la "guerra de los urinarios", que veremos al estudiar a aquél.

El Liceo de Costa Rica, fundado en 1888, tuvo como profesor de Filosofía a Pedro León Páez.

* * *

Podrá extrañar que incluya aquí el Seminario, pero, desde nuestro punto de vista, ofreció Filosofía a nivel de Secundaria.

Organizado en 1877, quedó a cargo de los PP. Lazaristas, franceses. Tuvo "Colegio Seminario", que funcionó como Colegio secundario con toda clase de alumnos, y Seminario Mayor. En 1885 fueron expulsados los Lazaristas y funcionó sólo con profesorado nacional hasta 1893, en que se volvió a encargar la Orden, pero con PP. alemanes. La orientación de la orden, misionera, hizo que no se preocupasen por la Teología, y la Filosofía. Hasta 1881, no hubo cursos de Filosofía; desde este año, profesor de Filosofía el costarricense Juan de Dios Trejos; texto, Cayetano Sanseverino.

En el Seminario Mayor, de los seis cursos, Filosofía en los dos primeros.

* * *

De los profesores de Filosofía mencionados, estudiaremos, como krausistas, a Valeriano y Juan Fernández Ferraz; como positivistas, a Máximo Jerez, Mauro Fernández y José Torres Bonet; como doctrinario católico, a Juan de Dios Trejos, José María Aguirre, Joaquín Iglesias, Rafael Machado, Eleodoro Trejos, Clodomiro Picado, Federico Pizarro, y los PP. jesuitas Pavón y Ruiz fueron profesores de secundaria sin especial interés por la Filosofía.

Los restantes fueron:

Pedro León Páez, nacido en Cartagena, Colombia, en 1835. Doctor en Leyes, Prefecto de Colón; exilado político en 1860, se asiló en Costa Rica. Gobernador y Juez de Cartago, Magistrado de la Corte de Justicia, Ministro de Instrucción Pública, Diputado y Presidente del Congreso. Fundó en Cartago el "Colegio de Humanidades Páez", primario-secundario; profesor de Filosofía y Economía Política en el Liceo de Costa Rica, profesor de la Facultad de Derecho, Rector interino. Murió en 1893 [62]. Hombre de cultura, buen profesor, liberal, no dejó escritos filosóficos; sí pedagógicos y breves discursos como Presidente del Congreso (1894, 1898).

Camilo Koninck, S. J., belga, residió en Costa Rica entre 1877 y 1880. En este año fue trasladado al Perú. Murió en Málaga, España, en 1923, a los ochenta y ocho años de edad. No sé si dejó publicaciones filosóficas fuera de Costa Rica. En este país ganó prestigio como profesor de la disciplina.

Renard Thurmann, suizo, Doctor en Filosofía, teósofo, fue contratado en 1875. Su contrato fue rescindido en 1876. En 1875 publicó en "El Costarricense" una serie de artículos sobre *De los principios y del método en la Filosofía de la Historia* [63].

El P. *Daniel Restrepo* nació en Honduras en 1841. Ingresó en la Compañía a los quince años. Se le eximió de los estudios de Filosofía y Teología, para ordenarse. Y nunca manifestó interés por estas materias. En 1877 fue a Cartago. Luego pasó a Colombia. Ya muy anciano, pasó a Panamá, cuando el Obispo de Panamá Javier Junguito pidió a los jesuitas que organizasen el seminario en 1910. Este seminario tuvo muy pocos alumnos y no logró perfeccionarse (pp. 90 ss.). En 1912 volvió a Colombia. Murió en 1928. Su gran afición había sido siempre la música.

Los jesuitas, cuando la expulsión de Guatemala, Honduras y El Salvador tomaron como centro a León de Nicaragua, donde tenían un seminario para sus novicios. Es de señalar que con frecuencia eximieron en el mismo de los estudios teológicos y filosóficos. Más tarde fueron también expulsados de Nicaragua.

---

62 González, Luis Felipe, *Hist. Influencia Extranjera* (1921), p. 366-367. R. Obregón Loría, *Los Rectores* . . . (1955), p. 169-172.

63 González, Luis Felipe, *Hist. Influencia Extranjera* (1921), p. 294-295.

En Costa Rica, Zambrana le atacó señalando que una composición musical suya era plagiada [64].

FUENTES

Estatutos de la Casa de Enseñanza Pública, de 2 octubre 1822.

Ley de creación del Colegio San Luis Gonzaga, de 1 septiembre 1842.

Decreto de creación de la Universidad de Santo Tomás, de 3 mayo 1843.

Estatutos de la Universidad de Santo Tomás, de 1 septiembre 1843.

Reglamento Orgánico de Instrucción Pública, de 4 octubre 1849.

Decreto de reorganización universitaria, 7 enero 1850.

Decreto de creación de nuevas Facultades universitarias, de 4 septiembre 1850.

Proyecto de Estatutos universitarios, por JOSE MARIA CASTRO (no aprobado por el Congreso), 1862.

Ley de 17 octubre 1862.

Reglamento de segunda enseñanza de Cartago.

Ley organizando los servicios generales de la Instrucción Pública, de 29 septiembre 1869.

Decreto reglamentando las enseñanzas primaria y normal, de 22 octubre 1869.

Decreto estableciendo una Escuela Normal, de 10 noviembre 1869.

Decreto sobre enseñanza universitaria suprimiendo la autonomía, de 17 noviembre 1869.

Decreto con las bases de la enseñanza secundaria, de 18 noviembre 1869.

Reglamento del Colegio San Luis Gonzaga, 26 noviembre 1869.

Decreto restableciendo la autonomía universitaria, de 27 abril 1870.

Programas del Colegio San Luis Gonzaga, "Gaceta Oficial" (2 julio 1870).

Programas ibídem, la Enseñanza (1872-1873).

TREJOS, JUAN DE DIOS (informe sobre exámenes en el Colegio San Luis Gonzaga), "Rev. Arch. Nac.", IX, 5-6 (1945), p. 300-301.

Decreto de creación del Instituto Nacional, 3 julio 1874.

Reglamento del Instituto Nacional, de 1 abril 1875; Gaceta oficial (5 abril 1875).

(Sobre el Instituto Nacional), Gaceta Oficial (1 mayo 1875).

Ley sobre enseñanza media, de 1 abril 1875.

THEILLOUD, JUAN BAUTISTA, *Reglamento . . .* del Seminario Eclesiástico de San José, 1877.

Circular . . . Bruschetti (sobre el Seminario), de 20 diciembre 1877.

Decreto sobre calendario escolar, de 31 enero 1878. "El Instituto Nacional", 1881.

Ley de creación del Consejo de Instrucción Pública, de 4 agosto 1881.

Decreto estableciendo la inspección general ministerial, de 4 agosto 1881.

Plan de Estudios del Instituto Nacional, 15 mayo 1883.

Decreto de reafirmación de la Universidad de Santo Tomás, de 12 junio 1883.

---

64 Daniel Restrepo, *Vida del Padre Luis Antonio Gamero,* Bogotá, 1935, p. 190.

Decreto autorizando la creación del Instituto Universitario de 10 marzo 1884.

Ley prohibiendo a los sacerdotes atacar la enseñanza pública por su carácter laico, de 18 julio 1884.

FERNANDEZ FERRAZ, JUAN, *Memoria* del Instituto Universitario, 2 febrero 1885.

Decreto destinando el edificio de la Universidad a oficinas públicas, de 22 agosto 1888.

Decreto de abolición de la Universidad de Santo Tomás, de 22 agosto 1888.

Ley reorganizando la Universidad (no se cumplió), de 29 julio 1890.

Ley pasando la Facultad de Derecho al Colegio de Abogados, de 1 julio 1891.

Decreto de supresión de los Colegios de Secundaria en provincias, de 9 marzo 1895.

ADEMAS:

Los textos de las Constituciones, ya examinados, y las Actas de la Dirección de Estudios de la Universidad de Santo Tomás.

Memorias ministeriales:

Memoria... en Junta General de la Universidad, por el Consejo de Instrucción Pública, (San José, Impr. La Paz, 1851).

TOLEDO, NAZARIO, *Informe* Instr. Públ., 1858.

VOLIO, JULIAN, *Informe* Instr. Públ., 1863. "Gaceta Oficial" (8 junio 1863).

VOLIO, JULIAN, *Informe* Instr. Públ., 1864. "Gaceta Oficial" (4 junio 1864).

VOLIO, JULIAN, *Mensaje*... al Congreso, 1865.

Memoria... *de la Universidad*... *en 1865, leída por el Secretario*, el 1 enero 1866. "Rev. Arch. Nac.", XVII, 1-6 (1953) p. 122-131.

VOLIO, JULIAN, *Informe*... al Congreso, 10 julio 1866.

VOLIO, JULIAN, *Informe* Instr. Públ., 1867. Reprod.: "Rev. de Costa Rica", I, 1 (1919), p. 16-18.

Dictamen de la Comisión de Instr. Públ., "Gaceta Oficial" (18 julio 1874).

HERRERA VICENTE, *Discurso*... Instituto Nacional, 16 mayo 1875; "Gaceta Oficial" (26 mayo 1875).

Informe del Secretario de la Universidad... *de 1 enero 1876*, "Rev. Arch. Nac.", XIII, 1-6 (1949), p. 142-149.

HERRERA, VICENTE, *Informe*..., 6 mayo 1876.

MACHADO, RAFAEL, *Informe*... Instr. Públ., 6 mayo 1877. (Imp. Nacional, 1877).

CASTRO, JOSE MARIA, *Memoria* Instr. Públ., 1879.

CASTRO, JOSE MARIA, *Discurso*..., "Gaceta Oficial" (15 julio 1880).

FIGUEROA, EUSEBIO, *Memoria* Instr. Públ., 1 mayo 1883.

CASTRO, JOSE MARIA, *Memoria* Instr. Públ., 15 junio 1884.

FERNANDEZ, MAURO, *Memoria* Instr. Públ., 1885.

FERNANDEZ, MAURO, *Memoria* Instr. Públ., 1888.

JIMENEZ, RICARDO, *Memoria* Instr. Públ., 6 mayo 1890.

BIBLIOGRAFIA

BLANCO SEGURA, R., *Reseña histórica del Seminario...*, "Mensajero del clero" (enero 1954), ss.

El Colegio de San Luis Gonzaga, en: MATA GAMBOA, JESUS, *Monografía de Cartago* (1930), p. 433-452.

FERNANDEZ FERRAZ, VALERIANO, *Introducción a los Reglamentos...* (San Luis, 1869, 2ª ed.).

FERNANDEZ FERRAZ, VALERIANO, *Discurso...* San Luis, 5 enero 1870.

FERNANDEZ FERRAZ, VALERIANO, *Discurso...* San Luis, 12 febrero 1872.

FERNANDEZ FERRAZ, VALERIANO, *Discurso...*, San Luis, apertura curso 1873.

FERNANDEZ FERRAZ, VALERIANO, *Informe anual...* San Luis, 1897. "Rev. Arch. Nac.", IX, 5-6 (1945), p. 296-298.

FERNANDEZ FERRAZ, VALERIANO, *Discurso...* Instituto Nacional, 6 enero 1880.

FERNANDEZ FERRAZ, VALERIANO, *Discurso...* Instituto Nacional, 12 diciembre 1880.

GONZALEZ, LUIS FELIPE, *Hist. Instr. Públ. Costa Rica,* II (1961).

JIMENEZ ROJAS, ALFONSO, *El Instituto Nacional.*

LIZANO HERNANDEZ, VICTOR, *Colegio de San Luiz Gonzaga,* "Rev. Arch. Nac.", VII, 5-6 (1943), p. 295-306; 7-8 (1943), p. 403-423; 11-12 (1943), p. 614 ss.; VIII, 1-2 (1944), p. 80-112; 3-4 (1944), p. 158-179; 7-8 (1944), p. 434-441; 9-10 (1944), p. 477-492; 11-12 (1944), p. 625-642; IX, 1-2 (1945), p. 80-94; 5-6 (1945), p. 286-307; 9-10 (1945), p. 527-536.

Los Reverendos Padres Jesuitas del Colegio de San Luis Gonzaga, en MATA GAMBOA, JESUS, *Monografía de Cartago* (1930), p. 353-371.

PERALTA G., HERNAN, *El Colegio de San Luis Gonzaga,* (San José, 1941).

SANABRIA, VICTOR, ., . *Thiel* (1941), p. 377-389.

SANABRIA, VICTOR, *Primera Vacante,* p. 304-309.

El Seminario, en *El "Libro Azul" de Costa Rica* (1916), p. 304.

LOS LIBERALES ILUSTRADOS

Desde el momento de la independencia, el liberalismo se hace atmósfera general del país. Con la sola excepción de los "doctrinarios" Rivas, Thiel y Juan de Dios Trejos, todos los intelectuales adoptan en el XIX una tesis liberal, y los políticos, todos, incluso el General Guardia, mantienen una actitud liberal. Sin embargo, es necesario distinguir dos épocas. Hasta la década del 1860 a 1870 y el último tercio del siglo. En éste, por reacción del Partido Católico, la actitud liberal pasa a coincidir con el anticlericalismo y es el sustrato del krausismo y del positivismo. Es la diferencia que va de Nicolás Gallegos a Lorenzo Montúfar.

Por otra parte, es de señalar una duplicidad en la interpretación periodística del liberalismo. En cuanto ambiente general, pasa por liberalismo el espontáneo individualismo costarricense, en frecuente fricción con el intento de los liberales intelectuales de fortalecer un Estado casi inexistente. Por ello, en general, es la actitud del liberalismo francés, estatista, la que domina a lo largo del XIX como aspiración. Entrado el XX, el proceso será contrario, como reacción frente a las tendencias sociales más avanzadas [65].

Nazario Toledo

Científico humanista, representó para Costa Rica el primer contacto filosófico con los pre-positivistas franceses, y, al no haber tradición escolástica, el basamento doctrinal del XIX fue ya orientado en este sentido.

Nazario Toledo nació en Guatemala a principios del XIX. En la Universidad de San Carlos obtuvo la Licenciatura en Medicina antes de 1834. En 1835 fue Diputado en el Congreso Federal. En 1836 se acogió a Costa Rica y desempeñó la Cátedra de Filosofía de la Casa de Enseñanza Pública, además de actividades como médico. En 1840 volvió a Guatemala, ocupando una Cátedra en la Universidad y obteniendo el Doctorado en 1842. En 1844 volvió a Costa Rica, donde fue muchas veces Diputado, y Presidente del Congreso. Amigo de José María Castro, sufrió destierro en 1852.

---

65 Herrera García, A., "Semilla ... del liberalismo tico", *La Nación*, 14 mayo 1974.

En 1858, Ministro de Relaciones Exteriores e Instrucción Pública. En 1845 se le adjudicó Cátedra de Filosofía en la Universidad de Santo Tomás. De 1850 a 1859 ocupó el Rectorado. Murió en Guatemala en 1887.

Especialmente con ocasión de la guerra contra los filibusteros, pero mantenido toda su vida, Nazario Toledo fue en política fuertemente anti-norteamericano, y realizó numerosas gestiones diplomáticas en este sentido.

Los cursos de Filosofía los orientó en sentido científico, llegando incluso a separar como curso la Física experimental, como hemos visto. Pero no se limitó a ésta. Introdujo las doctrinas de Condillac, Desttut de Tracy y Cabanis, que supongo había estudiado en la Facultad de Medicina de Guatemala. Así, el sensualismo y la "ideología" fueron orientación básica de la Universidad durante los decenios de mediados del XIX.

Ignoro si conoció obras de Comte, pero su doctrina sí, pues se declaró positivista y habló del "reinado del positivismo". Consideraba el renacer de la filosofía a Bacon, Montaigne y Maquiavelo. En todo caso, su interés filosófico se dirigió siempre al hombre:

"El hombre en sí es un mundo pequeño, cuya organización se esconde hasta cierto punto a los ojos del observador; su máquina, su ser moral, sus pasiones, y sus placeres y padecimientos, son objeto del estudio más interesante, porque tiende nada menos que a la conservación de la sociedad por medio de cada uno de los individuos que la componen".

Al mismo tiempo que es ya positivista, es también un típico ilustrado: "El siglo XVIII es el preludio del gran movimiento progresivo de nuestros días". Y este espíritu ilustrado lo aplica a la sociedad, cuya reforma confía totalmente a la educación. En sus discursos rectorales se muestra como un ponderado humanista de amplia visión histórica, así como un buen organizador y administrador.

Su discurso rectoral de 1844 es plenamente *ilustrado:* "Los crepúsculos de un día alegre que suceden a una noche de tinieblas, no son más lisonjeros que los primeros destellos de las ciencias que han de ilustrar a un Pueblo". "Los Pueblos que descuidan las luces deben prepararse a las calamidades de todo género,..." "...los esfuerzos del verdadero civismo para cimentar sobre el orden la futura civilización".

"...ha llegado la hora del positivismo,..., y al fin se está generalizando la convicción de que sin educación es imposible que se cumplan los objetivos de la asociación [sociedad]".

"...es necesario generalizar [en la enseñanza] las reglas de ideología, principalmente para los que no han tenido la fortuna de nacer con un buen juicio, y que de otra manera son eternos argumentadores, y más tarde opositores natos de todo cuanto se establece".

"En la vida salvaje no se conoce el imperio de la razón que fue origen de las leyes; y las sociedades cuanto menos ilustradas, se encuentran más sujetas al poder del más fuerte".

Y en su discurso rectoral de 1855:

"Si para sujetar la tierra, según la expresión del Génesis, fue forzoso civilizar a los pueblos, nunca se obedeció mejor el mandato de Dios que en el siglo presente".

" . . . las preocupaciones de un civismo egoísta y de un oscuro localismo, van cediendo su lugar a sentimientos filantrópicos y humanitarios".

"No existe hoy la demonomanía de algunos tiempos, ni la erotomanía de los trovadores y caballeros andantes, ni la corca de la edad media, ni el tarantismo del siglo 15, y la emoción causada en muchas ciudades por las mesas danzantes y los espíritus golpeantes no han pasado de ser un elemento de distracción para los que gustan de prodigios".

"Amurallemos ese orden y esa paz que han salvado esta porción de América de las borrascas que por todas partes se han sufrido; así podemos estar seguros de que ese camino que nosotros hemos comenzado, lo seguirán las generaciones que nos sucedan, y quizá un día lleguen a tocar el fin de tantas ansias y fatigas, estableciendo la prosperidad pública sobre las bases sólidas de la educación general y de la instrucción más perfecta".

Es, pues, típico *progresista*, que cree que hay que estudiar al hombre para conocer su funcionamiento y así organizar la educación que lo lleve a su mejor desarrollo: " . . .el mundo entero. . . se ha convertido en un taller intelectual", pues "todo se debe a la ilustración".

Por lo demás, sostiene que " . . . en ningún siglo se había establecido el cosmopolitismo social como en el siglo XIX".

OBRAS

Discurso en acto inauguración Univ., 1844.

Informe . . . al Ministro de Instrucción Pública, 1851.

Discurso . . . por el Rector, inauguración curso 1853.

Discurso del Señor Rector . . . , enero 1855.

Informe . . . al Congreso por el Ministro de Estado, 1858.

BIBLIOGRAFIA

Obregon Loria, Rafael, *Los Rectores de la Univ. de Santo Tomás* . . . (1955), p. 59-63.

Nicolás Gallegos

Hombre recto, probo hasta la nimiedad, amable, transigente y contemporizador, Nicolás Gallegos fue uno de los constructores del Estado costarricense. Puede servir de término de comparación por oposición temperamental José María Castro. Ni gobernó ni pretendió gobernar; fue Rector tres veces, pero dos interinamente y la tercera (1875) sólo para que la Universidad saliera adelante de una dificultad política, por el cese, por razones doctrinales religiosas, de Lorenzo Montúfar. Liberal ilustrado a ultranza, era un ferviente católico; ardiente y constante defensor de la libertad de pensamiento, formó parte de la Junta Piadosa pro construcción de la Catedral y fue Presidente de la Junta de Caridad de San José; admirador de la Francia ilustrada, siguió en Filosofía a la Escuela Escocesa.

Nicolás Gallegos nació en San José en 1818. Estudió en la Casa de Enseñanza Pública, con Rafael Osejo y Nazario Toledo. Se graduó de Bachiller en Filosofía y Maestro en Artes, en 1832, por el Colegio de Santo Tomás. En 1842, profesor de Filosofía en la Casa de Enseñanza Pública, hasta su erección en 1844 en Universidad, momento en que fue nombrado Catedrático de Filosofía en ésta; la desempeñó por un año, renunciando el 11 de abril 1845, por motivo de un viaje a Nicaragua. Durante muchos años fue Miembro de la Dirección de Estudios de la Universidad y Secretario de la Corte Suprema de Justicia. Rector en 1846, 1864 y 1875-1876. Murió en 1882.

Redactor del "Mentor Costarricense", "La Tertulia" y "La Paz y el Progreso".

Es el autor de los primeros textos de Filosofía en el país [66].

La Universidad, en reconocimiento, le otorgó el grado de Doctor en Filosofía.

En sus discursos universitarios se muestra típico "ilustrado". Las luces guiarán al país, y la Universidad deberá ser su foco difusor:

"Gloria, honor eterno a los protectores de la ilustración: infamia, humillación y muerte al que pretenda minar el solio de las luces," ... "Demostremos hoy todos los costarricenses nuestro júbilo porque ha empezado su período el siglo de los sabios [con la erección de la Universidad]" [67]. Un año más tarde, atribuye a sus discípulos el mérito de lo que han logrado en la Cátedra, y en tono romántico, desarrolla nuevamente la tesis del progresismo ilustrado:

"Ojalá pueda ver algún día flameando en todos los ángulos del Estado, el estandarte de la sabiduría: entonces cerraré con gusto mis ojos por dejar asegurada mi adorada patria con el escudo invencible de las luces y de la libertad"[68].

---

66 Actas de la Dirección de Estudios de 22 agosto 1845 y 21 diciembre 1847.
67 *Discurso en la inauguración de la Universidad*, 1844.
68 *Discurso* universitario, de 1º enero 1845.

Este hombre morigerado, amable, contemplativo, sin más ambiciones que servir a la ilustración de su país, en su labor periodística fue un moralizador constante. Las doctrinas éticas pasan por una adaptación de una cierta prudencia lugareña a través de su pluma:

"Una lengua azogada sirve más que un espejo: éste dice solamente lo que son las cosas, i aquélla, lo que son, lo que no son i lo que no es menester. Conviene hacer concha de galápago para no cargarse con la penitencia que imponen las habladurías de los que pasan su vida mano sobre mano" [69].

De sus dos obras filosóficas de texto se ha escrito:

"Priva en estas obras, muy sintéticas, un fondo escolástico en que se aprecia la influencia de *El Criterio* de Balmes, aparecido un año antes en España, y la lectura y conocimiento en la primera *(Lógica)*— de las obras de Descartes, Desttut de Tracy y Hume. En la segunda *(Etica)* Gallegos resumió la obra *Cursos de Lógica y Etica según la Escuela de Edimburgo* de José Joaquín de Mora. El valor de estos libros es hoy arqueológico, ya que fueron los primeros que sobre materias filosóficas se escribieron en Costa Rica" [70].

La *Lógica,* en 34 lecciones, 56 páginas, netamente empirista, enlaza la "Ideología" francesa con Dugald Stewart.

Las *Lecciones de Etica o Moral,* de las que conozco las ediciones de 1846 y 1849, constituyen un manual, teísta, que no plantea dependencia de la Etica respecto de la Metafísica. Sigue fielmente las ideas de la Escuela Escocesa, especialmente a Hutcheson y sobre todo a Dugald Stewart. Vigencia de la libertad, prioridad de la moral respecto de la ciencia, pero dentro de un conjunto sensualista. Respecto al tema de la sociedad sigue a Locke, y respecto de la religión a Montesquieu. La obra termina: " ... por un rasgo admirable de la sabiduría que rige al universo, el desempeño de nuestros deberes está inseparablemente unido con los goces reales, con la perfección moral del individuo, i con la ventura social" (p. 94). Y había comenzado: " ... la justicia es el objeto i fin del hombre moral" (p. 1).

Así, por obra de Gallegos y de Nazario Toledo, fueron la Escuela Escocesa y la "ideología" francesa las doctrinas que propiciaron el despertar consciente del país a la filosofía: Empirismo y positivismo moderados.

" ... de él puede decirse que fue un hombre útil a su patria y a sus semejantes" [71].

---

69 Moral, "Mentor Costarricense", II, 12 (1845), p. 68.

70 Bonilla, A. *Hist. Ant. Lit. Costarr.* (1957), I, p. 297.

71 Obregón Loría, R., *Los Rectores...* (1955), p. 122.

OBRAS

Discurso en la inauguración de curso en la Universidad, 1844.

"Aranjuez", *El abuso de la libertad*, "Mentor Costarricense", 56 (29 junio 1844), p. 197-198; 56 (13 julio 1844), p. 205-206; 61 (3 agosto 1844), p. 218; 64 (24 agosto 1844), p. 228-229.

Instrucción Pública, "Mentor Costarricense", 76 (26 octubre 1844), p. 251-252.

Libertad de Imprenta, "Mentor Costarricense", 76 (26 octubre 1844), p. 252-253.

El Señor Doctor Rafael Nicolás Gallegos dijo, "Mentor Costarricense", 77 (18 enero 1845), p. 282-283 (es el *Discurso*... en la Universidad, de 1 enero 1845).

Educación, "Mentor Costarricense", 94 (21 junio 1845), p. 358.

Nueva Granada, De los Estados, "Mentor Costarricense", 97 (12 julio 1845), p. 368-370.

Interior, "Mentor Costarricense", 99 (26 julio 1845), p. 376-378.

Policía, "Mentor Costarricense", 100 (2 agosto 1845), p. 382.

Interior, "Mentor Costarricense", II, 1 (9 agosto 1845), p. 1.

Administración de Justicia, "Mentor Costarricense", II, 2 (16 agosto 1845), p. 7-8.

Otra para los asustadizos, "Mentor Costarricense", II, 4 (30 agosto 1845), p. 14-15.

La segunda visita, "Mentor Costarricense", II, 6 (13 setiembre 1845), p. 22-23.

Un asustadizo, "Mentor Costarricense", II, 9 (4 octubre 1845), p. 34.

Anemómetro, "Mentor Costarricense", II 10 (11 octubre 1845). p. 37-38.

Barómetro, "Mentor Costarricense", II, 11 (18 octubre 1845), p. 42-44.

Editorial, "Mentor Costarricense", II, 12 (25 octubre 1845), p. 45-46.

Cámara oscura, "Mentor Costarricense", II, 12 (25 octubre 1845), p. 46-48.

De profundis, "Mentor Costarricense", II, 13 (1 noviembre 1845), p. 50-51.

Parábola, "Mentor Costarricense" II, 14 (8 noviembre 1845), p. 56.

Estamos frescos, "Mentor Costarricense", II, 15 (15 noviembre 1845), p. 57-58.

Editorial, "Mentor Costarricense", II, 16 (22 noviembre 1845), p. 63.

Fotómetro, "Mentor Costarricense", II, 16 (22 noviembre 1845), p. 63-64.

Geometría de especulación, "Mentor Costarricense", II, 17 (29 noviembre 1845), p. 66-67.

Moral, II, 17 (29 noviembre 1845) p. 68.

Editorial, II, 18 (6 diciembre 1845), p. 70-71.

Comunicados, II, 19 (13 diciembre 1845), p. 75-76.

Al público, II, 20 (27 diciembre 1845), p. 78-79.

I era un sueño, II, 20 (27 diciembre 1845), p. 79-80.

Justicia, II, 21 (3 enero 1846), p. 81-82.

Máxima, II, 31 (14 marzo 1846), p. 133.

(3 notas), II, 33 (28 marzo 1846), p. 133.

Pataratas, II, 33 (28 marzo 1846), p. 134.

Lecciones de Lógica, (1846), p. 56.

Lecciones de Etica o Moral, (San José, Imp. La Nación, 1846), p. 84. (Reed., 1849), p. 94.

Memoria de la Junta Itineraria, 1849.

Colaboró en "La Tertulia" y en "La Paz y el Progreso". Colaboraciones sin firma, difíciles de identificar. Probable, muy breves. Igualmente, en el "Boletín Oficial".

BIBLIOGRAFIA

BONILLA, A., *Hist. Ant. Lit. Costarr.* (1957), I, p. 297-298.

LASCARIS, CONSTANTINO, *Un 'discurso' de Nicolás Gallegos,* Rev. Fil. Univ. C. R., 11 (1962), p. 285-287.

OBREGON LORIA, RAFAEL, *Un... Rector... Dr. Rafael Nicolás Gallegos,* "Rev. Arch. Nac.", VIII, 9-10 (1944), p. 531-533.

OBREGON LORIA, RAFAEL, *Los Rectores de la Universidad de Santo Tomás de Costa Rica* (1955), p. 119-122.

José María Castro

Típico político progresista del siglo XIX, tiene para Costa Rica la importancia de haber influido en la estructura del Estado configurándolo en sentido moderno. Liberal "ilustrado" procuró que la ilustración transfundiera el país. Hombre extraordinariamente inteligente, sabía desenvolverse en el plano de las ideas políticas y sociales con igual soltura que en la práctica política.

Dos decisiones lo presentan como el iniciador de una nueva época: la fundación de la Universidad en 1843 y la declaración de la soberanía del Estado en 1848.

Nació en 1818. Estudió en León de Nicaragua, donde se doctoró en Derecho y en Filosofía. Ministro en 1842, fue Presidente en 1847; resultando demasiado incómodo, en 1849 cesó por un golpe militar. En 1866 ocupó la Presidencia por segunda vez, hasta el nuevo golpe de 1868. Numerosas veces fue Ministro, y especialmente en el período de legislación liberal del 1884, así como Presidente del Congreso y de la Corte Suprema de Justicia.

Planeó las Escuelas Normales. Fundador de la Universidad de Santo Tomás, fue su Rector durante diecisiete años.

Murió en 1892.

Una publicación social lo caracterizó así:

"Hombre de ideas eminentemente liberales..., fue un decidido y ferviente promotor y sostenedor de la enseñanza popular, protector de la juventud estudiosa y firme mantenedor de la libertad de prensa, de la cual puede decirse que bajo su amparo echó las alas... Promovió la inmigración... Fundó la Universidad de Santo Tomás... Estableció el régimen municipal...[72].

Mons. Sanabria le atribuye el haber dicho en 1892 que él era 'el principal fautor de las leyes liberales que establecen la separación de la Iglesia y del Estado, el matrimonio civil, la enseñanza laica, ...[73].

Mons. Sanabria interpreta la "filosofía" de Castro como *laicismo*, lo cual es exacto en cuanto a las consecuencias: "Cosas del Dr. Castro, manías de su liberalismo añejo"[74].

El tema favorito de José María Castro es el *progreso* por la ilustración. En segundo lugar, la libertad humana.

En la *Memoria de Relaciones Exteriores* de 1880 elogió "la libertad que cumple al ejercicio público y privado de las religiones". Ante una reclamación del Delegado Apostólico Bruschetti, afirmó que no hay diferencia entre tolerancia y libertad de cultos, en la práctica, lo que tenía consecuencias políticas[75].

Se presenta a sí mismo como *filantrópico*, "entusiasta, como el que más, por los progresos del Estado", amante de la Constitución que respira "paz, progreso y garantías", trabaja por "colocar a Costa Rica en el camino del progreso y de las mejoras", ve como misión "... conservar el orden público, la dignidad y los derechos del Estado y promover, con prudencia,... todas las mejoras que puedan realizarse". E invoca la *acreditada ilustración* de los Diputados.

Como buen liberal de país latino, es estatista: "... un gobierno enérgico, capaz de vencer los obstáculos que la ignorancia, el egoísmo y la miseria oponen frecuentemente a las medidas más suaves y benéficas, ... "

Al tomar el juramento al Obispo electo Thiel, en 1880, pronunció un discurso liberal:

---

72 El *"Libro Azul"* de Costa Rica (1916). p. 232.

73 V. Sanabria, ... *Thiel*, p. 108.

74 *Primera vacante* ..., p. 121. Comp., *Anselmo Llorente* ..., p. 76.

75 En la *Memoria de Culto*, de 15 mayo 1884, informa que los protestantes practican libremente su culto y prosigue que a ellos "como a los de otras creencias que se establezcan se darán las seguridades y el respeto que ofrecen los pueblos cultos y que sostendrá impertérrito el Gobierno de la República como enseña de civilización y dogma de progreso".

"Habéis prometido desempeñarlo [el episcopado], y apacentar vuestra Grey, en el espíritu del Señor, y habéis dado así la mejor prenda de la armonía de la Iglesia con el Estado, porque el Espíritu del Señor es Luz, la Verdad, la Caridad, contrarias a todo error como a toda opresión, y el Gobierno de la República no pretende del de la Iglesia sino actos que emanen de esas fuentes puras".

"Siguiendo así como os lo proponéis..., no es posible, Ilmo. Señor, que llegue a ocurrir divergencia alguna entre las Potestades Civil y Eclesiástica de la Nación".

En forma paralela a su actuación política, José María Castro mantuvo toda su vida una acción constante de *ilustrado* en su función fundadora y rectora de la Universidad. Es la faceta que mejor muestra sus perfiles y en la que su pensamiento alcanzó mayor madurez, que conocemos a través de sus discursos universitarios.

En 1844, al abrirse la Universidad, empieza afirmando que ésta es "el voto más antiguo del patriotismo ilustrado" [76]. "...hemos puesto los cimientos de un grande edificio moral, ...hemos encendido la antorcha cuyos rayos iluminarán algún día los ángulos del Estado". Desarrolla toda una visión de las diferencias entre el salvaje y el civilizado, que centra en que éste se instruye: ése "...hace a toda la creación tributaria de sus necesidades, placeres y aun caprichos; y si por una parte aumenta aquéllas al infinito, por otra aumenta, con una prudencia previsora, sus recursos y medios de satisfacerlas". "La ciencia verdadera no es pues otra cosa que la experiencia autorizada con multitud de observaciones acordes, sistemada, clasificada y reducida a reglas". "No sólo es la instrucción el camino más recto y seguro para la riqueza, sino también para el poder". "Triste del país que no tome a las ciencias por guía en sus empresas y trabajos". "La vida sin letras se equipara a la muerte". "La ignorancia, señores, es el verdadero origen de todo el mal que se encuentra en la tierra: de todos los vicios que corrompen el mundo: de todos los crímenes y delitos que alteran el orden social". "...y por consiguiente el modo más eficaz de precaver los delitos será la difusión de las luces. Esta necesidad se hace aún más imperiosa en los Gobiernos libres respecto a ser en ellos más laxos los resortes de la autoridad, y á que todos más o menos, son llamados a ejercer funciones públicas". "..., la libertad sin educación es casi ilusoria; y el derecho de hacer aquello que uno no puede, porque no ha aprendido antes a ejecutarlo, viene a ser inútil. Así es que la idea de libertad sin poder, o lo que es lo mismo, sin ilustración o ciencia, parece un absurdo manifiesto".

76 "Yo creo, en nombre del principio de cultura humana, que el acontecimiento más grande de la historia costarricense es la fundación de la Universidad... Entonces fue cuando el espíritu de este país afirmó sus derechos y cuando quedó sustentada como doctrina nuestra: que el régimen democrático no tiene otro fundamento que el de la cultura pública". Rómulo Tovar.

" ... La ciencia, desde que la Filosofía moderna dio una nueva dirección a la inteligencia humana, consiste en mejorar la condición de los hombres, proporcionarles beneficios, aumentar sus honestos placeres y disminuir y suavizar sus sufrimientos y aflicciones. Este principio, hoy día generalmente reconocido, es el que debe presidir en la enseñanza pública del país. Tenemos que insistir, pues, en el empeño de abandonar la antigua doctrina escolástica, y de colocar en el lugar de la abstracción estéril y estacionaria, la utilidad y el adelanto..." *(Discurso...,* 8 mayo 1866).

Estas ideas, ciertamente no originales, fueron su norma de acción política y social durante el medio siglo en que intervino en la vida pública [77].

OBRAS

Discurso del Vicepresidente Dr....., en Cleto González Víquez, *Obras históricas,* I, p. 351-355.

Discurso del Dr...., en *Ib.,* I, p. 355-359.

Proclama del Dr...., *Ib.,* I, p. 363-366.

La renuncia del Dr...., *Ib.,* I, p. 369-371.

Mensaje del Presidente Dr., *Ib.,* I, p. 371-374.

Manifiesto..., *Ib.,* I, p. 374-375.

Renuncia..., *Ib.,* I, p. 384-386.

El jefe..., *Ib.,* I, p. 387-391.

El jefe..., *Ib.,* I, p. 392.

Memorias (como Ministro), de 1877, 1878, 1879, 1880, 1883, 1884.

[Discurso fúnebre en las exequias de Monsr. Llorente], La Gaceta, N° 39 (30 septiembre 1871). Reprod.: SANABRIA, V., *Anselmo Llorente,* p. 71-76.

Discurso de inauguración de la Universidad, 21 abril 1844.

Discurso... por el Rector..., 1 enero 1862.

Discurso... por el señor Rector, 4 enero 1863.

Discurso... por el señor Rector, 3 enero 1864.

Discurso... del Señor Rector, 23 julio 1865.

Discurso... por el Rector, 1 enero 1866.

Discurso... José María Castro, 1 enero 1872.

Discurso rectoral... 1 enero 1873.

---

77 Un juicio curioso es el siguiente: "Castro es, lo mismo que Mora, un hombre de pequeña estatura, grueso y mucho más inteligente que su sucesor, pero no tiene valor personal. En presencia de Mora sabía dar a su fisonomía morena y pálida los pliegues dulcemente sonrientes en que el español oculta su puñal; pero Mora no parece tener confianza en la paz y observa con mirada recelosa las amabilidades de Castro para con todo el mundo". Wilhelm Marr, *Viajes por Centroamérica.*

Discurso . . . 1860. "Rev. Arch. Nac.", XVI, 1-3 (1952), p. 69-70.

Discurso inaugural . . . Cámara Legislativa, 8 mayo 1866, Ibídem, 1867, 1868.

Discurso . . . , Univ. 1 enero 1873, (San José, Imp. La Paz), p. 7.

Discurso . . . , Universidad, 1 enero 1873, Reprod.: "La enseñanza", I (1873), p. 73-77.

El Dr. Castro y el Dr. Montúfar, (correspondencia), "El Foro", XIV, 10 (1918), p. 184-188.

Brindis . . . , "Rev. de Costa Rica", I, 1 (1919), p. 8-9.

Contestación . . . , "Rev. Arch. Nac.", XII, 7-8 (1948), p. 352-364.

Proclamas . . . , "Rev. Arch. Nac.", XIII, 7-2 (1949), p. 282-318.

Mensajes, "Rev. Arch. Nac.", XVII, 7-12 (1953), p. 212-215.

Documentos, en: LORENZO MONTUFAR, *Reseña Histórica de Centro-América,* Guatemala, 1881, tomo V, pp. 183-184.

Renuncia del Presidente de la República, en: LORENZO MONTUFAR, o.c., 1887, tomo VI, pp. 121-122.

BIBLIOGRAFIA

AYON, TOMAS, *El Sr. Dr. José María Castro,* en: *Escritos varios, de los Doctores Tomás y Alfonso Ayón,* (Managua, Tipgr. Nacional, 1914), p. 75-79.

BONILLA, A., *Historia y Ant. Lit. Cost.* (1957), p. 79-81.

CALVO, J. B., *República de Costa Rica* (1886), p. 295-299.

DARIO, RUBEN, *El Doctor Castro,* en: *Rubén Darío en Costa Rica,* (San José, 1919).

Dr. José María Castro Madriz, en: *"El Libro Azul"* de Costa Rica (1916), p. 232-233.

FERNANDEZ FERRAZ, VALERIANO, *La Enseñanza,* I (1873), p. 68-73.

GONZALEZ, LUIS FELIPE, *Hist. Instr. Públ. Costa Rica,* (1961), II, p. 171-176.

GONZALEZ VIQUEZ, CLETO, *Obras Históricas,* I, p. 159 sig.

MONGE ALFARO, CARLOS, *Doctor José María Castro,* "Rev. Univ", 4 (1949), p. 263-269.

MONGE ALFARO, CARLOS, *Doctor José María Castro,* "Educación", I, 1 (1955), p. 46-51.

MONGE ALFARO, CARLOS, *Historia de Costa Rica* (1958), p. 163-167.

MONGE ALFARO, CARLOS, *José María Castro, espíritu liberal,* "Surco", 30 (1942), p. 5-10.

NUÑEZ, FRANCISCO MARIA, *Aspectos de la vida y de la obra del Dr. Castro,* "Rev. Arch. Nac.", XII, 9-10 (1948), p. 497-505.

NUÑEZ, FRANCISCO MARIA, *Aspectos* . . . *José María Castro Madriz,* en *Biografías de* . . . (Rotary Club de Tegucigalpa, Impr. Soto, 1959), p. 5-14.

Obregon Loria, Rafael, Dr. *José María Castro Madriz,* (San José, Talleres La Nación, 1949), p. 44.

Obregon Loria, Rafael, *Los Rectores de la Universidad de Santo Tomás...,* (1955), p. 73-80.

Perez Zeledon, Pedro, *Doctor don José María Castro,* en: *Dos próceres,* publ. "Escuela Normal", (1918).

Sanabria, V., *Primera vacante...,* p. 117-124.

Solera Rodriguez, Guillermo, *Beneméritos de la Patria,* (San José, 1958), p. 35-41.

Tovar, Romulo, *Discurso...,* "Repertorio Americano", XXIII, N° 24 (26 diciembre 1931). Reprod.: Obregon Loria, R., *Los Rectores...,* p. 81-91.

Villegas, Rafael, *El Doctor Don José María Castro,* "Rev. Costa Rica", III, 6 (1922), p. 163-165.
Reproducido en: *La Nación* (24 julio 1967).

Don José María Castro, en *"Rev. Costa Rica siglo XIX",* (1902), p. 272-274.

Bruno Carranza

Bruno Carranza representó en Costa Rica el prototipo del liberal ilustrado, y dedicado plenamente toda su vida a realizar la ilustración del pueblo. Médico por los estudios, librero y periodista como oficio, político como dedicación, es, en la escena del desarrollo de las ideas en Costa Rica, el primer intelectual puro. Hombre, además, de gran energía, las ideas que encuadraron su mente fueron expuestas con vigor y rotundidad.

Nació en San José en 1822. Estudió en Guatemala, donde en 1845 obtuvo la Licenciatura en Medicina y Cirugía. Fue Diputado en muchas ocasiones, Miembro de la Comisión Permanente, Secretario del Poder Legislativo, Miembro del Consejo de Gobierno de los Presidentes Mora y Castro. En 1869, el Presidente Jesús Jiménez ordenó el cierre de su imprenta para clausurar su periódico de oposición "La Estrella del Irazú" y, a poco, lo expulsó del país. Al caer el Presidente Jesús Jiménez, el 27 abril 1870, Bruno Carranza fue proclamado Presidente Provisorio de la República. A los tres meses renunció. Fue Presidente del Consejo Nacional de 1877 a 1882.

Varias veces fue miembro de la Dirección de Estudios de la Universidad de Santo Tomás, y en 1859 Rector. También fue Presidente del Protomedicato.

Fue periodista muchos años y sobre todo editor de periódicos: "La Paz y el Progreso", "El Album", "El Eco del Irazú", "El Compilador", "La Reforma" y "La Estrella del Irazú". Poseía la librería y la imprenta La Paz, en San José.

Como Presidente Provisorio de la República, desarrolló el siguiente discurso:

"Conciudadanos: el país necesita para su prosperidad el desarrollo de estas verdades sociales: libertad religiosa; libertad política; libertad económica. Para realizar el gran programa que contienen estas tres libertades, en parte consignadas antes en nuestros Códigos, deben favorecerme las disposiciones liberales del pueblo y el ser conducido por el espíritu recto, inteligente, republicano y nacional: *la opinión pública*. Los que declaren al pueblo en la minoría de edad para protegerlo, son sus enemigos jurados o hipócritas, ... Los que pretenden llevar a éxito feliz la práctica de aquellas verdades son los que quieren la abolición de todos los monopolios: "el monopolio de las oligarquías, el monopolio de los grandes negociantes de la industria oficial; y la supresión de ellos significa las fuentes del bien abiertas por todas partes y para todos: significa más todavía, la confraternidad americana, porque bajo la identidad de estos mismos principios y bajo una misma forma política, aunque en diferentes nacionalidades, es que vendrá a efectuarse la confederación republicana continental de América".

Es la declaración más diáfana de principios en su época. Reiteró, como si fuese su lema: "unión, libertad y progreso".

En su labor como Rector y directivo de la Universidad procuró el mejoramiento de la formación profesional, en Medicina y en Física.

Como periodista destacó en las luchas políticas. Rafael Iglesias lo caracterizó así: "Don Bruno Carranza, con la energía que le fue característica, unió a las fuerzas materiales de su padre, fundador de la primera imprenta, la fuerza moral, alma de la institución. El dio a la prensa ese giro de oposición saludable y eficaz, que crea, que levanta, que asegura y uniforma la acción permanente de la autoridad, amparo único de la ley" [78].

Para ver su actitud liberal en la prensa, me fijé en "El Eco de Irazú", ya que recibió una condenación eclesiástica. Este periódico se publicó del 10 octubre 1854 al 25 marzo 1855, quincenal, de unas 25 páginas por número. Redactores principales: Ad. Marie, F. Streber. Excepto la crónica extranjera, bien hecha, no alcanzó ciertamente gran altura. Tónica general: progresista. Reprodujo largas páginas de Donoso Cortés sobre *La Cuestión de Oriente*. Cita varias veces a Balmes. Muchas veces habla respetuosamente de la religión. El pleito nació con la reproducción de un capítulo de la *Educación de las madres de familia,* de Aimé Martin, que versa sobre *Del celibato eclesiástico* (tomo 1, páginas 84-89). Este capítulo fue inserto, claramente, como sátira de las costumbres del clero, y haciendo hincapié en que no se trataba más que de una cuestión de disciplina eclesiástica. Cuando se lo condenó desde el púlpito, el periódico publicó un Editorial (p. 293-299), firmado por *E. Segura,* que intentó ser una requisitoria contra abusos de auto-

78 Citado por: Rafael Obregón. *Los Rectores de la Universidad* ... (1955). p. 70.

ridad. Ya antes había provocado reacciones, de las que "El Eco" se hizo eco (p. 140, 207, comp. 290). Un número más tarde, con el que terminaban las suscripciones, un Editorial anunció que "El Eco" cesaba de publicarse. Excepto aquella reproducción no he logrado encontrar nada que pueda sonar ni remotamente a liberal. No creo que, ni en aquella época, pudieran tomarse como tal las crónicas de bailes y fiestas de sociedad.

OBRAS

Artículos variados cortos en los periódicos indicados.

Discursos:

El Jefe Provisorio de la República a sus habitantes, "Gaceta Oficial" (28 abril 1870). Reproducido en: L. MONTUFAR, *Memorias*... (1898), p. 486-490; C. GONZALEZ VIQUEZ, *Obras Históricas* (1958), p. 452-454.

Discurso del Presidente..., *al renunciar al mando,* en: C. GONZALEZ VIQUEZ, *Obras Históricas* (1958), p. 455-456.

Discurso... *por*..., en la Universidad, de 29 mayo 1870.

Mensaje..., 8 agosto 1870. "Rev. Arch. Nac.", XVIII, 1-6 (1954), p. 99-101.

BIBLIOGRAFIA

OBREGON, RAFAEL, *Los Rectores de la Universidad de Santo Tomás de Costa Rica* (San José, 1955), p. 67-70.

VALLE, R. H., *Hist. Ideas Contemp. Centro-América* (1960), p. 55.

Lorenzo Montúfar

En la historia centroamericana del siglo XIX, Lorenzo Montúfar es una figura arquetípica, pues encarnó al liberal aconfesional. De carácter recto e indomable, su vida fue una incansable pelea y un trajinar incesante para "ilustrar" y "acabar con el oscurantismo". Dotado de una gran claridad de inteligencia y de una pluma acerada, fue la figura de mayor prestigio intelectual durante un cuarto de siglo. Su profesión, tantas veces abandonada, fue: jurista e historiador.

Nació en Guatemala en 1823. De su infancia dice: "..., me obligaron [de niño] a aprender el ayudado a misa para que les ayudara cuantas misas dijeran. Este sistema durante dos ó tres años hizo que oyera tantas misas, en días que no eran de precepto, que la suma de ellas basta para llenar todos los días de guarda en que no las he oído, dejándome un sobrante á mi favor"[79].

---

79 *Memorias* ..., p. 23.

En 1845 obtuvo tres Bachilleratos por la Universidad de Guatemala y en el mismo año actuó de Profesor de la Cátedra de Derecho Natural. En 1848, obtuvo la Licenciatura en Derecho. Pronto fue Diputado liberal y se mezcló en la lucha con los "serviles" de manera violenta.

En 1850, teniendo que exilarse de Guatemala, acudió a Costa Rica, donde, al avecindarse, adquirió la ciudadanía, en virtud de un acuerdo entre los dos países. Hizo estrecha amistad con José María Castro y casó con una hija de Juan de los Santos Madriz. Pronto fue Magistrado de la Corte de Justicia (Poder Judiciario), publicó una revista de estudios jurídicos, "El Observador" y participó en la redacción de la Ley Orgánica de Tribunales. En 1852, Profesor de Derecho Natural en la Universidad de Santo Tomás.

En 1855, el Presidente Mora le encargó de la Secretaría de Relaciones Exteriores e Instrucción Pública. A la caída de Mora, viajó a los Estados Unidos y regresó a Costa Rica en 1861, pero hubo de trasladarse a El Salvador, de donde volvió de nuevo en 1864. En 1865 se doctoró por la Universidad de Santo Tomás y a los pocos meses fue elegido Rector de la misma. En este año, al subir a la Presidencia José María Castro, formó parte del Consejo de Estado. Era "orador" en la Logia masónica Caridad, por lo que Mons. Llorente lo atacó y Montúfar siguió la polémica desde "El quincenal josefino" (entonces tuvo lugar la "guerra de las criadas").

En 1868 nuevamente hubo de salir del país. De paso en Nicaragua, estuvo en relación con Máximo Jerez. Llegado a El Salvador, el Gobierno le confió una misión en el Perú.

A instancias de Bruno Carranza, volvió a Costa Rica en 1870 y aceptó la Secretaría de Relaciones Exteriores e Instrucción Pública, que continuó desempeñando bajo el Gobierno del General Guardia, así como las Carteras de Guerra y Marina en 1872. Impidió la entrada al país de los jesuitas y mantuvo una acre polémica sobre este tema. En 1871, Miguel García Granados le llamó a Guatemala, aunque todavía no fue.

En esos años, hasta 1875, actuó de Rector de la Universidad y Profesor de Derecho Internacional.

En ese año 1875 tuvo lugar el gran escándalo. El Ministro de Instrucción Pública, por circular de 7 junio 1875 [80], que envió al Rector Montúfar, exigió que la enseñanza de los profesores universitarios se atuviese a la religión católica, en cumplimiento del Con-

---

80 "Gaceta Oficial", n. 23 (12 junio 1875). "El doctor Montúfar, entre capítulo y capítulo de civil, hacía sus discursos liberales y no dejaba de echarle sus puyas a los jesuitas que estaban por entonces en Cartago. Aquello iba tomando fuerza y don Vicente (Herrera), católico como era y ministro, le pasó una nota en que ordenaba al profesor liberalote que se concretara a enseñar su cátedra sin muchos comentarios. Los alumnos, que le encontraban gusto precisamente a los comentarios, empezaron a protestar de la orden y por fin una tarde abandonaron las clases demostrando su desaprobación". Es la primera huelga estudiantil en el país. Ricardo Jiménez, "La Tribuna" (25 abril 1944). Reprod.: "Educación", IV, 10 (1958), p. 19.

cordato. Era un ataque directo al Profesor de Derecho Internacional. "En una de mis lecciones demostré que la iglesia católica había defendido la esclavitud, . . ." [81]. Montúfar renunció al Rectorado y a la Cátedra y salió para Guatemala. Después de su salida, un grupo de discípulos publicó un periódico: "La Razón", del que aparecieron dos números, hasta que el 24 septiembre, el Pbro. Rivas lo condenó en una pastoral, por "ultrarracionalista".

En Guatemala [82] fue varias veces Ministro, especialmente de Relaciones Exteriores. En 1892 fue candidato a la Presidencia por el Partido Liberal. Rector de la Universidad de San Carlos. Murió en 1898.

De no haber sido su influencia en Centroamérica, Lorenzo Montúfar quedaría bien encasillado con decir de él que fue liberal. Pero su personalidad poderosa hizo que sus ideas, no precisamente muy metafísicas, adquirieran un relieve especial. La influencia de Montesquieu, Voltaire y Locke es decisiva.

Mons. Sanabria escribió que " . . . sería muy difícil calificar la escuela filosófica de Montúfar" [83]. Considero que queda bien encasillado como racionalista.

Su anticlericalismo extremo nunca le llevó a ataques religiosos. En sus *Memorias* como Ministro y en su situación política cuidó siempre los intereses del Estado, pero salvando los fueros de la conciencia. Llegó varias veces a la situación paradójica de explicar lecciones de moral evangélica, claro es que racionalizada, a personas del clero.

Comienza sus *Memorias Autobiográficas,* que son en su género la obra más interesante publicada en Centroamérica, diciendo: "La vida privada de una persona sólo interesa a su familia". Y esta afirmación puede ser tomada como eje de todas sus ideas. Ya en 1845, como Profesor de Derecho Natural, "se hablaba en dicha cátedra de la libertad de pensamiento y de palabra" (p. 55) y toda su vida recabó esa libertad: "si el salón de la Universidad no es teatro de controversias científicas, lo será probablemente la plaza de toros" (p. 58). Igualmente, en política: "Manifestaciones libres sobre la política de un país, jamás pueden ser un crimen" (p. 410).

Este liberalismo integral, como típico del XIX, es optimista. Montúfar tenía fe en los hombres: "El sistema de resistencia absoluta á toda idea de libertad y de progreso, no puede sostenerse en nuestros días" (p. 412); "La tiranía no puede existir donde la imprenta es enteramente libre" (p. 472).

---

81 *Memorias* . . . , p. 601.

82 ". . . Lorenzo Montúfar (1823-1898) rugió desde el destierro, preparando sus armas y sus apóstrofes y discursos en el advenimiento de la reforma emprendida por García Granados y Barrios". R. H. Valle, Hist. *Ideas Contemp. Centroamérica* (1961), p. 32-33.

83 *Primera Vacante* . . . , p. 297. "Repetimos que fue más liberal que filósofo...", *ib.*

Su anticlericalismo es típico y le llevó a amplios estudios histó-ricos: "Las víctimas humanas que los indios inmolaban á sus dioses fueron subrogadas, excediendo en número y en los martirios de la muerte, por las víctimas de la Inquisición, . . ." (p. 4). Su postura como gobernante la expresa así: "El clero católico va aumentando sus exigencias hasta pedir a los liberales la luna. Esto es, la teocracia y la Edad Media" (p. 218).

En todo caso, mantuvo un racionalismo radical, incluso en Etica: ". . . hay reglas de moral que la luz sola de la razón enseña á todo el mundo" (p. 407).

El siguiente párrafo, de un discurso a una coalición de partidos, en 1868, en Costa Rica, resume su visión política:

"Los principios republicanos se han extendido por toda la nación. Ninguno cree ahora que existen personas privilegiadas que nacieron sólo para mandar, y que otras han venido al mundo única-mente á tirar como bueyes del carro de sus señores. La igualdad ante la ley es en Costa Rica un dogma, como en todas las naciones libres del universo. . . . Casi siempre se había combatido por personas; pero ya debemos seguir las huellas de todos los pueblos civilizados comba-tiendo por principios. . . . Un partido cree que conviene que el pueblo permanezca sumergido en la ignorancia y que no comprenda que es el más productor del mundo; pero que sus gravámenes son mayores que los de cualquiera otro pueblo de la tierra. El otro partido [el liberal] en que estamos opina que debiendo todos, en el sistema re-publicano, conocer sus deberes y sus derechos y no pudiendo ninguno conocerlos sin instruirse, debe fomentar la instrucción y remover todos los obstáculos que á ella se opongan" (p. 419-420).

Aquel hombre, orador nato, apasionado y cortante, sintetizó así su postura:

"Costa Rica no era hasta entonces [hasta 1884] independiente. No es independiente el pueblo á quien un poder extranjero [el Va-ticano] dicta las leyes de instrucción pública. No es independiente el pueblo á quien un poder extranjero nombra los profesores. No es independiente el pueblo á quien un poder extranjero ordena lo que se ha de decir y lo que se ha de callar. No es independiente el pueblo que no puede suprimir el presupuesto del clero. No es independiente el pueblo que no puede decir: todas las religiones son iguales ante la ley. No es independiente el pueblo que no puede legislar acerca del contrato que se llama matrimonio. No es independiente el pueblo que no puede salvar los cadáveres de sus hijos de ser lanzados ignominio-samente de los panteones de la patria. No es independiente el pueblo, lo diré todo de una vez, que carece de la soberanía inmanente, y carece de la soberanía inmanente el que no puede constituirse como le place" [84].

---

84 *Discurso . . . ,* "La Enseñanza", II, (1884), p. 443-444.

Lorenzo Montúfar publicó en 1887 en Guatemala sus *Apuntamientos sobre Economía Política,* volumen en el que completó el texto de su curso universitario desarrollado en Costa Rica en 1886, y publicado como folletón en "La República" de San José. En esta obra sigue básicamente la *Economía Política* de Garnier, pero también se inspira directamente en Bentham (muchas veces para combatirle), Adam Smith, Ricardo, Say, Desttut de Tracy. Positivista, desarrolla una visión librecambista. Defiende el maquinismo en la industrialización. Pero, desde nuestro punto de vista, es interesante la base materialista que establece: "Producir no es crear. ... La materia es inmortal, indestructible, ..." y se apoya en la autoridad de Büchner (p. 27). Es, pues, la primera postura materialista explícita en el país.

El pensador se nos esfuma de las manos si lo analizamos fríamente, quedando en orador. Pero parece ser que la magia de su palabra, en perfecta correspondencia con la época del castelarismo, lo elevó a la categoría de gigante del liberalismo centroamericano:

"Don Lorenzo Montúfar ha escrito más que nadie, es el más culto y más áspero de los historiadores. ... Montúfar, cuando escribe, lo hace a cortos golpes. Suena el caer de la hoz y queda el montón de espigas. Forma gradería con sus frases y por los escalones de palabras conduce al santuario de la Libertad".

Y Rubén Darío, con estas palabras, todavía no llega a la actitud consagratoria del otro liberal orador, Antonio Zambrana:

"Fue Lorenzo Montúfar varón preclaro, de aquellos cuyo nombre la historia inscribe en sus anales; de los que la patria conmemora; de aquellos que una generación recuerda con lágrimas, y de que otra aprende la biografía; ...".

OBRAS

José Francisco Barrundia, "Gaceta de Costa Rica", Nos. 300-301 (1853).

Contestación de don ... a don Antonio José de Irisarri, (Londres, Imp. Whiting, 1863), p. 28.

Discurso Rectoral, 1 enero 1867.

La nota del Ministro ... a García Moreno sobre la ocupación de Roma en 1870, "Rev. Arch. Nac.", VIII, 11-12 (1944), p. 643-644.

Los jesuitas, (San José, Imp. Nacional, 1872).

El Evangelio y el Syllabus, (San José, Tip. Nacional 1884).

Discurso ... [inauguración de la Biblioteca Universitaria], "La Enseñanza", II (1884), p. 441-445.

Un Dualismo Imposible, (San Salvador, 1886), (Guatemala, 1916).

Reseña Histórica de Centro América, Guatemala, 7 vols. 1887 y ss.

Nociones de Derecho de Gentes ..., (Guatemala, Tip. Nacional 1893).

Memorias Autobiográficas, (Guatemala, Tip. Nacional, 1898).

Discursos, (Guatemala, 1923).

Carta del Doctor... al ciudadano Rafael Campo..., "Rev. Arch. Nac.", XII, 3-4 (1948), p. 172-175.

Economía Política, (Guatemala, 1887).

Memoria, "Gaceta Oficial", (27 junio 1870).

Memoria, "Gaceta Oficial", n. 20 (18 mayo 1872).

Memoria al Secretario de la Comisión Permanente, "Gaceta Oficial", n. 29 (29 julio 1872).

Memoria, "Gaceta Oficial", n. 38 (31 mayo 1873).

El General Morazán, (Guatemala, 1896).

Artículos en "El Observador" (1850 ss.), en "El Mensual Josefino", luego llamado "El Quincenal Josefino" (entre julio 1867 y abril 1870).

Comprobaciones históricas?

Historia Patria?

Apuntamientos sobre graduación de acreedores?

BIBLIOGRAFIA

ALFARO, ANASTASIO, *Arqueología Criminal Americana* (1906), p. 202.

BLANCO, MÁXIMO, Dr. *don Lorenzo Montúfar,* "El Liceísta", I, 5 (1925), p. 11-12.

CAMPO, RAFAEL, *Breves anotaciones,* "Rev. Arch. Nac.", XII, 3-4 (1948), p. 157-172.

DARIO, RUBEN, *"La Prensa Libre"* (2 septiembre 1891). Reprod.: *Rubén Darío en Costa Rica* (1920), II, p, 55.

DOBLES SEGREDA, LUIS, *Indice Bibliográfico de Costa Rica,* III, (1929), p. 193-196.

FERNANDEZ FERRAZ, JUAN, *El Evangelio y el Syllabus,* "La Enseñanza", II (1884), p. 495-505.

FERNANDEZ FERRAZ, VALERIANO, *Bibliografía,* "La Enseñanza", I, (1873), p. 110-116.

FOURNIER FACIO, GASTON, *El Dr. Lorenzo Montúfar y el pensamiento liberal en Centroamérica,* Tesis, Univ. Costa Rica, 1970.

GONZALEZ, LUIS FELIPE, *Historia de la Influencia Extranjera...* (1921), p. 50-52.

HERNANDEZ DE LEON, FEDERICO, *Lorenzo Montúfar,* "El Periodista" (Guatemala, abril-mayo, 1959), p. 7 y 12. Reprod.: *De las gentes que conocí,* (Guatemala, 1958), p. 28-33.

IGLESIAS, FRANCISCO MARIA, *Réplica al folleto "Comprobaciones históricas" del Licenciado don Rafael Montúfar,* (San José, Imp. Greñas, 1900).

MARTIN, ERNESTO, *Lorenzo Montúfar,* en: *Discursos y Conferencias,* (San José, Imp. Gutenberg, 1930), p. 5-8.

MONTUFAR, RAFAEL, *Disertación leída ante el Colegio de Abogados de Costa Rica,* (San José, Imp. Nacional, 1886).

OBREGON LORIA, RAFAEL, *Los Rectores de la Universidad de Santo Tomás* ... (1955), p. 101-106.

QUIROS AGUILAR, E., *Biografía del Dr. D. Lorenzo Montúfar y Rivera*, (San José, Imp. Victoria, 1954), p. 15.

SALAZAR, RAMON A., *El Doctor Don Lorenzo Montúfar*, "Pandemonium", II, 24 (1903), p. 1-5.

SANABRIA, V., *Primera Vacante de la Diócesis de San José* (1935), p. 17, 63-74, 87-88, 286-292, 297.

TORNERO, S. J., LEON, *Respuesta al opúsculo del señor Dr. don Lorenzo Montúfar sobre Jesuitas*, (León de Nicaragua, 1872). Reimpreso: San José, Imp. Molina, (1873).

Una sesión del Colegio de Abogados el año 1883, "El Foro", IV, 8 (1908), p. 240-247.

VALLE, R. H., *Hist. Ideas Contemp. Centro-América* (1960), p. 50-51, 54-55, 56, 71.

VELA, DAVID, *Literatura Guatemalteca* (1944), p. 95-120, 290-292.

ZAMBRANA, A., *Lorenzo Montúfar*, en: *La poesía de la historia* (1900), p. 69-76.

ZELAYA, RAMON, *Estudio sobre "Comprobaciones históricas" y sobre "El Liberalismo"* [de Rafael Montúfar], (San José, Imp. Greñas, 1990), p. 80.

[Contestación] de la Comisión Permanente ..., "Gaceta Oficial", n. 30 (5 agosto 1872).

LOS DOCTRINARIOS CATOLICOS

En este apartado consideraremos a los pensadores que escribieron movidos por causas confesionales, sobre todo la competencia de jurisdicción con el Estado. En todo el XIX no hubo en Costa Rica ningún pensador que pueda ser llamado escolástico, ya en Teología ya en Filosofía.

Por una parte, el nivel del clero era muy bajo. Por otra, los que adquirieron formación fueron casi exclusivamente canonistas. Veamos sobre lo primero dos fuentes autorizadas:

B. A. THIEL: "En primer término lamento la indiferencia e ignorancia de la mayor parte de los sacerdotes..." [85].

VICTOR SANABRIA: "Ni siquiera entre el clero había tradición filosófica. Casi todos habían estudiado la filosofía en la Universidad de Santo Tomás. Rasguñando un poco podríamos suponer que el curso filosófico de Santo Tomás era escolástico en el fondo, pero mezclado con las tendencias más opuestas y de un eclecticismo inconsciente. Basta recorrer la lista de textos en uso en la Universidad. Por consiguiente, fuera de aquellos sacerdotes que habían estudiado en seminarios formados, no entraban realmente iniciados en la escolástica. Fueron los padres jesuitas de Cartago los primeros representantes de la pura escolástica en Costa Rica en los elementos filosóficos que enseñaron a sus alumnos. Vinieron después los lazaristas, que se hicieron cargo del Seminario, y comenzaron la enseñanza metódica y técnica de la filosofía escolástica, y tuvimos desde entonces un centro de enseñanza verdaderamente filosófica" [86].

Pero, a pesar de esta opinión infundada de Mons. Sanabria, no hubo escolástica. Los jesuitas de Cartago no tuvieron tiempo de hacer obra seria, y además, como hemos visto, desde la partida del P. Konick, S. J. que sólo enseñó dos años, no tuvieron especialista en Filosofía. En cuanto al Seminario, como también hemos visto, para Filosofía fue nombrado profesor un costarricense, Juan de Dios Trejos. Esto no obsta para que en esas fechas la preparación del clero fuera muy superior, puesto que al menos recibía preparación.

---

85 Año 1886. Citado por V. Sanabria ..., *Thiel*, p. 260.
86 V. Sanabria. *Primera Vacante* ..., p. 296.

Lo que he encontrado es lo siguiente:

A principios de siglo había un clero campesino, con las contadas excepciones que ya han aparecido. En el primer período de la independencia, el clero se identifica con la nueva situación y en conjunto colabora a desarrollarla. Ya en 1837 se plantea el problema de las relaciones de la Iglesia con el Estado. El regalismo que adopta el Estado, confesional, provoca reacciones.

Firmado por "El Clero de San José", se publicó en 1837 un folleto de 18 páginas, titulado *"Observaciones sobre el Decreto que emitió la Legislatura el 20 de Agosto último, suprimiendo los días festivos"*, Imprenta de la Paz. El contenido de este folleto es doctrinalmente superficial. Tesis: "Carece de toda Autoridad el Poder [Ejecutivo] que suprimió los días festivos". Argumento: "La Autoridad que quita una lei debe ser la misma que la dio: la civil no dio la lei de días festivos: luego no puede quitarla. Esto es claro é inconcluso".

Finalmente, poniendo el ejemplo de Colombia, da a entender que tenía que haber sido orden de la Santa Sede y promulgación por el Poder Civil.

Se ignora quién fue el redactor del folleto, aunque sospecho que lo fue el Pbro. José Francisco Peralta, que en 1835 luchó contra el Jefe del Estado Carrillo por motivo precisamente del Decreto sobre los días festivos; complotó y, descubierto y puesta a precio su cabeza, huyó del país, estando exilado casi dos años.

Se puede citar un largo artículo, sin firma, sobre la verdad del cristianismo, en el "Noticioso Universal" (1833), de estilo apologético.

El P. Juan Manuel Carazo publicó el 11 octubre 1843 un folleto de 11 pp., *Observaciones sobre algunos artículos del proyecto de Constitución* (la de 1844), atacando los arts. 14, 15, 130 y 135. El 17 de septiembre 1843, el P. Nicolás Carrillo publicó un folleto de 10 páginas pidiendo la reforma del art. relativo a la religión del Estado.

Al año siguiente, se publicó, firmado por M.F.B. un opúsculo titulado *Disertación contra la Tolerancia religiosa* [87]. Con argumentos típicos de los manuales escolásticos del XVIII, sostiene la inmoralidad de la Tolerancia y el confesionalismo del Estado. Probablemente reimpresión de un impreso de fuera.

Mediado el siglo, será el primer Obispo, Mons. Llorente, quien procurará mantener la confesionalidad del Estado; hasta la vuelta del exilio de Mons. Thiel, ésta será la política permanente, mantenida sobre todo por el Pbro. Domingo Rivas. Pero incluso Rivas, sin duda la figura intelectualmente más importante del clero costarricense en el XIX, era un canonista. Ello hará que no encontremos

---

87 San José. Imprenta del Estado. 1866. p. 27.

obra ni textos, no ya escolásticos, sino ni siquiera de filosofía cristiana. Encontraremos exposiciones de la doctrina de la Iglesia Católica acerca del Estado, la mayor parte de escasa altura de "manual" [88].

En todo el XIX, sólo un sacerdote obtuvo una Licenciatura en Filosofía, el P. Manuel Gómez, el año 1891, en Roma. En 1901 se doctoró, también en Roma, en Filosofía Rafael Otón Castro, futuro Obispo (1921) que lo hizo en las tres Facultades.

Mons. Luis Bruschetti, Vicario y Delegado Apostólico de la Diócesis desde 1876, publicó, el 16 de febrero 1879, una pastoral sobre la fe. El periódico "El Preludio", de tendencia liberal, el 14 de marzo siguiente, publicó, en paralelo a doble columna, largos párrafos de la pastoral, y de los *Estudios Filosóficos sobre el Cristianismo* de Augusto Nicolás, e ironizando sobre el plagio. Ciertamente, Mons. Bruschetti no se había molestado en buscar muy lejos. Sus otras nueve pastorales, sobre temas eclesiásticos, son muy sencillas y sin pretensiones.

Juan Gaspar Stork, Obispo de Costa Rica (1904-1920), nacido en Colonia, Alemania, en 1856, ordenado sacerdote en 1879, perteneciente a los lazaristas, fue profesor de Filosofía en la Casa de París de 1879 a 1886, en que pasó de profesor de Teología al Seminario de Soissons. En este año se doctoró. De 1886 a 1893, director del Seminario de Theaux y profesor de Teología. Llegó a Costa Rica en 1893 y fue nombrado director del Seminario de San José, cargo que desempeñó hasta 1904 [89]. Tuvo prestigio, en éste, como profesor de Teología.

Por sus escritos, aunque no filosóficos, destacan, en todo caso, Domingo Rivas, Bernardo Augusto Thiel y Juan de Dios Trejos, que estudiamos a continuación [90].

Domingo Rivas

Domingo Rivas fue un sacerdote virtuoso, de temple esforzado, de conducta rectilínea, identificado plenamente con su condición eclesiástica, pero tuvo la desgracia de que, desde su juventud, todo el mundo le señaló como la persona indicada para Obispo. Y claro es que, por consiguiente, no lo fue. Durante toda la se-

---

88 Por ej., con el pseudónimo Mazo Flavio Joseto, *Epístola primera sobre las demencias de una época de descomposición*, (San José, Imprenta Nacional, 1867), 19 pp.
Juan N. Venero, *Cuestión político-religiosa. Discusión sobre los artículos 2º y 6º del Decreto de elecciones dictado por el Gobierno Provisorio, en lo que concierne al Clero*, (San José, Impr. Nacional, 1870), 52 pp. Colección de artículos en que se sostiene el derecho de los sacerdotes a ser elegidos Diputados.

89 "El "Libro Azul" de Costa Rica (1916), p. 298-299; González Luis Felipe, *Hist. Influencia Extranjera* (1921), p. 74-75.

90 Puede citarse un pequeño estudio escolástico: Juan Cristiani Galcerán, *El principio de causalidad fundado en el principio de contradicción*, (San José, Tip. San José, 1900), 16 pp.

gunda mitad del XIX, su figura fue vista con recelo, tanto por los gobiernos, que no quisieron tenerlo nunca al frente de la diócesis, como por los Cabildos, que resentían su rigidez.

Domingo Rivas, "temido y respetado" [91], gobernó la diócesis cuando no había Obispo. Canonista bien preparado, representó durante esos cincuenta años la Iglesia combativa y exigente. Implacable cuando se sentía amparado por los cánones, no ofreció mella personal al ataque. Y siempre antepuso los intereses de su estado a conveniencias personales. Dos veces desterrado, a él se encargaban las requisitorias contra el Gobierno.

Nació en San José en 1836. Se doctoró en Derecho Canónico por la Universidad de Santo Tomás y fue ordenado sacerdote en 1859. Cuando el cese de Lorenzo Montúfar como Rector de la Universidad y la supresión de la autonomía de ésta, fue nombrado Rector por el Gobierno. En 1862, Vicario General. Bajo la administración de Jesús Jiménez, fue Presidente de la Cámara y miembro del Consejo de Gobierno. En 1869, Gobernador Eclesiástico. Deán desde 1871 hasta su muerte. De 1871 a 1877, Vicario Capitular. En 1880, desterrado en Nicaragua. Durante el destierro de Mons. Thiel, en 1884, se enfrentó con todo el Cabildo, por haberse plegado éste al Gobierno. En 1891, Presidente de la Unión Católica, por pocos meses. Murió en 1900.

La siguiente declaración cuando recibe la Vicaría Capitular por primera vez, será el centro de todos sus trabajos:

> "Nuestra intención es conservar y mantener siempre, en cuanto lo permita el fiel cumplimiento de nuestros deberes, un perfecto acuerdo con el Gobierno de la República. Nuestra regla en este punto es muy sencilla: no inferirnos, ni permitir que ninguno se infiera por medio de la autoridad de que está investido, en los asuntos que competen al Gobierno civil, respetar y hacer respetar las instituciones de la República y obedecer a las autoridades en todo lo que no se oponga a la Ley de Dios y a las disposiciones de los Sagrados Cánones, y como esperamos que por parte del Gobierno Supremo nada se exigirá de Nos que pueda chocar con aquellas reglas de conducta, tenemos plena confianza en que mientras desempeñemos el Gobierno de la Diócesis, ningún conflicto vendrá a turbar esta feliz armonía que hoy existe entre ambas Potestades" [92].

Como buen ultramontano, tomó como enemigos directos a los liberales. El 24 de septiembre de 1875, publicó una pastoral contra el "racionalismo", dirigida especialmente, aunque sin nombrarle, contra Lorenzo Montúfar. Según V. Sanabria, "es el único docu-

---

91 V. Sanabria. . . . *Thiel,* p. 475.

92 *Carta Pastoral del Dr. Rivas en que anuncia su elección para la Vicaría Capitular,* Reprod.: V. Sanabria, *Primera Vacante . . . ,* p. 342-345.

mento de mayor solemnidad publicado por el Dr. Rivas, que por el fondo y por la forma nos permite medir su amplia cultura mental" [93]. Personalmente, considero muy superior la *Exposición* ... de que hablaré después. En una alocución del 20 de junio del año anterior, ya había combatido al racionalismo. Dice en la pastoral: " ... los apóstoles del error no cantarán victoria en su réproba tarea de descatolizaros". Esos apóstoles [Lorenzo Montúfar y sus discípulos del periódico "La Razón"] están dedicados a "usurpar el magisterio doctrinal y atacar infamemente los dogmas eternos, la disciplina venerable y la autoridad celestial de la Iglesia y su Pontífice". El que se deja llevar por las pasiones, niega las doctrinas que las reprimen, y "entonces suplanta los textos, falsea la historia, comete anacronismos y prescinde de las reglas más triviales del buen criterio para desconceptuar los institutos que ella ha autorizado [94], desvirtuar el ministerio sacerdotal y denostar al Pontífice Supremo". Finalmente, califica al racionalismo de "falsa doctrina" [95].

Esta pastoral es superficial y de tono más polémico que doctrinal. Por "racionalismo" entiende el negar la infalibilidad pontificia y el afirmar la libertad de pensamiento. La pastoral vino a ser la justificación de la salida de Montúfar del Rectorado univeristario, a causa de la aplicación del Concordato a la enseñanza universitaria. Por lo demás, ataca el deísmo y los sistemas de moral autónoma.

La pastoral de Mons. Llorente, de 20 de agosto de 1867, contra la masonería, fue redactada por Rivas [96], y supongo que algunas otras más.

A poco de la expulsión de Mons. Thiel, en 1884, el Vicario General publicó una pastoral, en que aceptaba el poder del Estado, y que incluso recibió el visto bueno del Obispo en exilio, todo ello probablemente por razones de prudencia política. Sobre esta pastoral, Domingo Rivas redactó una *Exposición* ... [97], desarrollando la doctrina pontificia sobre las relaciones de la Iglesia con el Estado.

" ... no soy partidario del regicidio; por el contrario, detesto y condeno la doctrina que lo autoriza; condeno y detesto también la rebelión, ... ". "Tengo el gusto de hallarme también enteramente de acuerdo ..., en cuanto a la más pronta obediencia debida a las leyes civiles, tomada esta proposición en *Tesis general*. Ella contiene una de las verdades católicas ... Pienso más, esta obediencia urge de la misma manera aunque el Rey o Jefe hubiere usurpado el poder, aunque fuese impío, cismático, infiel, idólatra, puesto que,

---

93 *Primera vacante* ... , p. 288.

94 La Compañía de Jesús.

95 *Vid.:* V. Sanabria, *Primera Vacante* ... , especialmente, p. 289-290.

96 V. Sanabria, *Anselmo Llorente*, p. 235.

97 *Vid.* el Texto en V. Sanabria, ... *Thiel*, p. 539-544.

al emitir las leyes no haya excedido la órbita de sus atribuciones,...
He dicho en *Tesis general,* porque sobre esta materia hay una distinción esencial que se halla consignada en la ley divina, la cual dejaría sin aplicación el calificativo: *"Más universal"* [usado por el Vicario] atribuido a la obediencia".... "Esta emanación de toda potestad del Poder Omnipotente de Dios hace que toda autoridad que se ejerza acá en la tierra, esté necesariamente subordinada a aquel Poder increado de que procede. De aquí viene la obligación, que hay en conciencia, de obedecer a la Iglesia y al Estado,..." "De ahí viene que ni el Soberano Pontífice, ni el Monarca más absoluto, tengan un poder ilimitado, puesto que sobre uno y otro se hallan el Derecho Natural y el Divino Positivo,... De ahí vienen las diversas esferas, determinadas e independientes, a que cada uno de los dos Poderes, eclesiástico y civil, deben limitar el ejercicio de su respectiva autoridad".... "Con relación al objeto, la autoridad de la Iglesia versa sobre lo espiritual, y sobre lo temporal que con ello se roza.... Con respecto, en fin, a los medios, la Santa Iglesia y su Jefe Visible cuentan con la asistencia permanente del Espíritu de Dios,..., su infalibilidad prometida,..." "Esta Iglesia,... no tiene más límites que los confines del mundo". "Ella pues es el *luminare majus,* y el Estado, como la luna, refleja sobre los pueblos la luz de la doctrina que recibe de la Iglesia,..." "Estas diferencias colocan a la Iglesia en una categoría sumamente más elevada, más importante y más respetable para los Pueblos y los Gobiernos, que la en que se halla el Estado.... los poderes seculares mismos no están dispensados de respetar la potestad espiritual ni de acatar y obedecer sus preceptos". "Por tanto, el Príncipe como el ínfimo vasallo tienen la necesidad y el deber de ser dirigidos y regidos, en lo que toca al orden espiritual, por la autoridad de la Iglesia,..." "La potestad secular,..., puede, al emitir sus leyes, tocar el derecho natural, el divino positivo o los dogmas, preceptos y disciplina de la Iglesia Católica,..., conformándose con ellos. ... Mas si desgraciadamente aconteciere que... los ataquen, los desprecien,... se les opongan, ¿habría de parte de los ciudadanos la misma obligación de obedecerlos? Indudablemente que no; tal obediencia en este caso sería punible,...". "En estos tiempos,..., en que se ostenta como la mayor conquista del siglo,..., la implantación de ese liberalismo, que es la tiranía envuelta en seductores pero disolventes principios de libertad de imprenta, libertad de conciencia y libertad de cultos, de Iglesia libre en el Estado libre, de *exequatur* y recursos de fuerza, de enseñanza laica y Estado sin Dios, de abolición de concordatos y extinción de órdenes monásticas, de matrimonio civil y disolución de su vínculo por autoridad laica, etc. En estos tiempos, repito, sería sumamente expuesto enseñar la obediencia absoluta a la ley civil,...". "Las leyes civiles —por precepto de Dios— deben ser obedecidas pronta y cumplidamente por los ciudadanos, siempre que ellas no se opongan en manera alguna a los preceptos de Dios o a la Religión Católica,...".

Así, en consecuencia, fue Rivas quien planteó más adelante, en 1890, con toda radicalidad, la que se llamó "cuestión religiosa", enfrentando a la Iglesia con el Estado. Fue el discurso del 8 de mayo, en la Catedral, ante el Presidente Rodríguez, una verdadera requisitoria, en que Rivas le pidió la revisión de las leyes de 1884 sobre los siguientes puntos: destierro del Obispo, expulsión de los jesuitas, limitación de las procesiones, el trabajo en los días festivos, ruptura del Concordato, secularización de los cementerios, el divorcio, el matrimonio civil, limitaciones a la adquisición de bienes, enseñanza laica. "...., hago presente ante Vos, y ante los otros Poderes de la Nación, la querella de sus males [de la Iglesia], en demanda de reparación de tamaña injusticia" [98].

Prácticamente, ese fue el programa del Partido Unión Católica, que ya hemos visto.

OBRAS

Circular del Vicario Capitular, de 6 octubre 1871. Temas eclesiásticos.

Circular del..., de 9 octubre 1871. Admón. Eclesiástica.

Circular del..., de 12 octubre 1871. Anuncia su nombramiento y señala las normas de su gobierno.

Circular del..., de 2 enero 1872. Temas eclesiásticos.

Circular del..., de 24 enero 1873. Temas eclesiásticos.

Circular del..., de 13 mayo 1873. Temas eclesiásticos.

Circular del..., de 30 junio 1873. Temas eclesiásticos.

Alocución pronunciada por el Vicario Capitular, de 20 junio 1875.

Carta Pastoral... sobre el Racionalismo. Exposición del "racionalismo" y excomunión del periódico "La Razón", 24 septiembre 1875.

Pastoral..., de 15 octubre 1875. Temas eclesiásticos.

Circular del..., de 20 octubre 1875. Temas eclesiásticos.

Nota..., de 17 noviembre 1875. Temas eclesiásticos.

Circular del..., de 19 de enero 1876. Temas eclesiásticos.

Circular del..., de 23 mayo 1876. Competencia eclesiástica sobre construcción de templos.

Circular del..., de 19 junio 1876. Temas eclesiásticos.

Reglamento para las juntas creadas por la Autoridad Eclesiástica para la construcción o refacción de templos en la Diócesis, 15 julio 1876.

Exposición del Dr..., 1884.

Discurso..., 8 mayo 1890.

---

98 "El Eco Católico". Nº 119 (17 mayo 1890). Cf. V. Sanabria. ... *Thiel,* p. 279-282.

BIBLIOGRAFIA

SANABRIA, V., *Anselmo Llorente . . .*, (San José).

SANABRIA, V., *Bernardo Augusto Thiel,* (San José).

SANABRIA, V., *Primera Vacante . . .*, (San José, 1935).

"Religión y Patria", julio 1930.

"El Eco Católico", N⁰ 119 (17 mayo 1890).

NUÑEZ, FRANCISCO MARIA, M. I. Sr. Deán Dr. *Domingo Rivas,* en: SOTELA, R., *Escritores de Costa Rica* (1942), p. 596-598.

Bernardo Augusto Thiel

Así como Domingo Rivas participó en la lucha eclesiástico-política por vocación, Bernardo Augusto Thiel lo hizo por deber.

Historiador, y sobre todo lingüista, fue presentado para Obispo por el Gobierno precisamente por no mostrar las cualidades que poseía el Dr. Rivas. Un joven y modesto profesor del seminario, metido siempre entre libros, extranjero, no sería Obispo combativo. Pero ya en el obispado, Thiel se identificó precisamente con la manera como Rivas entendía la situación. No que se dejase guiar, pues sus relaciones fueron siempre tirantes, sino que asumió concienzudamente una tarea y reuniendo todas sus energías teutonas, resultó el Obispo menos cómodo que pudo imaginar el Gobierno. En sus veintiún años de episcopado publicó cuarenta y siete pastorales y más de cien circulares. Mas, como señaló Mons. Sanabria, " . . . en él la producción literaria perseguía siempre un fin que podemos llamar apologético o de utilidad mediata o inmediata para la misión apostólica que como Obispo tenía que cumplir" [99].

Bernardo Augusto Thiel nació en Elberfeld, Alemania, en 1850. En 1865 entró a estudiar con los Padres lazaristas, en cuyo noviciado de Colonia entró en 1869; en 1872 continuó en París, donde se ordenó en 1874. En este año pasó al Ecuador y en 1877 fue destinado a Costa Rica. En el Seminario de San José fue Profesor de Teología Dogmática y Derecho Canónico. En 1879 el Presidente General Guardia lo presentó para el Episcopado y en 1880 fue consagrado. Reorganizó la Curia, celebró un Sínodo Diocesano; en 1883 se enfrentó con el Instituto Nacional laico. A lo largo de ese año y del siguiente, hubo fuerte tensión en el país en torno a reformas proyectadas liberales y la efervescencia creció también entre el clero, lo que fue mal visto por el nuevo gobierno de Próspero Fernández, bajo el cual se dio, como proceso colectivo, la reacción liberal contenida durante la década anterior, que se concretó en la expulsión del Obispo y los jesuitas, y las leyes de que ya hemos informado. En 1886 pudo regresar al país. Desde enton-

---

99 V. Sanabria. *Thiel.* p. 430.

ces procuró una entente más prudente con el Estado. En 1892, indirectamente, logró la reinstauración de la instrucción religiosa en
las escuelas primarias. Entre 1889 y 1894 patrocinó el Partido
Unión Católica. En 1899 participó en Roma en el primer Concilio
Plenario de la América Latina. Durante todos estos años se ocupó
intensamente del Seminario, y de sus propios estudios lingüísticos.
Murió en 1907.

Desde un principio adoptó una actitud de lucha contra las
ideas liberales. En la Circular de 1 enero de 1881 se lamentaba de
la difusión de las "falsas concepciones de la libertad" y de errores
relativos a la moral, la circulación de "malos libros", filosóficos y
literarios, y la existencia de periódicos arreligiosos y antirreligiosos.
En su segunda Carta Pastoral, de 28 febrero 1881 sobre: "las causas interiores de la independencia religiosa e incredulidad", dice:
"Hace treinta años todo el que pretendía ser ilustrado o parecerlo,
debía ser masón. Esa moda pasó". Critica la fe panteísta, las incul-
paciones a la Iglesia de ser aliada del retroceso. "Se tiene como de
buen tono . . . , tratar nuestra augusta Religión, no directamente
con desprecio, pero sí con cierta indiferencia".

En la Instrucción Pastoral para la cuaresma de 1882, "Sobre
las causas exteriores de la incredulidad e indiferencia religiosa",
entre otras cuestiones, critica al periodismo "racionalista" y a la enseñanza secundaria laica. Y el mismo año publicó un folleto de
50 pp. titulado *El verdadero y genuino carácter de la autoridad,* en
el que atacó las teorías liberales acerca de la supremacía del Estado.
En conjunto, ataque al liberalismo.

Volvió a tratar el mismo tema el 15 noviembre 1891 en la
pastoral "donde se trata de la constitución cristiana de los Estados
según las encíclicas de León XIII . . . " y al 21 del mismo mes, otra
"donde se trata de los deberes de los católicos" . . . , en relación con
las elecciones políticas. Y el 3 del mismo mes había publicado otra
"sobre el liberalismo, según la carta encíclica de León XIII . . .".

El Sínodo Diocesano que organizó en 1881 aprobó unas Declaraciones condenando el matrimonio civil, la enseñanza laica, la
guerra contra las comunidades religiosas, y la prensa impía y los
libros perniciosos. Y sobre la escuela católica versó su pastoral de
4 octubre 1891. La tesis que defendió (frente a Ricardo Jiménez, en
1889) a este respecto es que la función del Estado no es dar enseñanza alguna, sino suplir a los padres de familia. La enseñanza laica
violenta la libertad de conciencia. El Estado "debe dar en sus establecimientos esa enseñanza [religiosa], aunque sin imponerla".
La actitud neutral del Estado no basta a la Iglesia. Termina despi-
diéndose "en la esperanza de que un verdadero espíritu de conci-
liación nos libre de estas malhadadas conquistas [enseñanza laica]
de un falso e impío progreso, y devuelva a la Iglesia su libertad".

127

Pero la que encerró mayor novedad, pues las anteriores son reiterativas y polémicas, fue su 30ª Pastoral, de 5 septiembre 1893, "sobre el justo salario de los jornaleros y artesanos y otros puntos de actualidad que se relacionan con la situación de los destituídos de bienes de fortuna". Expone la doctrina de León XIII sobre cuestiones sociales como que la autoridad debe fijar los salarios, el establecimiento del valor de los artículos de primera necesidad, y sindicatos.

El Ministro de Culto, Manuel V. Jiménez, reclamó contra la publicación de la pastoral sin autorización del Ejecutivo y por considerar que contenía "doctrinas tan erróneas". Y ordenó recogerla.

Acaso sea la de mayor nivel intelectual personal, la décima pastoral, de 18 julio 1884, escrita desterrado en Panamá sobre el Estado.

"El mal que principalmente aqueja a nuestra sociedad y nuestro siglo es el desprecio de la autoridad establecida por Dios". "¿Cuáles son las obligaciones que tenemos como católicos para con la autoridad civil? Estas obligaciones son tres: 1 Prestar reverencia, fidelidad y obediencia en todas las cosas en que no haya pecado, a la autoridad legítima y sufrirlo todo, antes que provocar una sedición; 2 Pagar los tributos legales; 3 Asistir al Gobierno en todo peligro y defenderlo contra los enemigos de la Patria aun a expensas de nuestros bienes y de nuestra vida. ¿Y por qué debemos hacer esto? Porque así Dios lo ha ordenado y la Iglesia Católica lo enseña". "El gobierno civil es un reflejo del Supremo gobierno que ejerce Dios sobre la humanidad que es su obra". "Es por lo tanto el gobierno civil una institución de Dios y como el lugarteniente de Dios en la sociedad, en el Estado. Así es que no se puede dudarse que todos los miembros de un Estado, de una sociedad civil deben rendir a la autoridad legítima, al gobierno establecido, como lugarteniente de la divinidad: respeto, fidelidad y obediencia". . . . "No hay otra autoridad espiritual legítima en la tierra sino la de esta Iglesia [Católica]". . . . "Unicamente nos valemos de respetuosas representaciones para obtener que se nos guarden nuestros derechos cuando son violados". Y sigue haciendo su justificación personal.

BIBLIOGRAFIA

CASTRO SABORIO, OCTAVIO, *Bernardo Augusto Thiel en la Historia,* (San José,. Imp. Nacional, 1959), 163 pp.

V. SANABRIA, *Bernardo Augusto Thiel,* (San José, Imprenta Lehmann, 1941), 550 pp. Incluye exhaustivamente las referencias. Indice de pastorales, circulares, etc. en p. 608-619.

SOLERA RODRIGUEZ, GUILLERMO, *Beneméritos de la Patria* (1958), p. 81-87.

Juan de Dios Trejos

Sacerdote ejemplar, ganó prestigio a fines del siglo como orador y pensador, y ciertamente es un buen escritor. Doctrinal-mente, es un tradicionalista sin saberlo; digo, sin saberlo, pues él ciertamente lo hubiera negado, pero todo lo que escribió vive un ultramontanismo temperamental. Hombre apasionado, siempre de extremos, para quien los hombres eran o muy buenos o muy malos, y para quien la Historia entera era lucha de la ley y las tinieblas, no puede propiamente ser considerado un pensador, sino un com-batiente.

Nació en Guadalupe de Cartago en 1853. Estudió en el Se-minario de San José y en 1885 fue a continuar los estudios con los lazaristas en Popayán. En 1887-1889, Director del Colegio Semi-nario. En 1891, directivo del Partido Unión Católica; complicado en la revuelta fue encarcelado. En 1892, Diputado. Murió en 1912, en Pacayas, después de haber pasado sus últimos años retirado.

Mantuvo polémicas con Zambrana, Rubén Darío, Mauro Fer-nández, Juan de Dios Uribe, que le dieron gran fama en su tiempo. Es de señalar que todas estas polémicas las inició él.

Muy joven, fue Subsecretario de Estado y colaboró entonces, en sentido liberal, en "El Ferrocarril".

En 1882 fue Profesor de Filosofía en el Instituto Nacional, y desde este mismo año en el Seminario. Texto en éste, Cayetano Sanseverino.

Su *Disertación* más extensa (18 abril 1900) es una glosa de Luc. II, 34: "Este niño está destinado para ser el blanco de la contradicción de los hombres". Y hace un largo recorrido histórico viendo el odio levantado por Cristo: romanos, herejes, librepensa-dores, etc., para culminar en su presente con la afirmación de la ya llegada del anti-Cristo a la tierra bajo forma de la masonería.

"..., ese varón de dolores, ese maldito que pende de la cruz, será el blanco permanente, indefectible de la humana contradic-ción", El albigenismo: "Nunca la contradicción a Cristo fue ejer-cida con tanto lujo de negación, hipocresía y fariseísmo" — "En el siglo décimosexto hubo en la tierra, entre los hombres, movi-miento religioso semejante á la rebelión de Lucifer en los cielos, entre los ángeles". "También el racionalismo, ..., está ya decaído y moribundo. Nada ha podido hacer contra la Iglesia Católica". "La ciencia impía ya no puede hacer resistencia á la luz de la ciencia cristiana". Y prosigue con el anti-Cristo: "Hoy el odio al nombre de Jesucristo y a la religión católica llega hasta el grado de no querer reconocerle a los católicos sus méritos, su valor moral, sus aptitudes, su honradez y rectitud para la intervención en el orden público, social o administrativo".

Su *Discurso* de 7 enero 1901 desarrolla el mismo tema, limitado al siglo XIX: "En ninguna época de la humana historia ha librado la Iglesia de Jesucristo combate más gigantesco...". Y señala a Santo Tomás por su magisterio (pero no lo sigue).

Son curiosas en este Discurso sus opiniones sobre Costa Rica en el siglo XIX, sobre todo el ataque total a Carrillo y a Morazán y el elogio total a Jesús Jiménez.

Respecto al Estado, en 1894 dijo:

"Nosotros pedimos la supresión del concubinato civil, la enseñanza religiosa, los cementerios, todo lo que nos fue arrebatado en 1884, y cuando lo consigamos entonces ya no haremos política" [100].

Con motivo de la Discusión del Proyecto de ley sobre la instrucción religiosa voluntaria en las escuelas, presentado por el Presidente Rodríguez en 1892, Juan de Dios Trejos, como Diputado, dio el siguiente dictamen en forma de contraproyecto:

"Restablécese en las escuelas primarias, en los colegios y universidades del Estado la enseñanza católica como enseñanza oficial; de tal suerte que no impere en los ramos del saber humano espíritu diverso del espíritu católico, ni criterio diferente del criterio cristiano. Esta enseñanza será ejercida por maestros y profesores católicos, conforme a los reglamentos, textos y programas que el Gobierno de acuerdo con la autoridad eclesiástica señale y determine". El Congreso lo rechazó de plano [101].

Sostuvo una estrecha unión entre el orden físico y el orden moral, pero desarrollada nada más en un plano psicológico, sin llegar a la metafísica:

"No, jamás el mundo físico puede imaginarse desprendido del mundo moral. No es necesario alta filosofía ni metafísica sublime para demostrarlo. Los hechos más sencillos lo evidencian. El secreto horror de una noche tormentosa, suele transformarse en plácido descanso del corazón cuando la lluvia desciende a torrentes de las nubes," "¿Quién no adivina en esta coincidencia de lo físico con lo moral el paralelismo permanente entre el espíritu y la materia?".

OBRAS

[Relación no completada]

Discurso fúnebre (sobre Mons. Thiel), de 14 septiembre, 1901, "Mensajero del Clero", XIV, N° 157 (1901).

Disertación..., en *Homenaje a Jesucristo* (San José, 1901), p. 24-37.

Discurso sobre el Siglo XIX, Ib., p. 235-256.

---

100 Citado por: V. Sanabria, ...*Thiel*, p. 349-350.

101 *Ib.*, p. 289.

Ecos del Espíritu de la Naturaleza y de la Historia, en: MATA GAMBOA, JESÚS, *Monografía de Cartago* (1930), p. 338-360.

[Informe sobre los exámenes en Cartago], "Rev. Arch. Nac.", IX, 5-6 (1945), p. 300-301.

Un paseo al panteón de Cartago. "Pandemonium", 77 (1904), p. 3-5.

[Polémica sobre] "La Providencia y la Historia", Un Periódico Nuevo (diciembre 1879).

[su colaboración liberal], "El Ferrocarril", 1875.

[colaboraciones en:] "El Eco Católico", "La Unión Católica", "El Manantial", "La Nave", "Pandemonium", "Páginas Ilustradas", "El Fígaro".

[su polémica con Juan de Dios Uribe se recogió en un folleto, *Sobre el Yunque,* que no he visto].

BIBLIOGRAFIA

NUÑEZ, F. M., ... *Juan de Dios Trejos,* "Diario de Costa Rica" (21 enero 1923).

SANABRIA, V., ... *Thiel* (1941).

ŞOTELA, R., *Escritores de Costa Rica* (1942), p. 28-29.

TREJOS S., JUAN DE DIOS, *El Presbítero don Juan de Dios Trejos P.,* en: MATA GAMBOA, JESÚS, *Monografía de Cartago* (1930), p. 334-337.

VOLIO, JORGE, *Juan de Dios Trejos...,* "La Nave", II, 30, (7 diciembre 1912). Reprod.: "Rev. Costa Rica", IV, 6 (1923), p. 98-100.

VOLIO, JORGE, *Juan de Dios Trejos,* "La Nave", 98 (13 septiembre 1913).

EL POSITIVISMO

Quizá sea Costa Rica el único país del Continente en el que la entrada del positivismo no implicó cambios, siendo sin embargo más general su influencia. La "ideología" de Desttut de Tracy había preparado el ambiente, y el empirismo práctico del costarricense venía siendo ya, en cierta manera, pre-positivista. Por esto, cuando se divulga esta concepción, no provoca choques, ni es tampoco tomada como "religión", tal como sucedió en tantos países. No es simple casualidad que fuera Littré y no Comte (más tarde, Renán y Taine), el doctrinario preferido, pues ello, además, vino a coincidir con la veta, dominante, de los liberales ilustrados.

En dos formas se divulgó el positivismo. A través del nicaragüense Máximo Jerez, su predicador, y en forma difusa, en el tránsito del siglo por la enseñanza de una serie de profesores de materias científicas. Algunas veces, como veremos, enlazado con el materialismo; otras, como simple maduración de un espíritu de investigación científica.

Por estas razones, no encontramos casi doctrinarios positivistas costarricenses: casi todos los intelectuales del país, desde el 1870, lo fueron básicamente. "El hecho más importante en la evolución material y cultural de Costa Rica en los finales del siglo fue la influencia del positivismo" [102].

Máximo Jerez

Máximo Jerez fue un Profesor de Filosofía que tuvo la desgracia de ascender de voluntario a General en cuatro meses. Su temperamento exaltado y su extraordinaria capacidad de acción le lanzaron entonces en el río revuelto de las guerras civiles nicaragüenses y de los intentos armados de restaurar la unión centroamericana. Una tercera parte de su vida fue así entregada a la revuelta y la acción bélica. Cuando, forzado por el exilio, vuelva a lo

---

102 Bonilla, A., Hist. Lit. Costarr. (1957), p. 92.

que era su profesión, la enseñanza, encuentra el sosiego, relativamente, y se torna en el difusor del positivismo en Centroamérica [103].

Positivista, agnóstico, liberal y unionista son las cuatro eti-
quetas que encierran su personalidad, desde nuestro punto de vista.
Nació en León de Nicaragua en 1818. Pasó siete años de su
infancia en Costa Rica. Cursó Filosofía y Derecho en la Universidad de León, la Filosofía por Lugdunensis. En 1837 se doctoró en
Cánones; en 1838, en Filosofía.

Se dedicó a la enseñanza. Después de pasar un año en Guatemala, en 1844 fue enviado en misión diplomática a Francia, momento en el que entró en contacto con las obras de Littré. En 1845,
en guerra civil pasó a Capitán, Coronel y Mayor General sucesivamente. En 1846, Rector de la Universidad de León. En 1847, Representante en la Dieta Centroamericana de Nacaome. En 1848 y
1849, Jefe Político de la Ciudad de Granada. En 1853, Diputado;
mal visto, por unionista, por el Presidente Chamorro, fue encarcelado y exilado. En Honduras fue Secretario del Presidente Cabañas.
Participó en 1854 en la invasión de Nicaragua por los exilados contra el Presidente Chamorro. Esta guerra provocó la contrata de filibusteros a sueldo, que al poco tiempo quisieron apoderarse del
poder, provocando la unión de todos los partidos. Jerez, Ministro
de Asuntos Exteriores, renunció en 1856 y participó en la guerra.
Vencidos los filibusteros, en 1857 formó con el General Martínez
la Junta de Gobierno, con plenos poderes. En 1858 firmó por Nicaragua el tratado de límites con Costa Rica, y logró, en Washington,
el reconocimiento del Gobierno nicaragüense. En 1863, fracasados
los intentos unionistas, combatió militarmente al Presidente Martínez, siendo finalmente vencido; y buscó asilo en Costa Rica. En
1867 regresó a Nicaragua. En 1869, nueva guerra unionista. Nueva
estancia en Costa Rica y en 1870 se estableció en Rivas y se dedicó
a la enseñanza hasta 1880, excepto en 1873 que volvió a Costa
Rica. En 1880 fue enviado a Washington en misión diplomática.
Murió en 1881 en esta ciudad.

Máximo Jerez, en su patria, ha sido objeto de culto venerado
por los liberales, y de ataque sañudo por los conservadores; y sus
historiadores siguen divididos en bandos, alternando el elogio cálido y la diatriba zahiriente. Bastaría ello para probar que fue una
personalidad compleja y, sin duda, destacada.

Veamos dos retratos hechos por contemporáneos suyos.

" ... sólo él podía ser el primer jefe, pues realmente era un
hombre original; era endeble o raquítico, y un atleta y fuerte para
sus resoluciones; no sabía andar a caballo, ni disparar un revólver,
y era un valiente revolucionario; hablaba entrecortado y con deja-
ción, y era un sabio en todas las ciencias, especialmente en filosofía,

---

103 " ... converso con Jerez sobre Astronomía y Matemática: los conocimientos del
General en estas ciencias son extensos, y él sabe expresarse con tal facilidad y
elegancia que su conversación sobre cuestiones científicas encanta. Yo creo que
Jerez sería mucho más aparente para Director de un Colegio que para caudillo
revolucionario". Enrique Guzmán. *Diario íntimo* (29 de junio 1876).

matemáticas y en todas las clases de derecho, . . . ; no era vicioso ni verdadero militar, ni podía matar a nadie personalmente; y sin embargo, podía avenirse a vivir la vida de cuartel de aquellos tiempos, así como mandar matar a dos o más y quedarse riendo" [104].

"Alma grande; superior inteligencia era la de Jerez; pero esas raras cualidades se encontraban maleadas por su carácter pertinaz y a veces intransigente. Aquel hombrecito que a primera vista poco valía, era una potencia, aquel carácter que parecía tener la blandura de la cera, era de templado acero" [105].

Con motivo de su estancia en Francia adoptó el positivismo de Littré. Sin embargo, es desde 1863 cuando, exilado y vuelto a la enseñanza, en Costa Rica, reestudió y difundió esta concepción. No he encontrado datos de que explicase antes el positivismo.

En 1844, tuvo casi como una "conversión":

"Me río de mis antiguas preocupaciones, de los terrores que me inspiraba el infierno y de mis escrúpulos de monja. Llegó un día en que mi razón se iluminó y sentí mi espíritu aliviado de la pesada carga que lo abrumaba" [106].

Veamos la presentación doctrinal que de él hizo un contemporáneo suyo:

"Jerez es ahora (1876) un filósofo de la escuela de Mr. Littré: no afirma ni niega a Dios: ignora simplemente quién es y dónde está." "Sus opiniones racionalistas le perjudican con frecuencia en un pueblo tan fanático como el nuestro; pero él no teme hacer pública confesión de sus ideas: más todavía, no satisfecho con decirse libre pensador, procura hacer la propaganda anti-religiosa, y para ello no pierde nunca la ocasión.

"El liberalismo de Jerez llega a las últimas conclusiones. Su programa es el de los radicales colombianos de Río-Negro; . . . Jerez goza, y con justicia, de una gran reputación de probidad".

" . . . Profesa y practica la moral pura de los hombres libres sin ostentación ni hipocresía. Es un buen discípulo de Holbach, por quien tiene profunda admiración" [107].

Su exposición doctrinal más completa es la siguiente:

"La Sociología demuestra, que también los arreglos humanos están sujetos a las leyes necesarias, y que es preciso que así lo sean, para que puedan formar en el conjunto armónico de todas las demás que rigen el universo.

"A la manera que en el mundo físico hay perturbaciones, como las que observa el astrónomo cuando un planeta pasa cerca del otro y transitoriamente alterna su regular movimiento, así también acontece en el mundo moral y social".

104 J. Gregorio Cuadra. Citado en: Chamorro, P. J., *Don Sofonías . . .* (1950), p. 103.
105 Francisco María Iglesias. Ministro de Relaciones Exteriores de Costa Rica citado en: Salvatierra, S., *Máximo Jerez inmortal* (1950), p. 194.
106 Citado en: Chamorro, P. J.. *Don Sofonías . . .* (1950). p. 242-243.
107 Enrique Guzmán, *Máximo Jerez*, en: *Huellas de su pensamiento* (1943), p. 30-31.

"El sistema de la evolución perpetua, seguido hoy por muchos sabios, tiene entre otras razones en su favor, la de suministrar el principio de una explicación posible de la ley del progreso; ley universal que se observa, tanto en el mundo físico, como en el moral y social. Por ella se operan todas las transformaciones; por ella el protoplasma se transforma en el insecto espontáneo; por ella la nebulosa se torna en corpulentos astros [108].

"La marcha progresiva del hombre hacia el perfeccionamiento se demuestra en la Geología y en la Historia: desde el hombre primitivo de Darwin, hasta el divino Newton, luz del mundo físico, hasta el divino Jesús de Nazareth, luz del mundo moral".

"Estos valientes filósofos y generosos filántropos, con Voltaire y Rousseau a la cabeza, logran tomar la altura, y obtienen el triunfo de la gran Revolución Francesa... la solemne declaración de los Derechos del Hombre"...

"La América independiente, para gobernarse a sí misma, establece la forma democrática,..., porque sabe que la democracia es la única filosofía y justa", y sigue hablando de la unión centroamericana [109].

El Dr. Manuel Pasos Arana, uno de sus discípulos, refería así el método de Jerez:

"El Dr. Jerez usaba de este lenguaje al entrar el alumno a la clase de Filosofía, que él desempeñaba:

"—Debo manifestar— decía—, que cada uno puede conservar sus opiniones y sus creencias religiosas; pero, como vamos a entrar en lo que se llama Filosofía Inquisitiva, hay que poner a un lado esas opiniones y creencias, que se tienen sin haberlas discutido, para dar lugar al razonamiento, pues se trata de la filosofía racional. Hay que pensar uno con su cabeza" [110].

Una de sus facetas por las que Máximo Jerez ha sido más criticado es la intentar por la fuerza lo que sus ideas incitaban a realizar por el trabajo. Y estimo es exacta esta crítica. Solamente cuando se dedicó de lleno a la enseñanza y cuando vio que la paz daba sus frutos en Costa Rica, adaptó su conducta a sus ideas, tanto que llegó a negarse a participar en una revolución, lo que resulta casi increíble en su carácter. Así, en Costa Rica, y por su estímulo se creó una asociación de liberales nicaragüenses y costarricenses (José María Castro, Julián Volio, Manuel Argüello, Anselmo H. Rivas, José María Zelaya, Jesús Jiménez y Máximo Jerez) para difundir pacíficamente el unionismo y las instituciones liberales, y de ese momento tenemos el siguiente testimonio:

---

108 "... la doctrina del fatalismo, de la que es entusiasta partidario...." Enrique Guzmán, *Diario íntimo* ... (9 septiembre 1876).

109 *Discurso* ..., de 16 septiembre 1878.

110 Citado en: Chamorro, P. J., *Máximo Jerez* ... (1948), p. 24.

"Allá en la pacífica Costa Rica —refiere don Anselmo H. Rivas—, . . . es preciso— decían [los exilados nicaragüenses, con Jerez] —que cuando volvamos a nuestro país imitemos el espíritu práctico de este pueblo y nos dejemos de teorías ·peligrosas, que hagamos caminos, fundemos escuelas, y promovamos por todos los medios el adelanto material e intelectual" [111].

Y aunque tardíamente, esta tesis predicó Jerez en 1873, en su carta pública a los Presidentes de Guatemala, El Salvador y Honduras, con su tesis liberal-unionista.

"Sólo el ferrocarril y el telégrafo pueden vencer el desierto, que es nuestro principal enemigo; sólo mediante la implantación de estos grandes motores de la civilización, podemos dar a nuestros pueblos hábitos de trabajo, de orden y de moralidad: sólo así podrán aprender nuestros gobiernos la ciencia de la administración y del gobierno; y sólo así podremos levantarnos de esta colonia pobre y atrasada, fanática y autoritaria del siglo XVI, a la altura de una sociedad civilizada del siglo XIX".

En Costa Rica, Máximo Jerez fue miembro de la Dirección de Estudios de la Universidad de Santo Tomás (1867) y varias veces formó parte de los Tribunales de exámenes de Doctorado en Derecho Canónico (de Domingo Rivas, en 1865, por ej.) y ordinarios de Matemáticas. En 1866 fue Director de la Escuela Central.

En 1864 fundó en San José un colegio primario-secundario, privado, llamado Liceo de Costa Rica. El programa que anunciaba el plan de estudios incluyó: "Filosofía; lógica, moral científica y derecho natural, metafísica en sus diferentes ramos, física general y especial". Estos cursos los tuvo Jerez a su cargo. Pudiera sorprender que tuvo como texto a Balmes, pero advirtió que, por principio metodológico, no se usaría un texto sólo, sino siempre varios. Ignoro cuáles otros recomendó.

Según Luis Felipe González, tuvo fama de "filósofo profundo" y ejerció gran influencia en los estudiantes de la Universidad.

Vuelto a Nicaragua, abrió (1870) el Colegio de Rivas, en la ciudad de este nombre, sobre el mismo patrón que el Liceo de Costa Rica, y lo mantuvo con la colaboración de sus hijos. En él se estudiaba la filosofía "relacionando lo positivo con lo especulativo". "Este colegio fue acogido con entusiasmo por la Sociedad de Rivas, compuesta casi toda por conservadores, contrarios desde luego del León del Istmo (Jerez) . . . Desde el primer momento se hizo sentir la superioridad del Colegio de Rivas . . .". El plan que redactó en 1871 para el Colegio, incluía "principios de filosofía racional".

"Educador insigne, el primer reformador de nuestra pedagogía fue él" [112].

---

111 Citado en: Chamorro. P. J.. *Máximo Jerez* . . . (1948), p. 340.
112 S. Salvatierra. *Máximo Jerez* . . . (1950). p. 175.

Es interesante señalar que este agnóstico, que hacía muestra de su arreligiosidad ("Liberal de buena ley, juzga imposible la democracia moderna con el catolicismo romano") [113], no tuvo, que yo haya visto, dificultad alguna por este motivo, mientras que, por ejemplo, Lorenzo Montúfar, mucho más hábil, las tuvo frecuentes.

* * *

Aunque lo anterior es lo que puede interesar de Máximo Jerez en una historia de las ideas, no es ése el Máximo Jerez estereotipado en las publicaciones centroamericanas, sino el unionista, competidor de la gloria de Morazán: "He preguntado a los pueblos de Centroamérica, qué hora es, y me responden, es media noche; esperemos que amanezca" [114].

Contra los separatistas de Centroamérica, Máximo Jerez decía: *Primero es ser.*

Como ejemplo de su "estilo" de revolucionario ideológico [115], quiero citar el comienzo de una de sus proclamas, la de 1854:

"Máximo Jerez, General en Jefe del Ejército Democrático, Protector de la Libertad de Nicaragua:

"Siendo un hecho notorio en Centro-América, que la administración actual que desgraciadamente ha regido al Estado, encabezada por el Señor Don Fruto Chamorro, se ha apropiado de todos los ramos del poder público por los medios más reprobados, con violación de los principios consignados en la Constitución de 1838, y sin respeto al pueblo soberano que la estableció como salvaguardia: que la misma administración ha llevado sus miras hasta el extremo de pretender que el Estado se subyugue a un nuevo sistema político contrario en un todo a los principios democráticos . . . por el mismo hecho, pierde la autoridad legítima y se convirte en usurpador y tirano, quien nadie debe acatar ni obedecer, . . ."

Esto, dicho por el León del Istmo, encendía la sangre, en pro y en contra, y había guerra [116].

Su compatriota Rubén Darío, fascinado por su figura, le dedicó aquel largo poema que comienza:

> ¿Será verdad? . . . yo no sé . . .
> Mi arpa humilde llora y gime,
> ¡Oh, discípulo sublime
> De Augusto Comte y Littré . . .!

---

113 Guzmán, *Retrato*, p. 28. Citado en: Chamorro. P. J., *Máximo Jerez . . .*, (1948), p. 24.

114 Citado en: Salvatierra, S., p. 175.

115 "yo sabía ya que Jerez era un filósofo, pero no creí nunca que llegara su estoicismo hasta el punto de presenciar con la sonrisa en los labios el desbandamiento . . ." Enrique Guzmán, *Diario íntimo* . . . (30 septiembre 1876).

116 En el monumento a Máximo Jerez, en Nicaragua, se lee: "Duerme, que tus soldados velan .

y te he de cantar ¡más qué . . . !
Aunque me abrase el deseo,
¡Oh genio! yo claro veo,
Imposible es que te cante,
que en la tumba de un gigante
No ha de cantar un pigmeo.

OBRAS

Carta . . . "El Republicano" (Managua, 1880).
    [. . .], "Gaceta Oficial", Nº 98 (Managua, 1854).

Carta Pública . . . a los Presidentes de Guatemala, El Salvador y Honduras,
    20 enero 1873.

Voto del Senador Jerez . . . "Gaceta Oficial", Nº 50 (San José, 1 noviem-
    bre 1873). Reprod. en: CHAMORRO, P.J., *Máximo Jerez* . . . (1948),
    p. 417-423.

Discurso . . . , de 15 septiembre 1878, "Rev. Arch. Bibl. Nac.", Honduras,
    IV, 1-2 (1907). Reprod. en parte en: SALVATIERRA, S., *Máximo Jerez
    inmortal* (1950), p. 271-275.

[sobre problema de límites fronterizos], "La República" (San José, no-
    viembre 1886).

[Proclamas políticas y artículos varios, especialmente sobre el problema de
    límites, dispersos en publicaciones que no he podido consultar].

BIBLIOGRAFIA

CHAMORRO, PEDRO JOAQUIN, *Don Sofonías Salvatierra y su "Comentario
    Polémico"*, (Managua, Ed. La Prensa, 1950), 267 pp.

CHAMORRO, PEDRO JOAQUIN, *Máximo Jerez y sus contemporáneos*, (Mana-
    gua, Ed. La Prensa, 1948), 436 pp.

CID, MARIA TRINIDAD DEL, *Máximo Jerez*, en: *Biografías de* . . . , (Rotary
    Club de Tegucigalpa, Imp. Soto, 1959), 31-36 pp.

Corona fúnebre del Gral. Máximo Jerez, (Managua, Ed. Novedades, 1955),
    141 pp.

GONZALEZ, LUIS FELIPE, *Hist. Influencia extranjera en Costa Rica* (1921),
    p. 46-47.

GONZALEZ, LUIS FELIPE, *Hist. Instr. Pública Costa Rica* (1961), II, p.
    344-346.

GUZMAN, ENRIQUE, *Diario íntimo* . . . , 1876-1877.

GUZMAN, ENRIQUE, *Máximo Jerez*, en: *Huellas de su pensamiento* (Gra-
    nada, Nicaragua, 1943), p. 13-32.

MONTUFAR, LORENZO, *Reseña Histórica de Centro-América*, Guatemala,
    1887. Todo el tomo VII interesa para su participación como militar
    en la campaña contra Walker.

SALVATIERRA, SOFONIAS, *Máximo Jerez inmortal*, (Managua, Progreso,
    1950), 340 pp.

SALVATIERRA, SOFONIAS, *Síntesis de la personalidad histórica de Máximo
    Jerez*, (Managua, Tip. Progreso, 1955), 15 pp.

VALLE, R. H., *Hist. Ideas Contemp. Centro-América*, (1960), p. 228.

ZUÑIGA, A., *Máximo Jerez*, en: ROMULO E. DURON, *Honduras Literaria*,
    (Tegucigalpa, Minist. Ed., 1958), p. 189-193.

Mauro Fernández

La vida de Mauro Fernández ofrece dos épocas: antes y después de 1885; es decir, antes de ser Ministro de Instrucción Pública y después de serlo.

En la primera simultaneó el Derecho con el estudio y la enseñanza de la Filosofía. Nos interesaría ahora, pues, como un profesor de Filosofía que colaboró en la fricción de krausismo y positivismo.

Sin embargo, es la segunda, en que abandonó la Filosofía, la que le prestigió en el país. Organizó administrativamente la enseñanza elemental, imprimiéndole su carácter público, centralizado, laico y general, que quedó como nerviación del país. Así, en este aspecto, quedó como paradigma de la instrucción pública nacional.

Mauro Fernández nació en San José en 1843. Se licenció en Derecho en 1869 por la Universidad de Santo Tomás y ejerció la abogacía; en 1874, Magistrado Fiscal de la Corte Suprema de Justicia. En 1876-1878, profesor de Filosofía en el Instituto Nacional; y volvió a serlo en 1882-1883. En este año, Catedrático de la Facultad de Derecho, y Consejero de Estado. En 1885, Director del Banco de Costa Rica. Diputado en 1885, 1892 y 1902; en este año, Presidente del Congreso.

Su formación filosófica es resultado de la confluencia del positivismo inglés y francés y del krausismo español. Con éste estuvo en contacto a través de Valeriano Fernández Ferraz y sobre todo durante su estancia en España, en 1871, en que asistió a cursos y conferencias de Giner de los Ríos, Castelar, Salmerón, Moret, Silvela, es decir, la plana mayor krausista. El positivismo inglés, sin embargo, fue la dominante, especialmente Spencer, a quien conoció personalmente en 1890 [117]. También, la influencia positivista de Torres Bonet.

El resultado de estas influencias, conjugado con un atildamiento británico, configuró a Mauro Fernández como positivista agnóstico.

Como Profesor de Filosofía utilizó el texto de MONLAU, recomendado por Valeriano Fernández Ferraz.

A su muerte, en el *Homènaje* ... (1905) se anunció la publicación de tres inéditos suyos. Hoy todavía no han aparecido, y debe dárseles por perdidos. Eran: *Los sentidos y el intelecto,* redactado en 1870 y aumentado entre 1879 y 1882, en relación con las ideas de Alexander Bain; *La reputación,* escrito en Madrid, hacia 1871, sobre tema propuesto por Segismundo Moret; y un *Diario* personal (1889-1905).

---

117 En Costa Rica fue conocida ". . . sobre todo la vasta obra del insigne filósofo inglés Spencer, cuyas ideas filosóficas han llegado a ser un evangelio en más de uno de nuestros estadistas nacionales". Luis Felipe González, *Influencia Extranjera* (1921), p. 265.

Sus ideas las resumió así:

"Nuestros hombres públicos deben viajar, los liberales para aprender a diferenciar lo que pertenece al programa de lo que constituye fiebre anticlerical; los retrógrados para que se inspiren en el sentimiento de la tolerancia. De otro modo no es posible abordar con fortuna los grandes problemas sociales. Yo paso la vida buscando adeptos á la escuela racional, mostrando la naturaleza, señalando al sol; pero mi respeto es profundo por los sacerdotes de mi tierra. Yo no voy, no iré nunca á su casa, pero no sería capaz de cerrar á la fuerza ningún templo. Bienaventurados los que allí encuentran refugio en las tribulaciones de la vida.

"Todos debemos creer en algo. Yo creo en el derecho... Creo en el futuro triunfo del derecho; por ahora, es cierto que aún rige el derecho de la fuerza... el cual es transitorio" [118].

Su agnosticismo religioso, no combativo, ponderado, se tradujo en la legislación escolar que redactó. Murió diciendo: "estoy en paz con Dios y con los hombres".

En su segundo período, desde 1885, como señalé, prácticamente se centró en la organización de la administración pública [119], sobre todo en el ramo de Instrucción Pública, pero también en Hacienda.

De esta época se le han hecho los mayores elogios, que llegan en cierta forma a tomar cuerpo como "culto" en el magisterio nacional, símbolo de la Costa Rica escolar primaria; y también críticas por el cierre de la Universidad de Santo Tomás, que hemos estudiado al tratar de la enseñanza de la Filosofía en esta época. En mi opinión, como ya he expresado, se trató de un desgraciado choque de esferas de influencia sobre la Enseñanza Media, del cual quien salió perjudicada fue precisamente la Enseñanza Media [120].

Así, Mauro Fernández se centró en la Enseñanza Primaria. Pueden ser interesantes los textos siguientes, sobre todo por su repercusión nacional:

"No pequeños son los progresos alcanzados en cuanto al cumplimiento del principio constitucional que declara la enseñanza primaria obligatoria y costeada por el Estado; pero ellos no cuadran ya con el grado de cultura de Costa Rica, y menester es, por lo tanto, levantar la instrucción a la altura debida, para que el desenvolvimiento social se armonice con los múltiples fines del hombre". "El sentimiento religioso de los costarricenses ha levantado templos para el culto en los más humildes distritos; culto es la enseñanza y las

---

118 Citado en *Homenaje* . . . (1905), p. 96.

119 Para este aspecto me remito básicamente al estudio de Isaac Felipe Azofeifa.

120 "La Universidad quería mantener el Instituto Universitario. Don Mauro, eliminarlo y darle vida al Liceo de Costa Rica. Esta lucha entre don Mauro y la Junta Directiva (de la Universidad) culminó con la muerte de la Universidad..." (J. García Monge), *Algunas notas* . . . , "Repert. Amer.", XVII, 1 (1920), p. 259.

escuelas, templos donde se trasmite la verdad y se infunde la vir-
tur" [121].

"La ley establece que la escuela primaria tiene por objeto favorecer y dirigir, gradual y simultáneamente el desarrollo físico,
moral e intelectual del educando y que la enseñanza debe ser gradual y darse sin alteración de grados, . . . la [educación] intelectual
no merecerá tal nombre, si el maestro ignora o desconoce que los
conocimientos que debe trasmitir han de ser bien enseñados, tender
a un resultado práctico y positivo, obrar sobre las facultades del
niño para formar su espíritu, para estimularle a cultivarlo por su
esfuerzo propio, y para iniciarle, digámoslo así, en las primeras
verdades de la ciencia . . . Poco, bien enseñado y de resultados positivos, debe ser la fórmula que han de seguir los maestros, . . . la
parte moral de la educación exige del maestro esfuerzos de un
orden completamente diferente a los del físico e intelectual, y su
misión es tanto más delicada, cuanto muchos aprenderán exclusivamente de él y en la escuela solamente, las pocas nociones de moral que han de guiarles en su vida entera . . . Llamado a formar la
conciencia moral y a fortificar la noción del deber, debe el maestro evitar toda discusión teológica y filosófica, pues no lo permite
ni el carácter que reviste, ni la tierna edad de los niños . . . Partiendo
de la existencia de la conciencia, de la ley moral y del Deber, que
ha de sentar como verdades axiomáticas, en vez de sublimarse en la
exposición de la teoría de la moral, debe el maestro observar dili-
gentemente los principios sentados . . . y trabajar sin descanso sobre
la voluntad del niño para inclinarlo siempre a obrar bien" [122].

La situación concreta de la enseñanza elemental era la siguiente:

Hasta entonces, las escuelas funcionaban por contrato con particulares, lo que se había manifestado, de hecho, ineficaz y antipe-
dagógico. De Segunda Enseñanza, sólo funcionaban el Instituto
Universitario, el Colegio San Luis Gonzaga y el Colegio Seminario.
Ante esto, el Ministerio no se limitó a introducir reformas, sino que
planteó el presupuesto de Instrucción Pública y planeó globalmente
la organización administrativa de la enseñanza. El criterio básico
fue: centralizar la enseñanza; ya que la sociedad no ha afrontado
los problemas, el Estado lo hará. En 1886 se promulgó la Ley Fundamental de Educación y empezó en seguida la apertura sistemática
de escuelas por todo el país.

Se suprimió "el castigo llamado general y los corporales o
afrentosos". Se proyectó una cierta autonomía escolar a través de
las Juntas (municipales) de Educación, pero manteniendo la Inspección. Otro fundamento fue la secularización de la enseñanza,
aunque no llegó a durar, en su forma primitiva, un decenio.

---

121 *Circular* . . . 11 mayo 1885.

122 *Circular*, 10 abril 1886.

Respecto a la Enseñanza Media, el Ministerio sustituyó el Instituto Universitario por el Liceo de Costa Rica (pasando el presupuesto) y creó el Colegio de Señoritas.

Se creó una Escuela Normal, pero fue de vida efímera.

Este período ofrece dos aspectos importantes.

El primero, la paradoja doctrinal. El Mauro Fernández spenceriano actuó precisamente en sentido centralizador; el hombre de cultura inglesa, como político se inspiró en Francia [123]. Mauro Fernández, Ministro, siguió casi literalmente la legislación francesa de Jules Ferry. Incluso algunos programas, por ejemplo el de moral de 1890 para la Escuela Normal, así como las indicaciones pedagógicas anexas, fueron traducción de los programas franceses correspondientes. Esta paradoja podría resolverse, dentro del positivismo empirista spenceriano, viendo a Mauro Fernández como el político que acertó a hallar fórmulas coincidentes con la idiosincrasia del país, y las sostuvo pragmáticamente. Así, un spenceriano colaboró activamente en el afrancesamiento centralista liberal del país [124].

El otro aspecto es trágico. Mauro Fernández no logró en cuanto a la preparación de maestros el mismo éxito que en el plano administrativo. El fracaso de la Normal hizo que el magisterio continuase en el "empirismo" durante cuatro decenios. Por otra parte, la clausura de la Universidad impidió preparar profesorado para la Secundaria, con su consiguiente elementalización [125].

En parte, su obra fue constructiva. Y en lo que falló ésta, puede apreciarse que la responsabilidad fue general, como en el caso de la Universidad o de la mayor parte de los continuadores, que no tuvieron ni empuje ni altura.

---

123 Es igualmente, sintomático que fuera Mauro Fernández, el britanizado, quien implantó en Costa Rica el sistema métrico decimal.

124 Aun antes de la pelea que culminará en la clausura de la Universidad, Mauro Fernández tenía un concepto estrictamente pragmático, y no académico, de la Enseñanza Superior:
    "Lo que en el país hace falta, y debe tratar de fundarse, a la brevedad posible, es una Escuela Politécnica, en la cual se cultiven las ciencias desde el punto de vista de su aplicación inmediata a la vida práctica . . ." "Universidad, propiamente dicha, donde se cultive la ciencia pura, no tiene razón de ser en Costa Rica".
    A fin de cuentas, no hubo Universidad y en lugar de Politécnica hubo Escuela de Derecho. Por lo demás, ya se sabe que la ciencia, o es pura, o no es ciencia, pero tardó en verse medio siglo.

125 "La obra decisiva en la educación costarricense . . . ., que dio origen al tercer período político, cultural y literario, se llevó a cabo durante los últimos veinte años del siglo, por obra de los dos estadistas antes citados [José María Castro y Jesús Jiménez] y por la organización que dio a la enseñanza don Mauro Fernández. Cierto es que don Mauro cerró la Universidad de Santo Tomás, con lo cual produjo un vacío cultural que se proyectó en las primeras décadas del siglo actual, pero en cambio creó las bases de la primera y la segunda enseñanza, comprendiendo que sin tales bases la enseñanza universitaria no podía ser efectiva".
    Bonilla, A., Hist. Ant. Lit. Costarr. (1957), I. p. 27.

OBRAS

Circular . . ., 11 mayo 1885.

Ley sobre Juntas de Instr. Públ., 17 julio 1885.

Ley fundamental de Instr. Públ. 12 agosto 1885.

Memoria . . . Instr. Públ., 1886.

Ley General de Instr. Públ., 26 febrero 1886.

Circular . . . 10 abril 1886.

Memoria . . . Instr. Públ., 1887.

Memoria . . ., Instr. Públ., 1888.

Muchas colaboraciones pequeñas y editoriales en "El Maestro', sobre temas de enseñanza. Circulares al magisterio. Colaboró en la "Revista Jurídica".

los sentidos y el intelecto (1870). Perdido.

la reputación (1871-1884). Perdido.

Diario. (1880-1905). Perdido.

Discurso . . . (1905), "El Foro", I, 1 (1905), p. 7-9.

BIBLIOGRAFIA

ALFARO, ANASTASIO, *Discurso . . .*, "Repertorio Americano", XXIV, 12 (1943), p. 111.

ALVARADO QUIROS, ALEJANDRO, *licenciado don Mauro Fernández. Su labor en la Instrucción Pública,* en: El *"Libro Azul"* de Costa Rica (1916), p. 246-247.

Aspectos generales de la memoria educacional de don Mauro Fernández, "Repertorio Americano", (10 abril 1948), p. 300 y 305.

ASTUA AGUILAR, JOSE, *Sobre la muerte de don Mauro Fernández,* en: SOTELA, R., *Escritores de Costa Rica* (1942), p. 43-45.

AZOFEIFA, ISAAC FELIPE, *Don Mauro Fernández. Teoría y práctica de su reforma,* "Rev. Univ. C. R.", 12 (1955), p. 111-151.

BONILLA, A., *Hist. Ant. Lit. Costarr.* (1957), p. 87-89, 98.

EDITORIAL, "Don Mauro Fernández visto por León Pacheco", *Diario de Costa Rica,* 25 febrero 1973.

El Señor Lcdo. Don Mauro Fernández, "El Foro", I, 4 (1905), p. 50-51.

FERNANDEZ FERRAZ, JUAN, *la Memoria de Instrucción Pública en lo tocante a segunda enseñanza,* "La Enseñanza", II, ns. 5, 6 y 7 (1855).

FERNANDEZ FERRAZ, VALERIANO, *Don Mauro Fernández,* "Pandemonium", II (1915), p. 560.

GARCIA MONGE, JOAQUIN, *Algunas notas sobre don Mauro,* "Repertorio Americano", XVII, 1 (1920), p. 259.

GONZALEZ, LUIS FELIPE, *Don Mauro Fernández,* Supl. Rev. "Educación" (1916).

Homenaje a la memoria del licenciado don Mauro Fernández, (San José, Tip. Alsina, 1905), 110 pp.

Jimenez O., Ricardo, *Don Mauro Fernández,* en: "Educación", IV, 10 (1958), p. 16-18.

Jinesta, Ricardo, *La Instrucción Pública en Costa Rica,* (1921).

Mauro Fenrández, su vida y su obra. Supl. Rev. "Educación". (Tip. Nac., 1916).

Pacheco, Leon, *Mauro Fernández,* San José, Minist. Cultura, 1972.

Perez Zeledon, Pedro, *Discurso . . .* "Repertorio Americano", (9 enero 1943), p. 2 y 14-15. Reproducido en: Sotela, R., *Escritores de Costa Rica* (1942), p. 163-171.

Solera Rodriguez, Guillermo, *Beneméritos de la Patria* (1958), p. 97-105. En p. 101-102, relación completa de textos legales dados por Mauro Fernández.

Sotela, Rogelio, *Escritores de Costa Rica* (1962), p. 25-26.

Soto Hall, *Un vistazo sobre . . . ,* p. 279-282.

Tovar, Romulo, *Don Mauro Fernández y el problema escolar costarricense,* (San José, Tip. Alsina, 1913), 80 pp.

Tovar, Romulo, *Don Mauro Fernández,* Colección Ariel, Año XI, vol. III, cuaderno 89 (1917), p. 135-142.

Tovar, Romulo, *Discurso . . . ,* "Anales Liceo Costa Rica", 3-4 (1937), p. 17-19.

Valle, R., H., *Hist. Ideas Contemp. Centro-América* (1960), p. 101-102.

Antonio Zambrana

"El pensamiento de América está de duelo, porque ha muerto un Prócer. Ha dejado de latir un corazón de verdad en el Nuevo Mundo . . . , Zambrana era un gran señor en la Casa de las Ideas" [126].

Estas palabras, que pertenecen a una necrología muestran exactamente cómo vieron a Antonio Zambrana sus contemporáneos; el hombre dominador del verbo para decir ideas.

Ante todo, fue un tribuno.

Un tribuno no es lo mismo que un orador. Un tribuno es un orador en cátedra, es decir, la palabra ha de ser vehículo de pensamiento convincente.

También fue un orador: "los que no le oyeron . . . no tienen idea de lo que como orador fue. Nadie podría permanecer frío y sereno oyéndole. Producía encanto y arrebato. Cada párrafo grandilocuente de su discurso era acogido con aplausos estruendosos y clamor febril, más y más grandes" [127].

---

126 Vargas Calvo, Guillermo, *El maestro Zambrana,* en: Sotela, R., *Escritores de Costa Rica* (1942), p. 317.

127 Alfonso Jiménez Rojas, *El Instituto Nacional,* Apuntes, (1942).

Esa cátedra, que siempre ocupaba, hablase donde hablase, era la de un maestro, y fue maestro de alumnos, y maestro de intelectuales y maestro de políticos [128].

Los escritores costarricenses suelen ser parcos en el elogio grande. Más bien pecan de avaros adjetivando. Sin embargo, con la sola excepción de la figura de Valeriano Fernández Ferraz, en otros aspectos, de Antonio Zambrana han escrito la máxima gratitud. Claudio Castro Saborío así: "El Doctor Zambrana ha sido en nuestro suelo, el Maestro por excelencia de la República, la más alta escuela de la civilidad, . . . [129].

El peleador y disyuntivo Máximo Jerez introdujo el positivismo en Costa Rica, pero tuvo que llegar el cubano ecuánime y experto, letrado y humanista, filósofo de oficio y todo lo demás de beneficio, Antonio Zambrana, para que las ideas filosóficas de la época fuesen vividas y degustadas técnicamente.

También Antonio Zambrana fue un peleador, que llegó a Costa Rica buscando asilo. Pero incluso en el tumulto y en el arrebato, era hombre de sosiego intelectual. Tanto, que en su verbo las ideas más atrevidas, las reformas más osadas, tienen la aureola de lo humano.

Básicamente positivista, está también embebido de idealismo alemán. Kant, Schelling, Hegel, planean en muchos momentos en su obra. Por otra parte, su violento anti-centralismo en política, le hizo ver con simpatía el nihilismo.

Antonio Zambrana nació en La Habana, Cuba, en 1846. Estudió en el Colegio "El Salvador", dirigido por José de la Luz y Caballero. Se licenció y doctoró en Derecho por la Universidad de La Habana. Liberal y partidario de la independencia de la isla, participó en el alzamiento del Camagüey. En la Asamblea organizada por los sublevados, de Sibanicú, propuso la supresión de la esclavitud, la que fue abolida [130]. Nombrado Delegado para la Asamblea del Centro, en Guáimaro, de la que actuó como Secretario, redactó el texto de la Constitución Política que aquella aprobó. El Texto era netamente liberal y establecía la independencia. El mismo año, es enviado a hacer propaganda a América del Sur. La sublevación fue aplastada, y Zambrana, exilado, pasó por Chile y Francia; en este país se relacionó con Víctor Hugo. En 1873, se estableció en San José, Costa Rica, donde revalidó su título universitario. En 1876, fundó en San José la "Academia de Ciencias Sociales", en la

---

128 ". . . Fue su influjo el de una primavera que empuja el brote de las hojas, el abrimiento de los botones. . . . Causó una explosión de vida intelectual; la frase no es exagerada . . . ¿Qué ha sido, en suma, su función doctrinal? La de verbo luminoso del pensamiento nuevo". Ricardo Jiménez, *Discurso . . .* de 9 febrero 1907.

129 En: Sotela, R., *Escritores de Costa Rica* (1942), p. 540.

130 Zambrana publicó en Chile (a donde emigró en 1873) una novela contra la esclavitud: *El negro Francisco*, Santiago de Chile, 1875. 2ª ed., Santiago de Cuba, 1953.

que desarrolló cursos de Filosofía y Derecho Natural. A sus consejos se debió la Ley del Sistema Métrico, la fundación del Registro Civil y el establecimiento, luego incluido en el Código Civil, de la herencia testada e intestada; fue Consejero de Instrucción Pública, y primer Presidente de la Academia de Jurisprudencia.

Malavenido con el Presidente General Guardia, en 1882 abandona Costa Rica y regresa a Cuba, de donde nuevamente tiene que salir, regresa a Costa Rica, y es nombrado Ministro ante Nicaragua. Pronto se trasladó a México y luego volvió a Cuba, renunciando a un puesto en el Gobierno de Porfirio Díaz. Participó en el Partido Autonomista cubano y fue elegido Diputado a Cortes, pero al llegar a Madrid, por un formalismo, se anuló su acta. En 1891 nuevamente se trasladó a Costa Rica. Ocupó la Presidencia de la Junta de Educación de San José, fue elegido Presidente del Ateneo, Presidente del Colegio de Abogados, Catedrático de la Facultad de Derecho, Magistrado de la Sala de Casación. Después de ser Ministro ante el Ecuador, regresó a Cuba en 1912. Los últimos años de su vida los dedicó a la prensa. Murió en 1922.

Como decía, Zambrana era positivista. Pero antimaterialista. La siguiente visión de Abelardo Bonilla me parece exacta. "Creemos que más bien puede decirse de Zambrana lo que él mismo dijo de Ernesto Renán: "Un positivista idealista". En su breve estudio sobre Berkeley —en la serie que llamó Mi Biblioteca—, Zambrana comenta un pasaje del filósofo inglés y revelando su verdadera mentalidad, dice: "fue contraste admirable con el materialismo predominante". La verdad, en nuestra opinión, es que Zambrana, formado en la tradición humanista y al mismo tiempo actor del mundo contemporáneo, se sitúa en un punto medio entre el idealismo y el positivismo y considera que el segundo, sin el primero, conduce al materialismo. En su ensayo Lo ideal (publicado en la Revista de Costa Rica en junio de 1892), al combatir el declive materialista del positivismo, dice: "Somos, pues, una idea organizada, un sistema de ideas; esto es un hecho de experiencia, la más positiva que conozco; y la experiencia misma no tiene tanta importancia como criterio de verdad sino porque así la prescriben las leyes de la idea". Su idealismo, además puede explicarse por su empresa revolucionaria y americanista" [131].

De sus muchos escritos sueltos, los tres más sólidos son uno de Estética, Ideas..., y dos de teoría del Estado, La Administración y los Estudios Jurídicos. En el primero, pesa Hegel; en los segundos, Comte y quizá más aún Spencer.

Este positivismo básico se traduce en su concepto de la filosofía:

---

131 Hist. Ant. Lit. Costarr. (1957), I. p. 99-100.

"Los estudios que ahora se llaman filosóficos, y que constituyen un acrecentamiento de las tendencias enfermizas de la fantasía,
debe procurarse que se sustituyan por el cultivo de la lógica, que encierra todos los que de esa índole son aceptables, estudiándose lo
que hoy se llama Psicología, en el concepto de *lógica comparada*
de la reflexión, y lo que se llama moral, en el concepto de *lógica
comparada con la voluntad*" [132].

En cambio, un Hegel "positivizado" le sirve para "determinar"
al hombre:

"El maestro Hegel ha dicho que la libertad es *la voluntad que
se piensa a sí misma,* lo que parece un logogrifo: pero encierra la
idea, exacta á nuestro ver, de que no puede determinarse libremente
la voluntad sino cuando está alumbrada por la reflexión: estima-
mos que nadie es libre del todo, por lo mismo. Nuestra conducta
es el producto fatal, como matemático, de nuestra raza, nuestro pueblo, nuestro ambiente social, nuestra educación, nuestro organismo . . . " [133].

Así, pone como ideal político remoto la inflexibilidad del
Derecho ideal. Y como es, para un futuro, optimista, y cree en el
progreso del hombre, plantea: socialismo, anarquismo, cosmopolitismo.

Y, sin embargo, ve que son tres ideales muy remotos.

El idealista revolucionario cubano, que sacrificó familia e intereses por la independencia de su isla, escribía: "Para quien se
levante á la verdadera concepción del humano progreso, la patria
es un concepto transitorio y asistimos ya en esperanza al espectáculo
sublime de la sociedad humana hecha en espíritu y en verdad á la
manera de una familia universal" [134].

Esta humanidad futura, construida racionalmente por la humanidad, se basa en el Derecho:

"Este carácter universal es precisamente el que da a la ley
[jurídica] su grandeza, el que hace de ella algo de impersonal, de
extrahumano, por decirlo así, como si en vez de ser artificio nuestro
fuera un oráculo de la naturaleza" [135].

Pero esto es un ideal. Por eso:

---

132 *La Administración,* p. 144.

133 *Estudios Jurídicos.* p. 208-209. "Siempre hemos pensado que el hombre es un
resultado y no un agente libre, por más que otra cosa proclamen las religiones
y las filosofías más acreditadas. La raza a que se pertenece, la familia y el
país en que se nació, la educación que se recibe, las circunstancias accidentales
de cada humana existencia, son factores preponderantes en toda acción individual,
y la moralidad o inmoralidad de ésta, lo que llaman los matemáticos una *resultante*". La *Administración,* p. 26.

134 *La Administración,* p. 106.

135 *Ib.,* p. 2-3.

"Sin desconocer que el abandono de toda imposición por la fuerza y la aspiración á que se gobiernen los hombres por impulsos sociales espontáneos, constituyen un ideal sublime, no cabe sin in-discreción trascendental, suponer llegado el momento de que se realice; pero esa fraternidad socialista, proclamada por medio de atentados pavorosos, tiene que encontrar á su frente, en resuelta guerra, á la conciencia humana" [136].

"La meta del progreso social contemporáneo..." "es la *anar-quía,* científicamente preparada" [137].

Y esa preparación consiste en el uso de la libertad.

Ahí la paradoja. El filósofo determinista en Antropología es el cultor de la libertad y la tolerancia en política: "...ahí está el eje de la vida pública en las sociedades modernas. Los hombres de hoy necesitan, tanto como de aire respirable, libertad para pen-sar y para decir su pensamiento" [138]; "Con mucha libertad y mu-cha justicia es como únicamente puede curarse el mundo de sus males" [139]; "...la libertad de la crítica debe ser ilimitada" [140], y respecto a los gobernantes: "no hay amo bueno".

Dos consecuencias deduce inmediatamente.

La primera es la del ideal de la descentralización. Confiado en las fuerzas sociales, propugna la autonomía local de manera radical. Supongo que en este punto su pensamiento se vio exacerbado por la situación de Cuba.

La segunda es la visión laicista del Estado. Como buen segui-dor de Littré y de Spencer, sostiene: "...aquellos principios mo-rales que parten del sentido común y constituyen la religión univer-sal de los hombres cultos" [141]. Sostiene que el cristianismo ha aban-donado su espíritu primitivo: "Considerar compatible con el cris-tianismo, como lo hacen hoy sus doctores más autorizados, el des-nivel inmenso de goces y fortunas que es característico de la so-ciedad actual, es romper, no sólo con la enseñanza del Cristo, sino con las tradiciones de su iglesia primitiva". "...Jesús era un so-

---

136 *La Administración,* p. 13. "En, el Derecho está la panacea para las enfermeda-des sociales . . . p. 14.

137 *La Administración,* p. 17. En *La poesía de la historia,* p. 17-18, justifica a los "nihilistas" rusos, hombres idealistas, de gran moralidad. "Cuando se habla de ellos, la gente seria y bien pensante dice: esos infames. La historia buscará, en cambio, en vano, algún día, nombre bastante alto para decir la grandeza de su locura, y tendrá que contentarse con llorar de rodillas a su recuerdo". p. 17-18.

138 *Est. Jurídicos,* p. 6.

139 *Est. Jurídicos,* p. 233.

140 *La Administración,* p. 21.

141 *Est. Jurídicos,* p. 7.

cialista manso, que proscribía la fuerza como vehículo de las instituciones cuyo establecimiento predicaba" [142].

El que fuera anti-materialista, no le llevó a Zambrana a la religión, sino a la *estética* idealista:

"Para reemplazar las religiones positivas, los que de ellas prescinden, y para fortalecer su ministerio, los que las aceptan, conviene contribuir, por impulsos de la humana sociedad, al desarrollo, por la educación, de los movimientos de nuestra naturaleza que nos hacen amar la virtud y el bien en el mismo sentido en que amamos y procuramos lo bello y lo sublime: tenemos mayor confianza, aunque ello parezca pueril y superficial á muchos, en esta superior *estética.* . . . , que en el de las quiméricas esperanzas de ultratumba, que tan ineficaces han resultado hasta ahora en cuanto á producir una disciplina de la vida" [143].

Consecuencia será la separación total del Estado y las Iglesias, neutralidad del Estado en cuestiones religiosas, laicismo en la enseñanza y tolerancia pública. Eso sí, afirma que debe practicarse la intolerancia con los intolerantes, es decir, con aquellos cuyas ideas son aprovechar la tolerancia para derrocarla.

* * *

Las *Ideas de Estética, Literatura y Elocuencia* constituyen un pequeño tratado de Estética. Gravita entre Platón y Hegel, con fuerte influencia de Schelling, pero en lo que se refiere a la mente y las ideas, es comtiano, "la estética es la filosofía general de las bellas artes . . " (p. 32).

* * *

A pesar de la radicalidad de sus ideas, Antonio Zambrana no fue un polemista. Fue objeto, eso sí, de varias polémicas. Juan de Dios Trejos le atacó duramente en el plano religioso. Roberto Brenes Mesén le zahirió en Estética. Pero más bien me da la impresión de que Zambrana, en aquel final de siglo costarricense, se mostraba condescendiente concediendo el contestar.

Este hombre, que no fue un pensador original, fue original en sus trabajos. Reiterativo a veces, nunca endiosado, esteticista, dejó huella:

---

142 *Estudios Jurídicos*, p. 10. y 11 "El cristianismo es una exageración enfermiza de los impulsos contrarios al egoísmo, pretendiendo que midan con el mismo rasero las satisfacciones de su organismo el enteco y el vigoroso por ejemplo; que no seamos de carne y de huesos, cuando no nos componemos de otra cosa, y que amemos a nuestros enemigos, cuando ni el amor se manda, ni la enemistad lo produce." *La poesía de la historia*, p. 21.

143 *Estudios Jurídicos*, p. 143.

"En una ocasión en que le pregunté [a Ricardo Jiménez] que quién era el hombre que más había influido en su formación intelectual y moral en sus años de Universidad, me contestó casi sin titubeo: *el doctor Zambrana*. Eso mismo habrían podido contestar muchos de los hombres de su generación. Yo recuerdo cómo para mi padre era el Doctor Zambrana poco menos que un Dios tutelar"[144].

OBRAS

La República de Cuba, (Nueva York, 1873).

La Providencia y la Historia, "Un periódico nuevo", (diciembre 1879).

[Discurso fundacional del] Colegio de Abogados, 1882.

Prólogo a: OROZCO RAFAEL, *Elementos de Derecho Penal de Costa Rica,* (San José, Imp. Nacional, 1882).

Cartas... al Dr. don José María Castro (1883). "Rev. Arch. Nac.", VI, 9-10 (1942), p. 507-509.

Una visita a la Metrópoli, (La Habana, 1889).

Señor... [Sobre Rubén Darío], "El Heraldo de Costa Rica" '(13 mayo 1892). Reprod.: *Rubén Darío en Costa Rica* (1920), II, p. 10-12.

Discurso... inauguración Congreso Nacional, 1 mayo 1895, (San José, Tip. Lines, 1895), 15 pp.

[Discurso sobre la campaña nacional]. Salón del Congreso, 1895.

Discurso..., 1 mayo 1895. "Pandemonium" (1914), p. 213-218.

Ideas de Estética, Literatura y Elocuencia, (San José, Tip. Nacional, 1896), 114 pp.

La Administración, (San José, Tip. Nacional, 1897), 148 pp.

Discurso..., 1897. En: MATA GAMBOA, JESUS, *Monografía de Cartago* (1930), p. 95.

La poesía de la Historia, (San José, Imp. Española, 1900), 127 pp.

La Hora literaria, "Pandemonium", I (1902), p. 53-55.

Epicuro, "Pandemonium", I (1902), p. 397-399.

La Transacción, "Pandemonium", II, 1 (1903), p. 1-2.

Mi Biblioteca, "Pandemonium", II, 16 (1903), p. 1-2; 17 (1903), p. 1-2 y 8-9; 18 (1903), p. 2-3; 19 (1903), p. 1-2-6, 11; 20 (1903), p. 4, 6, 7; 21 (1903), p. 1-2-3-4; 22 (1903), p. 1-2, 3-4.

Discurso..., Instituto Nacional, 1885. En: "Pandemonium", 35 (1904), p. 14-16.

Heredia, "Pandemonium", 42 (1904), p. 1.

---

144 T. Picado, en: M. Zambrana, *Los Zambrana* (1953), I, p. 101.

El Sermón del Abismo, "Pandemonium", 66 (1904), p. 1-2.

Discurso..., en: *Homenaje a... Mauro Fernández* (1905), p. 38.

Lecciones en la Escuela de Derecho, (San José, Tip. Nacional, 1905), 14 pp.

La oratoria forense, "El Foro", I, 7 (1909), p. 109-113.

El poder de la palabra, "El Foro", I, 11 (1906), p. 193-197.

Goteando sobre la roca, "El Foro", II, 3 (1906), p. 55-57.

El Derecho en Atenas, "El Foro", II, 5 (1906), p. 126-131.

Estudios Jurídicos, (San José, Tip. Nacional, 1907), 241 pp.

Reforma Constitucional, "El Foro", III, 2 (1907), p. 43-44.

Discurso..., "El Foro", III, 4 (1907), p. 153-159.

Colón, "El Foro", III, 6 (1907), p. 217-221.

Al Señor Brenes Mesén, "La Prensa Libre" (1907).

El Siglo XIX, "El Foro", III, 10 (1908), p. 333-337.

Nociones sintéticas de Derecho Romano, "El Foro", IV, 4 (1908), p. 102-106; IV, 5 (1908), p. 151-155; IV, 6 (1908), p. 173-177.

Por Italia, "El Foro", VI, 9 (1909), p. 269-271.

Introducción histórica al estudio del Derecho Romano, "El Foro", V, 3 (1909), p. 65-73; V, 4 (1909), p. 110-122; V, 5 (1909), p. 138-146.

Oratoria y Literatura, "El Foro", V, 5 (1909), p. 183-188.

Las relaciones exteriores, "El Foro", V, 7 (1909), p. 205-208.

Lecciones sintéticas de Derecho Romano, "El Foro", V, 11 (1910), p. 372-382; V, 12 (1910), p. 420-421; VI, 2 (1910), p. 34-40; VI, 3 (1910), p. 98-110; VI, 4 (1910), p. 122-131.

Nuevas conferencias sobre Historia del Derecho, "El Foro", VI, 4 (1910), p. 159-168.

Allons enfants..., "El Foro", VI, 5 (1910), p. 181-183.

Un empeño interesante [*sobre Del Vecchio*], "El Foro", VI, 7 (1910), p. 241-242.

El Secreto de Oro, (San José, 1911).

Alta Filosofía [*sobre Del Vecchio*], "El Foro", VI, 10 (1911), p. 363-364.

La Evolución Jurídica, "El Foro", VI, 12 (1911), p. 420-426; VII, 1 (1911), p. 2-7.

[sobre Palma], "El Foro", VII, 4 (1911), p. 131.

Servet, "El Foro", VII, 7 (1911), p. 233-235.

Prensa y Tribuna, Quito, Ecuador, 1912.

Hagamos República,

[sobre política y centralismo], "La Prensa Libre" (24 mayo 1959).

Otras colaboraciones en: "El País", "El Heraldo", "Revista Nueva", y en periódicos cubanos.

BIBLIOGRAFIA

ALFARO, ANASTASIO, Notas, "Boletín de las Escuelas Primarias", V (1903), p. 43.

ALFARO, ANASTASIO, Notas, "La Prensa Libre" (30 abril 1902).

ARRILLAGA, ROQUE, J., Zambrana, "Pandemonium", I (1902), p. 273-274.

BONILLA, A., Hist. Ant. Lit. Costarricense (1957), I, p. 98-100.

BRENES MESEN, ROBERTO, Ideas de Estética, Literatura y Elocuencia, por Antonio Zambrana, "La Prensa Libre" (18 abril 1900).

BRENES MESEN, R., Al Dr. Zambrana, "La Prensa Libre" (21 agosto 1907).

BRENES MESEN, R., Al Dr. Zambrana, "La Prensa Libre" (24 agosto 1907).

CASTRO SABORIO, CLAUDIO, Palabras..., en: SOTELA, R., Escritores de Costa Rica (1942), p. 537-541.

CRUZ MEZA, LUIS, Doctor Don Antonio Zambrana, "El Foro", II, 3 1906), p. 53-55.

DARIO, RUBEN, Zambrana, Cerebro y carne, en: RUBEN DARIO en Costa Rica, (San José, (1919).

FERNANDEZ FERRAZ, VALERIANO, Proceso del modernismo pedagógico en Costa Rica (1905), p. 49-58 y 73-78,

GONZALEZ, LUIS FELIPE, Influencia Extranjera en Costa Rica, (1921), p. 119-121.

GUZMAN, ENRIQUE, Huellas de su pensamiento, (Granada, Nicaragua, 1943), p. 36 y 311-327.

Homenaje..., "El Foro", VII, 3 (1911), p. 83-101.

[Homenaje...], "Ariel" (Agosto 1911).

JIMENEZ, RICARDO, Discurso..., 9 febrero 1907. Reprod.: "La Nación" (12 septiembre 1958).

JIMENEZ ROJAS, ALFONSO, El Instituto Nacional, Apuntes (1942).

LORIA IGLESIAS, RAMON, Antonio Zambrana, "Costa Rica Ilustrada", 3 (1887), p. 40-42.

RODRIGUEZ, GABRIEL, El Dr. Antonio Zambrana, "La Nación" (1 y 4 enero 1962).

RODRIGUEZ MOREJON, GERARDO, Antonio Zambrana y Vázquez. En: ZAMBRANA, MALLEEN, Los Zambrana (La Habana, 1953), 2ª ed., vol. I, p. 15-110.

SANCHO, MARIO, Discurso..., "El Foro", VII, 3 (1911), p. 96-97.

SANCHO, MARIO, Memorias (1962), p. 57-61; 86-87.

SANGUILY, MANUEL, Discurso..., "El Foro", III, 1 (1907), p. 3-11.

SOTO HALL, MAXIMO, El Maestro Dr. Zambrana, "El Foro", IX, 1 (1914), p. 45-46.

VALLE, R. H., Historia Ideas Contemp. Centro-América (1961), p. 267-268.

VARGAS CALVO, GUILLERMO, El maestro Zambrana, en: SOTELA, R., Escritores de Costa Rica (1942), p. 317-318.

José Torres Bonet

Nacido en Cataluña, España, en 1854. Exilado al descubrirse un complot republicano, en 1880; residió desde este año hasta 1884 en Costa Rica. Pasó luego a Nicaragua, donde desempeñó altos cargos, en la enseñanza. Murió pocos meses después.

En Costa Rica fue Subdirector del Instituto Nacional en 1880-1882 y su Director en 1882-1883. Profesor de Ciencias en el mismo. En 1882-1883, profesor de Filosofía.

Hombre de amplia formación filosófica, tuvo importancia para la difusión del positivismo de Comte en Costa Rica. Profesaba el socialismo. Fue mayor su influencia personal que la de sus escritos.

OBRAS

Matilde (novela de tesis), (San José, 1885).

Universidad de la vida, Instituto Nacional (1885).

BIBLIOGRAFIA

GONZALEZ, LUIS FELIPE, *Influencia Extranjera* (1921), p. 147-168.

EL KRAUSISMO

En la España del siglo XIX el krausismo representó el proceso filosófico y pedagógico más importante. La adaptación llevada a cabo por Sanz del Río y sus discípulos, del panenteísmo de Krause llevó a la instauración de una Metafísica "armonista", de sentido religioso, que propiciaba, por medio de un racionalismo radical, un humanismo, pronto de tendencia liberal. La segunda generación de krausistas españoles, que puede centrarse en Giner de los Ríos, representó el progresivo abandono de la Metafísica y, en cambio, la elaboración de la Pedagogía "nueva" [145].

ı Esta escuela se encontró, casi desde un principio, entremezclada en las luchas políticas. Por una parte, la extrema derecha la atacó en seguida virulentamente, llegando a la famosa expulsión de los profesores krausistas de las Universidades en 1866; por otra, la tendencia educativa reformista de los krausistas les llevó a participar, por reacción, a unos en el establecimiento de la primera República, a otros en la Regencia.

A comienzos del XX, la casi totalidad de los intelectuales españones habrá "disfrutado" de la atmósfera krausista, pero como filosofía habrá sido abandonada. El paso al raciovitalismo de Ortega y Gasset puede servir de límite. Pero, a través del Instituto Escuela, de la Escuela de Estudios Históricos, y otras instituciones, lentamente se habrá ido constituyendo en el basamento pedagógico del país, influyendo fuertemente incluso en las orientaciones de signo contrario.

En relación con las dificultades políticas de 1866, Costa Rica contrató a Valeriano Fernández Ferraz, y a través de su labor docente el krausismo se desarrollará en el país. Desde Guatemala, donde también se desarrolló, llegarán ecos.

Dos aspectos interesa señalar en esta influencia.

El primero: la Metafísica krausista se transfundirá en Costa Rica en forma de racionalismo, con sentido religioso, pero aconfesional.

---

145 Sigue siendo el estudio fundamental: Jobit, Pierre, *Les éducateurs de l'Espagne contemporaine*, I, *Les Krausistes* (Boccard, 1936).

El segundo: al no haber una tradición escolástica, ni siquiera unos "hábitos" pedagógicos generalizados, el krausismo, por obra de los Fernández Ferraz, en su aspecto pedagógico, será el basamento de la naciente enseñanza media costarricense (basamento limitado a las dos ciudades importantes, pues en el XX, el proceso de ampliación de la enseñanza en sentido administrativo no irá acompañado de su correspondiente nivel académico). El repudio de los "internados", la sustitución de los castigos por la conducta ejemplar del profesor [146], el sentido filológico clásico de la cultura, y la exigencia de autorresponsabilidad del educando son las modalidades típicas que adopta. En la Universidad, reducida a la Escuela de Derecho, el krausismo fue, con el positivismo, desde el 1871 hasta prácticamente el 1915, el transfondo filosófico que llevó al racionalismo y al liberalismo a las generaciones que van a organizar el Estado durante cuarenta años [147].

Las luchas políticas españolas de este período no repercuten en Costa Rica, aunque, someramente, puede señalarse un paralelismo evolutivo, que no es ahora de nuestro interés.

En todo caso, a fines de siglo, "krausista" será un término que significará en Costa Rica, lo mismo que en España, hombre austero, íntegro: "Se dice en España: un krausista; lo mismo que antiguamente se decía en Roma: un estoico; dando a este término el sentido de una virtud llevada hasta el puritanismo" [148].

El único detalle de reacción negativa que he encontrado es la prohibición que, "de manera solemne", se hizo en el Colegio de San Agustín de Heredia (colegio privado de Secundaria) del *Derecho Natural de Ahrens,* por "herético", aparte de las polémicas que a continuación se citan.

Valeriano Fernández Ferraz

Cartago, la antigua capital, ciudad conservadora, pequeña, que se había quedado rezagada respecto de la nueva capital, quería organizar en serio su Colegio secundario. Y contrató, por medio del Gobierno, *un sabio extranjero* [149], que lo pusiera en marcha. Así llegó un día del año 1869 a Costa Rica Valeriano Fernández Ferraz.

---

146 "Todo el arte del maestro —del verdadero— consiste, en una vida quasi-familiar, en la que es necesario que el alumno se sienta liberado de imposiciones ridículas u odiosas, en imponerse, mediante el único poder de su saber, de sus virtudes y de su talento". *P. Jobit,* ib. p. 176.

147 No he podido consultar la tesis de graduación como abogado de Manuel Bejarano Solano sobre *El Concepto de Derecho según el Racionalismo Armónico,* 3 abril 1897.

148 Compayre, *Etudes sur l'enseignement . . .* (1891), p. 16.

149 Denominación corriente a su respecto. Ver por ej., José Fabio Garnier, *Manuel de Jesús Jiménez,* "Rev. Arch. Nac.", XIV, 1-6 (1950), p. 196.

Rodeado de una aureola de prestigio (el Doctor, el Catedrático de la Universidad de Madrid, el helenista, arabista y sanscritista, el krausista), causó gran impresión aquel hombre. Alto y seco, barbado y con levita, ojos miopes de dulzura encandilada, sereno en el hablar abundoso y siempre sabio, blando en la disciplina y de severa exigencia en la conducta, fue durante medio siglo en Costa Rica el profesor por excelencia. Respetado siempre, o más bien, venerado, el país le permitió juicios crueles a veces porque transpiraban el afecto. Verdadero santo laico, trabajador infatigable, tres veces intentó organizar un Instituto, que hubiera sido paralelo al Instituto-Escuela de Madrid; las tres veces, desde fuera, le hicieron fracasar, pero en este fracaso residió a la larga su triunfo: la enseñanza entera del país se transfundió lentamente, a través de sus discípulos (que no formaron cenáculo ni "escuela") de su devoción humanista por la cultura y la convivencia. No creó el estado de ánimo colectivo, que ya existía, sino que encajó, como anillo al dedo, y se dedicó a enseñar.

Para los costarricenses, "Don Valeriano", "el Doctor Ferraz", no tuvo adolescencia ni juventud. Desde un principio fue "el viejo profesor". En las fotos destaca siempre; siempre los demás centrados en él, y siempre él correcto y un poco ausente. Y su nombre quedó como término de comparación para el futuro, mojón venerable de cultura.

De vocación y estudios fue filólogo, de devoción fue profesor, en conciencia fue un hombre recto, y para razonar todo ello fue filósofo.

Krausista en el pleno sentido de la palabra, fue sin embargo un independiente. Racionalista en toda ocasión, cultor de los clásicos, con ese sentido religioso del panenteísmo originario, perdido en Giner de los Ríos, centró su trabajo educativo en despertar la individualidad de cada uno de sus alumnos. Educador experto, repudió tajantemente todas las pedagogías fáciles del jugar y del no aprender: al hombre moderno (al "ideal de la humanidad" krausista) se entra por la convivencia con los clásicos y por el dominio de las ciencias. Educación sin instrucción es una vaciedad.

Con esto no pretendía afirmar que todo el mundo se hiciera helenista y latinista. Los estudios clásicos, filológicamente, nunca estuvieron boyantes en el país. Pero sí se consagró el respeto al humanismo racionalista y clasicista, y este respeto se traslucirá en toda ocasión.

Valeriano Fernández Ferraz escribió mucho, en todas circunstancias. No se preocupó de recogerlo, ni buscó resonancia fuera del país. Por ello, casi no es conocido fuera de Costa Rica. Sin embargo, juzgando por la enjundia de sus escritos, su talla doctrinal la considero superior, por buscar un término de comparación, a Giner de los Ríos, que jugó en España un papel equivalente. Es cierto que la resonancia de este segundo fue sin duda mucho mayor, pero ello se debió al medio de cultivo. Y comparando respecto a los países en que hicieron su obra, salvando las diferencias, también lleva aquél la palma.

En España fue filólogo; en Costa Rica, y en su estancia en Cuba, fue siempre, paralelamente, profesor de Filosofía y de lenguas clásicas.

En su ancianidad se oyó decir:

"Espíritu vibrante que a los ochenta y dos años —cual si hubiese recibido de los dioses el secreto de una juventud eterna— siente todavía, en todas sus plenitudes, los fecundos entusiasmos del arte y la idea; cerebro infatigable que hora tras hora aumenta el tesoro de su sabiduría, como si el tiempo —que todo lo subyuga y lo quebranta— respetase piadoso sus vigores, ha sido el doctor Ferraz durante nueve lustros un fanal siempre encendido en las cumbres de esta patria que con orgullo de madre, al igual que la otra, como hijo predilecto le reclama; y puede en su vejez gloriosa, contemplando las generaciones que son hoy fuerza y honor de Costa Rica, ver hechos realidades sus anhelos; encarnadas en la sociedad sus enseñanzas, incorporada por modo definitivo la obra de su apostolado al precioso caudal de nuestra historia" [150].

* * *

"Nací en Santa Cruz de la Palma, mejor a mi parecer y en mi afecto, que ninguna de las otras Islas Canarias y que todas las demás del mundo", empiezan sus *Memorias*. Y ello sucedió en 1831, "cometiendo mi padre, y 15 años después buen amigo mío, la equivocación de ponerme un nombre que nunca me ha gustado para nada . . ."

Doctor en Filología Clásica por la Universidad de Madrid, obtuvo, por oposición, las Cátedras de Latín y Griego del Instituto de Jerez de la Frontera (1859), de supernumerario de Griego, de la Universidad de Madrid (1866), de Arabe de la Universidad de Sevilla (1866) [151], y de Arabe, de la Universidad de Madrid (1868). Por intermedio de Montero Ríos, en 1869, aceptó el contrato para organizar el Colegio San Luis Gonzaga, de Cartago de Costa Rica [152]. Permaneció en Costa Rica de 1869 a 1882. En este año (mayo) pasó a Cuba, donde desempeñó las Cátedras de Arabe, Historia de

---

150 Ernesto Martín, en: R. Sotela, *Escritores de Costa Rica* (1942), p. 269-270.

151 Frente a Francisco Codera.

152 Se decidió a emigrar por motivos en gran parte, políticos. Llevaba un año sin poder tomar posesión de la cátedra ganada. Recuérdese que fue el momento de la expulsión de los krausistas de las Universidades españolas.

la Filosofía (ganadas por oposición) y Metafísica[153], y ocupó en 1888 el Decanato de la Facultad. En 1890 recibió el encargo del Gobierno costarricense de seleccionar treinta maestros españoles, lo que cumplió, y fue llamado para ser "ocupado en la reorganización de la enseñanza nacional". De 1891, a su muerte en 1925, residió en Costa Rica.

De estudiante en Madrid, fue de los fundadores de "La Revista Universitaria", luego continuada con el título de "Revista de Instrucción Pública"[154]. Tuvo relación con Sanz del Río; aunque ignoro los términos, supongo debió ser estrecha. (Lamentablemente, las *Memorias* sólo llegaron hasta 1857 y hasta esta fecha no aparece nada a este respecto).

En *Un recuerdo*[155] habla de los sucesos de 1865, el expediente a Castelar, la renuncia del Rector de la Universidad de Madrid, Montalbán, la huelga de estudiantes y la parte que le tocó personalmente. Respecto a la algarada de los estudiantes, dice: "En vano les arengaba el ilustre Sanz del Río, llamándolos al orden... Solamente la fuerza pública pudo despejar". Fernández Ferraz, como supernumerario, se negó a sustituir a Castelar en su cátedra, cuando Nicolás Salmerón, a quien correspondía, se negó y fue enviado a la cárcel. Fernández Ferraz, simplemente, fue trasladado a Sevilla; a su protesta, el Director de Instrucción Pública le contestó: "...váyase a Sevilla, y cuando vengan los suyos, se volverá usted a Madrid". Se supone que "los suyos" eran los liberales krausistas.

En Costa Rica, dentro de la enseñanza, tuvo amplias actividades. De 1870 a 1874 desempeñó la dirección del Colegio San Luis Gonzaga de Cartago, en el cual, además, dio las clases de griego y filosofía. En 1873 dejó la Dirección, pero continuó de profesor de dichas materias hasta julio 1875.

Este Colegio, en esos años, fue el centro modelo del país[156]. Es interesante que Valeriano Fernández Ferraz contrató en España un sacerdote para capellán del Colegio. Se le criticaron dos cosas: la lasitud en la disciplina (evitaba los castigos) y el haber contratado ese sacerdote. En todo caso, algunas personas, desde 1873, se dedicaron a ponerle dificultades. En 1875 se quería entregar el Colegio a los PP. Jesuitas, lo que se hizo[157].

---

153 En José Pérez Vidal, citado en Bibliografía, pueden verse todos los datos y documentos.

154 "...escribía cosas de poco más o menos de crítica y resúmenes de Discursos académicos". No he podido consultar estas publicaciones.

155 "Rev. de Costa Rica". I, 1 (1919), p. 22-27.

156 Una comisión de inspección informó: "Debemos, pues, manifestar que nuestra satisfacción ha sido completa y que desearíamos en cada una de las otras provincias un Instituto semejante en donde la enseñanza estuviese tan bien organizada, y confiada a un Director tan competente y a profesores tan ilustrados, como en el de Cartago". Gaceta, 25 noviembre 1872.

157 Hubo de reclamar judicialmente a la Municipalidad para cobrar las cantidades que ésta le adeudaba.

" . . . , puede considerársele como el primer organizador de nuestra enseñanza secundaria, que en nuestro país nació con él"[158].

De 1879 a 1882 fue Director del Instituto Nacional, en San José. Era el Instituto creado por la Universidad para solucionar el problema naciente de la secundaria. En esos años, además, desempeñó las clases de Griego y Filosofía[159]. Precisamente el éxito del Instituto le planteó dificultades[160]. En todo caso, fue clausurado éste en 1882 (para devolver a la Universidad el presupuesto).

Cansado de luchar con dificultades, partió para Cuba, donde desempeñó las cátedras que hemos visto.

En 1890, el Gobierno costarricense quiso dar un nuevo impulso a la enseñanza, y el 26 de junio le invitó oficialmente a regresar, en buenas condiciones económicas. También le encargó, con su hermano Juan, de la selección de treinta maestros españoles. En ese año cumplieron ambos hermanos esta comisión en España, y desde 1891, residió el profesor en Costa Rica.

En 1895-1898, volvió a dirigir el Colegio San Luis Gonzaga y a dar en él las clases de Griego y Filosofía. Desde 1914 ocupó la Dirección General de Bibliotecas.

Murió a los 94 años de edad, en 1925.

Que yo tenga noticia, fue el único extranjero, no naturalizado, declarado Benemérito de la Enseñanza.

* * *

Como resumen de sus ideas filosóficas, transcribiré el hecho por uno de sus discípulos:

"Pero en lo que era particularmente profundo era en Psicología, rama de la Filosofía, que trata del alma y de sus facultades operatorias. Profundamente deísta, juzgaba más importante el estudio del alma que el de la materia, por cuanto el alma es eterna y el cuerpo transitorio. El ser humano —decía— sufre de engreímiento, y si desconoce Astronomía, ignorando lo insignificante que es, imagínase que el mundo lo contempla.

---

158 Luis Felipe González, *Influencia Extranjera* . . . (1921).

159 "Al Doctor Ferraz le tocó darnos el primer curso de griego. Usaba de mucha suavidad. De sus discípulos en general no exigía más que buena voluntad y atención. Las lecciones del Doctor eran amenas, pues a propósito de cualquier cosa, de una sola palabra a veces, discurría como verdadero maestro que era, poseedor experto de enorme tesoro de conocimientos, y lo hacía en tono apacible y aun jovial". Alfonso Jiménez Rojas, *El Instituto Nacional*, Apuntes.

160 "Pronto, muy pronto, iban a presentársele [al Dr. Valeriano F. Ferraz] no sólo esas dificultades sino también otras originadas por la guerra solapada que hacían al Instituto quienes deseaban que desapareciera hasta por razón de competencia, como que habían entrado al mismo no pocos jóvenes salidos del colegio de los jesuítas establecido en Cartago". Alfonso Jiménez Rojas, *El Instituto Nacional*.

"Químicamente analizados, el ser humano y el cerdo son iguales. No así con respeto al alma, en que el hombre conserva superioridad, siempre y cuando no caiga en el automatismo, y haciendo a un lado la conciencia, el juicio y la razón, se equipare al cerdo con sus prácticas. El ser humano sin conciencia es el animal más dañino y peligroso que existe en la Creación, peor aun que el felino y el reptil.

"Vivimos en comunicación etérea con la Divinidad, por medio del órgano receptivo invisible de la conciencia. Si desoímos la conciencia desoímos la voluntad de Dios —Criador de todo— nos automatizamos, y dando preferencia a la materia sobre el espíritu, descendemos hasta colocarnos al mismo nivel del cerdo, del felino o del reptil. Estudiada y conocida la psicología, el ser humano se eleva moralmente, impidiendo que las tendencias inferiores pongan trabas a las aspiraciones superiores del alma. El cuerpo y el espíritu, durante la existencia terrena, viven en íntimo consorcio, y ambos se influencian y necesitan recíprocamente. Lo importante es que el espíritu domine por su influencia, para adquirir voluntad, actividad psíquica, y vigor en todos los aspectos. Cuando esto se obtenga caminaremos en el mundo por la senda que nos conducirá, con la muerte, al cielo o al plano nirvánico. Si deseamos que nuestro espíritu vaya a mejor lugar al que en la tierra ocupa dentro de nuestro vil cascarón, debemos merecerlo. Tales eran las doctrinas de aquel maestro venerable que se llamó Valeriano Fernández Ferraz" [161].

Utilizó y explicó, de krausistas, a Canalejas [162], González Serrano [163], Hermenegildo Giner [164], Revilla [165], Tiberghien [166], y el mismo Krause [167]. De pensadores del XIX: Cousin, Carlyle, Desttut de Tracy, Drapper, Emerson, Gratry, E. von Hartmann, Nietzsche, Renán, Unamuno. En Psicología, especialmente Binet, Le Bon, Ribot.

* * *

Sin embargo, lo mismo que le sucedió a Giner de los Ríos y en general a la segunda generación de la escuela, predominó en él ya la versión educacionista del krausismo. Los más interesantes de sus trabajos son sobre Educación. Es el tema que le hacía vibrar.

Como ejemplos, recogeré algunas páginas que considero típicas.

---

161 G. Zúñiga Montúfar, *Maestros inolvidables*, "La Nación", (7 noviembre 1961).

162 *Doctrinas religiosas del racionalismo contemporáneo.*

163 *Lógica.*

164 *Filosofía y Arte.*

165 *Obras.*

166 *Teoría de lo infinito, La science de L'ame.*

167 *El ideal de la humanidad para la vida.*

"Porque éste es el fin propio de la enseñanza, la defensa y propagación de la verdad y a esto se encamina la educación, considerada en su más amplio sentido y en todas sus relaciones posibles: verdad científica en la cultura intelectual; verdad en las relaciones de hombre a hombre y del hombre con Dios, en la cultura moral y religiosa; verdad de sentimientos y afectos en la educación artística, que en cierto modo las comprende a todas, porque el hombre es el artista de la vida, y la belleza que ha de realizar en su conducta y costumbres, es como el resplandor de todo lo bueno y verdadero". "... los bienes que a la República proporciona esta educación liberal ... ".[168].

"... si hay sistemas políticos, si hay Gobiernos a quienes, lejos de educar, convenga embrutecer a los pueblos, para más fácilmente quebrantarlos y ejercer sobre ellos una dominación absoluta, no cuadran por cierto tan vergonzosos medios de Gobierno a las democracias, donde llamado en todo caso el pueblo a dirigirse por sí mismo, mediante el sufragio, y a administrar sus propios intereses, debe necesariamente instruirse y educarse para ejercer con dignidad y acierto la alta magistratura de su soberanía". Si ésta [la instrucción] es completa y verdaderamente humana, debe operar, ..., una reconstrucción interna de todo nuestro ser en alma y cuerpo, un perfeccionamiento continuo y como una nueva creación del hombre. Consta, según creo, de dos partes que por abstracción separamos, pero que realmente andan juntas y en armonioso acuerdo: la enseñanza que suele confundirse con la instrucción misma, y la educación propiamente dicha, bajo cuyo concepto parcial se comprende a menudo la idea entera de la instrucción. La enseñanza cultiva nuestras facultades, la educación se encarga de dirigirlas; el producto de la primera es un capital atesorado; la segunda nos pone en aptitud de manejar este capital, ...; la instrucción, comprendiendo una y otra en su más amplio sentido, es como el trabajo, padre del capital por una parte, y por otra, creador y propagador de todo el comercio humano y de la creciente cultura que, como marea viva, sube y se extiende por la tierra para facilitar la comunicación entre hombres y pueblos que antes, el desierto de la ignorancia separaba. ... es cosa demostrada en la práctica de la enseñanza que en esto como en todo encierra una gran verdad nuestro proverbio: "que más hace el que quiere que el que puede" [169].

"... si hay algo primario, por su esencia, y verdaderamente capital, en la dirección y fomento de ... la vida nacional de los pueblos, no es en definitiva otra cosa que la enseñanza, o, por mejor decir, la educación Nacional". Nadie estima, ni tiene más admiración que quien habla, por las lenguas clásicas; pero estas lenguas

---

168 "Rev. Arch. Nac.", VII, 11-12 (1943), p. 616-620.
169 "Rev. Arch. Nac.", VII, 5-6 (1943), p. 295-299.

son objeto de estudio y de enseñanza científica, nunca un medio de aquella íntima comunicación racional en que ha de consistir toda enseñanza viva y fecunda, toda enseñanza real y efectiva. Fúndase en eso la prohibición absoluta, que data en España desde la reforma universitaria, en tiempo del buen Rey Don Carlos III, de enseñar en latín ninguna ciencia o arte, ni menos la filosofía. A eso debemos en España por gran parte, la secularización de la enseñanza, y en lo tanto la independencia intelectual de escolásticas envolturas; a esa incautación por el Estado, de lo que sin duda alguna posible, y de un modo infalible, es del resorte del Estado, debemos: igualmente la solución práctica, legal, aceptada por todos los partidos políticos, desde hace más de treinta años, de medida relativa a la instrucción pública... La instrucción es un ministerio público y de altísimo interés, nacional en los pueblos modernos. Pueden, y ciertamente deben contribuir a su fomento y propagación, el interés y la iniciativa privada; pero no hay libertad posible sin propia ley, ni garantía posible de competencia, sin criterio y juicio imparcial que aprecie y decida, para premiar los merecimientos individuales o enderezar cualquier torcida dirección" [170].

"De aquí la importancia moral de estas enseñanzas efectivas y serias, y de todo conocimiento filosófico, como libre y desinteresada investigación de la verdad, y como la más amplia y firme base de la educación pública y privada. ... qué habríais de prometeros de una vana instrucción de meras fórmulas, a manera de recetario de empíricos romancistas, con soluciones convencionales, y que nada resuelven, para cada uno de los grandes problemas de la vida y la sociedad, de la naturaleza y del espíritu?" [171].

"Cierto que toda educación que tienda a formar hombres, necesariamente ha de ser *humana* y *filosófica,* puesto que el hombre se dirige, y debe conocerlo de antemano; puesto que, sobre todo, debe conocerse a sí mismo, y dar razón de su organismo y procedimientos. Pero con profundo sentido se han calificado de humanas y filosóficas por excelencia estas enseñanzas [la secundaria], que, arrancando de los primeros elementos de toda cultura, sin concretarse a determinada facultad que habilite para el ejercicio de una profesión particular, ensanchan, por decirlo así, el espíritu de la juventud, y preparan a ésta para cualquier estudio superior y para todas las carreras posibles, incluso la carrera del Hombre, que no es en verdad la más fácil ni la de menor importancia". "Sea la Primaria para todos, ... y alcance también la secundaria a todo joven de disposición, ... Porque, en efecto, la Segunda Enseñanza, vista sin preocupación de escuela, no tiene de *secundaria* más que el nombre si se quiere; no es complemento ni preparación de nada ni

---

170 *Discurso,* de 6 enero 1880.
171 *Discurso,* de 12 diciembre 1880.

para nada, en absoluto, por más que, como todo lo humano, contemple lo precedente y prepare lo sucesivo. Es 'una cultura gradual y armónica del espíritu humano' y tiene por lo tanto, en sí misma, su propio fin, ..."

"Por ésta [la conciencia humana] empieza precisamente la serie filosófica de nuestra Segunda Enseñanza, que abandonando el antiguo método escolástico,... Por eso ponemos antes de la lógica que estudia especialmente y dirige una de nuestras facultades, la Psicología que las estudia en sí mismas y en sus funciones, y relaciones, como modos de ser del alma humana, partiendo del conocimiento propio en la propia conciencia. Bien está enseguida la lógica como dirección del entendimiento, ya que la facultad de sentir es desde luego cultivada en el niño dentro de la propia familia y por el sentimiento religioso, y más tarde ejercitada también por el estudio del lenguaje y las más bellas producciones del espíritu humano, de la naturaleza y del Supremo Artista que todo lo ha creado. Viene después la Etica o Filosofía Moral, como ciencia de las costumbres que dirige la voluntad en la prosecución y cumplimiento del bien, y últimamente la Metafísica y la Historia de la Filosofía, en que de nuevo se ahonda en todas las capitales de la Filosofía y se exponen, sea sucintamente los progresos de las razones humanas, de los varios sistemas con que el hombre ha tratado de explicarse las grandes verdades relativas a Dios, a la Naturaleza y a sí mismo. ... una especie de enciclopedia, o círculo de educación, en que sucesivamente van los jóvenes iniciándose y profundizando, si quieren, en todas las grandes enseñanzas que constituyen el saber humano. Lenguas vivas y lenguas muertas, o *inmortales,* porque nunca perecerán mientras los hombres tengan sentido de lo bello; Literatura General y Aplicada, Ciencias Matemáticas, Físicas y Naturales; Filosofía Moral y Metafísica; Historia, con todos sus conocimientos auxiliares; estudios, en una palabra, que tienden a conocer al hombre, la naturaleza y Dios, son la base de toda educación y enseñanza, y dan el fundamento racional de toda carrera científica" [172].

Refiriéndose a la situación en Costa Rica a principios de siglo, por "modernismo pedagógico" entiende la *corrupción* de la "educación moderna", introducida en 1869 bajo el Presidente Jiménez. Esa *corrupción* tenía de desarrollo "de quince á diez años", es decir, desde el 1888 ó 1890. "... período de descomposición morbosa, y criminal en cierto modo. ... el hecho verdaderamente grave, el más triste acontecimiento, si en lo que pasa puede haber más y menos, es, sin disputa posible, el fracaso de la enseñanza en Costa Rica". "... resulta insuficiente, pobre y desmedrada..." "¿qué hay que hacer, pues, ...? —Restablecer la Universidad... y ella será el verdadero Consejo de Instrucción Pública, ..." "Lo demás sería, pura y

---

172 *Introd. a los Reglamentos ...,* 1869.

simplemente, seguir entregados, y entregando tamaños intereses, en manos atrevidas de pedagogos de afición, sin dotes científicas ni cultura moral, ..."

Niega que haya dificultades pecuniarias para organizar la Universidad. "Sí, pues, hay recursos, materiales y personales, para sostener, con honra y provecho, una Universidad moderna en Costa Rica".

"La Universidad Nacional traería en breve á este país una restauración de los estudios serios, que el 'modernismo pedagógico' ha degradado, convirtiendo ... la enseñanza elemental de artes y ciencias en superficiales nociones de instrucción primaria y *puerilizado,* por decirlo así, las inteligencias juveniles ..." " ... los empíricos y curanderos en cuyas manos ha caído la enseñanza". "La llamada educación de la voluntad, sin alta cultura filosófica, sin moral cristiana, sin bellas letras para recrear el espíritu, no pasa de ser un embrutecimiento sistemático, dirigido por pedantes llenos de vanas pretensiones". "Y el remedio ... no puede hallarse en otra parte que en una Escuela Superior de Ciencias y Letras, que se llama Universidad".

Para terminar con esta conclusión: "Eso es aquí el 'Modernismo pedagógico': *ignorancia, atrevimiento, amoralidad"* [173]

Señalaré finalmente como una contribución de interés, su *De la evolución nacional en la Historia* (1908). Se trata de la evolución nacional de España. Pertenece este estudio al género vindicatorio polémico iniciado por Menéndez Pelayo y por Laverde, pero desarrollado en la línea de Pérez Galdós. Termina con la referencia a una "unión" de países hispanos.

OBRAS

Artículos en "Revista Universitaria" (Madrid, 1855-1856), y en "Revista de Instrucción Pública" (Madrid, 1857).

Clave de la traducción griega y latina, (Madrid, Imp. Galiano, 1863), 159 pp.

"Introducción" a los *Reglamentos del Colegio de Segunda Enseñanza de Cartago de Costa Rica,* (San José, 1869, 2ª ed.), [tomada de la Gaceta Oficial], p. 3-8.

Discurso... inauguración del Colegio de Cartago, 6 de enero 1870. *Vid.:* "Rev. Arch. Nac.", VII, 5-6 (1943), p. 295-299.

Programa de lengua latina, "La Gaceta" (12 julio 1870).

Discurso ... apertura de curso, "Gaceta Oficial" (12 febrero 1872).

La Enseñanza, "La Enseñanza", I (1872), p. 3-11.

Bibliografía, "La Enseñanza", I (1872), p. 42-46.

Escuelas, "La Enseñanza", I (1872), p. 50-53.

173 *Proceso del modernismo pedagógico ...,* 1905.

El Capítulo Primero, "La Enseñanza", I (1873), p. 65-81.

Bibliografía, "La Enseñanza", I (1873), p. 110-116.

Escuelas, "La Enseñanza", I (1873), p. 116-122.

Tendencias generales a la reforma, "La Enseñanza", I (1873), p. 129-136.

Escuelas, "La Enseñanza", I (1873), p. 177-184.

Importancia económica de la educación popular, "La Enseñanza", I (1873), p. 257-261.

Escuelas, "La Enseñanza", I (1873), p. 304-308.

Discurso... apertura de curso 1873. *Vid.:* "Rev. Arch. Nac.", VII, 11-12 (1943), p. 616-620.

Horario de las escuelas primarias... e informe de la Comisión.., "Gaceta Oficial" (25 enero 1879), Reprod.: *Luis Felipe González, Hist. Instruc. Públ. Costa Rica* (1961), II, p. 187-190.

Discurso... inauguración de curso, Instituto Nacional, 6 enero 1880.

Discurso..., Instituto Nacional, 12 diciembre 1880.

Programa del primer curso de Metafísica, (La Habana, ?) (1884).

Discurso... [de toma de posesión del Decanato de la Facultad de Filosofía y Letras de la Universidad], (La Habana, 1888).

Informe... al Ministro de Instr. Públ., (San José, Imp. Canalías, 1891), 40 pp.

Informe anual del Colegio de San Luis Gonzaga del año 1897, "Rev. Arch. Nac.", IX, 5-6 (1945), p. 296-298.

[polémica con R. Brenes Mesén], "El País" (1901).

[polémica con Zacarías Salinas], "El Fígaro" (abril 1901).

Proceso del modernismo pedagógico en Costa Rica, (San José, Imp. Alsina, 1905), 83 pp.

[Polémica con A. Zambrana], "La Unión", (San José, febrero, marzo y abril 1905). Reproducida en *Proceso...* (1905).

Informe de Informes. De enseñanza, (San José, Imp. Lehmann, 1907), 55 pp.

De la evolución nacional en la historia (San José, Imp. Lines, 1908), 56 pp.

[Carta], "Boletín de Enseñanza", I, 9 (1908), p. 307.

[Prólogo], *Martín, V., Vae Victis,* (San José, Imp. Alsina, 1909).

"Un Universitario de Paso", Universidad Nacional, "Renovación", III, 52 (1913), p. 54-59.

[respuesta], "El Foro", IX, 1 (1914), p. 21-22.

Don Mauro Fernández, "Pandemonium", II (1915), p. 560.

"Pater Familias", Orientación educativa. "Eos", I (1916, p. 24-28.

Carta, "Eos", 11 (1916), p. 331-333.

Carta [sobre el Quijote], en: *Cervantes en Costa Rica,* (San José, Colección Ariel, Imp. Greñas, 1916), p. 6-10.

Una carta, "Eos", 12 (1916), p. 353-357.

Precioso documento, "Eos", 15 (1916), p. 89-91.

[Carta] *Cruz, Mario, Homenaje a Francia,* (San José, Falcó, 1917), p. 7.

[Prólogo], *Zúñiga Z., Educación de nuestros niños,* (San José, Imp. Lehmann, 1917), p. X.

[Prólogo], *Peralta, H. G., España y América,* (San José, Imp. Alsina, 1918).

Un recuerdo..., "Rev. de Costa Rica", I, 1 (1919), p. 22-26.

De libros, "Rev. de Costa Rica", I, 4 (1919), p. 120-124.

Bibliografía, "Rev. de Costa Rica", I, 6 (1920), p. 171-175.

Otro recuerdo, "Rev. de Costa Rica", I, 8-9 (1920), p. 243-245.

Cartas..., "Rev. de Costa Rica", II, 4 (1920), p. 119-122.

[Prólogo], SAENZ, V., *Traidores y déspotas de Centro-América,* (San José, Falcó, 1920).

[Prólogo], *Salazar de Robles, C., Celajes de oro,* (San José, 1921).

[Prólogo], *Alfaro Cooper, J. M., La epopeya de la Cruz,* (San José, Imp. Nacional, 1921 v. 1924).

A la memoria.. .Maximiliano Peralta, en: *Junta de Protección Social Cartago,* (San José, Imp. Lehmann, 1923), p. 19.

[Carta], ARIE, A., *Cuál fue la patria de Cristóbal Colón,* (San José, Imp. Arias, 1926), p. 67.

En el álbum de Amalia Montagné. En: *Sotela R., El libro de la hermana,* (San José, 1926), p. 88.

[Carta], *Sancho, Mario, El doctor Ferraz* (1934), p. 52.

Discurso. En: *Sancho, Mario, El doctor Ferraz* (1934), p. 39, Ib., p. 58,

Memorias, Rev. Fil. Univ. C. R., 14 (1964), p. 211-252.

BIBLIOGRAFIA

BRENES MESEN, R., *Valeriano Fernández Ferraz,* "El País", 58 (1901).

BRENES MESEN, R., *Mi última palabra con el Dr. Fernández Ferraz,* "El País", p. 62 (1901).

BRENES MESEN, R., *La ortografía,* "El País", p. 66 (1901).

BRENES MESEN, R., *Griego y Latín,* "El País", 80 (1901).

BRENES MESEN, R., *Griego y Latín,* "El País", 86 (1901).

BRENES MESEN, R., *Carta abierta a Ernesto Henrici,* [pseudónimo del Dr. Valeriano Fernández Ferraz], "El País", 88 (1901).

El Dr. don Valeriano F. Ferraz, "Rev. Costa Rica", VI, 12 (1925), p. 249-250.

El homenaje..., "El Foro", IX, 1 (1914), p. 17-21.

El maestro Ferraz, "El Noticiero" (16 abril 1913).

Familia de Fernández Ferraz, inédito, archivo familiar.

GONZALEZ, LUIS FELIPE, *Hist.... Influencia Extranjera* (1921), p. 138-141.

GONZALEZ, LUIS FELIPE, *Hist. Instr. Públ. C. R.* (1961), II, p. 258-263.

JIMENEZ ROJAS, ALFONSO, *El Instituto Nacional,* Apuntes.

JIMENEZ, ELIAS, *Nota,* "Eos", 1 (1916), p. 30-31.

LLOVET BELLIDO, F., *Don Valeriano F. Ferraz,* "Pandemonium", I (1902), p. 449-452.

MARTIN, ERNESTO, *Valeriano F. Ferraz.* En: *Discursos y conferencias,* (San José, Imp. Gutenberg, 1930), p. 191-193.

MARTIN, ERNESTO, *Valeriano F. Ferraz.* En: SOTELA, R., *Escritores de Costa Rica* (1942), p. 269-270.

N. DE LA D., "Rev. de Costa Rica", I, 1 (1919), p. 26-27.

Oposiciones, "La Enseñanza", II (1884), p. 506-508.

PEREZ VIDAL, JOSE, *Don Valeriano Fernández Ferraz en la Universidad de la Habana,* "El Museo Canario", 14 (Las Palmas, España, 1945), p. 67-89.

PEREZ VIDAL, JOSE, *Viento y tormenta de una vocación (contribución a una biografía de ...),* (Santa Cruz de Tenerife, S. A.).

SANABRIA, VICTOR, *Primera Vacante* (...), p. 292-297.

SANCHO, MARIO, *El doctor Ferraz,* (San José, 1934).

SOLERA RODRIGUEZ, GUILLERMO, *Benemérito de la Patria,* (1958), p. 197. 202.

VALLE, R. H., *Hist. Ideas Contemp. Centro-América* (1961), p. 101, 148 y 273.

Variedades, "La Enseñanza", I (1872), p. 62.

ZAVALETA, J. A., *Influencia cultural en Costa Rica de los hermanos Fernández Ferraz.* "La Prensa Libre" (11 octubre 1958).

ZELEDON, JOSE MARIA, *Homenaje al doctor don Valeriano Fernández Ferraz,* "Renovación", III, 56 (1913), p. 114-115.

ZUÑIGA MONTUFAR, G., *Maestros inolvidables,* "La Nación" (7 noviembre 1961).

Juan Fernández Ferraz

Hermano de Valeriano Fernández Ferraz, participó estrechamente en la labor educativa de éste, tanto que se hizo habitual en el país el hablar colectivamente de ambos, "los Ferraz".

No alcanzó, sin embargo, el prestigio, pleno de respeto, de su hermano. Acaso por su figura física, más desmedrada y menos patriarcal, acaso por su mayor acometividad y extremismo, aunque muy estimado, y considerado por muchos como el más inteligente de los dos, suele citársele en forma colateral. En todo caso, no tuvo fama de *sabio,* aunque sí de buen escritor, investigador, profesor.

Krausista, librepensador, republicano, en España actuó sobre todo como periodista, y en Costa Rica como educador.

Nació en Canarias en 1849. Se licenció en Filosofía y Letras por la Universidad de Madrid. Discípulo de Fernando de Castro, colaboró estrechamente en el círculo krausista. Redactor de "La República Ibérica"[174], intervino en campañas republicanas. Colaboró también en "La Libertad", "La Federación", "La Luz" y "El Liceo Escolar", y trabajó en traducciones para la Sociedad Bíblica de Londres.

En 1871, por invitación de su hermano, pasó a Costa Rica. Fue Profesor en el San Luis Gonzaga de Cartago de Estética, Retórica y Poética, entre otras materias. En 1884-1887 fue director del Instituto Universitario y profesor de Filosofía en el mismo. En 1886, Inspector General de Enseñanza, 1890-1891, Director de la Imprenta Nacional. 1894, Director de la Oficina de Estadística, 1898, Director del Museo Nacional. Murió en 1904.

En el Instituto Universitario, el plan de Filosofía fue en un comienzo "Psicología, Lógica, Etica, Teodicea, Historia de la Filosofía", refundido luego en "Filosofía Elemental".

En 1882, fundó en Cartago el periódico "La Palanca", y en 1889 en San José "La Prensa Libre", y colaboró en casi todas las publicaciones periódicas, especialmente en "La Enseñanza", que volvió a editar entre 1884 y 1886. Escribió también textos escolares e hizo varias investigaciones valiosas sobre arqueología indígena. Como poeta, malo, imitó a Espronceda.

Ya he escrito sobre la contienda levantada entre el Obispo Thiel y Juan Fernández Ferraz, con motivo del Instituto Universitario. Este se anunció sin enseñanza religiosa. Para estar al lado de la Universidad, de la que dependía, el Instituto quiso alquilar el antiguo edificio, desocupado, del Seminario. El Obispo aceptó alquilarlo; el Instituto entonces nombró Capellán a un sacerdote. Ignoro motivos en detalle, pero pronto se agrió la situación, tuvo lugar el cese del capellán y pronto el Instituto dejó el edificio[175].

Creo que será típico, tanto para situar las ideas y el perfil de Juan F. F., como para apreciar la situación en la época, el siguiente texto de la polémica mantenida entonces:

"El Eco Católico, en su Nº 73 de 5 del corriente, . . . , mal avisado y sin que para tanto hubiera motivo, la emprende con este Instituto Universitario, so pretexto de religión, y Dios sabe, y todo el que nos conoce, que no es por ahí por donde se nos podrá atacar, por dos razones capitales: 1ª porque esta escuela de Segunda Enseñanza libre, ha sido creada con fondos propios de la Univer-

---

174 ". . . , en que escribían con él [Sanz del Río] Canalejas, Fernández Ferraz, Fernández González, que pasaron muchas veces a la ofensiva", contra el Ministro Osorio, autor de la expulsión de los profesores krausistas de la Universidad. P. Jobit, *Les krausistes* (1936). 52, nota 6.

175 Creo es interesante comparar con la tesis de Salmerón. R. Jobit, *Les krausistes* (1936), p. 168.

sidad de esta capital, y una vez autorizada su Dirección para ello, nadie, y menos que nadie el Señor Obispo tiene derecho de inmiscuirse en sus asuntos, que de otro lado pueden ser examinados, —puesto que son públicos—, por quien quiera; y 2ª, porque no hemos de prestarnos a ser órganos del partido clerical, cosa muy distinta de la Iglesia, que de otra parte como es bien sabido 'Doctores tiene'..., que pueden seguir la obra emprendida de iluminar al mundo a su manera. Centenares de millones de almas hay aún en el mundo sin recibir los resplandores de esa antorcha, y campo vastísimo hallarán en ellas apóstoles y predicadores, para difundir la obra de la Redención.

"Si en Costa Rica, según afirma *El Eco,* hay 180.000 fieles, hijos de la Iglesia católica, apostólica romana y sólo unos 50 disidentes, ¿a qué tanta bulla, ni con qué objeto tan gárrula contienda con quien ni se cuida de tal cosa ni está dispuesto a romper lanzas con tan espantable ejército?

"...

"Que nombres tan respetables como el de Carlos Cristián Federico Krause, y otros, anden mezclados con la ignorancia de pequeños cuentos, y traídos y llevados por los escritores de *El Eco,* no nos maravilla.

"...

"Nosotros entendemos que es no sólo conveniente sino indispensable la atmósfera religiosa en la enseñanza; pues profesamos el dogma, —que también los tenemos los de esa minoría echada de entre los 180.000,— de que cada organismo social debe obrar con *independencia,* y tan intrusión nos parece la del obispo y su clero en la enseñanza, como la nuestra en su iglesia y culto.

"No nos creeemos, en definitiva, aptos para la dirección espiritual religiosa, ni entendemos que nos toque la misión de ganar almas para el cielo, si no es éste el de la ciencia y la verdad científica, que no excluye ciertamente ni reprueba a otros que a los ignorantes, tengan o no fe religiosa en los destinos de ultratumba. Y puesto que se nos pretende lanzar fuera del círculo de la religión, nuestra conciencia es irresistiblemente atraída por la fuerza centrípeta moral, hacia ese foco eterno de las determinaciones trascendentales, y a Dios vemos y con Dios comulgamos, sin temor ni vanidad, sin ostentación ni farsa, ..." [176].

La polémica siguió y Juan Fernández Ferraz escribió:

"Nuevamente se ocupa el órgano episcopal de esta ciudad, de nuestro Instituto y de su enseñanza (Nº del 12 del corriente) con motivo de un suelto que el ilustrado periódico de París "Europa y América", nos dedica y que le agradece altamente esta institución libre de Segunda Enseñanza. Krause nació en la ex-patria del Señor

176 *El Instituto Universitario,* "La Enseñanza" (1884), p. 326-328.

Obispo de Costa Rica, en 1781 y murió en 1832. Todas sus obras pertenecen á este siglo, y lo de que esa filosofía es ya vieja porque hemos progresado mucho, ó algo así, que dice *El Eco*, sólo puede apreciarse como un botón del desconocimiento absoluto de las cosas en que estos Señores *propagandistas* viven. De otra parte, el insigne filósofo Don Julián Sanz del Río, maestro de la actual generación española, si discípulo de Krause, fué á su vez iniciador de una nueva evolución en el pensamiento filosófico, el Sócrates español, el fundador del *sistema de la conciencia,* de quien Don Nicolás Salmerón, uno de sus mejores discípulos y nuestro queridísimo maestro, ha dicho: "Digan lo que quieran cuantos —que no son pocos por desgracia— se satisfacen con *aprender motes* para librarse de la pena de estudiar las cosas, lo positivo es que Sanz del Río, si siguió la *nueva crítica de la Razón,* ensayada por Krause, no formó krausistas, ni fue apóstol del krausismo como torpemente se ha propalado. Jamás se preocupó de teorizar; nunca exponía soluciones; nadie ha repugnado más ni tanto el insensato afán de precipitar á una conclusión el pensamiento". Decimos ésto, por si *El Eco* tiene interés en propalar qué y cómo pensamos nosotros . . . " [177].

En 1885 intervino en otra polémica con Tomás Muñoz [178], pedagogo de extrema derecha [179] desde "La Enseñanza". En ella terció Ricardo Jiménez, del que hablaremos más adelante. También en torno a temas religiosos tuvo otra polémica con Juan de Dios Trejos en "La Palanca".

Escritor polifacético, combativo, de ideas tajantes y con gran dominio de la técnica del artículo, su influencia en la orientación laica de la enseñanza pública fue decisiva: "Su actuación en la evolución religioso liberal, ejercida desde la cátedra, constituye quizá uno de los mejores galardones de su acción cultural" [180].

No extrañará, pues, su concepto de la enseñanza y las ideas que divulgó:

"la Escuela primaria, convienen todos los tratadistas en que debe estar bien dotada de una atmósfera religiosa; mas como la enseñanza del dogma ni puede ni debe imponerse, mientras las constituciones de los diversos países reconozcan alguna religión, indispensable parece que se enseñe libremente, y no por eso con menos sinceridad y ahínco, el credo más general de los nacionales, cuando

---

177   "La Enseñanza" (1884), p. 359-360.

178   "Diario de Costa Rica", 8 julio 1885. Continuó en agosto y octubre siguientes.

179   Tomás Muñoz, cubano, maestro de primaria, llegó a Costa Rica en 1858. Al no quererse prolongar el contrato a Valeriano Fernández Ferraz como director del Colegio de Cartago, se nombró a aquél. El mayor elogio impreso que sobre él he visto es que era un "excelente pendolista". *Vid:* Luis Felipe González, *Influencia Extranjera* (1921), p. 117-118.

180   Luis Felipe González. *Hist. Influencia Extranjera* . . . (1921), p. 146.

menos, como elemento moral indispensable y como satisfacción á las justas exigencias de la familia.

"Donde el hogar y la iglesia se prestan, como es justo y conveniente, á esta importante enseñanza, bien puede considerarse la escuela perfectamente neutral en materia religiosa; ...

"Nuestra civilización es cristiana: cristiana debe ser nuestra educación" [181].

Por lo demás, recela de los internados, "... suplicio innecesario... rodeado de muy serios peligros" [182], como típico krausista.

Intervino en la política costarricense [183], pocas veces con artículos doctrinales. Manifestó con energía su republicanismo y la doctrina liberal representativa.

"... gracias á las condiciones naturales del país, aquí [Costa Rica] no hay verdaderos pobres, y en virtud de la extraordinaria laboriosidad de los costarricenses cada uno tiene de qué vivir.

"Pero... el Gobierno de una nación y por lo tanto el de Costa Rica, debe alimentar también en el sentido del espíritu, del alma, a los ciudadanos.

"El contrato social, carta fundamental, ó Constitución, reconoce *derechos,* que son la vida del ciudadano, y pide *paga* por ellos. Esa *paga* son los deberes del ciudadano.

"Ahora bien, cuando todos cumplen el compromiso, los ciudadanos tienen derecho á exigir sus derechos y el Gobierno debe ser respetado por todos. Si el contrato no se cumple, por ambas partes, la *anarquía* viene ó la tiranía y el *despotismo,* matrimonio infernal, mandan á discreción y aniquilan al pueblo" [184].

"... algún día llegará a ser directa la elección de *todas* las autoridades del país" [185].

"... *el cumplimiento de la ley* que es el único *orden* posible en los pueblos" [186].

El trabajo más completo de Juan Fernández Ferraz es su *Teoría de lo bello,* obra de envergadura y pretensiones. Como tratado de Estética tiene básicamente la limitación de partir, y polarizarse en, la Literatura. Como orientación, es idealista, pero con fuerte influencia positivista, y teniendo en todo momento presente a Platón. Superior en talento al trabajo semejante de Zambrana, es menos sistemático y quedó inconcluso.

---

181 *Estudio acerca de las nueve tesis . . .* (1893), p. 27.

182 *Ib.,* p. 46.

183 En 1889, fue Jefe de Prensa del Partido Constitucional, y como tal fundó un periódico, "La Prensa Libre".

184 *Conversaciones políticas con el pueblo* (1889), p. 7.

185 *Ib.,* p. 15.

186 *Ib.,* p. 29.

OBRAS

Refutación de algunas doctrinas contenidas en el folleto 'Democracia sin Partido', (Santa Cruz de Tenerife, Imp. Benítez, 1868).

Anales de la Sociedad Científico Literaria, (1874).

Teoría de lo bello, "La Enseñanza", I (1872), p. 34-42; I (1873), p. 103-110; I (1873), p. 161-168; I (1873), p. 225-232; I (1873), p. 291-296.

El primer himno patriótico, (1883) [letra de J. F. F.], "Diario de Costa Rica" (15 septiembre 1960).

La Enseñanza, "La Enseñanza", II (1884), p. 321-322.

El Instituto Universitario, "La Enseñanza", II (1884), p. 325-329;

La Enseñanza, "La Enseñanza", II (1884), p. 369-373.

Programas, "La Enseñanza" (1884), p. 386-388.

[Bibliotecas), "La Enseñanza", II (1884), p. 406-411.

La Enseñanza, "La Enseñanza", II (1884), p. 417-420.

[Bibliotecas], "La Enseñanza", II (1884), p. 438-446.

Libros... "La Enseñanza", II (1884), p. 509-512.

La Enseñanza, "La Enseñanza", II (1884), p. 465-468.

El Conde de Camors, "La Enseñanza", II (1884), p. 491-494.

El Evangelio y el Syllabus, "La Enseñanza", II (1884), p. 495-505.

Libros... "La Enseñanza", II (1884), p. 513-515.

La Enseñanza, "La Enseñanza", II (1884), p. 513-515.

Libros..., "La Enseñanza", II (1884), p. 548-550.

La Enseñanza, "La Enseñanza", II (1885), p. 561-565.

Discurso... 30 noviembre 1884, "La Enseñanza", II (1885), p. 586-589.

A los profesores de Costa Rica, "La Enseñanza", II (1885), p. 633-637.

Memoria del Instituto Universitario, 2 febrero 1885.

La Memoria de Instrucción Pública en lo tocante a Segunda Enseñanza, "La Enseñanza", II, ns. 5, 6 y 7 (1885).

Costa Rica ilustrada, "Costa Rica Ilustrada", 1 (1887), p. 2-3.

Programa de las conferencias de griego, "La Enseñanza", II, ns. 7 y 8 (1885).

Cartas Escolares, (San José, 1888).

¿quién es?, "Costa Rica Ilustrada", 22 (1888), p. 340-341.

Conversaciones políticas con el pueblo, (San José, Imp. La Prensa Libre, 1889), 30 pp.

Librito de deberes, (San José, Imp. La Prensa Libre, 1889), 32 pp.

Costa Rica ilustrada, "Costa Rica Ilustrada", 2ª época, 1 (1890), p. 1-2.

Artículo nuevo, "Costa Rica Ilustrada", II, 4 (1890), p. 29.

Programas para un curso de recitación..., 1891.

Sobre Lingüística, "Costa Rica Ilustrada", II, 31 (1891), p. 242-243.

Notas, "Costa Rica Ilustrada", II, 33 (1891), p. 263.

Nahuatlismos de Costa Rica, (San José, 1892).

Memoria de la Oficina de Estadística, 1894.

Memoria del Museo Nacional, 1898.

Ligera reseña de la colección "Ureña" de Curridabat, Informes del Museo Nacional, (San José, 1899).

Ompa - ontla - neci - telt ó piedra transparente, Informe del Museo Nacional, (San José, 1900).

Memoria de la Imprenta Nacional, 1901.

Al muy ilustre crítico don Roberto Brenes Mesén, (11 enero 1901).

Lengua Quiché, (San José, 1902).

Tres fiestas del 15 de Setiembre, en: *Rev. de Costa Rica en el s. XIX,* (1902), p. 177-184.

Notitas al pie, en: *Matamoros, L. Dinámica interna del globo,* (San José, Tip. Nacional, 1902), 24 pp.

Thanatosis, "Pandemonium", II (1903), p. 760-762.

A la masonería, "Acacia", 15 (abril 1921), p. 181.

Alrededor de la magna fecha, en: *Arie, A., Cuál fue la patria de Cristóbal Colón,* (San José, Imp. Arias, 1926), p. 63.

[Prólogo], *Meagher, Th. F., Aguas termales de Cartago,* (San José, Imp. Canalías, 1886), XIV.

Cantos escolares, (San José, Imp. La Prensa Libre, 1890), 31 pp.

Colombinas, (San José, Litogr. Nacional, 1893), 75 pp.

Discurso..., en: *Víquez, Pío, Corona fúnebre..., Juan Diego Braun,* (San José, Imp. Nacional, 1885), p. 1, 33.

El Primer Congreso Pedagógico Centroamericano, "Boletín de las Escuelas Primarias", I, 18-19 (1893), p. 273-289.

Estudio acerca de las nueve tesis del programa del Primer Congreso Pedagógico Centroamericano, (San José, Tip. Nacional, 1893), 47 pp.

Informe que acerca del primer Congreso Pedagógico Centroamericano eleva a la Secretaría de Instrucción Pública don..., (San José, Tip. Nacional, 1894), 164 pp.

Informes del Museo Nacional, (San José, Tip. Nacional, 1888).

La proclama de Barrios, en: *Montúfar, Rafael, Disertación...,* (San José, Imp. Nacional, 1886), folleto N° 4.

Artículos en: "La Enseñanza" (1872-1873 y 1884), "El Telégrafo" (1875), "El Preludio" (1881), "El Instituto Nacional" (1881), "La Prensa" (1881), "El Albor" (1881), "La Nave" (1882), "Diario de Costa Rica" (1885), "Otro Diario" (1885), "El Maestro" (1886), "Costa Rica Ilustrada" (1887), "La Prensa Libre" (1889), etc.

En España, artículos en: "La República", "La Libertad", "La Federación", "La Luz", "El Liceo Escolar", en Madrid. Y en: "La Federación", (Santa Cruz de Tenerife, 1869), "El Time", (Santa Cruz de la Palma, 1869).

BIBLIOGRAFIA

ALVARADO H., ALEJANDRO, *Excelsior*, "Pandemonium", 4 (1904), p. 4-5.

BRENES MESEN, R., en: "El País", 78 (1901).

GONZALEZ, LUIS FELIPE, *Hist... Influencia Extranjera*, (1921), p. 144-146.

Notas entre... la Universidad y el Sr. Obispo..., "La Enseñanza", (1884), p. 336-339.

JIMENEZ ROJAS, ALFONSO, *El Instituto Nacional*, Apuntes.

NUÑEZ, F. M., *"Cosas de Maestros"*, I, 6 (1920), p. 187-189.

PEREZ VIDAL, JOSE, *Don Valeriano...*, "El Museo Canario", 14 (1945), p. 69 ss.

SALAS, AGUSTIN, *D. Juan Fernández Ferraz*, "La Prensa Libre" (29 septiembre 1966).

VALLE, R, H., *Hist. Ideas Contemp. en Centro-América*, (1961), p. 148, 273.

ZAVALETA, JOSE ANTONIO, *Influencia cultural en Costa Rica de los hermanos Fernández Ferraz*, "La Prensa Libre" (11 octubre 1958).

José María Céspedes

José María Céspedes y Orellana era cubano, Doctor por la Universidad de La Habana. Exilado de Cuba, llegó a Costa Rica en 1869. En los años 1873-1875 desempeñó una Cátedra de "Filosofía Racional" en la Universidad de Santo Tomás, así como la de Derecho Público, y en 1875, la de Derecho Natural.

En una Escuela para Adultos, creada en San José en 1874, desarrolló un curso de "Derechos y deberes del ciudadano".

Promovió la creación, que tuvo lugar en 1872, de la Sociedad Científico-Literaria, de la cual fue primer Presidente.

La Cátedra de Filosofía Racional pertenecía a la Facultad de Derecho. Es la única de Filosofía, propiamente de nivel universitario, en Costa Rica en el siglo XIX.

Muy relacionado con Zambrana, el krausismo de Céspedes debió ser de origen cubano. Tuvo gran influencia en Costa Rica.

OBRAS

ANALES de la Sociedad Científico-Literaria (1873), [ignoro las publicaciones en Cuba].

BIBLIOGRAFIA

GONZALEZ, LUIS FELIPE, *Hist. Influencia Extranjera...* (1921), p. 119.

Salvador Jiménez

Nacido en Guadalupe en 1835, Bachiller por la Universidad de Santo Tomás, se licenció en Derecho por la Universidad de San Carlos de Guatemala, hacia 1860. Magistrado de la Corte Suprema de Justicia, Ministro de Instrucción Pública. Fue catedrático de Derecho Natural y de Civil en la Universidad de Santo Tomás. "Profesor insigne", según Rogelio Sotela. Ciego desde 1877, murió en San Francisco de California en 1881.

Supongo que su krausismo se dio por influencia de Valeriano Fernández Ferraz, con el que mantuvo estrecha relación, y al cual admiraba. Incluso estuvo ligado al trabajo docente de aquél.

"El maestro don Salvador Jiménez nos explicaba derecho natural según las doctrinas de Krause, a su vez influidas por las teorías de Kant, de Ahrens, de Hegel, de Fichte. Recuerdo que usábamos un texto traducido por el maestro español Sr. Giner de los Ríos [187]. Esta cátedra se presentaba para que don Salvador expusiera como él sabía hacerlo, teorías que para nosotros eran nuevas y que en el ambiente de entonces, producto de largos años de oligarquía religiosa y política, nos sorprendían y nos seducían en espíritu con nueva luz que nos parecía racional y lógica" [188].

OBRAS

[Informe sobre el Colegio San Luis Gonzaga], "La Enseñanza", I (1872), p. 17-18.

[Ibídem], "El Costarricense" (1872).

Elementos de Derecho Civil y Penal de Costa Rica, (San José, 1874-1876). Publicado anteriormente en: "La Enseñanza", I (1873), p. 84-95, 144-154, 209-214.

BIBLIOGRAFIA

Bonilla, A., *Hist. Ant. Lit. Costarr.* (1957), I, p. 111-112.

Jimenez, Ricardo, "La Tribuna" (25 abril 1944).

Sotela, R., *Escritores de Costa Rica* (1942), p. 19-21.

---

[187] Supongo se trata de Henri Ahrens, *Enciclopedia Jurídica o exposición orgánica de la Ciencia del Derecho y del Estado,* (Madrid, 1876).

[188] Ricardo Jiménez, "La Tribuna" (25 abril 1944). *Salvador Jiménez Canossa, La Nación,* 1º agosto 1965.

IV

COSTA RICA EN EL SIGLO XX

INTRODUCCION

E N el tránsito de siglo, Costa Rica, con 300.000 habitantes, tiene una estructura ya bien definida. Es una colectividad con una conciencia cívica madura; con un Estado mixto, de estructuras liberales; con la propiedad rústica muy repartida; y sobre todo, tanto a causa de la persistencia de los clanes familiares como de la cifra pequeña de la población, donde la política se lleva adelante patriarcalmente. Por todo ello, ese tránsito de siglo es el apogeo del liberalismo. Tanto político como económico.

Al desaparecer la mortalidad infantil, el ritmo de crecimiento de la población se trueca, a lo largo del xx en vertiginoso. En sesenta años, los trescientos mil habitantes se convierten en millón y medio. Este crecimiento, para el cual las estructuras nacionales no están preparadas [1], provocará cambios de perspectiva y nuevos problemas al acercarse el medio del siglo. Los años 1940, 1941 se suelen señalar como paso a una nueva época. Yo considero fundamental el 1941, en que se abre la Universidad Nacional, como hito. Podrá parecer exagerado dar una tal importancia a un hecho cultural, pero en la historia de Costa Rica los hechos culturales son los únicos significantes. Quien lo prefiera en un plano político-económico, puede tomar el 1943, fecha de la promulgación del Código de Trabajo [2]. La realidad que subyace bajo tales síntomas es la de una población que pasa de los tres cuartos de millón, con la extensión de la burguesía a la mitad del país y aparición de un proletariado campesino.

Como decía, los primeros cuarenta años del siglo son de un liberalismo patriarcal; de una poderosa presencia de los abogados, única clase "universitaria" organizada y actuante; de una minoría de modestos ricos, que en las disputas políticas son llamados "riquillos"; de una multiplicación incesante de las escuelas primarias

---

1 A principios de siglo se planeó la ciudad de San José para 10.000 habitantes, y sobre ese plan sigue viviendo, cuando ya ha pasado de los 100.000 y ha absorbido poblaciones colindantes por un cuarto de millón.

2 Económicamente, puede señalarse como inicio los años 1917-1919. Gobierno Tinoco, por el desbarajuste hacendario, que puso en peligro la hacienda pública, pese a las grandes ventajas económicas que la guerra mundial produjo al país. Vid.: Soley Güell, Tomas, Hist. Hacendaria de Costa Rica (1949), II, p. 135-158.

y un fortalecimiento continuo del maestro primario que llega a constituir la profesión más estable y, proporcionalmente, mejor pagada; sin políticos profesionales, pues "hacer política cuesta dinero"; con una minoría individualista o anarquista intelectualmente muy fuerte; sin problemas internacionales, ya que el país carece de valor estratégico; y sin problemas serios con.los vecinos, pues a la hora de fijar límites Costa Rica siempre salió perdiendo, sin que le doliera mucho, por tratarse de territorios deshabitados; y, sobre todo, viviendo el respeto, en la vida cotidiana, al prójimo como persona. Y todo ello, continuando cuidadosamente la política de aislamiento, ya tradicional [3].

Un centroamericano regañón, pesimista y oteador de *enfermedades* sociales por todas partes en Centroamérica, hacia 1910, vio el siguiente panorama:

"En San José se publican más diarios que en cualquier otra de las capitales, dominando en ellos cierta temperancia política muy laudable y consecuencia necesaria de la libertad que han tenido hace tiempo. Son todos periódicos de cortas dimensiones y escaso tiraje.

"Hay en la actualidad una revista literaria y artística; pero ninguna científica. Tampoco se conocen centros científicos, y se nota, como en Tegucigalpa, mucha pereza intelectual. La biblioteca es muy buena" [4].

Sin embargo, hay que tener en cuenta un hecho, que no suele ser valorado suficientemente. Durante el período que va de 1888 a 1941, los hombres que llevan el peso del país son, de manera aplastante, o antiguos alumnos de la Universidad de Santo Tomás, o de la Escuela de Derecho que subsiste todos estos años. Y es precisamente la lenta disminución de los antiguos universitarios la que hace que el tono intelectual, en muchos aspectos, disminuya. El vacío provocado con el cierre de la Universidad se hace patente de manera grave desde el 1920, pues se desarrolla de manera vertiginosa el "empirismo" en todas las profesiones.

Ricardo Jiménez vio el proceso generacional así:

"Ya había empezado a alborear un poco con los Ferraz y algunos maestros liberales españoles en el Colegio San Luis de Cartago. Pero en realidad fue la Universidad la que plasmó esa nueva corriente. La del liberalismo, y con él, ciertas ideas sobre la república realmente democrática y la organización social dentro de la libertad. Los principales abanderados de ese movimiento, los que lo impulsaron desde sus cátedras, fueron el Lic. don Salvador Ji-

---

3 *Vid.:* Karnes, Thomas L., *La norma de conducta de Costa Rica,* "Rev. Arch. Nac.". XVIII, 7-12 (1953), p. 266-273; Perier, Philippe, "Rev. Filos. Univ. C. R.", III, 9 (1961).

4 Salvador Mendieta, *La enfermedad de Centro-América* (Barcelona, 1934, Maucci), p. 268-269.

ménez, el doctor don Lorenzo Montúfar y el doctor don Antonio Zambrana... Los jóvenes de entonces acogieron bien las enseñanzas de estos profesores liberales y vino una generación de hombres que lucharon para aplicarlas y darles vida en nuestro medio... La nueva corriente que influyó poderosamente en la vida intelectual del país y llevaron a la política nacional un nuevo ideario democrático" [5].

Rubén Darío, en 1892, escribió sobre Costa Rica dando la siguiente panorámica:

"Me pide V., ..., mi opinión sobre Costa Rica! Tiene la tierra ubérrima y noble un cielo azul. Los dos océanos mira el explorador desde la cumbre de sus altos volcanes. Da oro y maíz Costa Rica; exporta a barco repleto el banano, saca de la tierra el jugo de la riqueza y adora al buey, ... Y así como es el costarricense esclavo del pensativo trabajador de cuatro patas, no consiente tiranos de dos. ... No es aquél un pueblo revoltoso. Las revoluciones turban la faena que enriquece, y los costarricenses no quieren dejar la faena. ... Por eso cuando el vapor 'viene de Centro-América', y hay noticias de las barrabasadas de los hermanos, el *tico* se asombra y juzga que las noticias que recibe son cuentos o historias antiguas, de lugares bárbaros o lejanos. Tuvieron un tirano, Guardia: Guardia no derramó una gota de sangre.

"Costa Rica intelectual posee más savia que flores. Es un terreno donde los poetas se dan mal. ... Está en el ambiente el mal. En la gran muchedumbre de hombres de letras que ha habido y hay en aquel país, no surge una sola cabeza coronada del eterno y verde laurel. ... Lo que sí tiene Costa Rica, en grado superior al de cualquiera de las repúblicas centroamericanas, es un buen número de prosistas, que brillan principalmente en lo que se relaciona con las ciencias político-sociales.

"Y lo que nota el observador en aquella República, es la influencia absoluta del abogado. El abogado, el comerciante, el agricultor: trimurti potente. El bufete, el mostrador y el buey.

"Débese a ese sentido práctico, la propagación del negocio, la tierra prolífica, el santodomingueño rico, el *parvenu* millonario, la inmigración comercial, los ferrocarriles, mister Keith; la necesidad de las múltiples transacciones, el banco. ...

"Pero ¡qué corazón el de algunos costarricenses! ¡Qué nobleza, qué sangre tan pura y viva! Allí están los políticos que bregan, sin mezclar su opinión con la levadura del odio; ...

"En lo social son sin doblez y el que da la mano a uno se la da de veras. ...

"Y en el Gobierno, gente buena, gente de lo mejor. Uno que otro topo; pero honrado. Eso pienso yo de Costa Rica" [6].

5 "La Tribuna" (25 abril 1944).
6 Rubén Darío, 1892. En: *Rubén Darío en Costa Rica* (1920), II, p. 70-75.

Esta visión, que no tiene nada de romántica, vale para todo ese período. Luego, ya la crisis de 1929 representó un golpe económico [7] y la proliferación humana exigió ritmos nuevos, en parte manifestados en la aparición de Partidos políticos ideológicos.

Porque es algo curioso lo que, en lo económico, ha sucedido a Costa Rica, como en general a Centroamérica. Como alguien dijo, y los demás repetimos, Costa Rica se especializó en cultivar *postres:* Café, banano, cacao, azúcar, y tabaco. El resultado es la dependencia entera del país de que otros países tomen postre. Ello ha provocado, en los últimos años, un peculiar "centroamericanismo", de índole económica, que no se parece en nada al romántico del XIX. La necesidad de mercados más amplios para iniciar una industrialización, exigida por el aumento de población, vino a coincidir con la apertura de carreteras. Pero todo esto, ni nos interesa ahora, ni es todavía presente [8].

El período posterior a 1941 ha sido visto así por Abelardo Bonilla:

"El período contemporáneo, que está en plena gestación y que ofrece el mismo carácter de dudas y de lucha que presenta el resto del mundo, se inició hacia 1940. Las corrientes sociales y económicas, la preocupación de estudio y de progreso de parte de la juventud y la creación de la Universidad de Costa Rica, han sido factores determinantes de este último período. El año de 1940 se señala como el punto de partida de un resurgimiento literario y artístico de extraordinario valor y, al mismo tiempo, de un resurgimiento educativo que ha venido desarrollándose hasta hoy. El restablecimiento de la Universidad en 1940 fue un impulso decisivo en el progreso cultural y lo será en mayor proporción con la reforma universitaria que acaba de implantarse. La segunda mitad del siglo implicará, sin duda alguna, un avance cultural más vigoroso que el realizado anteriormente, ya que el país cuenta hoy con una organización completa, desde la enseñanza pre-escolar hasta la universitaria y con medios técnicos a la altura de los más avanzados del mundo" [9].

En el plano de las ideas filosóficas, debe señalarse la lenta maduración de un filosofar propiamente dicho, inexistente en el XIX, en medio de corrientes ideológicas, más amplias, de la vida nacional. Por ello, estudiaré en primer lugar las ideas políticas, que son continuación o evolución directa de las que ya hemos visto, para pasar luego a examinar la obra de los·pensadores y filósofos.

---

7 Golpe para la política fiscal del Gobierno, pero en cambio para el desarrollo económico del país la crisis internacional (como todas) fue beneficiosa.

8 Una buena exposición de conjunto de la temática costarricense (demográfica, social, económica, etc.) en: Daniel Camacho Monge, *Lecciones de Organización Económica y Social de Costa Rica,* Univ., 1967, p. 166.

9 A. Bonilla, *Hist. Ant. Lit. Costarr.* (1957), I, p. 30-31.

LA ESTRUCTURA DEL ESTADO COSTARRICENSE EN EL SIGLO XX

Continuando el examen de los textos políticos legales que hemos hecho respecto del XIX, encontramos que en 1917, a consecuencia del golpe de Estado del 7 de enero, se convocó Asamblea Constituyente, la cual mantuvo básicamente el texto de la Constitución de 1882 (8 junio 1917). El art. 8 quedó así:

"La Religión Católica Apostólica Romana, es la del Estado, el cual contribuye a su mantenimiento, sin impedir el libre ejercicio de ningún otro culto que no se oponga a la moral universal ni a las buenas costumbres.

"La declaración a que se refiere este artículo no afecta la legislación existente, ni coarta en forma alguna la libertad de acción de los Poderes Públicos respecto de cualesquiera intereses nacionales".

Obsérvese el espíritu ecléctico de los párrafos del artículo, ya que el segundo viene a decir que el primero no tendrá consecuencias respecto a la legislación sobre matrimonio civil, divorcio, Registro Público, etc.

El 3 septiembre 1917, el Gobierno *de facto* de Tinoco derogó la Constitución y declaró "restablecida y en vigor la Constitución emitida el 7 de diciembre 1871 junto con las modificaciones que ha sufrido".

Y por entre los cambios políticos el texto básico de 1871 se mantuvo.

El período presidencial de Rafael Angel Calderón Guardia vio la creación de la Universidad Nacional (1940), las Garantías Sociales (1942), el Código de Trabajo (1943) y la abolición de la ley de 1884 que limitaba las Ordenes conventuales (1942). El decreto de 4 junio declaró la enseñanza primaria "obligatoria, gratuita y costeada por la Nación".

La Constitución de 1871, que a su vez se basaba en la de 1859, continuó en vigor hasta el 8 mayo 1948, en que fue derogada por el Consejo de Gobierno, establecido tras el golpe de Estado. El 8 noviembre 1949 se dio por la Asamblea Constituyente la Carta Fundamental. En ésta, se incluyó literalmente, con el Nº 76, el art. 51 de la Constitución derogada.

El Art. 28 [10], repitiendo el 36 de la de 1895, quedó:

"No se podrá, sin embargo, hacer en forma alguna propaganda política por clérigos o seglares invocando motivos de religión o valiéndose, como medio, de creencias religiosas".

Los arts. 131, inciso 2), 142, inciso 3) y 159, inciso 3) de la Constitución Política (1949) requieren para ser Presidente y Vicepresidente de la República, así como Magistrado y Ministro no ser sacerdote.

En 1940 y 1952 el Gobierno hizo uso del derecho de presentación para el nombramiento de Arzobispos. No así en 1960.

El art. 209 del Código de Educación vigente asigna dos lecciones por semana a la enseñanza de la Religión. El art. 210 dice: "Cada grado o sección de las Escuelas de primera enseñanza de la República, sin excepción, recibirá semanalmente dos horas lectivas de enseñanza religiosa. La asistencia a las clases de religión se considera obligatoria para todos los niños cuyos padres no soliciten por escrito al Director de la escuela que les exima de recibir esa enseñanza". En la Segunda Enseñanza, la enseñanza de la religión es optativa.

Gozan de exención del impuesto Territorial las iglesias, capillas y lugares de culto de todas las confesiones religiosas [11].

BIBLIOGRAFIA

Asamblea Nal. Constituyente de 1949, tomo I (1953), p. 193-200, 314-316; tomo II (1959), p. 90-92; tomo III (1957), p. 135-136.

CARRO Z., ALFONSO, Teoría del Poder Constituyente, Teoría de la Constitución y la Constitución Política costarricense, "Rev. Univ. C. R.", 13 (1956), p. 7-87.

CARRILLO ECHEVERRIA, RAFAEL, Antecedentes..., En: Costa Rica un Estado católico (1955), p. 79-92.

FACIO, RODRIGO, La Constitución Política de 1949..., "Rev. Univ. C. R.", 13 (1956), p. 97-113.

HERNANDEZ POVEDA, RUBEN, Desde la barra. Cómo se discutió la Constitución Política de 1949, (San José, Ed. Borrasé, 1953), 323 pp.

JIMENEZ, ARNOLDO, Régimen Municipal, "Rev. Univ. C. R.", 13 (1956), p. 89-96.

MONGE ALFARO, CARLOS, La Enseñanza Costarricense a la luz de algunos preceptos constitucionales y legales, "Rev. Univ. C. R.", 13 (1956), p. 115-147.

10 Había sido objetado en el Memorándum del Episcopado nacional. Asamblea Nal. Constituyente de 1949, tomo I (1953), p. 193-200.

11 Cfr.: Strachan, Enrique, Al Soberano Congreso de la Nación... Exención de Derechos de Aduanas... Templo Bíblico... (San José, Imp. Borrasé, 1929), 14 pp.

Rodriguez Ulloa, Juan, *Interpretación del artículo 76...* En: *Costa Rica un Estado católico,* (1955), p. 23-25.

Tinoco Castro, Luis Demetrio, *El artículo 76 de la Constitución Política y sus antecedentes históricos.* En: *Costa Rica un Estado católico* (1955), p. 39-78.

Trejos, Juan, *Temas de Nuestro Tiempo* (1954).

Zeledon, Marco Tulio, *Historia Constitucional de Costa Rica en el bienio 1948-49* (San José, 1950).

Zeledon, Marco Tulio, *La Constitución Política del 49,* (San José, 1950).

Zeledon, Marco Tulio, *La libertad de conciencia...,* (San José, Imp. Falcó, 1952), 20 pp.

IDEAS POLITICAS

UNIONISMO

En Costa Rica el unionismo centroamericano ha tenido poca amplitud, sobre todo a consecuencia del aislamiento del país durante un siglo y de la caída de los países al norte en las guerras locales, tan prolongadas, y en las tiranías y dictaduras. Sin embargo, algunos intelectuales lo mantuvieron. Debe citarse a Jorge Volio y su participación en la guerra de Nicaragua contra los norteamericanos (también debe citarse que ello le costó la Vicepresidencia de Costa Rica, por obra del Presidente Ricardo Jiménez, aislacionista a ultranza) y la influencia de Salvador Mendieta. En los últimos años, Demetrio Gallegos Salazar, abogado, Presidente de la Sociedad Bolivariana, Académico de la Historia, es autor de escritos unionistas [12] y ha representado al Partido Unionista de Costa Rica en las Convenciones de Guatemala y Tegucigalpa.

Es curioso que el unionismo del Mercado Común Centroamericano (limitado a la integración estrictamente económica) no haya encontrado resistencias en un país de tradición aislacionista.

LOS INCLASIFICABLES

En este capítulo, mi intento es presentar como ya he señalado, los doctrinarios de la política. En algunos casos, ello es fácil, cuando el escritor se ha afincado en una ideología muy marcada y bien definida. Lo más frecuente es que, en la práctica de la política (por lo demás, como en todas partes), haya muchos políticos que enarbolan una bandera, un slogan, sin contenido ideológico. He hecho lo que he podido por encasillar a los escritores de política.

Sin embargo, antes de entrar propiamente en el elenco de doctrinas, debo señalar un par de nombres, que deliberadamente escapan a la clasificación que he establecido. Podría llamárseles "rebeldes", y el nombre sería exacto en cuanto a su trayectoria, pues han sido rebeldes a un partido y a su disciplina. Pero también son

---

12 *Evocación Bolivariana,* San José, Imp. Borrasé, 1953; *Bolívar y el Panamericanismo,* San José, Ed. Colegio de Abogados, 1956; *Bolívar,* San José, Imp. Vargas, 1964, p. 39; *Vida . . . de Juan Santamaría,* San José, Imp. Nacional, 1966, p. 53.

rebeldes en cuanto a que intentan hacer política fuera de los partidos organizados. Recuérdese que no trato en este libro de políticos, sino de escritores de política.

José Francisco Aguilar Bulgarelli, ex diputado, periodista, publica frecuentemente artículos de virulenta crítica política, sobre todo desde el plano de las exigencias de renovación social de las lacras económicas. Su postura doctrinal es de izquierda, y avanzada, pero repudiando todo encasillamiento o disciplina.

Julio Suñol, menos violento en la forma aunque no en el fondo, es político y periodista. Nació en 1932 en Puntarenas. Periodista en "La Prensa Libre" desde 1958 (la columna "Galera" y sección editorial), jefe de redacción de "La República" (1952-58); corresponsal de Associated Press en China y la URSS (1960). Diputado (1962-66) por Acción Democrática Popular (ala disidente del partido Liberación); Delegado de Costa Rica en las Naciones Unidas (1957-58). Liberacionista hasta 1958, desde ese año busca en forma denodada formas de renovación, revolucionaria cara al Caribe, evolutiva hacia el interior del país. Se autoclasifica como "izquierda de centro independiente", lo cual en realidad sólo delimita formalmente respecto a los partidos establecidos en el país. No recojo bibliografía periodística, por ser extensísima. Ultimamente, duras luchas contra ciertos financieros.

Aquí debería incluir la mayor parte de quienes se anuncian como "socialistas", pero no soportan ninguna disciplina ni doctrina permanente. Como la mayor parte no suele escribir sus ideas, no los recojo.

EL ANARQUISMO

Ya en el siglo XIX se hicieron presentes en Costa Rica las ideas anarquistas de manera clara. Zambrana y Masferrer las dieron a conocer y Elías Jiménez, aunque lo estudiamos en el XX, las siguió en el XIX.

Es de señalar una característica peculiar del anarquismo en Costa Rica: su pacifismo. Precisamente por ser país ordenado, y practicar el derecho de asilo con esplendidez, acogió cierto número de anarquistas, cuyas ideas se asemejaban bastante al individualismo costarricense. Así, no se dio la exacerbación explosiva del anarquismo, sino que éste se mantuvo dentro de la línea tolstoyana.

Los anarquistas que vamos a encontrar fueron todos ellos hombres rectos, desinteresados, embebidos de sentido social, hombres convencidos de la bondad natural del hombre. Así, encontrándose además en una sociedad en proceso de desarrollo vital y con un Estado débil y pobre, afirmaron con toda radicalidad su confianza en los individuos y su desconfianza en la administración pública. Si a esto añadimos que supieron ganarse el respeto general del país, se comprenderá la peculiaridad de esta situación.

Por otra parte, estos anarquistas representaron la versión ideológica extremista del liberalismo ilustrado, pero, mientras que éste se lanzó plenamente a la estructuración y fortalecimiento del Estado, aquéllos representaron la contrapartida o reacción anti-centralizadora.

Al examinar el positivismo, hemos visto las ideas de Antonio Zambrana, *socialista* y *anarquista,* probablemente el primer expositor sistemático del anarquismo, en el país. Y Zambrana señalaba como causa del carácter revolucionario que tomó el nihilismo ruso la reacción brutal del zarismo. Por anarquismo entendía simplemente descentralización y respeto al individuo.

Sin embargo, considero que el punto de arranque debe encontrarse en una novela de una mujer: *El espíritu del río*, de Juana Fernández Ferraz, hermana de los krausistas de este apellido. La novela es literariamente mediocre, pero, aunque imaginariamente situada en el Brasil, presenta una sociedad ideal tolstoyana, de un anarquismo realizado, con personajes sacados del campesinado costarricense [13]. Como Juana Fernández Ferraz maestra, influyó mucho en Elías Jiménez Rojas, probablemente dio el impulso emotivo para el desarrollo de esta corriente.

La influencia del salvadoreño Masferrer, del español Anselmo Lorenzo y del francés Hamon fueron poco profundas al lado de la de Tolstoy [14], el cual, aparte de Unamuno, es el escritor que más ha influido en Costa Rica.

Desde principios de siglo hasta el año 20, fueron muchos los intelectuales apasionados por Tolstoy y el anarquismo. Aparte de los que estudiaremos, debe mencionarse a José María Zeledón, primer director de "Renovación", Carmen Lira [15], J. Albertazzi Avendaño, Claudio González Rucavado, Solón Núñez, José Fabio Garnier, etc., la mayor parte de los cuales luego evolucionó en sentido liberal.

En 1945-1946, se publicó en San José "Italia Libre" por A. Arié. De tendencia republicana frente a la monarquía italiana, publicó numerosos artículos carbonarios.

Posteriormente, "El Sol" es la publicación periódica que desde 1951, ha continuado la tradición anarquista.

Su Director, el Dr. Mourelo, es un intelectual que encarna el prototipo del anarquista bondadoso.

La mayor parte de los anarquistas sin embargo, desde la década de 1930, pasó a autodenominarse liberales, provocando el que hoy, en gran parte, el término liberal sea equívoco en el país.

Oscilan entre un marxismo nominal y un anarquismo vital algunos intelectuales y políticos, lo cual los hace de difícil clasificación en un libro. Además, las crisis de los marxistas en Europa y su fragmentación, se ha repetido en Costa Rica con exactitud. Citaré, sin embargo, a algunos.

Enrique Obregón Valverde, cuyos escritos tienen nervio y acritud libertaria. Los colaboradores de "La Opinión", que durante unos años sustituyó al clásico "El Sol", aunque el Dr. Mourelo siguió imprimiéndole su mismo carácter.

Pedro Pratt, francés, residía en Londres en 1914, emigró a los U.S.A. Desde 1920, residió en Costa Rica. Con un numeroso grupo de intelectuales anarquistas, casi todos franceses, como el escritor Georges Vidal, fundó una colonia en Parrita. Colaboró con crónicas y ensayos en *L'en Dehors* de Armand, París. Negaba toda disciplina de orden metafísico. Murió de noventa años en 1965. Hom-

---

13 *El espíritu del río,* (San José).
    Mensaje a mi Patria; en: *Hemos escrito,* (San José, Imp. Alsina, 1921). A *Lisímaco,* en *ib.* Juana Fernández Ferraz fue maestra en el "Brasil de Alajuela". Por ello, pienso hoy que la ubicación de novela es estrictamente costarricense. La utopía del anarquismo socialista, desarrollada en la última parte, es la más atrevida escrita en Centroamérica.

14 Sobre la influencia de Tolstoy en Costa Rica: Herrera García, Adolfo, "Yasnaya Poliana en Costa Rica", *La Nación,* 23 marzo 1974.

15 Directora en 1913 de "Renovación".

bre recto, probo, desinteresado, trabajador, vivió el anarquismo de forma perfecta [16].

Alberto Masferrer en Costa Rica

El salvadoreño Alberto Masferrer (1867-1932), en su recorrido centroamericano, pasó por Costa Rica, donde fundó "El Diario de Costa Rica" en 1885. Pero además de esta estancia, su influencia fue grande a través de sus libros. "A él se le puede dar un calificativo, un atributo singular, un nombre que hace tiempo no puede sonar: el de Apóstol. Esto fue el Maestro querido: un Apóstol del idealismo" [17].

Masferrer era un "original":

"Y se fue, los ásperos caminos de Centro América vieron pasar su enteca figura, con el *achín* al hombro. Los bulliciosos mercados de los pueblos miraron con asombro a aquel moreno adolescente que extendía meticulosamente, con aire distante, su ingenua mercancía de buhonero. ... Los hombres lo oyeron detenerse al lado de los barbechos y mirar fijamente los primitivos arados que hendían la buena tierra, ... Lo rodearon los niños, en las acogedoras veladas de una casucha campesina, para oír los cuentos maravillosos que sabía inventar. Las mujeres escucharon incrédulas sus sencillos consejos higiénicos. ..." [18].

Varios de sus libros fueron publicados en Costa Rica, y muy leídos. Su ideología puede verse concentrada en la siguiente frase: "Las palabras *soberanía, independencia, autonomía* carecen de sentido para los desmedrados, para los miserables, para los mendigos." Y claro es que se ponía de parte de los mendigos.

O B R A S

Niega la tesis de su anarquismo: JOSE SALVADOR GUANDIQUE, *El anarquismo de Masferrer,* La Prensa Gráfica (San Salvador, 18 mayo 1966 ss.). Reproducido en: Rev. Fil. Univ. C. R. 18 (1966), p. 183-188.

BIBLIOGRAFIA

Bibliografía sobre A. Masferrer en: *En torno a Masferrer,* (San Salvador, Ministerio de Cultura, 1956), p. 283-285.
Publicó en Costa Rica:
    En Costa Rica, (1900).
    Las niñerías, (San José, Colección Ariel, 1916), 72 pp.
    Una vida en el cine, (Ed. García Monge, 1922), 18 pp.
    Pensamientos y formas. Notas de viaje, (Ed. García Monge, 1921), 126 pp.

16 José Pacheco, "En un rincón de Costa Rica", *La República,* 30 junio 1965.
17 Rogelio Sotela. *Carta . . . ,* (1933). Reprod. en: *En Torno a Masferrer* (San Salvador, 1956), p. 274.
18 Pedro Geoffroy Rivas, en: *En Torno a Masferrer* (1956), p. 104.

BIBLIOGRAFIA COSTARRICENSE

Dengo, Omar, *Palabras sobre Don Alberto Masferrer,* "La Tribuna", Nº 189 (1-XII-1920).

Sotela, R., *Carta...* (1933). En: *En torno a Masferrer,* (San Salvador, 1956).

Elías Jiménez Rojas

Aquel hombre de tez pálida, labios finos, lentes redondos con aro de metal, respondió siempre al arquetipo del anarquista intelectual: trabajador y estudioso, individualista hasta los últimos extremos, desprendido y abierto. Dedicó todo su esfuerzo a lograr la colaboración entre los hombres, la divulgación científica y la elevación del nivel de vida. En sus revistas, progresivamente disminuyen los temas científicos, creciendo los políticos. Recibió el título de Bachiller siendo menor de edad, pero luego los rechazó todos; hizo sus estudios hasta el límite exacto en que hubiera debido recibir un "título"; allí se paraba; y cuando el Gobierno le quiso dar la "Licenciatura" en Farmacia, la repudió. No quería saber nada con nada que fuera estatal, público, oficial, colectivo. Y pasó toda su vida en vigilar los leves intentos del Estado costarricense de hacerse presente, para salir siempre por los fueros del individuo. Los principios del liberalismo, con la más extrema confianza en la bondad (no en la inteligencia) original de los hombres, los llevó a su extremo. Y como el Estado era débil y pobre, el anarquismo de Elías Jiménez Rojas no necesitó nunca dejar de ser platónico.

En 1931, narró así su propia vida:

"Nací en San José de Costa Rica el 6 de abril de 1869. Un año después de haber terminado los estudios de segunda enseñanza, se me confirió, con las formalidades del caso, el título de Bachiller en Filosofía de la Universidad de Costa Rica, el 12 de diciembre de 1887. Hice mis estudios profesionales en París, en la Sorbona, bajo la dirección especial de los químicos C. Friedel y L. Troost. El 3 de mayo de 1893 fui recibido como miembro de la "Societé Chimique de París", hoy "Societé Chimique de France", honor al alcance de todos los químicos y único que merecí en Europa. Como químico fui en mi juventud un operador muy torpe, pero aplaudido como expositor de las teorías del momento. Durante los años de 1895 a 1897 fui profesor de química e higiene en el Liceo de Costa Rica. El año de 1898 lo pasé en Italia, casi todo en la ciudad de Turín. En los cuatro años de 1899 a 1902 fui profesor de química y Director de la Escuela de Farmacia de Costa Rica. Desde 1903 estoy dedicado al comercio, pero he interrumpido algunas veces mis ocupaciones, sea por viajes (a Estados Unidos y al Canadá), sea por ligeras correrías en el campo de la enseñanza (Subdirección del Colegio de San Luis, de Cartago, y Dirección del Liceo de Costa Rica, en 1905). En la trastienda de mi botica he redactado algunas revistas pequeñas, de carácter enciclopédico pero superficial: "Renovación" (de 1911 a 1913), "Eos" (de 1916 a 1919), "Reproducción" (de 1919 a 1930).

"El problema religioso no me ha preocupado. El político, sí. Siento una gran aversión hacia todo lo que limita mi libertad individual, principalmente en lo económico. El socialismo de Estado y el comunismo son mis pesadillas pero no hasta el punto de quitarme el sueño, pues tengo la convicción de que son males no perdurables.

"No teniendo marcadas disposiciones naturales para ninguna cosa en particular, me he adaptado fácilmente y con placer a todos los trabajos a que me han obligado las circunstancias. Para desbaratar una leyenda quiero confesar que nunca he sido muy aficionado a la lectura. Son muy pocos los libros o periódicos que he leído enteramente" [19].

Posteriormente, desde 1931, publicó la revista "Apuntes".

Murió en 1945.

Positivista, materialista, anarquista, filantrópico, Elías Jiménez Rojas fue durante toda su larga vida una figura nacionalmente respetada por su desprendimiento y por la claridad y rotundidad de sus opiniones.

No expuso nunca de manera sistemática su pensamiento, pero incesantemente publicó escritos (medio entre el aforismo y el ensayo corto) penetrantes y fuertes.

"Todo es materia, todo es espíritu, decís ¿y qué importa? Seguro, estamos en una época de *filosofía de identidad*. No es degradar al hombre afirmar que el espíritu no es sino el cuerpo más sutil. No es tampoco exaltarlo el afirmar el carácter puramente fenomenal de la materia. Todo depende del sentimiento del filósofo y de la nobleza de su fin" [20].

"Nosotros distinguimos entre la *intuición certera* y fecunda y la simple *adivinanza casual* y creemos que la primera es siempre el fruto de una deducción subconsciente; en otros términos, para nosotros la verdadera intuición es el resultado de un trabajo cerebral de que no nos hemos dado cuenta".

Se dio a sí mismo una norma de conducta, única explicación de todo su hacer: "Emprender siempre como si se fuera eterno".

Todavía hay que añadir una característica: evolucionista biologista. Pero no irracionalista:

---

19 "Apuntes" (15 julio 1931). Reprod. "Rev. Filos. Univ. C. R." II, 7 (1960), p. 286.

20 "Renovación", III, 56 (1913), p. 128.

" . . . sostengo . . . , basándome en mis observaciones personales y en las estadísticas que he estudiado, sostengo que todo lo que contribuye a desarrollar la inteligencia, contribuye por lo mismo a aumentar la longevidad, sea porque la inteligencia es una prueba de vitalidad, o sea porque la inteligencia es la suprema arma de defensa".

Pero no la inteligencia oficialesca del gremio de los filósofos: "Oh, fríos y prudentes filósofos! ¡Cuál sonríen compasivamente al ver cómo se atormentan a sí mismos y cuál es el estado de locura de un pobre don Quijote, y con toda su criminal sabiduría no observan que esa donquijotería es, no obstante, lo más digno de premio que en la vida hay, que es hasta la misma vida, y que esa donquijotería extiende sus poderosas alas por el universo hacia todo lo que filosofa, musita, trabaja y bosteza! Pues la gran masa popular, unida a los filósofos, es, sin saberlo, nada más que un colosal Sancho Panza, que a pesar de su prudente miedo a los azotes y su despejo casero, sigue en todas sus peligrosas aventuras al caballero extraviado, atraído por la recompensa, en que cree por desearla, pero atraído aún más por el místico poder que siempre ejerce el entusiasmo sobre las muchedumbres, según podemos verlo en todas las revoluciones políticas y religiosas y hasta en los más mínimos sucesos que todos los días ocurren" [21].

En política, sus ideas, radicales, fueron expuestas reiteradamente:

"En el terreno de las ideas, podemos estar absolutamente solos. No creemos en la bondad del sistema republicano, no creemos en la eficacia del voto y detestamos de todo corazón el parlamentarismo.

"En el terreno de los hechos, no somos revolucionarios. Acatamos la voluntad de la mayoría de la pequeña sociedad en que vivimos, y vivimos en ella porque no nos parece compuesta de malvados. Sin forjarnos ilusiones de ninguna especie, iremos —ahora como siempre— en contra de toda imposición de gobierno o de clase" [22].

Y ese "ir" lo entendió como ilustrar:

"En el caso de las cuestiones sexuales, como en todo otro caso, la instrucción no domina al instinto ni a ninguna otra fuerza orgánica, pero no empeora la situación. La instrucción siempre hace bien; poquísimo o mucho, pero *bien*. Los pecados más tontos, si puedo expresarme así, son los debidos a la ignorancia, y estos pecados tontos son muy frecuentes en la vida sexual".

21 "Renovación", III, 55 (1913), p. 108-109.

22 "Renovación", III, 58 (1913), p. 160. "Lanzado el país (casi digo el mundo) en lo que se llama legislación social o Totalitarismo del Poder Legislativo, los individualistas tenemos que cerrar la boca mientras pasa la borrasca. Pero sin abatirnos, porque pasará muy pronto". "Apuntes", supl. 14 (1945), p. 536.

Puede imaginarse, por lo anterior, su opinión sobre las doctrinas socialistas:

"El socialismo no tiene más recurso que el de los impuestos, y cuando alguien protesta contra la falta de equidad de un impuesto, el socialismo responde con socarronería: Yo tomo el dinero de donde está.

"Los ladrones también: sólo le quitan a quien tiene. El día en que el Estado sea, como quieren los socialistas, el único maestro, el único industrial, el único comerciante, el único banquero, el único asegurador, los malhechores alcanzarán su edad de oro. Todos los Stavisky concentrarán entonces sus actividades en torno del Estado. Habrá millones en manos de éste y las operaciones de los ladrones serán colosalmente fructuosas. Y estas operaciones serán más fáciles cuanto que nadie tiene un sueño más profundo que el Estado, ni nadie sabe enmarañar mejor sus dependencias, ni nadie tiene menor acierto para escoger a sus empleados, ni nadie posee un don igual para idear servicios que se anulen entre sí o servicios que el público haya de ignorar, ni nadie da tanta importancia al expediente o empadronamiento, inventado como para aumentar las sombras, cerrándole el paso aun a la luz del sol..."

En ese su "ir" oponiéndose, fue optimista respecto a su país; no en balde vivía en un país montañoso, despoblado e individualista; pero también sabía ver las dificultades que hallaría su ideal:

"La fertilidad de nuestro suelo y la benignidad de nuestros climas; la ausencia en nuestro ambiente del miasma aristocrático y la división tradicional de nuestras propiedades, nos han puesto en la mejor de las condiciones para formar la nacionalidad ideal, aquélla en cuyo seno puede y debe realizarse el reinado de la Justicia y de la Paz.

"Pero sé también que esas imponderables condiciones van modificándose gradualmente, y que el acaparamiento de las tierras por un lado y la creciente exacción de los gobiernos..., llevarán nuestro problema social a un campo parecido al en que se debaten los dolores de las masas desheredadas en Europa" [23].

De este hombre, que escribió mucho, Rogelio Sotela, esteta amante de lo bello, dijo: "Los jóvenes harán muy bien si buscan los escritos de este hombre sabio y silencioso" [24].

OBRAS

Publicó numerosísimos ensayos cortos en las revistas que editó: "Renovación", "Eos", "Reproducción" y "Apuntes". Muchos de ellos son reseñas bibliográficas, y comentarios de temas políticos; algunos, de divulgación de higiene. Calculo que el total pasa de las mil quinientas

---

23 "Renovación", I, 6 (1911), p. 85.
24 "Rev. Arch. Nac.", IV. 7-8 (1940), p. 415.

páginas, que no detallo por no ser prolijo. La mayor parte, sin título. Muchos de ellos reproducidos en la prensa.

Otros:

Lectura científica de "La Prensa Libre", año XXII, ns. 6814 a 6823, (San José, Imp. La Prensa Libre, 1910), 29 pp.

Cultura y Kultura, (San José, Imp. Greñas, 1915), 19 pp.

Cuestiones "ideológicas", "Pandemonium" (1915), p. 176.

Dice..., "La Prensa Libre" (24 julio 1939).

BIBLIOGRAFIA

BONILLA, A., *Hist. Ant. Lit. Costarr.,* I (1957), p. 298-30; II (1961), p. 192-197.

DENGO, OMAR, *Pequeñas dudas* [1927], en: *Escritos y Discursos* (1961), p. 205-206.

DENGO, OMAR, *Intromisión,* en: *Escritos y Discursos* (1961), p. 207-208.

DENGO, OMAR, *Silencio,* en: *Escritos y Discursos* (1961), p. 209-210.

JIMENEZ P., EMILIO, *Elías Jiménez Rojas,* "Apuntes", Supl. 14 (1945), p 509-511.

LOWENTHAL, M. DE, *Elías Jiménez Rojas,* "Apuntes", Supl. 14 (1945), p. 520-524.

MENDOZA, BRUCE, P. J., *Apuntes,* "Apuntes", Supl. 14 (1945), p. 525-527.

NUÑEZ, FRANCISCO MARIA, *Don Elías Jiménez...,* "Apuntes", Supl. 14 (1945), p. 513-516.

SOTELA, R., "Rev. Arch. Nac.", IV, 7-8 (1940), p. 415-416.

SOTELA, R., *Escritores de Costa Rica* (1942), p. 134-140.

TRISTAN, G., *Muere el sabio...,* "La Prensa Libre" (13 octubre 1945). Reprod.: "Apuntes", Supl, 14 (1945), p. 517-519.

ULLOA R., ALFONSO, *Panorama Lit. Costarr.,* en: *Panorama das Literaturas das Américas* (1959), III, p. 940.

VIELLARD-BARON, ALAIN, *Dos cartas de Kropotkin* [a Elías Jiménez Rojas], "Rev. Filos. Univ. C. R.", II 7 (1960), p. 277-299.

Joaquín García Monge

El costarricense de mayor prestigio continental lo fue durante toda la primera mitad del siglo XX Joaquín García Monge. Lo fue por mérito de la revista que publicaba, "Repertorio Americano", que pasó de los 1.200 números. Y tanto, que se hace difícil deslindar el editor y su revista, pues fueron vistos siempre como uno solo.

Joaquín García Monge fue, ante todo, novelista, "creador de la novela realista costarricense" [25]; en segundo lugar, fue educador y profesor; en tercer lugar, editor. Todo ello, como expresiones de su voluntad de "hacer algo que valga la pena". Y lo que hizo fue visto por los intelectuales del Continente y por Unamuno como que sí la valía:

"Debe, ..., señalarse el alto magisterio de Joaquín García Monge, desde su revista *Repertorio Americano* (fundada en 1919) que sustantivamente ha seguido las intenciones nobilísimas de la que don Andrés Bello con igual nombre fundó en Londres (1826) y que mantenían alertas el pensamiento y su curiosidad humanística hacia todo lo digno de proclamación, que fuera de procedencia americana" [26].

"Repertorio Americano es la más antigua y más alta tribuna del pensamiento literario, artístico y político de nuestros pueblos,..."[27].

Este prestigio no era simplemente como editor. Era humano. Como escribió C. Zelaya: "No puede vencerse fácilmente aquél que no pide ni quiere nada. Su independencia es su mayor conquista. Nadie puede arrebatársela. Por eso, don Joaquín García Monge se ha fortalecido, negando al poderoso toda posibilidad de colocarlo en posición subalterna" [28].

Joaquín García Monge nació en Desamparados en 1881. Escribió de sí mismo la siguiente autobiografía en 1929:

"Yo no tengo biografía. Aun no he hecho nada que merezca recordarse. Hace como cuarenta años nací en Desamparados, donde pasé al lado de mi madre la niñez y la adolescencia. Hice los estudios primarios y secundarios en el Liceo de Costa Rica. Un día de tantos, se le ocurrió a don Justo Facio mandarme a Chile, a hacer estudios pedagógicos. Pasé en aquel país tres años, del 1901 al 1904. Volví aquí con carrera de profesor, que a saltos y brincos he ido recorriendo. En el camino me ha tocado ser Director de la Escuela Normal y Secretario de Instrucción Pública. En ninguna parte he hecho nada. Ahora me refugio en la Biblioteca, sabe Dios

---

25 A. Bonilla, *Hist. Ant. Lit. Costarr.* (1957), I, p. 133.

26 Valle, R. H., *Hist. Ideas Contemp. Centroamérica* (1961), p. 34. "Si alguna vez en nuestra América una revista se ha convertido en institución de servicio público, en laboratorio de ideas y en paladín de los más nobles programas de cultura, *Repertorio Americano* merece dignamente tales epítetos. Se le puede mostrar como preclaro ejemplo de la honestidad y testimonio de la inteligencia amorosa ... El magisterio que García Monge ha hecho desde su revista es de los más hermosos, y gracias a ella Costa Rica ha sido el centro de un convivio sin término". *Ib.*, p. 155-156.

27 Alfredo Cardona Peña, *Entérese y ayude*, "Repertorio Americano", XLIX, 14. (1957), p. 224.

28 "Rev. Arch. Nac.", IX, 7-8 (1945), p. 342.

hasta cuando, mientras llega la hora de morir, que es la mejor. Hace como diez años me casé. Tengo un hijo que es toda mi ilusión. Si en algo he servido al país es con las ediciones. *La Colección Ariel, El Convivio* y *Repertorio Americano* anduvieron y andan por el mundo diciendo que en esta minúscula Costa Rica ha sido posible crear un hogar intelectual, una fundación de fraternidad espiritual entre las gentes de habla castellana. Por este lado y por el de la pequeña obra literaria que haya realizado *(El Moto, La Mala Sombra,* etc.) tal vez me recuerden los venideros en la familia y en la patria".

Murió en 1958.

Su afirmación "En ninguna parte he hecho nada" es literalmente exacta, en el sentido castellano de "hacer cosas". Basta pensar en un Ministro de Educación que es contrario a la existencia del Ministerio... Y, sin embargo, García Monge fue un hombre de una actividad intensa e incesante; un trabajador esforzado e infatigable; es más, como señalé antes, un hombre obsesionado por hacer siempre algo "que valga la pena". La cuestión está en qué valía la pena para García Monge.

García Monge quiso crear obras bellas, y escribió literatura. Pero incluso en la obra bella se traslucía siempre lo que fue su preocupación sempiterna: el dolor de la existencia. Optimista, amante de lo bueno de los hombres, el sufrimiento y la incomprensión le hacían sufrir. Por eso, fue un escritor angustiado. Y por eso se fijó en tres escritores: Tolstoy, Unamuno y Zolá. No por preocupaciones religiosas, que no las tuvo, sino por su ahincado ahondar en las entrañas de los hombres [29].

En sus últimos años, se resumió así:

"Mis ideales se resumen en algo que quizás parezca sencillo, pero que, con la experiencia que he cosechado, tengo por la jornada más ardua que le resta por andar a la humanidad: que renazca Cristo en el corazón de los hombres. Que todos procuremos despertar los olvidados impulsos de nuestro ser hacia lo bello y lo bueno, para que así cada uno colabore hacia una humanidad mejor, más digna de ser vivida. Que la enseñanza de Jesús, condensada, sencilla e ingenuamente en amar al prójimo como a nosotros mismos, tome profunda realidad, de manera especial en nuestra América, donde un conglomerado de pueblos y de seres unidos por lazos comunes, están llamados a crear y forjar los destinos del mundo venidero. Que atendamos el clamor de nuestros guías es-

---

29 "En la obra hay una cierta veta religiosa, que viene quizá de la influencia de Tolstoi y del amor por las gentes y las cosas del campo, y lo que se interpreta como pesimismo, que es más bien tristeza, puede no ser otra cosa que protesta contra la injusticia social, no expresada conceptualmente [en las novelas]", Abelardo Bonilla, *Hist. Lit. Costarr.*, (1957), I, p. 138.

pirituales, encarnado en los grandes pensadores americanos, y que, éstos, a su vez, sin reservas y con entereza prediquen el glorioso mensaje, usando de sus plumas libres que deben escribir siempre: Justicia, verdad y libertad!.... [30].

Un tolstoyano que, en lugar de cultivar la tierra, cultiva libros y revistas [31]; y que, en lugar de dirigirse a los campesinos rusos, se dirige a los intelectuales americanos. Ese fue el García Monge erigido en figura continental.

Y así fue un "libertario", o, si esta palabra molesta a alguien, un hombre obeso de libertad: libertad del individuo, del pensamiento, de la patria, de la humanidad. "La libertad hay que conquistarla y reconquistarla continuamente, que sólo se pierden los pueblos que se cansan de ser libres; porque si importa saber cómo fuimos libres, importa saber cómo conservarnos libres, cómo mantener en asta firme la enseña de los libertadores..."[32].

Y cuando se le ofreció una candidatura de diputado, contestó:

"No soy hombre de Partido, ni lo seré; la política no me apasiona... Como Diputado posible me reservo absoluta libertad de pensar y de conducta. A las ideas no les temo, por arriesgadas que sean. He reflexionado lo bastante la historia del mundo para explicarme que las ideas hoy alarmantes y perseguidas, mañana se aceptan sin temor. Lo esencial es que a su debido tiempo se discutan, se comprendan" [33].

Joaquín García Monge participó en la fundación del Partido Progresista Independiente, por el cual fue candidato a Diputado. El Partido fue proscrito antes (1953), acusado de comunista por el Partido Liberación.

Por esto es tan difícil resumir las ideas de García Monge, porque eran suyas todas las ideas que se desgranen de la afirmación radical de la libertad: antimonárquico, anti-centralista, antilatifundista, anticolonialista. Pero no por anti, que no fue nunca antinada. Sino por republicano, anarquista, amante del trabajo, respetuoso del prójimo [34].

Y como tantos otros, quiso ser Quijote, un Quijote visto así:

---

30 Terán Gómez, Luis, *Joaquín García Monge, ...*, "brecha", III, 9 (1959), p. 8-9.

31 Alguna vez, no muy larga, se retiró a cultivar la tierra, "atacado de una crisis de tolstoísmo agudo". Mario Sancho, *Memorias* (1962), p. 88.

32 "Repertorio Americano", III, 3 (1921), p. 30.

33 *Esto les dije:* "Repertorio Americano", XLVIII, 7 (1953), p. 108.

34 "... su antidogmatismo señero, insobornable, conductor. No le atacan aún ni se atreven con él [los políticos], pero se empecinan en la bárbara maniobra de hacer caso omiso de él. Al no poder domarlo o aplastarlo, tratan de ignorarlo". A. Arias-Larreta, en: "brecha", IV, 3 (1959), p. 6-7.

"Del Quijotismo.

"No olvidar los consejos.

"El cumplimiento de la palabra a todo gusto se antepone...

"No quitar la honra a nadie.

"Perdonar las ofensas.

"Ennoblecer hasta lo más grosero.

"Conformidad con el destino...

"Temeraria, decidida confianza en sí. ¿Quién dijo miedo?...

" ...

"Para el caballero, ante todo, el dictado de la conciencia.

"No concibe el caballero gente forzada, ¡Libertad! ¡Libertad!, el mayor de los bienes.

"...Terrible cosa ésta de redimir a villanos.

"Afortunado aquel de quien se diga! "Si no acabó grandes cosas, murió por acometerlas" [35].

Y dos citas todavía, ahora sobre su propio país:

"Así es la patria cuando se la comprende de veras, un estado de alma, de cultura, un estado de conciencia superior, conciencia de que se tiene función y un valor, de que como hombres y como pueblos, hemos venido a este mundo a hacer algo que valga la pena. No en balde se dan patria los hombres, que se la dan para crear y crecer".

"Y a Costa Rica debemos educarla para eso, para que sea un pueblo estimable, capaz de soportar los vaivenes de la fortuna con entereza y decoro. Lo de sacarle el cuerpo a los conflictos venideros no me parece bien" [36].

* * *

Y este epitafio, ahora, podría decir: Si no acabó grandes cosas, vivió acometiéndolas siempre.

OBRAS

Las literarias, que pueden verse citadas, por ejem., en ABELARDO BONILLA, y cantidad de artículos, la mayor parte en "Repertorio Americano". Desarrollando ideas filosóficas y políticas, calculo más de doscientos, incluyendo editoriales.

Añádase: *Memoria de Instrucción Pública,* 1920.

"Joaquín García Monge", Minist. de Cultura, 1971.

---

35 *Notas,* en: *Cervantes en Costa Rica* (Colección Ariel, 1916), p. 111.

36 "Repertorio Americano", III, 3 (1921), p. 30.

BIBLIOGRAFIA

Muy extensa, sólo recojo algunos que a mi intención guardan referencia.

El curriculum vitae de Joaquín García Monge por él mismo. "Repertorio Americano", 1186 (1959), p. 83.

ARIAS-LARRETA, ABRAHAM, *Así ví a Don Joaquín García Monge...,* "brecha", IV, 3 (1959), p. 6-7.

BONILLA, ABELARDO, *García Monge en la literatura costarricense,* "Educación", IV, 11 (1958), p. 8-13.

BONILLA, A., *Hist. Ant. Lit. Costarr.* (1957), p. 133-140.

CARDONA PEÑA, ALFREDO, *Gloria a Don Joaquín,* "brecha" III, 3 (1958), p. 10.

FERRERO ACOSTA, LUIS, *La clara voz de Joaquín García Monge,* San José, Ed. Don Quijote, 1963.

GARCIA CARRILLO, E., *Cosas de Don Joaquín como las vio su hijo...,* San José, Imp. Trejos, 1962, p. 78. Bibliografía en p. 53-70.

HERNANDEZ URBINA, FRANCISCO, *Don Joaquín García Monge, apóstol americano,* Cultura 12 (San Salvador, 1958), p. 230-3.

HERNANDEZ URBINA, FRANCISCO, *Don Joaquín García Monge, apóstol americano,* "brecha", I, 11 (1957), p. 18.

Homenaje a... Joaquín García Monge, "Educación", IV, 11 (1958), p. 80.

REYES, ALFONSO, *Don Joaquín García Monge,* "Brecha", III, 7 (1959), p. 7.

SANCHEZ, LUIS ALBERTO, *Proceso.,. de la novela hispanoamericana,* (Madrid, Ed. Gredos, 1953), p. 299-300.

SOTELA, ROGELIO, *Escritores de Costa Rica* (1942), p. 229-235.

VALLE, R. H., *Hist. Ideas Contemp. Centro-América* (1961), p. 83, 144-145, 155-156, 187-189.

ZELAYA, C., *El maestro García Monge,* "Rev. Arch. Nac.", IX, 7-8 (1945), p. 340-343.

Omar Dengo

Nacido en San José, en 1888. Durante sus estudios en el Liceo de Costa Rica es ganado por la influencia de Roberto Brenes Mesén, Elías Jiménez Rojas y García Monge. Inicia sus estudios de Derecho en 1908 y ya se lanza a la acción política y periodística. Profesor de 1913 a 1915 en el Liceo de Costa Rica, de Economía Política, Castellano y Lógica, en 1915 es nombrado profesor de la Escuela Normal (Heredia), de la que es Director desde 1919 a 1928, año en que muere. Fue fundador, director y colaborador de numerosos diarios y revistas.

La influencia de Roberto Brenes Mesén lo llevó a la Teosofía. La de Elías Jiménez Rojas al anarquismo.

Omar Dengo no fue un pensador original. En general, rehuía el pensamiento abstracto en sus escritos. Fue un hombre de poderosa personalidad, volcado a la acción, y el verdadero creador de la "mística del magisterio" costarricense que suele atribuirse a Mauro Fernández.

En su labor docente, centró su esfuerzo en la organización laica de la Escuela Normal. Ejerció un influjo decisivo en el país, a través de varias generaciones de maestros y profesionales. Contrario a todo dogmatismo, tanto religioso como científico.

Su anarquismo, radical y combativo en la juventud, se suavizó más tarde. "Acrata" y "libertario" son expresiones frecuentes en sus escritos. Antimilitarista descarnado y violento, estaba poseído por un intenso sentimiento de solidaridad con los hombres. Ve la historia como el proceso de la "liberación del individuo".

Su concepción del mundo era panteísta. Admitía una pervivencia del alma, no personal, y alude frecuentemente al "Alma" cósmica.

Por sus lecturas, se vio muy influido por Unamuno, Gentile, Nietzsche, Bakunin, Kropotkin, Gorki, Emerson, Coleridge, Vaz Ferreira, Renán, Dewey.

Véase en el capítulo de "Filosofía de la Educación" sus ideas en este campo.

OBRAS Y BIBLIOGRAFIA

Parte de sus escritos está recogida en:

Omar Dengo, *Escritos y Discursos,* Ministerio de Educación Pública, (San José, 1961), 479 pp.

Exposición de conjunto de su visión del mundo en: *Inquietud de la Hora,* en: *Escritos y Discursos* (1961), p. 172-176.

Bibliografía en: *Escritos y Discursos,* p. 448-479. Muy completa.

Vid.: Valle, R. H., *Hits. Ideas Contemp. Centro-América* (1961), p. 108-111.

"Omar Dengo", Minist. Cultura, 1971.

EL LIBERALISMO

Ricardo Jiménez

Durante toda esa larga vida pública que abarca cerca de sesenta años, gozó de un prestigio inmenso no alcanzado quizá por ningún otro costarricense" [37]. "Don Ricardo llegó a constituir en el país y fuera de él casi un mito" [38].

En el período que va desde las leyes liberales de 1884 a la creación en 1941 de la Universidad Nacional, período de la Costa Rica liberal patriarcalista, Ricardo Jiménez fue la figura señera. Intelectual penetrante, jurista a la francesa, político astuto, administrador de total rectitud, fue el Presidente liberal nato. Claro es que, aún así, no tendríamos por qué señalarlo en este estudio, pero es fundamental ya que sus ideas, sobre el marco del Estado construido por los liberales de la generación anterior, fueron la argamasa de maduración del país en política y en administración pública. Por otra parte, aunque no fue propiamente un pensador original, sí fue un expositor original del liberalismo político.

Se señaló [39], y con acierto, su carácter campesino, *concho*. Y no es de extrañar. Ricardo Jiménez fue un volteriano, tanto en el sentido popular de la sátira y la ironía, como en el filosófico de un racionalismo rigorista y de una dura exigencia de justicia.

Racionalista, pasado en su adolescencia por el tamiz del krausismo y del positivismo, agnóstico, creyente en el Derecho, escéptico respecto a los hombres y sus flaquezas, buen conocedor de sus paisanos, duro y hábil en la polémica, taimado calculador de procesos electorales, fue llamado "el brujo del Irazú" [40], pues impresionaba por su capacidad para prever el desenvolvimiento de los acontecimientos. Cuando Ricardo Jiménez se retiraba a su casa, seguridad había de que algo iba mal.

---

37 T. Picado, *Estudio biográfico...*, *"La Nación"* (15 noviembre 1958).

38 A. Bonilla, *Hist. Ant. Lit. Costarr.* (1957), p. 346.

39 E. Macaya, "La Tribuna" (25 marzo 1934).

40 "La masa, que siente que las palabras de don Ricardo le descubren, a manera de inaudita revelación, los secretos más íntimos de sus propias ideas, y que los traen a la luz del día desde lo más hondo de su subconciencia, ve en él algo así como un mágico poder de adivino, o quizá de brujo; sí, de brujo, he allí la palabra exacta: 'El Brujo del Irazú''. Enrique Macaya Lahmann.

Su carácter independiente y retraído, desdeñoso de homenajes, cáustico y siempre cortés, distanciador y serio, y la serie incesante de sus éxitos, profesionales, intelectuales y políticos, le dieron el prestigio de encarnar una época. Desde la siguiente, serán numerosas las voces que lo atacan [41] y critican: político no constructivo, que impidió el surgir de los jóvenes, etc. Pero ello no deja de ser un sacarlo fuera de su tiempo [42].

Aunque más joven, la figura antípoda de su madurez fue Jorge Volio. Y lo que éste tuvo de precursor de los problemas y tendencias sociales de la época siguiente, le hizo precisamente fracasar de continuo frente a Ricardo Jiménez.

Ricardo Jiménez nació en Cartago en 1859. Se graduó en la Facultad de Derecho. Discípulo de Juan Fernández Ferraz, Lorenzo Montúfar y Antonio Zambrana, entre otros. Numerosas veces Ministro, Diputado, etc. Presidente de la República en 1910-1914, 1924-1928 y 1932-1936. Después de José María Castro, único costarricense que ha ocupado la Presidencia de los tres poderes. Ultimo Vice-Rector de la Universidad de Santo Tomás; profesor en la Escuela de Derecho. Murió en 1944.

A los 84 años, dijo: "Me encuentro aislado... Mis compañeros son esos dos bustos: Voltaire y Lincoln". Y en él la frase no era pedante. Roberto Brenes Mesén, en 1923, escribió: "La característica del gobierno del señor Jiménez fue el afianzamiento de las instituciones republicanas, lo que dio al país la apariencia de un gran adelanto político". Y Abelardo Bonilla: "...llevó a cabo una obra civilizadora, de carácter cívico y político, que impuso principios y pautas definitivas en el espíritu y en la estructura de la República" [43].

* * *

"Su credo liberal..., representaba para él y para su generación, más que el liberalismo económico, sin mayor importancia en un país sin industrias y de un desenvolvimiento agrícola escaso en aquel entonces, la aspiración del liberalismo político, esto es: libertad de pensamiento y de expresión, libertad de locomoción y de

---

41 "El mundo suyo, liberal, patriarcal, de ritmo sosegado, está tocando a su fin, y fermentan las ideas que han de abrir una etapa nueva en nuestra historia. La democracia que él representa es sometida a un severo enjuiciamiento por los más jóvenes, mientras él, descreído, no toma muy en serio esos ataques". Eugenio Rodríguez Vega.

42 Por su espíritu y política contrarios al centroamericanismo, Salvador Mendieta lo vio así:
"El anciano Buda, quietista, estático, abúlico, retórico, personifica el separatismo centroamericano en lo que tiene de mejor: es el más perfecto espécimen de la fauna cuaternaria que pronto desaparecerá de nuestro mundo político, que exige nuevos seres, de más larga visión, de más intensa emotividad...". *La enfermedad de Centro-América* (Barcelona), I, p. 312.

43 Ob. c., p. 349.

reunión, libertad de prensa, libertad de sufragio, alternabilidad en el poder, respeto de los gobernantes para todas aquellas actividades de los gobernados que no signifiquen lesión para el derecho ajeno o infracción de un precepto legal" [44].

Filosóficamente, nos interesan: 1º, las polémicas en torno a la aconfesionalidad del Estado (todavía en el ambiente del XIX); 2º, el Estado liberal; 3º, el Estado civilizador; 4º, la Universidad.

Las polémicas sobre la aconfesionalidad del Estado fueron dos principales.

En la iniciada por Juan Fernández Ferraz contra Tomás Muñoz en 1885, terció al año siguiente con su trabajo *El Colegio de Cartago,* publicado en "La Enseñanza". Como tesis, sigue la de Juan Fernàidez Ferraz, pero con más vigor doctrinal:

"En lo tocante a mí, pienso que quienquiera que, exento de ideas preconcebidas, lo lea [el Nuevo Testamento], ..., deberá confesar que ni Jesús ni sus apóstoles se ocuparon jamás en predicar ideas sobre el gobierno de la sociedad, nuevas ni viejas; que nunca intentaron hacer obra política, como decimos ahora. Oportunamente, ellos volvieron la espalda a las cosas de la tierra y no se ocuparon de otra cosa que de lo supra-sensible. *Renunciad a la vida ordinaria y a todos sus fines,* ésa es la máxima de conducta en que se cristaliza la doctrina de Cristo."

"..., nunca he oído decir que los cristianos hayan hecho algo para garantizar a los que no son de su iglesia o secta el libre ejercicio de su culto".

"El explorar el *Nuevo Testamento* en busca de un catecismo de derecho público, puede llevar a inesperados hallazgos. Resultará que en vez de textos en pro de la libertad [de la Iglesia?] se encontrarán varios en pro de una incalificada sumisión a los gobiernos".

"Si fuera cierto ... que somos deudores al cristianismo de las libertades, debiéramos encontrar a la Iglesia iniciando el movimiento de ataque contra el poder arbitrario de los reyes; o cuando menos, prestando socorro a los pueblos, que bien lo necesitaban, en su lucha secular contra la ilimitada autoridad real. Los hechos enseñan lo contrario".

En conclusión, niega que el cristianismo haya propiciado la libertad política.

La segunda fue desde el Gobierno.

Siendo Presidente Carlos Durán, Ricardo Jiménez era Ministro de Instrucción Pública. En 1889, el Óbispo, en un sermón, prohibió a los padres católicos enviar a sus hijos "a escuelas dirigidas por maestros o maestras protestantes o librepensadores". Era

---

44 T. Picado, *Estudio biográfico* ..., "La Nación" (15 noviembre 1958).

un ataque directo al Colegio Superior de Señoritas (estatal), único en el país con director de religión protestante.

Ricardo Jiménez, como Ministro, el 21 de diciembre 1889, se dirigió al Obispo en los siguientes términos:

"Nuestra ley de enseñanza terminantemente prohibe todo ataque contra las convicciones religiosas de las familias cuyos niños les están confiados, y hasta ahora siempre se ha observado tan sano principio que es fundamento de nuestro sistema de enseñanza". "El Estado no da ninguna enseñanza religiosa, porque comprende que éste es un asunto que debe dejarse al cuidado de la familia o de aquellas organizaciones que tienen por fin mantener o difundir los credos religiosos, y las cuales organizaciones podrían aquí funcionar libremente en este pueblo, como acontece en otros países". "El principio que sirve de base a la política del Estado, el cual no es otro que el respeto a la libertad de conciencia, es al propio tiempo la más poderosa garantía de neutralidad religiosa en las escuelas y colegios" [45].

Y en la *Memoria* del año siguiente [46], refiriéndose a la reacción del Clero y del Obispo contra la enseñanza laica:

"El movimiento reaccionario se comenzó por la más alta jerarquía eclesiástica. Aprovechando la completa libertad de que hoy se disfruta en la República, y olvidando sus declaraciones de aceptar como un hecho consumado las varias reformas liberales existentes, el señor Obispo, seguido por parte de su clero, inició desde diciembre último una cruzada contra la enseñanza laica, que es la del Estado; y en ese empeño se llega hasta aconsejar que no se preste obediencia a las leyes de educación, por cuanto —así se afirma—, son inconstitucionales; y como consecuencia de esta propaganda de rebeldes, no han faltado padres de familia que pretendieron imponer a los maestros la enseñanza religiosa, excluída del programa oficial, o quedar eximidos, de lo contrario, de la obligación de enviar sus hijos a la escuela.

"El Gobierno ha debido poner un dique a tan peligrosa marea...

"Las medidas usadas han tenido un resultado bastante satisfactorio. ...La ley se ha cumplido sin serias dificultades... Este hecho tan significativo demuestra que el pueblo costarricense en su mayor y mejor parte, separa, con su buen sentido, por una quiebra muy honda, el dominio civil del dominio religioso; ... y que se puede afirmar con toda seguridad, que en Costa Rica, si la Iglesia cabe dentro del Estado, el Estado no cabe dentro de la Iglesia, ...

"La conducta del Gobierno... ha sido de escrupulosa observancia de la ley...

---

45 "Gaceta Oficial" (25 diciembre 1889).

46 1890. *Vid.* "brecha", IV, 3 (1959), p. 8-9.

"las que ha aplicado [disposiciones legales] tienen —no hay para qué ocultarlo— las simpatías enteras del Gobierno, aunque sus sentimientos no obedecen a deseo alguno de hacer guerra a las creencias católicas. La religión es una atmósfera fuera de la cual no viven sino contados espíritus, y enristrar la actividad del Estado a extinguir los sentimientos religiosos en quienes los tienen en la substancia de su ser, sería un abuso, un acto tiránico, comparable sólo con los procedimientos inquisitoriales encaminados a que se profese una fe que no siente y repugna el espíritu. El Estado no tiene para qué ser ni apóstol de Cristo ni antecristo;...

"Al no enseñar religión el Estado, no combate ninguna; pero mantiene separadas dos cosas que si no son tesis y antítesis, sí son dos cosas esencialmente distintas, la ciencia y la religión. Con no evangelizar a los niños en las escuelas no se les previene contra las lecciones religiosas que en otro lugar y por otras personas se les dé; pero con permitir que el clero se asiente en la escuela sí se perjudica el desarrollo científico del niño. ...

"Juzgan algunos que estos nuestros temores son exagerados; y que si se da entrada al clérigo en la escuela, se limitará a su pro-vincia exclusiva. Por desgracia, la experiencia enseña otra cosa. ... Si hoy se concede al clérigo poner el pie en la escuela, mañana habrá entrado todo el cuerpo, y en seguida querrá tomar el asiento del maestro. Los conflictos de primacía serán inevitables...

"...Estamos felizmente muy lejos de aquellos tiempos en que el Obispo de Roma relevaba a los pueblos de la obediencia a la potestad civil. La peregrinación de Enrique IV a Canossa no hay para qué emprenderla de nuevo. ...esculpir de un modo imbo-rrable en nuestras instituciones el principio de la enseñanza laica, a la par del de libertad de pensamiento, de conciencia y de cultos".

Sus ideas sobre el Estado liberal las encontramos sistematiza-das en el Veto que como Presidente interpuso en 1926 a una ley sobre censura de publicaciones:

Tras una serie de consideraciones de orden hacendístico pro-sigue:

"Se revive, en parte, una ley muy antigua: la del 21 de mayo de 1832, conforme a la cual se prohibía la introducción, circula-ción y venta de libros contrarios a la religión católica y la de *folletos voluptuosos,* denominación que, ..., corresponde a lo que hoy llamamos literatura pornográfica. Aquella ley creaba una cen-sura: la del Ordinario Diocesano. La nueva, se desentiende de los libros irreligiosos; y con respecto a los pornográficos, el Director General de Bibliotecas hará de diocesano ordinario. La ley de 1832 tuvo una vida efímera". Después de analizar los textos legales so-bre pornografía, continúa: "Según la nueva ley, la persecución se efectúa mediante la previa censura y contra lo que el censor re-suelva (...), no hay apelación ni recurso posible. Veo en ello un ataque, o cuando menos, una enseñanza, a la libertad constitucional." "No podemos dejar al humor o a la posible pudibundez de un censor la libertad de prensa". Examina las prohibiciones, en la Francia del xix, de Baudelaire, Flaubert y Maupassant: "Todo eso es apenas un recuerdo; pero si la opinión de los censores hubiera prevalecido, la suerte de aquellas maravillas de arte habría sido la de la Venus de Milo, si nadie hubiera desenterrado la estatua... Hay casos en que la pornografía es patente como la llaga del mendigo que vive de exhibirla; pero no siempre lo que es pornografía para uno tiene ese carácter para todos. Pornográfico es lo que es obsceno; obsceno vale por impúdico; impúdico significa sin pudor, deshonesto; y deshonesto equivale a lo que no es conforme a la razón ni a las ideas recibidas por buenas. Eso dice el diccionario. En las dichas ideas caben muchas graduaciones. La definición se hace borrosa, y no todos los ojos ven con claridad y distinción en dónde termina el arte y dónde comienza la desvergüenza. Por estas razones, aquí como en otros campos del pensamiento, la previa censura es muy ocasionada a decisiones arbitrarias, incompatibles con la libertad de pensar y de publicar lo que se piensa. Nuestra civilización no es la helénica; y muchos podrán pensar que unas cuantas novelas o unos cuantos poemas que no entren en el país, porque los escrúpulos de los censores sean los de una 'conciencia demasiado tímida' no serán un eclipse solar que nos deje para siempre en las tinieblas. Pero el resultado más grave que yo temo produzca la ley, será el precedente que establece. Si hoy, por razones de moral y de buenas costumbres, hacemos funcionar la previa censura, mañana por razones de buen gobierno y tranquilidad pública y defensa de las ideas recibidas por buenas, podrá un régimen reaccionario, invocando el precedente de hoy, extender la jurisdicción del censor, hasta el punto de que se nos aísle del movimiento intelectual que viven los países de ideas avanzadas y quedemos costreñidos a enterarnos, solamente de contrabando, de las nuevas conquistas del espíritu humano. En las repúblicas no podemos impedir que nuevas voces y nuevos acentos se oigan. El progreso político y social depende de los innovadores y de la mutua tolerancia. Ni podemos cerrar nuestras fronteras a las vibraciones del radio, ni podemos cerrar nuestras ventanas a las voces que vienen de afuera. Para el comercio intelectual no debe haber aduanas. Hoy como ayer es buena, es indispensable, la libre comunicación del pensamiento que garantiza el artículo 37 de la Constitución; y toda medida que ponga en riesgo próximo o lejano, el ejercicio de ese derecho, no es recomendable, y, a mi juicio, más vale no tomarla, cualesquiera que sean las razones secundarias que la abonen" [47].

---

47 "La Gaceta", 179 (6 agosto 1926).

Sin embargo, en lo económico podría ser denominado neo-liberal. El Estado debe intervenir para evitar el progresivo distanciamiento entre las clases sociales, mediante impuestos a los ricos, empleados luego en beneficio común: "La clase pudiente misma si comprende su propio interés, debe allanarse a compartir con el Estado, en justa proporción, sus ganancias. Si no lo hace dará pábulo a la importación de ideas extremistas que tiendan a la destrucción del orden existente y que encuentran terreno abonado donde quiera que hay injusticias en el repartimiento de los impuestos" [48].

El Estado civilizador es objeto de consideración en numerosos escritos de Ricardo Jiménez, como natural derivación del Estado liberal. Pero como típicas, considero las ideas del *Veto* que, también como Presidente, interpuso a una ley sobre el juego de gallos:

"A mis ojos esa ley, si llega a darse, significará que nuestras costumbres bien necesitadas todavía de perfeccionamiento, sufren una nueva y lamentable caída. Es mala esa ley porque fomenta el juego, . . . ; es mala porque . . . habría de hacer lo mismo con las puertas de los garitos, porque ver correr los dados es menos innoble que ver correr la sangre de animales sacrificados para solaz o . . . codicia de los jugadores. En el juego de gallos no hay de noble sino el denuedo de los animales. . . . Pueblo que se divierte así, pueblo que goza torturando seres, es pueblo que está aún por civilizar. . . . no pondré mi firma en el decreto que me habéis enviado; que sean otras las voluntades que lo autoricen. Ayudaré en cuanto pueda a que Costa Rica sea una segunda Suiza —Suiza por lo pequeña, por lo montañosa, por lo culta, por lo libre— pero ayudar a que Costa Rica se convierta en un segundo principado de Mónaco, eso nunca jamás" [49].

El fuerte pragmatismo político de Ricardo Jiménez se manifiesta, igualmente, en los artículos doctrinales, que publicó en "Repertorio Americano". Algunas muestras pueden ser las siguientes:

"No gobiernan los papeles sino los hombres. Tanto valen los gobernantes, tanto valen sus prácticas políticas. Colecciones de leyes no atajan desafueros. . . . La abnegación y la rectitud de los ciudadanos es la piedra con que se construyen los diques políticos para la defensa de las libertades; y el consenso de todos, en el propósito de buen gobierno, la argamasa que las petrifica en bloque indestructible" [50].

"Para servir al país no es preciso tener asiento en el Congreso. Entre las ilusiones que he ido dejando 'en los azares del camino' está la de que los Gobiernos o Congresos sean la causa o siquiera la

48 *Memoria* al Congreso. de 8 mayo 1924.

49 Reproducido en: Sotela, R., *Escritores de Costa Rica* (1942), p. 128-130.

50 (11 setiembre 1919).

levadura de la transformación progresiva de la sociedad. La proporción: tal país, tal gobierno, es cierta; pero la recíproca; tal gobierno, tal país, es falsa". "Hay que cambiar a los gobernantes, siempre es bueno, pero, sobre todo, hay que cambiar a los gobernados" [51].

Su opinión sobre la autonomía universitaria y la libertad de cátedra la veremos en el capítulo sobre los Estudios de Filosofía, al tratar de la Universidad.

OBRAS

En su juventud, artículos en "Costa Rica Ilustrada" y "Guatemala Ilustrada"; en 1884, en "El Ciudadano".

Gran número de reportajes y entrevistas de tipo político, en la prensa, que no se recogen aquí.

El Colegio de Cartago. "La Enseñanza", II (1885). Reed., 1921. Reprod. en parte: Bonilla, A. *Hist. Ant. Lit. Costarr.* (1961), II, p. 180-191.

Curso de Instrucción Cívica para uso de las escuelas de Costa Rica, (San José, Tip. Nacional, 1888), 100 pp.

Nota..., "Gaceta Oficial" (25 diciembre 1889).

Memoria de Instrucción Pública, 6 mayo 1890. Reproducida en parte en: "brecha", IV, 3 (1959), p. 8-9.

El Doctor Cruz y el Gobierno de Costa Rica, (San José, Tip. Nacional, 1905), 121 pp.

Discurso... [sobre A. Zambrana] de 9 febrero 1907. "La Nación" (12 septiembre 1958).

La lucha es necesaria, "La Aurora Social" (17 septiembre 1912).

Veto a propósito del juego de gallos, "El Foro", VIII, 3 (1912), "Repertorio Americano", 1 enero 1920, p. 90-92. Reprod.: Sotela, R., *Escritores de Costa Rica* (1942), p. 128-130.

La noche del 28 de abril, [de 1914], (San José, 1919).

Una lección de energía, "Revista de Costa Rica", I, 4 (1919), p. 100-104.

"Repertorio Americano". 11 setiembre 1919.

"Repertorio Americano". 11 noviembre 1919.

"Repertorio Americano". 15 noviembre 1919.

"Repertorio Americano". 11 diciembre 1919.

"Repertorio Americano". 26 septiembre 1921.

"Repertorio Americano". 21 noviembre 1921.

"Repertorio Americano". 16 enero 1922.

El cuartel, la Iglesia y la Escuela, Discurso de diciembre 1922.

Mensaje presidencial de 8 mayo 1924.

Instrucción Cívica, 1926.

---

51 (15 noviembre 1919).

Veto... *a la censura de publicaciones,* "La Gaceta", N⁰ 179 (6 agosto 1926). Reproducido en: "La Nación" (9 noviembre 1958).

Mensaje presidencial, de 1 mayo 1935.

Lo que dice..., en: Pinaud, J. M. *El 7 de noviembre de 1889,* (San José), Imp. La Tribuna, 1942), p. 45-61. *Ib.,* p. 109-115.

Semblanza de Don Julián Volio, "Rev. Arch. Nac.", VII, 3-4 (1943), p. 115-118.

"La Tribuna" (25 abril 1944). Reproducido en: "Educación", IV, 10 (1958), p. 18-19.

Mensajes presidenciales, "Rev. Arch. Nac.", XIX, 1-6 (1955), p. 113-169.

BIBLIOGRAFIA

Aguilar Machado, Alejandro, *Discurso*... *Cleto González Víquez y Ricardo Jiménez Oreamuno,* "brecha", IV, 4 (1959), p. 22-24.

Albertazzi Avendaño, Jose, *El Perfil Moral Costarricense,* San José, 1967, p. 144.

Bejarano, Leticia, *Don Ricardo y La Bruyére,* "Diario de Costa Rica" (15 noviembre 1958).

Bonilla, A., *Hist. Ant. Lit. Costarr.* (1957), p. 346-349.

Bonilla, H. H., *Nuestros Presidentes* (San José, 1942), p. 158-205.

"Carlomagno", *Reflexiones políticas,* (San José, Imp. San José, 1924), p. 44.

Chacon Trejos, Gonzalo, *Maquiavelo, Maquiavelismo del Presidente Ricardo Jiménez,* (San José, Imp. Trejos, 1935).

Don Ricardo y la Universidad, "La Nación" (15 noviembre 1958).

Duran Escalante, Santiago, *Discurso...,* San José, Imp. Tormo, 1932), p. 16.

En la muerte de... *Ricardo Jiménez O.,* "Rev. Arch. Nac.", IX, 1-2, (1945), p. 3-5.

Gonzalez Viquez, Cleto, en: *Dos próceres,* Publ. Escuela Normal, 1918.

Gutierrez Jimenez, Mario, *Vida y obra de Don Ricardo Jiménez,* sin lugar ni fecha, (Lit. Odeca [San Salvador, 1950?]).

Homenaje... *Ricardo Jiménez O.,* "Educación", IV, 10 (1958), p. 1-20.

Jimenez, Carlos Maria, *Manifiesto del Partido Republicano a los Costarricenses,* (San José, Imp. "La Tribuna", 1928), p. 88.

Jones, Fernando, *Don Ricardo!...,* "Surco", 26 (1942), p. 14-16.

Macaya Lahmann, Enrique, *Dos grandes videntes,* en: Bonilla, A., *Hist. Ant. Lit. Costarr.* (1961), II, p. 217-228.

Hernandez de Leon, F., *De las gentes que conocí,* (Guatemala 1958), p. 141-146.

Mendieta, Salvador, *La enfermedad de Centro-América,* (Barcelona, [1934], Maucci), I, p. 309-314.

Navarro Bolandi, Hugo, *La generación del 48* (México, 1957), p. 31-79.

PICADO, TEODORO, *Estudio biográfico del Licenciado Ricardo Jiménez Oreamuno,* Discurso en la Academia Nicaragüense de la Lengua. "La Nación" (15 noviembre 1958).

SANABRIA, VICTOR, *... Thiel* (1941), p. 272-278.

SANCHO, MARIO, *Memorias* (1962), p. 66-71, 170-181, 251-256.

SOLERA RODRIGUEZ, GUILLERMO, *Beneméritos de la Patria* (1958), p. 125-131.

SOTELA, ROGELIO, *Escritores de Costa Rica* (1942), p. 126-133.

VOLIO, JORGE, *Discurso Político...,* "Diario del Comercio" (16 febrero 1924).

VOLIO, JORGE, *Refutando a Don Ricardo Jiménez,* "La Nave", 62 (21 diciembre 1912).

URIARTE, AMANDA C., *Dinámica de la Democracia Americana,* "Rev. Arch. Nac.", VIII, 3-4 (1944), p. 128-133.

TOVAR, ROMULO, *Don Ricardo Jiménez,* "Diario de Costa Rica" (15 noviembre 1958).

VALLE, R., H., *Hist. Ideas Contemp. Centro-América* (1960), p. 69, 182-184, 295.

ZELAYA, RAMON, *Mea culpa centroamericana,* (San José, Imp. Alsina, 1920), 60 pp.

ZUÑIGA MONTUFAR, TOBIAS, *Ricardo Jiménez,* 'La Nación" (9 noviembre 1958).

RODRIGUEZ VEGA, EUGENIO, *Los días de don Ricardo Jiménez,* Ed. Costa Rica, 1970.

Cleto González Víquez

La trayectoria política de Cleto González Víquez ofrece similitud con la de Ricardo Jiménez, aunque temperamentalmente eran polos opuestos. Algunas veces en colaboración, y muchas en oposición violenta, ambas figuras incardinan medio siglo de política costarricense. Representan el estereotipo de la política nacional dirigida por la última generación de abogados de la Universidad de Santo Tomás. El liberalismo de base positivista, y de una ya diluida influencia krausista, encontró así, en Cleto González Víquez un firme sustentador en la labor permanente de la administración pública.

Pequeño de estatura, más bien flaco, dinámico y enérgico, complaciente y paternal, buen abogado y honesto Presidente, hábil en las luchas de partidos, puede vérsele como encarnación del historiador-abogado de la meseta. He oído llamarle "el hombre público por excelencia de Costa Rica", y la denominación le cuadra bien. Formalista de criterio, progresista de ideas, laicista en la enseñanza, desconfiado de toda empresa colectiva, sus últimos años fueron dedicados a la investigación histórica. Su más marcado contraste con Ricardo Jiménez, es su mente concreta. Mientras que Ricardo Jiménez siempre se movía en el plano de las ideas y toda polémica la tornaba ideológica, Cleto González Víquez rehuía el plano de los conceptos para atenerse a los hechos concretos: el primero fue un doctrinario; el segundo un historiador. Su acción permanente en la estructuración liberal del Estado, justifica su puesto en esta obra.

Nació en Barba, Heredia, en 1858. Hizo sus estudios secundarios en el Colegio San Luis de Cartago, y luego ingresó a la Universidad de Santo Tomás, donde se graduó de Licenciado en Leyes en 1884. Al año siguiente fue nombrado Secretario de la Legación de Costa Rica en Washington. En el gobierno del Licenciado Bernardo Soto fue primero Subsecretario, y luego Secretario de Estado. En 1892, Diputado al Congreso. En 1902 fue nombrado Segundo Designado a la Presidencia de la República y Secretario de Estado en los ramos de Hacienda y Comercio. En 1905 presidió la Municipalidad de San José. En 1906 fue electo Presidente de la República, hasta 1910. Posteriormente fue Diputado, en 1928 se le reeligió Presidente de la República, hasta 1932. Murió en 1937.

De sus escritos, que han sido de gran importancia en el desarrollo de la historiografía nacional, sólo voy a referirme ahora a su "exposición" en su examen público para el grado de Bachiller en Derecho, en 1877[52], pues en él muestra ya la idea del Derecho y de la Moral que sería su norma permanente de conducta. "La ley en suma no es más que la declaración del legislador sobre un objeto del derecho, y el derecho no es otra cosa que la voluntad de Dios manifiesta á propósito de los negocios de la tierra; por eso es que tiene sus caracteres, por eso es que el derecho es uno, eterno é invariable."

"Sin embargo, el derecho, como todo lo que al hombre se refiere, necesita de progreso, digo mal: el derecho no progresa, el derecho tan solo necesita de desarrollo y á medida que la ciencia avanza, ha ido deslindándose la línea de separación que media entre la ley y el derecho. Con todo, el grado de perfección que es legítimo esperar será la completa armonía de lo que es con lo que debe ser: que no haya códigos ni reglamentos, sino solo entera conformidad de nuestros actos con los preceptos del derecho; por eso es que hay hoy en cada nación un derecho; por eso seguirá en la escala del progreso la unión de los pueblos de igual origen, gobernados por una legislación sola, y por último, la federación de todos los pueblos del universo, gobernados por la razón. Delirios de imaginaciones exaltadas, se ha dicho, pero ved ahí..., el ideal que debe la humanidad tener presente en la realización de su destino.

---

52 "El Horizonte". N⁰ 12 (San José, 7 de diciembre 1877).

"Esta ciencia importantísima no debe tener límites: ¿á qué no puede aplicarse la idea del derecho? Toda la vida del hombre está sujeta á sus preceptos; con razón, pues, se ha dicho que el derecho es la vida.

"Mas no debe confundirse por esto la ciencia del derecho con la moral: ambas se refieren al hombre, trátanlo, empero, de un modo muy diverso: el derecho se refiere más á la acción que á la voluntad; la moral considera más el motivo que el hecho; la moral mira al hombre como individuo, el derecho como miembro de una asociación; la moral es más subjetiva, y es más objetivo el derecho.

"El derecho y la moral se diferencian sobre todo en que el primero es una ciencia de manifestación, no interviene en las conciencias de los individuos, su poder no se extiende hasta juzgar los móviles de la acción; la moral por el contrario escudriña lo más recóndito de la conciencia y da á cada uno lo que su acción en vista de la voluntad merece...

"Tampoco admito el absurdo por algunos autorizado de que la conciencia se divida en moral y legal: la conciencia como la moralidad de un acto no es ni puede ser más que una, lo contrario sería confesar que un acto puede ser justo á la vez que injusto, y que un individuo puede obrar bien y mal al mismo tiempo. Además, eso que se llama convicción moral suele no ser más que un juicio anticipado, que por lo general no tiene fundamento alguno y que en más de un caso se la ha visto desvanecerse ante una prueba".

"El derecho, por otra parte, es tan antiguo como el hombre, y á nadie más que á él pueden afectar sus preceptos; hoy día, por lo tanto, es una verdad reconocida que el hombre no ha sido formado para el derecho sino el derecho para el hombre".

Juan Trejos

El hidalgo español ha quedado como un estereotipo de perfiles muy netos: bien plantado, recto, probo, con señorío, sin altanería, capaz de afrontar todas las situaciones desde la conciencia de la propia dignidad humana.

Juan Trejos es un hidalgo.

Nació en San José, en 1884. Estudió Derecho y luego se dedicó a la Librería e Imprenta. Siguió los cursos de la Facultad de Filosofía y Letras. Especialmente interesado por la Psicología y las Ciencias Económicas. Diputado Constituyente en 1949. Secretario de la Academia de la Lengua.

Liberal e individualista, en sus artículos, libros y actuación política ha mantenido siempre una postura de confianza en el libre juego político y económico de la ley de la oferta y la demanda. Identifica socialismo y estatismo.

En *los principios de la Economía Política* desarrolla de manera sistemática la tesis liberal, fundamentándola en la visión del hombre como persona que construye su propio yo: "... la tendencia natural del hombre va hacia el mayor desarrollo posible de su personalidad" (p. 23). Este desarrollo, en su fricción con el de otros hombres, debe regularse por el altruismo. Como ley básica de los esfuerzos humanos halla la de la obtención del máximo rendimiento con el mínimo esfuerzo. El libre juego de las relaciones humanas da el máximo de bienestar, puesto que estimula la iniciativa y el espíritu de creación.

La intervención del Estado (tesis neoliberal) debe limitarse a salvaguardar precisamente la libre oferta y demanda. La llamada 'planificación" es siempre nociva, pues, o provoca mercados al margen de la ley, o atrofia la iniciativa de los individuos.

Si el liberalismo sufrió la crisis de entre las dos guerras, no fue como consecuencia de su propia doctrina, sino precisamente por no aplicarlo integralmente. "El estatismo es una tendencia instintiva que fácilmente ofusca la mente de los que ejercen el poder" [53].

"... hemos de aplaudir, pues, toda ley que se promulgue para garantizar la libertad de los individuos, como son las leyes que prohiben los monopolios y las asociaciones formadas con el fin de fijar precios entorpeciendo el libre juego de oferta y demanda —los trust— y hemos de combatir toda ley que impida o dificulte ese mismo libre juego, como son las leyes de control de cambios, de salario mínimo, de protecciones parciales y toda ley que tienda a centralizar la dirección de las economías privadas. En resumen, hemos de alabar las leyes que impiden al hombre privar de libertad a su semejante en cualquier forma, e impugnar aquellas que coartan la libre iniciativa de los ciudadanos en cualesquiera de sus actividades" [54].

"El método liberal tuvo su apogeo a mediados del siglo diecinueve y fue aquella una época de prosperidad y de paz en el mundo; ... Pero ya desde 1870, por la penetración lenta y extensiva de un concepto divinizante del Estado, por una parte, y por la reciente difusión del positivismo sociológico, por otra parte, comenzó la reacción del método colectivista. Desafortunadamente, también el liberalismo militante comenzó a apartarse de las legítimas prácticas liberales, formando monopolios y estableciendo privilegios y a desviarse de la línea moral que propiamente lo acreditaba. Un nacionalismo vicioso fue luego tomando cuerpo..." "Esta situación del mundo hizo posible el desafuero más enorme y criminal que haya visto la humanidad hasta ahora en todos los siglos. Así llegó el mundo a la guerra de 1940. Ahora no dudo que nos

---

53 *Temas*... (1954), p. 6.
54 *Ib.*, 45.

salvaremos del absolutismo alemán, pero luego nos veremos ante una alternativa que no admitirá términos medios: o vamos de lleno al socialismo, como ciertos partidos lo quieren, o volvemos igualmente de lleno a nuestro abandonado régimen liberal".

"Educación, a fin de volver al liberalismo político-económico, formación mental, contextura liberal del ciudadano. Me parece que esta es la primera disposición a tomar desde ahora".

"El libre-cambio, nacional e internacional, fuente de riqueza y de paz, sólo es posible en un sano ambiente moral".

"Hoy sólo se piensa en reclamar derechos; muy pocas personas piensan en sus deberes. Por eso insisto en que nuestro primer y principal cuidado se dirija a levantar el nivel intelectual y moral del pueblo enseñándole a ser libre, a tener iniciativa, a ser responsable y a no esperarlo todo del Gobierno" [55].

Esta postura liberal se fundamenta en una concepción psicológica, que estudiaremos en el capítulo "Psicología". La concepción filosófica general de Juan Trejos se basa en la doctrina del retorno eterno de los griegos, que desarrolla de la siguiente manera:

"En el mundo infinito reside el ser creado, el ser que llegó a ser y que tiene una causa; es creado y es capaz de durar infinitamente. Este ser no tiene fin pero tiene límites en su propio espacio y en sus movimientos. Este ser se despliega a semejanza de una línea de pincel que se estuviera trazando perpetuamente, fuera de tiempo, como una estela que se extiende sobre un espacio limitado; el movimiento del trazo, es el acto, y el espacio del mismo trazo es potencia pasiva, es la capacidad evolutiva del ser; capacidad limitada, pero perdurable", " ... concebimos la existencia del ser, o sea, su duración en acto. Luego distinguimos los conceptos anexos que son: la eternidad, como atributo exclusivo de la Divinidad creadora, y la infinidad, que es, en este caso, atributo de los seres creados". Después de exponer el eterno retorno según los griegos, sigue: "No es quimérico pensar que el ser humano sea de veras en la vida un ser de naturaleza rotatoria, como es la de esos maravillosos seres del espacio ... es el orden del universo el que conduce necesariamente a la resurrección personal, ...". "pero el hecho probable, ..., es que el hombre vuelva a pasar por este mundo a cabo de millones de años terrestres, dejando aquella misma estela de recuerdos de su vida y de su obra ... Luego desaparece de nuevo este ser humano, como anteriormente, y después retornará de allá de lo infinito, al cabo de otros muchísimos siglos, y sigue ocultándose ..., siempre de la misma manera, infinitamente, en virtud de su propia naturaleza material cuya contextura obedece a un movimiento cíclico." "Una minuciosa observación nos puede llevar al convencimiento de la espiritualidad del ser humano, que es innata"

55 *Ideario Costarricense* (1943), p. 406-409.

"Mediante esa rotación periódica de la materia, el individuo humano puede perfeccionar infinitamente su propia esencia espiritual,... Y entonces, este ser personal y libre se puede acercar siempre más cada vez, al Dios de Amor y de Sabiduría" [56].

OBRAS

[Las obras de Psicología, en el capítulo correspondiente].

Palabras introductorias a: SOLEY TOMAS, *Historia Económica y Hacendaria de Costa Rica,* (1947), p. V-X.

Los principios de la Economía Política, (San José, Imp. Trejos, 1938); 2ª ed., 1944, 160 pp. 3ª ed., 1951.

Respuestas del Sr. ..., en: *Ideario Costarricense* (1943), p. 406-409. Reprod.: *Temas...* (1954), p. 79-86.

[mociones y discursos] *Asamblea Nal. Constituyente de 1949,* Tomo II (1955), p. 438-440; 446-447; 466-467; tomo III, p. 110-112.

Temas de nuestro tiempo, (San José, Ed. Trejos, 1954), 220 pp.

Los principales problemas económicos que tiene planteados el país, "Rev. Univ. C. R.", 11 (1955), p. 11-22.

El libro español, "Mundo Hispánico", 141 (Madrid, 1959), p. 49.

La doctrina del eterno retorno, "Rev. Filos. Univ. C. R.", II, 8 (1960), p. 343-349.

La doctrina del eterno retorno y los avances de las Ciencias, (San José, Imp. Trejos, 1962), 63 pp.

BIBLIOGRAFIA

[ELIAS JIMENEZ ROJAS], *Los principios de la Economía Política,* "Apuntes", IV (1938), p. 233-247.

JIMENEZ ROJAS, ELIAS, en: "Apuntes", IV (1938), p. 278.

FACIO, RODRIGO, en: *Asamblea Nal. Constituyente,* tomo I (1953), p. 596-597.

HERNANDEZ POVEDA, RUBEN, *Desde la barra,* (San José, Ed. Borrasé, 1953).

Hernán G. Peralta

Hernán G. Peralta nació en San José en 1892. Estudios de Derecho en la Universidad de Barcelona, España, en 1925. Profesor de Historia y Economía en la Universidad y en el Liceo de Costa Rica, en distintos años, desde 1935 es Secretario General del Banco Nacional. Presidente de la Academia Costarricense de la Lengua, miembro correspondiente de la de la Historia, es un historiador de prestigio y ha publicado numerosos volúmenes, muy apreciados.

---

56 "Rev. Filos. Univ. C. R.", II, 8 (1960), p. 343-349.

En sus estudios de historia costarricense se aprecia claramente su tendencia liberal, conservadora y católica.

"He sido siempre liberal demócrata de tipo inglés". "...si bien es cierto que el liberalismo está derrotado, no sabemos si la derrota sea más bien desgaste, y si la corriente intervencionista de ahora tendrá asimismo su final, también por desgaste". "En Costa Rica no hemos sido nunca doctrinarios ni ha precisado que lo seamos". "Lo que considero fundamental es la conservación de lo único que singulariza a Costa Rica dentro del Continente; su educación política". "Cuidar de que las instituciones del Estado se surtan del esfuerzo individual..." "La división de poderes debe ser absoluta". "El problema fundamental de Costa Rica es de administración y no de política"[57].

Similar postura desarrolla en: *Una forma de conjurar la crisis económica sería ensanchando caminos y provocando la inmigración hacia nuestras tierras* [58], de título suficientemente explícito, si se lo relaciona con la reforma agraria y con la falta de densidad de población.

Otra faceta de su pensamiento es la de hispanista. Así, su obra *España y América* [59], con el siguiente índice:

Prólogo de Valeriano F. Ferraz. El por qué de este libro. *Primera parte:* I Al Autor de Clarinada. II Consideraciones preliminares. III La erudición moderna. IV La Conquista. V Los nuevos Césares. VI De un libro costarricense. *Segunda parte:* I Las Colonias. II Ciencias, Letras y Artes. III Magnificencia en obras públicas. IV Suntuosos monumentos. V De un escritor norteamericano. VI Ultimas palabras sobre las Colonias. VII Contrastes autorizados. *Tercera parte:* I La Revolución. II Procedencia. III Justicia y simpatías. Conclusión.

Valoración positiva de la visión histórica favorable a la obra española en América, es la tesis desarrollada con acopio de datos y brillantez polémica.

BIBLIOGRAFIA

ABARCA M., RITA MA. *Bibliografía de Don Hernán G. Peralta,* [mecanografiado], Depto. de Historia, Universidad de Costa Rica, 1961, 13 pp.

PERALTA, HERNAN G., *El Lic. don... algunos conceptos sobresalientes de nuestra historia patria, "Idearium",* 1 (1951), p. 3.

El Derecho Constitucional en la Independencia de Costa Rica, San José, Imp. Trejos, 1965, p. 59.

---

57 Peralta Quirós, Hernán G., *Respuesta del Sr. ... , en Ideario Costarricense* (San José, 1943), p. 349-353).

58 A.B.C. (San José, 29 julio 1930).

59 San José, Imp. Alsina, 1918, 79 pp.

Mario González Feo

Hombre de vocación intelectual, a lo largo de muchos años ha asomado su pluma en la prensa en forma de artículos variados, unos de política, otros de preocupación por los temas de la vida cotidiana nacional, otros de reflexión personal. Recogidos en dos volúmenes, su título es significativo: *Nihil* [60].

Su actitud política es de liberal de viejo cuño, es decir, sin concesiones: El respeto a la libertad política y el culto a la libre empresa. El Estado es poco eficaz y la burocracia es traba para el hombre emprendedor. Se inventa un personaje, "el Doctor Luná- tico", en cuyos labios pone juicios contundentes sobre sus paisanos: "Un presidente puede o no resultar eficiente, pero a todos nos alienta la esperanza de que cuatro años pasan pronto". El estatismo es visto como la panacea de quienes no trabajan, amén de ser sis- tema desacreditado hace décadas internacionalmente. El estatismo es "nugatorio y corrompido". De la misma manera, la unión centroa- mericana es objeto de juicios muy duros y reiterados: "Es ignominia para nuestro país que tenga que pedir permiso aun para su propia defensa y salvación económica a los centroamericanos". Parafrasea a Gregorio Marañón: "Cada día me siento más liberal y menos de- mócrata".

Estos juicios, un mucho unamunianos, en fondo y en estilo, no son aislados, sino constantes de un publicista de pluma frecuente- mente tremebunda y de un gusto muy acendrado por el arte.

Miguel Angel Rodríguez

Es el más sistemático y doctrinalmente polémico de los liberales jóvenes. Nacido en 1940, Licenciado en Derecho y en Economía, es autor de dos obras valiosas sobre estos temas. Considero que el título de la primera, *El mito de la racionalidad del socialismo,* es suficientemente ilustrativo: " . . . la impotencia del régimen so- cialista para optar racionalmente por la forma de producción más conveniente" (p. 119). Frente a ese fracaso, presenta la alternativa de "la economía de competencia": "La posición liberal es una po- lítica de interés general que no pide al individuo sacrificio de sus intereses particulares, sino que exige que se tome en consideración la necesidad de crear armonía entre todos los intereses individuales a fin de que se disuelvan en el todo del interés general". "Sólo el sistema de economía de tráfico ofrece una solución a los problemas

---

60   Vol. I, San José, 1965; vol. II, 1967, p. 526.

económicos y un aumento del bienestar general" (p. 122-123). El segundo libro es un estudio de la libertad y de las condiciones del orden jurídico que pueden garantizar su vigencia. Frente a los intentos de menguar la libertad, plantea una noción progresista: "los amantes de la libertad no miran hacia atrás ni propician la inmovilidad... El sistema social que los inspira propone liberar la mayor cantidad de fuerza para el progreso y la evolución". De ahí: "Solamente el deseo de los hombres de ser dignos y libres puede fortalecer y mantener un régimen de libertad".

Otros Liberales

La mayor parte de los políticos que han actuado en la escena costarricense podrían señalarse en este apartado. El criterio, restringido, que he seguido ha sido el de la producción bibliográfica doctrinal, la cual es muy difícil de cribar de entre las publicaciones de las campañas electorales. Numerosos son, por ej., los artículos de Otilio Ulate, periodista, Presidente de la República, de temas de política concreta electoral; los de Emilio Jiménez, sobrino de Elías Jiménez, que publica con frecuencia con diferentes pseudónimos (y que probablemente merece un estudio especial) siempre en defensa de la iniciativa individual; Fernando Trejos Escalante, médico, Diputado, autor de interesantes publicaciones sobre los seguros médicos estatales y su liberalización; etc.

Mario Echandi, Abogado, Diputado, Presidente de la República (1957-62) es el político más inteligente del país. En su actuación política ha mantenido la tesis liberal. Siendo Presidente, permitió que el Profesor Abelardo Bonilla, Vicepresidente, ocupara la Presidencia en los mismos días en que presidía el Congreso de Filosofía, 1961 [62].

Enrique Benavides, Abogado, replantea el concepto de liberalismo sobre la perspectiva histórica de su función formadora del espíritu occidental y como medio eficaz de realizar en unidad lo

---

[62] "Durante los días en que se celebró el Congreso, el Presidente de la República de Costa Rica, señor Echandi, renunció su alta magistratura en la persona del vicepresidente, profesor Bonilla, quien era al mismo tiempo presidente de la admirable reunión de filósofos. Durante seis días, "seis días que debieran maravillar al mundo", este pequeño paraíso terrenal que es Costa Rica, la Atenas de nuestros tiempos, vivió la "República de Platón", no en la académica frialdad de los textos, sino en el calor y dinamismo de la vida. El profesor Bonilla, presidente del II Congreso Interamericano de Filosofía, fue presidente efectivo de su país y alternó su presencia y participación activa en los debates filosóficos que se celebraron en la Universidad de San José, con las tareas político-administrativas de su país. Echandi se retiró discretamente de la escena pública, nadie supo nada de él durante aquellos luminosos seis días, para que la presidencia de Bonilla pudiera desarrollarse sin la más mínima coacción por parte del jefe constitucional del país". JAUME MIRAVITLLES, *Costa Rica*, "Novedades" (México, 31 julio 1961).

social y lo individual. El igualitarismo es visto como un retorno al intervencionismo feudal. La revolución bolchevique es un fenómeno regresivo. "El libre cambio, tesis medular del liberalismo, llegará a ser la norma del futuro". Y con amplitud expone el neoliberalismo [63].

La Asociación Nacional de Fomento Económico (ANFE) desde 1958 mantiene una constante lucha por las ideas liberales, especialmente en el plano económico. La siguiente puede servir como una buena autodefinición:

"La ANFE se fundó para defender la libertad en los aspectos en que ésta se encuentra menoscabada. Como el aspecto económico es el que está más mal, de ahí el que nos hayamos dedicado a propiciar la libertad económica. Pero nunca hemos perdido de vista que el énfasis está en la libertad y no en lo económico.

"Emprendimos una lucha que ya tiene nueve años de existencia y desde entonces por esta lucha, que ha sido dura todo el tiempo, nos han calificado con una serie de adjetivos entre los cuales se destacan los de reaccionarios, conservadores y dogmáticos.

"Vamos a aclarar: somos liberales y nada más. Lo cual quiere decir que defendimos la libertad y las posiciones racionales. Esta es nuestra definición, que automáticamente excluye los adjetivos mencionados.

"Con esa base no se puede ser conservador, porque este término se emplea para calificar a quienes no desean cambios en el orden social existente. ¿Puede calificársenos de conservadores cuando luchamos en forma constante para que se cambie lo que esta mal?

"Tampoco somos dogmáticos. Dogmáticos son quienes aceptan dogmas. Es decir, quienes aceptan lo no razonable y lo defienden con base en la fe, en la pasión o en ataduras como juramentos.

"Nosotros, en cambio, pensamos que la razón es el instrumento esencial del ser humano, el que le da su valor más auténtico y el que le permite, junto con otras cualidades, lograr su progreso moral, cultural y material. Defender lo que es producto del razonamiento con el énfasis que permite haber llegado a una verdadera convicción, no es ser dogmático. Lo más que puede ocurrir es que se esté en un error, pero nunca en posición dogmática. "En cuanto a reaccionarios, podríamos aceptar el calificativo, si él se aplica a los que reaccionan ante lo que está malo para mejorarlo [64].

---

63 Enrique Benavides, *El liberalismo y la política de masas*, San José, Imp. Vargas, 1965, p. 24. *Anatomía del Socialismo*, ANFE, 1963, p. 42 y editoriales en *La Nación* 1973-74.

64 *La Nación* (7 septiembre 1967). "El pensamiento vivo de ANFE", Imp. Trejos, 1966, p. 110.

Norberto de Castro

Discípulo de Jorge Volio, es historiador y genealogista, campos en los que ha publicado numerosos estudios, y especialista en tagmatología. En muchos de ellos, se trasluce su concepción aristocrática de la vida, así como su liberalismo monárquico [65].

Nació en San José en 1921; Doctor en Filosofía y Letras, reside en París desde 1955, como Delegado de su país ante la UNESCO[66]. Muerto en 1970.

Especialmente interesante es su artículo *Los liberales también somos católicos* [67]. " . . . liberal de vieja estirpe", se plantea el tema de que la cifra habitualmente dada de católicos incluye a "la ingente masa de los liberales". "El contenido filosófico del Cristianismo ha sido como extendido por los liberales a otros campos, que los Padres de la Iglesia y los Pontífices no habían contemplado por no ser esencial a la religión: los sectores social, político, económico, etc. El liberalismo, en el fondo, hizo suya la preciosa enseñanza de Cristo sobre la igualdad entre los seres humanos, la libertad del individuo, . . ." Y continúa desarrollando los nexos comunes.

El estudio *¿qué es Europa en realidad?* [68], se plantea el dilema de sus sentidos: el que incluye la "romanidad" y el limitado a la civilización occidental. Considera como el año crucial el 1204, toma de Constantinopla por los cruzados, momento en que el occidente del continente rompe con su tradición. "La filosofía de la Europa Occidental, basada en Aristóteles, el mayor sofista de todos los tiempos, a través de Santo Tomás de Aquino o de Descartes, dejando de lado al divino Platón, le conducirá forzosamente [a Europa] a los caminos del egocentrismo, del maquiavelismo, de la razón de Estado, de la firme creencia en su propia superioridad". Y así se desarrolla en una trayectoria de ocho siglos cuyos caracteres analiza.

Estas ideas se hallan manifiestas en muchos de sus estudios y artículos históricos; por ejemplo, en el citado sobre Santos Lombardo, o en sus comentarios sobre Iturbide [69].

---

65 Por ej., *Tu vir Dei (Iturbide)*, "Rev. Arch. Nac.", VIII, 11-12 (1944), p. 571-602.

66 Cfr.: *Excmo. Sr. Dr. Norberto de Castro y Tosi*, Iphbau, 6 (Madrid, 1961), p. 16.

67 "La Prensa Libre" (30 noviembre 1961).

68 "La Prensa Libre" (12 y 13 noviembre 1961). Vid.: *Las Utopías Europeístas*, Ib.: (15 junio 1961).

69 *Los Vázquez de Coronado*, Rev. Acad. Costarr. Ciencias Gen., II (1964), p. 40-61.

EL SOCIALCRISTIANISMO

La Democracia Cristiana

Es bien sabido que la Democracia Cristiana, tras su iniciación en Italia con Dom Sturzo, o con su formulación lovainense por Mercier, tuvo una primera época de fuerza entre las dos guerras, especialmente en Francia, Italia, España, pero ha sido en la post-guerra última (dejando ahora de lado el régimen petainista francés de Vichy) cuando ha dirigido la política italiana y alemana, siendo en cambio desbancada en España. En Hispanoamérica, lentamente se ha desarrollado en algunos países, al sur: acabó de hundir el régimen peronista, sin lograr el poder; lo logró en Chile; y se muestra esperanzada en muchos países por el ejemplo italiano.

En Costa Rica hay que distinguir dos períodos. Propiamente no puede hablarse de Democracia Cristiana hasta 1964 como agrupación, y 1967 como partido nacional. Todavía es incógnita el desarrollo que logrará. Su ideología por hoy es la bien conocida, afirmando netamente que la palabra "cristiana" no se toma en sentido confesional, sino cultural; y se presenta como izquierda avanzada. Su presidente, el Dr. Luis Barahona, profesor de Filosofía Política en la Universidad, es importante por sus publicaciones de Filosofía Social.

Sin embargo, la ideología inspirada en Mercier, el Código de Malinas y las Encíclicas sociales papales, tuvo gran importancia antes en el país. No se usó la expresión de Democracia Cristiana, por lo cual yo he preferido titular este capítulo como Socialcristianismo. Jorge Volio, Rafael Angel Calderón y Víctor Sanabria son los tres nombres importantes. O, si se prefiere hablar de partidos políticos, el Reformista y el Republicano. Es de señalar que el Código de Trabajo y las Garantías Sociales, promulgados por el Presidente Calderón, 1942-43, lo fueron desde esta ideología, y mediante el apoyo simultáneo de lo equivalente al Socialcristianismo y al marxismo, transigiendo éste con la derogación de las leyes liberales anti-clericales.

En Costa Rica no ha logrado ser partido numéricamente importante[69](bis). Su fundador, El Dr. Luis Barahona, lo estudiamos en

---

69 (bis) *Manual del Demócrata Cristiano,* 1970.

225

Filosofía Social. Su actual Secretario, el Lic. Jaime González, es Profesor de Etica en la Universidad de Costa Rica. Entre los artículos políticos, los del Prof. Jesús Manuel Fernández [70].

Jorge Volio

Jorge Volio Jiménez es la biografía más apasionante de Centroamérica. Su talante lo llevó a actuar siempre de manera peculiar, mostrando en cada una de sus acciones un sello original y al mismo tiempo permanente.

Hombre contradictorio, y siempre el mismo, no pudo hacer nunca nada como los demás.

Católico ferviente, sacerdote penetrado de su estado, dos veces fue suspendido por su Obispo, la una por ir a la guerra, la otra por tolstoyano y predicar su "cristianismo primitivo". Hidalgo enamorado de las Ordenes caballerescas, fue el iniciador del "reformismo" social. Escolástico discípulo de Mercier, forcejeó toda su vida con la crítica kantiana. Caballero de la Orden del Temple, redactó muchos años la prensa católica del país. General por aclamación en el campo de combate en Nicaragua, fue mucho tiempo Decano de la Facultad de Filosofía y Letras de San José. Vice-Presidente de la República, fue enviado por su Presidente a una casa de reposo. Brillante polemista en la prensa, era brillante profesor de Filosofía. Hombre provocador de la anécdota incesante, fue un peleador sin tregua. Quijote sin tacha por los pobres, no rehuía la llaneza pícara de Sancho.

Como presentación biográfica de Jorge Volio Jiménez, "hombre sencillamente excepcional en cultura y valor humano como quizá no produzca otro igual o parecido este país" [71], reproduzco parte de una carta suya, dirigida el 5-XI-1947, al entonces Embajador de España en Costa Rica [72]:

"1º Nací en Cartago, en casa hidalga, el 26 Agosto de 1882.

"2º Bachiller del Liceo de Costa Rica con "distinción unánime", a principios de 1901, la más alta nota que se daba entonces.

"En 1902 fundé con el Lic. Don Matías Trejos el diario católico La Justicia Social. En 1903 partí para Europa y' habiendo escogido la carrera sacerdotal ingresé al Seminario León XIII dependiente de la Universidad de Lovaina, en su Escuela Tomista y tuve la dicha de ser alumno del Cardenal Mercier, entonces Monseñor Mercier, de Deploige, Nys, Defourny, Thierry y demás Profesores.

70 *Democracia Cristiana en la Asamblea Legislativa*, Publ. INFEP, 1973, p. 25.

71 González Feo, M., *El Espectador*, "Diario de Costa Rica" (12-XII-57).

72 *Archivo-Volio* (Biblioteca de la Universidad de Costa Rica), ms. B 1 "Rev. Filos. Univ. C. R.", I, 3 (1958), p. 263-265.

Recibí el título de Licenciado en Filosofía y Letras, firmado por Mercier quien me distinguió siempre con particular afecto, lo mismo que el Canónigo Gaspar Simons, Presidente del Seminario, un verdadero santo que vive todavía y es actualmente Curé Doyen de Saint-Gilles-les-Bruxelles. Por no haber escrito la tesis de Doctorado no recibí el diploma de Doctor [73].

"Estudié en el Seminario de Saint Sulpice de París donde traté a quien fue después el Cardenal Verdier de París. En la Iglesia de San Sulpicio recibí el Subdiaconado. Pasé después a la Universidad de Friburgo en Suiza, donde estudié la teología con los R. R. P. P. Dominicanos, todos eminentes, especialmente el P. Mandonnet y el P. Norberto del Prado, legítima gloria de la Orden en España. Fui ordenado sacerdote en Lovaina el 25 de julio de 1909 y regresé a Costa Rica en mayo de 1910; había pasado en Europa siete años, los mejores de mi juventud, de intensa vida intelectual, social y artística; conocí España, Francia, Bélgica, Suiza y Alemania del Sur, y estuve en contacto con muchos de los hombres más notables de esa Epoca y con las corrientes ideológicas de entonces. Años después conocería también detenidamente a Italia, la patria de mis antepasados por la línea paterna. En la Universidad de Lovaina tuve ocasión de conocer a un joven Cavanillas en cuya casa allá en Asturias se hospedaba a veces el insigne orador y filósofo don Juan Vázquez Mella, y precisamente Cavanillas trataba de poner en contacto a Vázquez Mella con la Escuela Tomista de Mercier; ¿era pariente de Ud. este joven Cavanillas?[74].

"De regreso en Costa Rica, fundé en Heredia, en 1911, el Semanario Católico La Nave[75]. Excuso mencionar mis actividades religiosas hasta 1915 en que por motivos íntimos resolví abandonar la clerecía sin desertar jamás de la fe católica, que Dios Nuestro Señor me ha conservado hasta el día de hoy. De 1916 a 17 fuí profesor en el Colegio de San Luis de Cartago.

"En 1912 participé en la Revolución de Nicaragua contra el yankee y su aliado nativo; fui gravemente herido en el combate de la Paz Centro, y el pueblo insurrecto de León me condecoró con una Medalla de Oro y me aclamó por general, al estilo revolucionario de América.

---

73 Monseñor Raeymaeker, por carta 26-IX-57, tuvo la gentileza de informarnos de que en el Instituto Superior de Filosofía de Lovaina constan los siguientes datos: Volio Georges de Cartago (Costa Rica).
    Baccalauréat, juillet 1904, distinction.
    Licence, février 1906, grande distinction.
    Dissertation: El Pesimismo.

74 El interés de Jorge Volio por la obra de Vázquez Mella se confirma por haber redactado un extenso comentario, presumiblemente inédito, sobre la Filosofía de la Eucaristía, Archivo-Volio, ms. E. 1. Posterior a 1940.

75 Con fecha 27-III-1911, se le pregunta si ha comenzado ya a publicar "El Sol", presumiblemente un proyectado título, luego abandonado. Archivo-Volio, ms. C. 2.

"En 1917 la traición de Tinoco al Presidente González Flores, trastornó el país y me arrojó junto con mi hermano, el Lic. Dn. Alfredo Volio, al destierro. Entonces levantamos la Revolución Libertadora contra la tiranía de Tinoco; mi hermano murió, y yo entré triunfante a San José en setiembre de 1919 y cometí el error de hacer Presidente de la República al menguado de Julio Acosta García [76], desleal a la Revolución y uno de mis peores enemigos. Durante el destierro, fui Profesor en el Instituto Nacional de Tegucigalpa (Honduras) y dejé buen recuerdo entre mis alumnos.

"En 1920 fui electo Diputado al Congreso Constitucional de la República [77].

"En 1923 fundé el Partido Reformista del cual fui Candidato a la Presidencia de la República. Hice Presidente de la República a don Ricardo Jiménez O, y yo fui nombrado por el Congreso, Segundo Designado a la Presidencia de la República o sea Vicepresidente in partibus [78]. Todavía fui Diputado al Congreso en dos períodos más, y en 1936 me retiré de la Política. En 1934 fui a Roma al Año Santo, para arreglar mi situación eclesiástica, pero el Papa Pío XI me secularizó. Regresé a Costa Rica en 1935 y ocupé mi curul en el Congreso. Como nunca comercié yo en la política,

---

76 Sobre este punto de la historia costarricense, consulté al historiador don Rafael Obregón, que tuvo la gentileza de preparar la siguiente explicación:
    "Considero que el calificativo de "menguado" a don Julio Acosta es del todo injusto y desacertado, y fruto sólo del gran apasionamiento del General Volio.
    "Acosta fue siempre un hombre magnánimo, leal, bondadoso; muy entusiasta de las ideas teosóficas, practicó esa doctrina con verdadera sinceridad. Tuvo enemigos, pero no se supo nunca que él fuera enemigo de alguien.
    "Uno de sus primeros actos como Presidente fue el de haber realizado todo lo posible por hermanar a los costarricenses que estaban muy divididos a causa de los sucesos políticos anteriores. No persiguió a ningún partidario no colaborador del régimen de Tinoco, y más bien algunos "tinoquistas" obtuvieron empleo durante su gobierno. Se opuso a que sus compañeros de revolución recibieran las recompensas en dinero que acordó el Congreso. Esto le valió la enemistad de muchos de los que habían sido sus compañeros de armas. El Congreso otorgó finalmente las recompensas; el General Volio recibió ₡ 10.000 en moneda americana. Volio era partidario de perseguir a todos los "Tinoquistas", y premiar lo más que se pudiera a los que habían contribuido a derrocar el régimen de Tinoco. Esto fue posiblemente una de las causas de su rompimiento con Acosta".
    En el "Veto de la Ley que concede recompensas pecuniarias a los revolucionarios", Julio Acosta dice:
    "¿Hubo gloria en la actitud asumida por los que se enfrentaron al déspota? Entonces no hay paga en dinero. ¿Hubo paga? Entonces no hay gloria; que no se puede servir a dos señores".

77 "Su aislamiento en Villa Sorelois [Santa Ana, C. R.] fortaleció su alma y maduró su mente. Así le ha visto el país al iniciarse el primer cuarto de este siglo, alzarse como una antorcha bajo el cielo costarricense y levantar con su palabra encendida un ideal Reformista. Irrumpió su actitud en nuestro medio, como una clarinada de esperanza para las clases trabajadoras". Sotela, R., Escritores de Costa Rica (1942), p. 472.

78 Poco tiempo después tuvo lugar el llamado "Proceso de Liberia". Jorge Volio preparó una "entrada" en Nicaragua al frente de una tropa costarricense. El Presidente dificultó la concentración armada en Liberia, y Volio, exaltado al no poder reunir sus partidarios, provocó una alteración del orden público, la cual dio lugar a un proceso, publicado el mismo año por el Gobierno, en el que son curiosísimas las declaraciones del procesado, que salió en viaje de reposo a Europa.

ni lucré nada, antes bien contraje enormes deudas, en 1936 me encontré en una situación desesperada de pobreza, y fue entonces cuando varonilmente me lancé a las selvas remotas de Sierpe (Cantón de Osa) a crear una hacienda de bananos para subsistir, y triunfé en mi empresa que casi me cuesta la vida. Me olvidaba de decir que en 1920 el Congreso constitucional me confirió el grado de General de División decretando además un uniforme y una espada de honor para mí, honor altísimo e inmerecido pero que significa el agradecimiento del pueblo costarricense por su libertad. Actualmente soy el único Divisionario, que figura en el escalafón en esta tierra de paz.

"En 1940 el Presidente Calderón Guardia me nombró Director General de los Archivos Nacionales, haciéndome el señalado honor de que mi nombramiento apareciera el propio 8 de mayo, al tomar él posesión del Poder. Más tarde en 1941 al restaurar la Universidad Nacional me nombró Catedrático de Filosofía y de Historia Patria, y ya en la Universidad fui nombrado Decano de la Facultad de Filosofía y Letras, cargo en el cual he sido reelecto consecutivamente.

"Como Director de los Archivos Nacionales, yo publico y dirijo la Revista de los Archivos Nacionales [79] muy apreciada en España, según recensiones que he leído últimamente en los canjes que recibimos. Mi producción literaria está dispersa en diarios y revistas por muchos años, en artículos y reportajes, pero ninguna obra serie he producido[80].

"Pertenezco a muchas sociedades científico-literarias de América; entre ellas citaré con orgullo la Academia de Historia de Bogotá (Colombia), la Sociedad de Geografía e Historia de Guatemala, y la ídem de Nicaragua. Y supongo que por mi inquietud intelectual, mi finado amigo Rogelio Sotela, me incluyó entre los Escritores de Costa Rica, 2a edición. Ahí tiene Ud. señor Ministro, más referencias de las que Ud. necesita y pido a Ud. perdón por el abuso cometido, que sería vanidosa exhibición si no fuera la humilde confesión de un hombre de bien, que dice su verdad, sabiendo que a nada conduce ni nada significa, que no busca ni necesita honores ni distinciones, pues ha llegado ya al ocaso de su vida, y está tranquilo en su oscuro rincón, "ni envidiado ni envidioso" [81].

---

79 Véase: Volio, J., *Palabras explicativas,* "Rev. Arch. Nac. C. R.", IV (1940), p. 229-232.

80 Las publicaciones en vida fueron ciertamente de pequeña envergadura, al menos las de índole filosófica. Inéditos ha dejado varios libros, siendo de especial interés una Teología Mística según San Juan de la Cruz.

81 Este período fue precisamente el más fecundo para la dedicación filosófica, al menos según revelan los manuscritos.

Posteriormente, Jorge Volio fue elegido Diputado nuevamente en 1953, y falleció el 20 de octubre de 1955[82].

Desde nuestro punto de vista la reharemos así:

Nació en Cartago en 1882. Alumno de primeras letras de Juana Fernández Ferraz, que en sus obras se mostró en la línea de un socialismo tolstoyano. Estudios eclesiásticos en Lovaina; se ordenó sacerdote en 1909. Después de Mercier, discípulo del tomista Norberto del Prado en Friburgo.

Se licenció en Filosofía en 1910; disertación (perdida) "El Pesimismo". Regresó a Costa Rica, ocupando una parroquia campesina. Ya en 1902 había colaborado en "Justicia Social". En 1911 fundó "La Nave", semanario católico. De septiembre 1912 a junio 1913 participó en la lucha del Partido Liberal nicaragüense contra la intervención norteamericana; de ello sacó su título de General, luego refrendado por el Congreso costarricense, una suspensión como sacerdote, y una herida. Reintegrado a su parroquia, en junio 1915 fue nuevamente suspendido por un sermón sobre Tolstoy. Se retiró a Panamá, pero el año siguiente fue profesor en el Colegio San Luis Gonzaga de Cartago.

Bajo la dictadura de Tinoco, huyó del país, en diciembre 1917. De Panamá pasó a asilarse a Honduras, donde fue profesor del Instituto Nacional de Tegucigalpa, hasta 1919 en que participó en la revolución victoriosa contra los Tinoco. Jefeó desde 1920 el Partido Reformista, que aglutinó gran parte del campesinado y con el que luchó por realizar las ideas sociales del Cardenal Mercier. Vicepresidente de la República, hubo de viajar a Europa por "consejo" del Presidente Ricardo Jiménez, al fallarle un intento de invasión a Nicaragua y sufrir un proceso. Varias veces diputado. Al crearse la Universidad Nacional en 1942, fue Decano de la Facultad de Filosofía y Letras, hasta la revolución de 1949. Murió en 1955 [83].

Como anécdota representativa considero la siguiente:

Llegado a Bruselas a la casa de reposo, la enfermera de servicio, al hacerle la ficha personal, le preguntó: profesión: Jorge Volio contestó: Sacerdote católico, General, Vicepresidente de la República, diputado,... Ante lo cual, la enfermera escribió: manía de grandezas.

---

82 En la *Sumaria* de 1926 (p. 47) se dice: "Presente el General de División don Jorge Volio Jiménez, soltero, sacerdote católico, de cuarenta y cuatro años de edad, Segundo Designado a la Presidencia de la República y Diputado al Congreso Nacional, nativo de Cartago, doctor en Filosofía y Letras por la Universidad de Lovaina, en Bélgica, profesor en el Colegio de San Luis Gonzaga de Cartago y en el Instituto Nacional de Tegucigalpa, periodista, fundador del diario "La Justicia Social" en San José de Costa Rica el año mil novecientos, del cual era Director don Matías Trejos, y fundador el año mil novecientos once del Semanario católico "La Nave" en la Ciudad de Heredia. Tribuno de la Plebe y guerrillero de la Libertad, vecino de Santa Ana de San José, . . ."

83 *El año funesto . . . 1917.*

Filosóficamente, puede quedar encasillado como neoescolástico, y en el capítulo correspondiente lo señalo.

En política era partidario de la justicia social, es decir, individualista en cuanto a la estructura del Estado, y reformador en cuanto a la estructura de la sociedad. Dirigió violentas campañas contra los que llamaba "los riquillos", en nombre de los campesinos.

"A mayor justicia, mayor fraternidad humana".

Desde el exilio, escribió un duro ataque contra el dictador Tinoco, cuyas bases ideológicas se pueden entresacar así:

"... nacionalizar la nación —léase pasarse de las necesarias influencias extranjeras para el progreso y prosperidad nacionales"; "clásico recurso del Despotismo ha sido siempre suprimir la libertad de imprenta, ese elemento vital por excelencia de toda democracia"; "quien se afusca ante la libertad de imprenta, tampoco está dispuesto a respetar las otras libertades, de palabra y reunión"; "clásico recurso del despotismo es también el de estorbar con trabas y vejámenes el derecho que tiene todo ciudadano de circular libremente dentro y fuera del territorio"; "... la violación del secreto de la correspondencia, otro de los recursos obligados de todo despotismo".

Ideas centrales del programa reformista eran: "expropiación forzosa y gratuita de toda faja de terreno no necesario para caminos, ferrocarriles, etc."; pensiones obreras, salario mínimo, reforma agraria (entrega de la propiedad de la tierra a sus cultivadores), limitación de la jornada de trabajo.

El programa, de 16 puntos, que Ricardo Jiménez llamó "el Evangelio Reformista", comprendía: ley de accidentes de trabajo, tierra libre al campesinado, formación de colonias agrícolas, lucha contra el latifundismo, nacionalización de las riquezas naturales y del subsuelo, igual salario para ambos sexos, reforma educacional, reforma Tributaria ("que el rico pague como rico") [84]. Doce de los dieciséis puntos se convirtieron en realidad, mediante sesenta reformas de la legislación.

"Jorge Volio pone su fe católica por encima de todas las cosas: ella es la unidad orgánica de su vida y la razón de ser de tantas actitudes incomprendidas como ha tenido; de manera que él considera inadmisible ese distingo de los Dirigentes del Movimiento Sindical Rerum Novarum, entre *la decidida oposición al Comunismo ateo y marxista* y la abstención de indiferencia ante el mismo Comunismo real y actuante en nuestra patria, por el simple motivo *de no participar del concepto estrecho que del comunismo suelen tener las clases adineradas*" (Declaración 7ª). Argumento pobrísimo para situarse en una posición harto peligrosa que equivale a

---

84 M. Barrientos, *Versión histórica...*, "Surco", 35 (1943), p. 11.

una rendición incondicional de la plaza, pues está a la vista y solo *los que tienen ojos y no ven* pueden negarlo, que el Comunismo criollo-moscovita, apenas rociado con agua bendita sin retractación ni abjuración de ninguna clase, con los mismos elementos, la misma organización cerrada, la misma mentalidad, el mismo lenguaje que antes de cambiar de nombre, sigue siendo en un todo *parte integrante del Comunismo Internacional ateo y marxista,* pese a las innumerables felicitaciones y alabanzas de sus Dirigentes al Prelado de la Grey costarricense. De ahí que surja implacable en la mente de un cristiano viejo el fatal dilema: o somos atletas de la fe, porfiados defensores de la Persona Humana elevada por Jesucristo a la condición sobrenatural de la gracia, absolutamente inseparable de ella esta condición del orden sobrenatural; o somos *hombres de mundo,* sofistas del Pórtico que nos entretenemos en vanas disputas de palabras para acomodarnos en el fondo con el sentir del siglo" [85].

OBRAS

(Seleccionadas)

La Juventud Católica, (Louvain, Bélgica, Imp. Devadder, 1903).

Refutando a Don Ricardo Jiménez, "La Nave", 62 (21 diciembre 1912).

Juan de Dios Trejos ..., "La Nave", 60 (7 diciembre 1912).

Juan de Dios Trejos ..., "La Nave", 98 (13 septiembre 1913).

El Año Funesto y La Traición a la Patria del 27 de enero de 1917, [Panamá], (Imp. Católica, 1918), 55 pp.

Por el País y para el País, "El Hombre Libre", 32 (4 octubre 1919).

Su Juramento en el Congreso Constitucional, al recibir su grado de General, "El Renacimiento" (28 mayo 1920).

La Enseñanza Religiosa en las Escuelas, "El Renacimiento" (28 mayo 1922).

Manifiesto del 22 de febrero de 1923, "La Noticia" (23 febrero 1923).

Discurso Político ..., "Diario del Comercio" (16 febrero 1924).

Cartas Políticas, "El Mundo" (22 septiembre 1926).

Hechos, no palabras [manifiesto] ..., 1932.

Correspondencia con ... el Dr. Mendieta, "Rev. Arch. Nac.", VI, 1-2 (1942), p. 12-13.

Calumniadores que escapan, "Rev. Arch. Nac.", VII, 5-6 (1943), p. 271-276.

---

85 (Febrero 1945). *Apuntes,* supl. 14, 1º abril 1945.

Reportaje ... [*sobre el comunismo*], "Rev. Arch. Nac.", VII, 7-8 (1943), p. 389-390.

Palabras ..., "Apuntes", Supl. 14 (1945), p. 467-468.

El problema central de la Filosofía y el Kantismo, "Rev. Filos. Univ. C. R.", I, 3 (1958), p. 266-276.

La teología Mística según San Juan de la Cruz, inédito, Bibl. Univ. C. R.

Filosofía de la Eucaristía, inédito, Bibl. Univ. C. R.

Curso de Criteriología, inédito, Bibl. Univ. C. R.

Discurso..., Surco Nuevo (IX-X-1965).

Véase Bibliografía muy amplia en: Rev. Fil. Univ. C. R., 13 (1963), p. 135-37.

BIBLIOGRAFIA

BARRIENTOS, MARCIAL, *Versión histórica del Partido Reformista,* "Surco", 35 (1943), p. 10-12.

BONILLA, A., *Hist. Ant. Lit. Costarr.* (1957), p. 349-350.

Coronó ... sus estudios en la Universidad de Lovaina..., "Boletín Católico", 2 (30 junio 1910).

"CARLOMAGNO", *Reflexiones políticas,* (San José, Imp. San José, 1924), 44 pp.

Datos para su biografía, "El Día", 764 (1923).

Don Jorge Volio, "Rev. Arch. Nac.", XIX, 7-12 (1955), p. 187-189.

ESQUIVEL, EDUARDO, *Don Jorge Volio y su reformismo,* "La Tribuna" (30 octubre 1927).

"FRAY JUAN", *Hoy hace un año...,* "La Nación" (20 octubre 1956).

JIMENEZ, CARLOS MARIA, *Manifiesto del Partido Republicano a los Costarricenses,* (San José, Imp. La Tribuna, 1928), 88 pp.

MONGE, CARLOS, *Historia de Costa Rica* (1958), p. 263-268.

MORA, MANUEL, *Discurso...,* (San José, Imp. La Tribuna, 1934), 28 pp.

NAVARRO BOLANDI, HUGO, *La generación del 48* (México, 1957), p. 58, 61-72.

Noticia biográfica..., en *Guía de la Universidad de Costa Rica,* 4 (1942), p. 103-104. Reprod.: "Rev. Arch. Nac.", VII, 5-6 (1943), p. 277-278.

Quedó suspenso..., "La Nave", 29 (abril 1912).

SANCHO, MARIO, *Memorias* (1962), p. 101-102, 128-130, 170-175, 179-180.

SOLANO, F., *Al Padre Volio,* "La Nave", 61 (14 diciembre 1912).

SOTELA, R., *Escritores de Costa Rica* (1942), p. 471-477.

Sumaria sobre los sucesos acaecidos en Liberia el 13 de septiembre de 1926, (San José, Imp. Nacional, 1926), 123 pp.

URIARTE, AMANDA C., *Dinámica de la Democracia Americana,* (La Habana, Autores Reunidos, 1943), p. 249-264. *Ib.,* en: "Rev. Arch. Nac.", VIII, 3-4 (1944), p. 130-133.

X. Y. Z., *Pequeñeces clericales,* (San José, Imp. Alsina, 1912).

Es interesante que la bibliografía sobre Jorge Volio es una de las que más han crecido en estos años. Dos libros importantes:

VOLIO, MARINA, *Jorge Volio y el Partido Reformista,* Ed. Costa Rica, 1972.

ACUÑA, MIGUEL A., *Jorge Volio, el Tribuno de la Plebe,* 1972.

Y numerosos artículos. Por ejemplo, algunos:

CAÑAS, ALBERTO F., *Chisporroteos,* La República, 12 agosto 1973.

CHASE, ALFONSO, *"Jorge Volio . . .",* Diario de Costa Rica, 25 febrero 1973.

GARRO, JOAQUIN, *"Jorge Volio . . .",* Surco Nuevo, IX-X-1965.

MELENDEZ, CARLOS, *"Raíces social-cristianas del Partido Reformista",* Surco Nuevo, IX-X-1965.

MONGE, LUIS ALBERTO, *¡Viva Volio!,* Surco Nuevo, IX-X-1965.

MURILLO, ROBERTO, *"El Tribuno de la Plebe",* La Nación, 18 febrero 1973.

NUÑEZ, BENJAMIN, *"La mano izquierda de Dios",* Surco Nuevo, IX-X-1965.

PACHECO, LEON, *"Jorge Volio",* Surco Nuevo, IX-X-1965.

PACHECO, LEON, *"Jorge Volio, 73 años de angustia política",* La Nación, 14 noviembre 1972.

RODRIGUEZ, EUGENIO, *"El General Volio",* La Nación, 19 septiembre 1969.

VARGAS COTO, JOAQUIN, *"Vida y leyenda del General Jorge Volio Jiménez",* Surco Nuevo, IX-X-1965.

Víctor Sanabria

Víctor Sanabria era por su aspecto un indio puro. Por vocación fue un sacerdote y un obispo entregado al cuidado de su grey. A este cuidado dio cauce, paralelamente, con sus trabajos de Historia eclesiástica de Costa Rica, y con sus intervenciones por la difusión de las ideas sociales pontificias. Estas intervenciones fueron, entre otras, en el campo de los sindicatos obreros y en la política.

En todo momento sostuvo las mismas ideas que en el XIX habían defendido Domingo Rivas y Bernardo Augusto Thiel, aunque con formas más actuales. Así, procuró, y consiguió mucho, la confesionalidad del Estado, interviniendo, por ejemplo, cerca de la Asamblea Constituyente de 1949. Pero su actuación más destacada, y más discutida y polemizada, fue de apoyo a la promulgación de las leyes sociales de 1943.

Monseñor Sanabria apoyó la colaboración con el Partido Vanguardia Popular (coincidiendo con la tendencia internacional de la época de Frentes Populares) en 1943, y se apoyó al Gobierno del Presidente Calderón Guardia en la promulgación de una serie de leyes sociales, a cambio de toda la legislación anti-liberal, que permitió el ingreso de los jesuitas al país, el establecimiento de la enseñanza de la doctrina católica en la enseñanza pública. Cuando se dio la reacción anti-calderonista, Monseñor Sanabria justificó y mantuvo su postura[86].

A pesar de todo ello, no era un político. Fue sincero al escribir: "Nosotros, que hablamos de las cuestiones sociales porque nos vemos obligados a ello, y que de política nada entendemos..."[87]. Pero se vio incesantemente mezclado en ella.

Nació en San Rafael de Oreamuno, Cartago, en 1899. Estudió en el Colegio Pío Latinoamericano de Roma, donde se doctoró en Derecho Canónico. Obispo de Alajuela en 1938, en 1940 fue consagrado Arzobispo de San José. Murió en 1952.

Creo que el siguiente texto es ampliamente ilustrativo acerca de sus ideas sobre las relaciones entre el Estado y la Iglesia:

"En el interior de la República, desde hace más de cincuenta años, se viene haciendo una propaganda intensa, libre y bien dotada, de las doctrinas protestantes, pero a pesar de todo el problema de la división religiosa no es ni con mucho tan serio como el de la Costa Atlántica, pero lo será con el tiempo si quienes tienen el encargo de velar por los valores espirituales de la comunidad, y disponen de los medios para ello no se aplican a resguardarlos, sin perjuicio, desde luego, de la libertad de conciencia que sea justo reconocer a aquellos disidentes que pacífica y ordenadamente se han establecido entre nosotros, pero sin contemplaciones para aquellos que como agentes de organizaciones religiosas exóticas y políticamente indeseables por más de una razón, vienen, no a formar parte de nuestro hogar nacional, sino a dividirlo. Indeseables, políticamente, son las organizaciones protestantes. Cada entidad religiosa de alguna importancia, en los países multiconfesionales, puede crear problemas al Estado. Este puede fácilmente entenderse con una organización religiosa supranacional, como es la Iglesia Católica, que tiene su representación autorizada, pero nunca lo podría alcanzar con las confesiones protestantes proselitistas establecidas en el país, que carecen de representación propia y formalmente responsa-

---

86   *Palabras dirigidas al . . . clero . . . de San José,* 1945, p. 23.   Folleto extremadamente raro y casi desconocido.

87   *. . . Thiel* (1941), p. 272.

ble, pues como representaciones formales de ellas no pueden considerarse, ni convendría al Estado considerarlas así, las sociedades misioneras norteamericanas, por ejemplo, protegidas como se hallan por su misma nacionalidad extranjera, y que obedecen a un plan determinado de penetración y extensión del imperialismo político norteamericano. Por manera que a las razones anteriormente expuestas, para aconsejar como sabia y prudente política, la del mantenimiento de la unidad religiosa, habría que agregar la apuntada en último término, esto es la conveniencia administrativa del mismo Estado.

"En principio cuando menos, la doctrina liberal de tolerancia religiosa tal como ella la entiende, obedece a estos dos axiomas liberales: todas las religiones son iguales, y todas ellas pueden contribuir a elevar el nivel de la sociedad. Ahora bien, podemos preguntar nosotros, qué verdades contiene la doctrina protestante que no contenga la doctrina católica, y qué valores morales nuevos puede brindar aquella doctrina a nuestra sociedad, que no le hayan sido brindados con sobreabundancia por la doctrina católica, es decir, por la religión tradicional. No tiene, por consiguiente, ninguna justificación la aplicación de aquellos principios liberales a la legislación de nuestro Estado, ni siquiera desde el punto de vista, a todas luces errado, de la tesis religiosa del liberalismo" [88].

Es decir: Estado confesional, anti-liberalismo, tolerancia religiosa pero no libertad de cultos.

En sus escritos, no se muestra propiamente como un pensador en plano abstracto. En él domina el canonista sobre el teólogo y el apologeta sobre el historiador. Tanto, que sus obras de historia tienen siempre misión apologética.

Así, siempre se muestra contrario a toda idea de separación de Iglesia y Estado, en el orden de los principios, como consecuencia de su postura anti-liberal, que se acerca al ultramontanismo; "El estado liberal cree que la Iglesia le disputa la posesión del ciudadano, y en realidad es así. Los preceptos cristianos no admiten esa distinción entre el hombre público y el hombre privado".

Pensó en contra de la secularización de los cementerios y del matrimonio civil obligatorio [89].

Por su iniciativa, se publicó *El magisterio de la Iglesia y la cuestión social* [90], con las encíclicas *Rerum Novarum y Quadragésimo Anno.*

En cuestiones sociales, las ideas que difundió son las de estas encíclicas.

---

88 ... *Thiel* (1941), p. 467-468.
89 *Primera vacante* ... (1935), p. 59. Como exposición de sus ideas, p. 33 ss.
90 (San José, Imp. Lehmann, 1941), 199 pp.

OBRAS

[no recojo las de tipo histórico-genealógico].

Anselmo Llorente..., (San José, Imp. Lehmann, 1933).

Primera Vacante de la Diócesis de San José, (San José, Imp. Lehmann, 1935).

Discurso..., "Rev. Arch. Nac.", IV; 7-8 (1940), p. 372-374.

Bernardo, Augusto Thiel, (San José, Imp. Lehmann, 1941), 650 pp.

[Correspondencia con Manuel Mora], "Rev. Arch. Nac.", VII, 7-8 (1943), p. 384-397.

[Carta acompañando al] *Memorándum* de los Obispos sobre el proyecto de Constitución, en: *Asamblea Nal. Constituyente de 1949,* tomo I, (1953), p. 193-200.

Correspondencia... [sobre la religión y la Constitución Política de 1949], en: *Costa Rica un Estado Católico* (1955), p. 93-108.

Observaciones..., en: *Asamblea Nal. Const. de 1949,* tomo III (1957), p. 135-136.

BIBLIOGRAFIA

BLANCO SEGURA, RICARDO, *Monseñor Sanabria,* (San José, Ed. Costa Rica, 1962).

Corona Fúnebre..., "Mensajero del clero", (Julio 1952).

COTO CONDE, JOSE LUIS, *Monseñor Sanabria,* "Rev. Arch. Nac.", XVI, 4-6 (1952), p. 91-92.

FERNANDEZ MORA, CARLOS, *De la Vida anecdótica de Monseñor Víctor Sanabria y Martínez,* "Rev. Arch. Nac.", XVI, 7-12 (1952), p. 311-312.

ZELAYA, RAMON, *El Obispo Sanabria y la esterilización.* "La Tribuna", (22 diciembre 1938).

Rafael Angel Calderón Guardia

En la línea social-cristiana, ha tenido gran importancia nacional Rafael Angel Calderón Guardia, quien, como Presidente, promulgó las leyes sociales, en 1943, justificándolas con las doctrinas pontificias, y con la estrecha colaboración de Mons. Víctor Sanabria. Educado en el círculo de Lovaina, cuando se graduó en Medicina, en sus discursos y escritos resume y cita frecuentemente el Código de Malinas y las encíclicas. La limitación de la jornada de trabajo, el derecho de sindicalización, el derecho de huelga, los seguros sociales, dentro de la "Justicia Social Cristiana", como medios de elevar a niveles compatibles con la dignidad humana, las condiciones económicas y sociales del pueblo, y de procurar a las clases económicamente débiles una situación que les permita, junto a una decorosa subsistencia, una eficiente colaboración en el proceso evolutivo de la comunidad. La justicia social debe ofrecer a todos oportunidades más amplias para gozar de las ventajas espirituales y materiales del progreso, que son patrimonio común de la humanidad. En conexión con esta doctrina, se levantaron las leyes que restringían el desarrollo de las Ordenes religiosas y prohibían el ingreso de la Compañía de Jesús.

"Yo siento, señores Diputados, que vivimos en pleno siglo XX, en una época en que se concibe la palabra "Patria" como sinónimo de una gran realidad humana y no como una simple abstracción jurídica o como uno de tantos recursos de carácter retórico. Los hombres saben actualmente, por amarga experiencia de centenares de años, que no puede haber convivencia y armonía dentro del cauce jurídico clásico, pues hoy en día no nos podemos limitar a proclamar, en forma verbalista, la libertad, la igualdad y la fraternidad, sino que debemos evitar mediante la defensa efectiva de las clases desvalidas de la sociedad que esos principios se conviertan únicamente en patrimonio de los pocos que tienen potencia económica y el consiguiente poder de dominar... La verdadera democracia es aquélla que tiene contenido económico, que brinda oportunidades a todos para levantarse con su propio esfuerzo y que contempla las necesidades de cada uno de acuerdo con su particular realidad... La Patria tiene necesariamente que levantarse, como un inmenso espíritu tutelar, sobre una plataforma de justicia cristiana;" [91].

Fallecido en 1972.

Desde el regreso del Dr. Calderón Guardia al país, el Partido Republicano volvió a tener fuerza política, eligiendo Presidentes de la República al Lic. Mario Echandi y al Prof. José Joaquín Trejos. El número de publicaciones periodísticas ha sido muy grande.

Es muy interesante la revisión de los acontecimentos de 1948, desde el punto de vista "calderonista", que ya ha dado toda una bibliografía. No la recojo por no ser estrictamente doctrinal, sino histórica.

A la muerte del Dr. Calderón Guardia y la concesión, póstuma, del Benemeritazgo, también han sido numerosas las publicaciones y la reedición de discursos suyos.

OBRAS

Páginas autobiográficas, "Rev. Arch. Nac.", VI, 9-10 (1942), p. 563-576.

Mensaje... al Congreso (16 mayo 1942), Imp. Nacional, 16 pp.

---

91 *Discurso ...* 17 agosto 1943.

Reprod., "Rev. Arch. Nac.", VI, 5-6 (1942), p. 227-239.

Declaraciones ..., "La Prensa Libre" (23 junio 1943), Reprod. "Rev. Arch. Nac.", VII, 7-8 (1943), p. 397-399.

Discurso ante el Congreso ..., 17 agosto 1943. Reprod. "Rev. Municipal C. R.", III, 6 (1943), p. 351-352.

"El Gobernante ...", "La República", 12 junio 1970.

BIBLIOGRAFIA

Bo. E. T., *El Presidente católico ...,* "Rev. Arch. Nac.", VII, 3-4 (1943), p. 118-120.

Bonilla, H. H., *Nuestros Presidentes,* (San José, 1942), p. 223-252.

Brucculeri, S. J. A., *Iniciativas político-sociales,* "Civilta Cattolica", N° 2226 (Roma, 20 marzo 1943). Reprod.: "El Mensajero del Clero", LII, 4 (1943), p. 94-99.

[Ed.] *Nuestro apoyo razonado al Proyecto de las Garantías Sociales,* "Surco", 24 (1942), p. 14.

Sanabria, Victor, *El Episcopado ... de Costa Rica congratula ...* "Rev. Arch. Nac.", VI, 5-6 (1942), p. 240.

Taffi, A., *Carta ...,* "El Mensajero del Clero", LII, 4 (1943), p. 92-93.

La Administración Calderón Guardia, "Surco", 47 (1944), p. 1-97.

SOCIALESTATISMO

Me he decidido por titular así, Socialestatismo, este capítulo, aunque, de hecho, en Costa Rica, esta palabra no suele utilizarse para denominar el pensamiento político-económico, del Partido Liberación Nacional, pero "socialismo" no corresponde con el sentido "nacional" de la palabra. Frente a la postura liberal clásica, que hemos visto, los ideólogos que pasaron a afirmar la necesidad de la intervención del Estado para resolver los problemas sociales no enfocados por los liberales, o los económicos internacionales, fueron llamados "socialistas", y algunos, como José Figueres por ejemplo, se afirmaron socialistas, aunque Rodrigo Facio, frente al liberalismo clásico, hablase de un "liberalismo constructivo", y Alfonso Carro, de "democracia social". Se trata de un socialismo que respeta y estimula la propiedad privada, es decir, no es socialismo.

Con un léxico difundido por el país, podría caracterizarse la postura "socialestatista" como la que afirma que la propiedad (privada) tiene una "función social" (lo que también afirmaron los reformistas, los social-cristianos y los marxistas), frente a los liberales puros, que la niegan. De hecho, la característica de estos doctrinarios es la de considerar necesaria la planificación de la Economía desde el Estado.

Varios intelectuales, además de los que a continuación expongo, deben señalarse. Por lo demás, no es este lugar para analizar la temática interna del Liberación. Al ser el Partido más fuerte en el país, y ser de tendencia de centro, a veces sufre de tensiones internas. Debería al menos citar la problemática en torno a la declaración de "Patio de Agua".

Carlos Monge, historiador, Secretario y Rector de la Universidad, que veré en Filosofía de la Educación.

Eugenio Rodríguez Vega, Contralor de la República, Rector de la Universidad, actualmente Presidente del IMAS, que veré en Filosofía Social.

Luis Alberto Monge, Tesorero del Liberación, Diputado, fue Director de "Combate" [92].

---

92 *No hay revolución sin libertad*, San José, supl. 18 de "Combate", pp. 31; *Dictaduras, Imperialismo y Democracia*, en "Combate", 9 (1960), 12 ss.; *Militarismo, Macarthismo, Comunismo*, en "Surco Nuevo" (XI-XII 1963), 4-5. "Diálogo...", *La Nación*, 2 marzo 1975.

Benjamín Núñez, Pbro., Ministro en la Junta de 1949, Rector de la Universidad Nacional, sociólogo [93].

Joaquín Garro [94].

Fernando Volio, Licenciado en Derecho, Profesor de Derecho, Presidente de la Asamblea Legislativa, desde 1974 Ministro de Educación [95].

Jorge Luis Villanueva[96], Bernardo Van der Laat[97], etc.

Daniel Oduber, Licenciado en Derecho, Master en Filosofía, ha sido Secretario de la Junta de 1949, Secretario y Presidente del Partido Liberación, Ministro de Relaciones Exteriores, Presidente de la Asamblea Legislativa y es, desde 1974, Presidente de la República. Mantiene la línea del Partido y sostiene la tesis desarrollista, equilibrando desarrollo campesino y desarrollo industrial [98].

José Figueres

Hombre seco, enjuto, pequeño, labrado en arenisca con nervios a flor de piel, José Figueres posee voluntad tenaz, inteligencia clara y metódica, amplia capacidad de trabajo. Agricultor por oficio, es hombre de mando. Como gobernante ha sido exigente, pero respetuoso al máximo de la libertad ajena. Con poco don de gentes, es, sin embargo, popular. Con muchas de las condiciones del campesino, se acerca al intelectual cuando escribe de política. Parco de palabra, sus discursos improvisados son intermitentes y directos, mientras que sus ensayos y libros son resultado de estudio. Antítesis del político nato, es lector incesante de libros. Hombre de acción en cuanto ideólogo, doctrinalmente es empirista, ya por sus lecturas inglesas y norteamericanas, ya por temperamento, aunque es más probable esto segundo.

---

93 *El movimiento cooperativista en Costa Rica,* en ''Combate'', 18 (1961), 53-58; *La función social de la religión,* 4 (1959) 32 ss. Son interesantes los escritos rectorales, 1974. Importante, la declaración de ''Patio de Agua'', de la que fue el inspirador.

94 ''La derrota . . .'', San José, Imp. Vargas, 1958, p. 54.

95 *Discurso,* 1º mayo 1968, pp. 15; ''El sistema interamericano y el mundo de hoy'', *Surco Nuevo,* enero 1968; y especialmente, ''Apartheid: prototipo de discriminación racial'', Univ. de C. R.

96 ''Debate parlamentario sobre la Banca'', Imp. Covao, 1970, pp. 116.

97 ''Apuntes sobre el movimiento de Liberación Nacional . . .'', *Surco Nuevo,* marzo 1965.

98 Además de los discursos de campaña electoral: ''Ejemplos de América: Colombia y México'', *Surco,* 18, 19 y 20 (1941, 1942); ''Sobre el 7 de noviembre'', *Surco,* 29 (1942), 6-7; ''Apuntes sobre . . . Croce'', *Rev., Universidad,* 8 (1952), 51-63; ''Dictaduras, Imperialismo y Democracia'', *Combate,* 9 (1960), 12 ss.; *Apuntes para un Congreso Ideológico del Partido Liberación Nacional,* 1969, p. 63; ''Desarrollo Industrial . . .'', *El Industrial Costarricense,* marzo 1971. ''Biografía de Daniel'', *La República,* 5 febrero 1974. *El pensamiento de Daniel Oduber,* 1965, Imp. Borrasé, p. 40. *Semblanza del Lic. Daniel Oduber,* Imp. Borrasé, 1974, p. 29.

Sin haberse dedicado propiamente a la filosofía política, la mayor parte de sus escritos muestra una línea ideológica que ha sido trabada como línea del Partido Liberación Nacional. Por su intervención en la política continental, y acaso por su clarividencia ante el desenvolvimiento de la política en el Caribe, es el político costarricense de mayor repercusión internacional, y uno de los pocos del continente con ideas propias.

"Cuando un político tiene talla, fuera del poder, en vez de disminuir, adquiere todavía mayor relieve. Es el caso de Truman. Y el de Figueres.

"Si Don Pepe, en vez de tener como pedestal un pequeño país como Costa Rica, tuviese el de una nación como Brasil, México o Argentina, su pensamiento y sus actos políticos tendrían una amplia proyección continental.

"La tienen ya, no obstante, . . ." [99].

José Figueres nació en 1906 en San Ramón. Tras los estudios de secundaria, permaneció en los Estados Unidos de 1924 a 1928. Realizó estudios en el Instituto Tecnológico de Massachusetts. Se dedicó a la agricultura. En 1942 estuvo exilado en México. Dirigió el alzamiento de 1948 y fue Presidente de la Junta Gubernativa Revolucionaria, que gobernó durante año y medio. Presidente por elección de la República de 1953 a 1958, y de 1970 a 1974. Actualmente es Presidente del Partido Liberación Nacional.

Sin entrar en su actuación como político, podemos señalar en sus escritos tres ideas centrales: la libertad del individuo, la solidaridad en la producción, la solidaridad continental. De querer dar una fórmula breve, habría que decir que es un socialista moderado, partidario de un Estado fuerte.

Para calificar sus ideas ha empleado las expresiones siguientes: "filosofía política" [100], " ideología del nuevo régimen" [101] y "doctrina" [102].

"Un gobierno sin orientación, un gobierno sin filosofía, sería como un puente sin cálculos, como un universo sin leyes naturales" [103].

Esta ideología encuentra sus raíces en una visión empirista, de un evolucionismo filantrópico, de raíz spenceriana. El nódulo central de la política será el hallazgo de la libertad:

"En la mañana de un día ya muy lejano, Homo Sapiens solitario se dio cuenta de que podía permanecer en su caverna, húmeda y fría, y entumirse allí, o salir al sol y calentarse. Una vez

---

99 W. K. Mayo. *Don Pepe Figueres*, "La Prensa Libre" (8 noviembre 1961).

100 28 julio 1949.

101 31 agosto 1949.

102 31 agosto 1949.

103 31 agosto 1949.

afuera, podía dejarse comer de las fieras, o refugiarse en un árbol, o matarlas, y servirlas en su nítido menú.

"Este fue tal vez el primer descubrimiento inconsciente de nuestro abuelo en la selva; su facultad de elegir entre un curso de acción que le trajese bienestar, y otro que le perjudicase. A menudo la actividad beneficiosa implicaba algún esfuerzo, o el sacrificio de una satisfacción menor; mientras que la conducta perjudicial era fácil, con la molicie halagadora. A menudo no podía distinguir entre una acción y otra, ni predecir los resultados respectivos.

"Mas su memoria retenía las experiencias, poco placenteras con frecuencia, y su raciocinio formulaba las reglas primitivas: abstenerse de la acción perjudicial; dominar la tendencia a la inacción; actuar de manera constructiva en beneficio de su vida. Su mente dictó las restricciones, y las órdenes positivas; había ejercido la libertad" [104].

Ahora bien, esta libertad es definida: "Entiendo genéricamente por libertad todas las normas tendientes a elevar la dignidad del hombre. Esta necesidad no se discute; se siente, o no se siente" [105].

Pero el uso de esta libertad llevó a los hombres a la cooperación, raíz del socialismo:

"El hombre primitivo, en incesante lucha individual contra las fieras que amenazaban su vida a cada paso, hacía aún más precaria su existencia por el antagonismo general que sostenía entre los miembros de la especie.

"Con el tiempo, y como resultado casual de pequeñas experiencias, empezó a vislumbrar en el limbo de su embrionico cerebro, el fulgor indeciso de una idea, que al amanecer fue tibio sol alentador, y que se levanta, aún hoy muy lejos de su cenit, dando vida y luz a la humana inteligencia, y conduciéndola hacia un mundo de plenitud no imaginada.

"Fue la idea racional de la colaboración, sugerida por el instinto mismo de la vida, contrapuesta al impulso natural de antagonismo, que destruiría la especie.

"Inconscientemente nació la sociedad, y la defensa personal pasó del individuo al grupo, a cambio de la sujeción a la ley, y de la participación en la actividad común. Los hombres decidieron cooperar en la defensa de sus vidas.

"La división del trabajo, ..., y la intervención reguladora del estado en los negocios, cada día más sentida en nuestro tiempo, no son triunfos de una u otra ideología, sino el avance racional de la sociedad hacia un esfuerzo económico científicamente coordinado, con miras de eficiencia y equidad.

---

104 *Palabras Gastadas* (1943), p. 31.
105 En *Ideario Costarricense* (1943), p. 241.

"Socialismo es la aspiración hacia un orden económico en que cada cual da el máximo de sus capacidades en la producción organizada de menesteres, a cambio de normas de vida tan elevadas como permitan la riqueza acumulada y el prolucto cotidiano del trabajo general" [106].

Este socialismo es visto como "una economía mixta, de *propiedad privada con regulación del Estado,* de negocios particulares e instituciones públicas,. . ."[107].

Con otra terminología, podría acaso hablarse de un liberalismo estatista: respeto de la libertad individual y política, controlada por el Estado.

". . . , progreso social sin comunismo" [108] es otra expresión, que más tarde se ha hecho típica.

"El mal de la pobreza existe. Es imprescindible que le busquemos remedio. Pero en vez de un comunismo que encienda la lucha fratricida, queremos un espíritu social que nos una a todos en la lucha por la producción para todos. En vez de una mal entendida limosna patriarcal que humilla al pobre, queremos una actitud científica que tienda a enriquecerlo, y un concepto superior de justicia que lo dignifique" [109].

Entre el patriarcalismo y el comunismo, una tendencia *mixta,* sólo justificada por la exigencia del respeto, simultáneo, a la libertad y al bienestar del mayor número.

"En justicia no se puede situar a Figueres dentro del capitalismo-clase con vestimenta democrática, ni dentro del comunismo-clase con ropaje socialista. . . . Hombre de gobierno, su oficio no está en explicar filosofías, como en cátedra, sino en adaptarlas en cuanto confirman la experiencia universal y la realidad costarricense. . . . Escapa a toda clasificación literal, porque se proyecta sobre un todo social en amplitud nacional y extensión hemisférica. . . . ¿No son acaso su doctrina y su gobierno una política mixta de democracia liberal y de socialismo estatal? ¿No es por ventura su capitalismo de iniciativa y empresa, una dosificación mixta de sociología cristiana y de economismo sociológico?" [110].

El Estado es visto como instrumento de la Sociedad [111], y cuando realmente cumple con esta misión, se da la democracia.

106 *Palabras Gastadas* (1943), p. 19-20.

107 *Cartas a un ciudadano* (1956), p. 116.

108 16 enero 1949.

109 16 enero 1949. "El nombre de la estrella que nos guíe debe ser, costarricenses, **el** bienestar del mayor número", 28 abril 1948.

110 H. Navarro B., *La generación del 48* (1957), p. 228-229.

111 "4. *Dar al país una orientación social;* hacer que el Estado asuma gradualmente, y técnicamente, la dirección de toda actividad económica con estos objetivos: mayor producción de riqueza, y más equidad en su disfrute". *Ideario Costarricense* (1943), p. 241-242.

245

José Figueres repudia distintos sentidos de esta palabra, hasta hallarle un sentido *social:*

"El hombre vive en sociedad, y sostiene un Estado regulador, para beneficiarse. Desde el momento en que ese Estado le perjudica, o irrespeta su persona, se ha roto el contrato, y ha dejado de existir la sociedad. Podrá haber un regimiento, una tribu inorgánica, o un hato, pero no una colectividad ejecutora de un convenio social entre sus miembros.

"Democracia es una sociedad en que cada individuo tiene conciencia clara de lo que el grupo hace; es la colaboración de todos en el manejo de lo que a todos pertenece; colaboración que se manifiesta en forma ordenada y racional, ya sea emitiendo un voto para elegir un funcionario, o contribuyendo públicamente a la solución de una dificultad, o censurando procedimientos nocivos, o simplemente aprobando con el silencio las actuaciones de quienes ejecutan la voluntad general" [112].

El ideal al cual aspira es mesocrático:

"El ideal que se persigue ahora es que todas las clases sociales, al impulso de la técnica económica, se vayan fundiendo en una gran clase media que goce ampliamente de las comodidades y oportunidades culturales de la época. De esa gran clase, que será la humanidad, surgirán los verdaderos valores espirituales" [113].

Esta ideología implica, para su realización, de unas técnicas económicas y de la resolución de toda una serie de problemas:

"Considera Figueres que en nuestros países deben aumentarse las entradas nacionales estabilizando los precios de exportación en niveles convenientes; deben adoptarse mejores métodos de producción; dar impulso a los movimientos sociales; crear sistemas de ahorro que encaucen una adecuada proporción del ingreso hacia la formación de capital para invertirlo —si fuera posible— bajo un sistema de prioridades; y ensanchar, en lo posible, los presupuestos para educación y salud pública; si todo esto se hace en nombre de la democracia, la planta —dice— crecerá rápidamente sobre suelo fértil" [114].

De todo ello, probablemente lo más típico (e importante, por haberse realizado) sea la nacionalización de la banca, justificada en estos términos:

"El mayor obstáculo con que una labor de esta índole tropieza (orientar las actividades económicas de la Nación de tal manera que la acumulación normal del ahorro no se detenga, y de que los recursos de trabajo y capital de que dispone el país se inviertan en

---

112   *Palabras Gastadas* (1943). p. 11.

113   31 agosto 1949.

114   R. H. Valle, *Hist. Ideas Contemp. Centro-América* (1961), p. 134-135.

la forma más reproductiva), es la actual organización del crédito. Fundamentalmente son los bancos los que distribuyen y administran los recursos financieros de que se alimenta la Agricultura, la Industria y el Comercio. No sólo colocan los Bancos su propio capital, sino también el de los depositantes, que representan la ciudadanía en general. De ahí nace el tremendo poder social de que disponen y que, en la actualidad —en el siglo XX— constituye un verdadero anacronismo. La administración del dinero y el crédito no debe estar en manos particulares, como no lo están ya tampoco la distribución del agua potable ni los servicios de Correos. Es al Estado, órgano político de la Nación, a quien corresponden esas funciones vitales de la economía" [115].

No es éste el lugar para entrar en el detalle de soluciones propuestas a los problemas económicos que ocupan la mayor parte de los escritos que luego se relacionan.

Otro aspecto significativo es el de la política continental, vista básicamente en función de la economía:

"América debe unirse en una sola economía y en una sola cultura. Deben desaparecer tres cosas: las dictaduras, la ignorancia y la pobreza.

"No debe permitirse que los aventureros políticos se protejan tras una nueva muralla china, llamada "Doctrina de no intervención", o conveniencia de sostener "gobiernos constituidos", para convertir la administración de sus países en su negocio privado. El criterio de soberanía irrestricta, y las prédicas de nacionalismo aislacionista, se asemejan a las antiguas supersticiones de los armados caballeros.

"Una intervención sana, ejercida por organismos internacionales genuinamente democráticos y de criterio definido, es más jurídica y más humana que la indiferencia. . . .

"Por encima de la consideración de fronteras debe estar el respeto a la dignidad del hombre, donde quiera que él se encuentre. . . .

"Toda América está obligada, por motivos éticos y por los convenios existentes, a procurar el implantamiento real de regímenes democráticos representativos, en cada uno de los países del Hemisferio" [116].

A su vez, esta aspiración continental es vista integrada en otra más amplia: "Las naciones de nuestra época están dejando de ser jirones aislados en la superficie de la tierra, para convertirse en partes integrantes de una sola estructura mundial, formada por la gran familia humana" [117]

---

115 19 junio 1948.
116 8 noviembre 1949.
117 8 noviembre 1949.

Este "hombre de visión y de agresividad" [118] ha sabido, en todo caso, señalar el papel internacional de su pequeña patria:

"... un país pequeño puede contribuir eficazmente con ejemplos morales a la causa del mejoramiento estructural de las sociedades humanas" [119].

En los últimos diez años, José Figueres ha continuado siendo figura controvertida y de primer plano en la política nacional, con una actividad constantemente creciente.

Sus ideas políticas han continuado en evolución. Desde el socialismo de sus primeros escritos había pasado a la Social Democracia, y últimamente hacia formas desarrolladas del capitalismo. Por lo demás, la misma evolución de la Social Democracia alemana.

Sus discursos y escritos de política electoral son muy numerosos. Debo recoger el escrito más importante de estos años: *La pobreza de las Naciones* [120]. El origen de este libro estuvo en una campaña electoral, en que predicó: la lucha contra la miseria. En este libro recogió parte de sus escritos en torno a este tema y los reelaboró. El libro tiene unidad en su primera mitad y no es tan clara en los capítulos de la segunda mitad. Tiene tres partes: la cuestión internacional, la cuestión social y la cuestión económica. Tiene más empaque y brío la primera: cómo pretende el Sistema Social Democrático disminuir la Pobreza de las Naciones, frente al problema de que, pese a los nuevos conocimientos, se mantiene. Sostiene la libertad y la necesidad de la propiedad privada de los medios productivos. En todo caso, los medios de producción deben ser instrumentos de bienestar general. El objetivo explícito del libro es delimitar la manera de aplicar la Social Democracia en Latinoamérica, cuando apenas se inicia la industrialización. La Social Democracia propone: libertad política, Economía Mixta, Empresa libre, planificación, concepto empresarial y función social de la actividad económica. Un ejemplo, la necesidad de sustituir en Costa Rica el cultivo del café por algún otro cultivo. Algún día deberá fijarse "un Jornal Mínimo Mundial". La Cuestión Internacional es la primera causa de la Pobreza de las Naciones.

---

118   R. H. Valle, *Hist. Ideas Contemp. Centro-América* (1961), p. 67.

119   16 enero 1949.

120   *La Pobreza de las Naciones*, Imp. Nal., 1973, p. 452.
     Algunas otras publicaciones:
     La América hoy, Imp. Borrasé, 1965, p. 24; *Carta a don Jaime Solera*, Casa Presidencial, 1971, p. 41; *Ciprés con selección*, Imp. Nal., 1972, p. 32; *Dos revoluciones*, Ed. Morúa Carrillo, 1962, p. 43; *Los Fondos Mutuos en Costa Rica*, Minist. Gobernación, 1972, p. 18; *Relaciones de Costa Rica con la Unión Soviética*, Imp. Nal., 1971, p. 11; "Una contestación atrasada", *La República*, 4 febrero 1968. Ravines, E., "Figueres ... debe afrontar un reto neo-liberal", *La Nación*, 10 junio 1970. González Feo, Mario, *Carta* en *Nihil*, vol. II, San José, 1967, p. 134-140.

La cuestión social se plantea en primer lugar en el terreno de la educación y después en el de la nutrición. Para los desvalidos en el país, propone el IMAS. Critica a la clase media por su falta de solidaridad. Elogia los planes de asignaciones familiares y las cooperativas.

La mayor parte del libro (pp. 149-452) está dedicada a la Cuestión Económica: la actividad económica debe ser un medio de liberar al hombre, y no un fin en sí misma. Se debe buscar un disfrute más sabio de la abundancia. "Una vida de alta calidad con un ingreso económico modesto". Para ello, la solidaridad económica.

La Social Democracia pretende una síntesis de capitalismo y socialismo, mediante la Economía Mixta. Profetiza el paso de la Sociedad de Elites a la Sociedad de Bienestar General. Dedica un amplio examen a lo que en Costa Rica se llama Banca Nacionalizada. De paso, justifica muchas formas de inflación. Tesis: "Nuestro subdesarrollo es mental". Conclusión: elogio de la "sociedad frugal". Entre los más desarrollados industrialmente y los más subdesarrollados (proporción de 1 a 100), Costa Rica es una sociedad frugal. Y cita a Aristóteles: evitar los extremos. Hay que educar al hombre para la producción, pero como medio, no como fin, aplicándole "el freno de oro de la cultura".

Considero que la siguiente cita, de un discurso oficial al Partido, es explícita sobre la actitud ecléctica:

"Un socialismo basado en el concepto de propiedad privada para todos satisface por igual a los instintos biológicos y a los ideales éticos y políticos de justicia universal" [121].

OBRAS

[Discurso radiado], de 8 julio 1942. [Vid.: A. Castro Esquivel, *José Figueres Ferrer* (1955), p. 27-35].

Palabras Gastadas. Democracia, Socialismo, Libertad (1943); (San José, Imp. Nacional, 2ª ed., 1955), 36 pp.

Respuesta del Sr.... en: *Ideario Costarricense*, (San José, 1943), p. 241-243.

[Discurso] de 23 mayo 1944. [Vid.: A. Castro Esquivel, op. cit., p. 63-66].

Nuestra contribución a la victoria; Enemigos de nuestra producción: I, el Gobierno. II, la Naturaleza. III, el Café. IV, los Sofismas, en: *"Acción Democrática"*, (San José, 9, 23, 30 diciembre 1944; y 6, 20 enero, y 11 marzo 1945).

---

121 "Discurso . . . al Congreso ideológico del Liberación Nacional", *La República*, 29 marzo 1969.

[Discurso radiado], de 25 agosto 1946. [Vid.: A. CASTRO ESQUIVEL, op. cit., p. 73-86].

[Declaraciones], de 23 abril 1948, "La Nación" (23 abril 1948).

[Discurso radiado], de 25 abril 1948. [Vid.: A. CASTRO ESQUIVEL, op. cit., p. 135-140].

[Discurso], de 28 abril 1948. [Vid.: A. CASTRO ESQUIVEL, op. cit., p. 146-150].

[Discurso], de 8 mayo 1948. [Vid.: A. CASTRO ESQUIVEL, op cit., p. 156-159].

[Discurso radiado], de 19 junio 1948. [Vid.: A. CASTRO ESQUIVEL, op. cit., p. 163-169].

Mensaje Presidencial ..., de 16 enero 1949, (San José, 1949, s.p.), p. 19. Reprod. A. CASTRO ESQUIVEL, op cit., p. 192-208.

Orientación política de la Junta Fundadora de la Segunda República, (San José, Imp. Nacional, 1949), p. 16.

[Discurso], de 28 julio 1949. [Vid.: A. CASTRO ESQUIVEL, op. cit., p. 210-222].

[Discurso], de 9 agosto 1949.

[Discurso radiado], de 31 agosto 1949. [Vid.: A. CASTRO ESQUIVEL, op. cit., p. 227-240].

[Declaraciones], "Diario de Costa Rica" (4 octubre 1949).

Mensaje del Sr. Presidente ..., de 8 noviembre 1949. (San José, Imp. Nacional, 1949), 10 pp. [Reprod.: A. CASTRO ESQUIVEL, op. cit., p. 243-252].

Doctrina social y jornales crecientes, (San José, Imp. Nacional, 1949), 20 pp.

Mensaje ..., de 12 mayo 1950, (San José, Imp. Española, s.f.), 54 pp.

** *Carta Fundamental del Movimiento de Liberación Nacional,* (Costa Rica, MLN 1951), 15 pp.

Tres años después, "La República" (11 marzo 1951). Reprod.: A. CASTRO ESQUIVEL, op. cit., p. 258-266.

[Discurso], de 11 marzo 1951. [Vid.: A. CASTRO ESQUIVEL, op. cit., p. 266-274].

Problems of Democracy in Latin America, en: *Problems and Progress in Latin America,* "Journal of International Affairs", IX, 1 (Columbia Univ., 1955), p. 15 y sig.

Mensaje del señor Presidente ..., 1 mayo 1955, (San José, Imp. Nacional, s.f.), 30 pp. [p. 3-18].

Cartas a un ciudadano, [San José, Imp. Nacional, 1956], p. 280, 2ª ed.

The Problems of Peace and the Problems of War, Statistical and Census Office [1956], 13 pp.

Mensaje del Señor Presidente..., 1 mayo 1957. (San José, Imp. Nacional, s.f.), p. 16.

Educación para vivir, 29 septiembre 1957, (San José, s.e., s.f.), p. 12.

Estos diez años, 29 enero 1958, (San José, Imp. Nacional, 1958), p. 29.

Las elecciones de 1958..., 7 febrero 1958, (San José, Imp. Nacional, 1958), 23 pp.

Brief Sketch of..., Congressional Record, Proceedings and Debates of the 85 th. Congress, second Session [june, 9, 1958].

No se puede escupir a una política exterior, "Combate", 1 (1958), p. 64 ss.

Mandato de las Naciones Unidas..., "Combate", 2 (1958), p. 67 ss.

La América de Hoy, "Combate" 7 (1959), p. 8 ss.

Países ricos y países pobres, "Combate", 11 (1960), p. 10 ss.

Thoughts on Power without property, en: *Nuevas Corrientes,* "Journal of Inter-American Studies", II, 3 (july 1960), p. 257-260.

Carta abierta a los Estados Unidos, "Selecciones del Reader's Digest", XLII, 250 (septiembre, 1961), p. 21-28.

Estabilización del café, "Combate", 17 (1961), p. 41 ss.

BIBLIOGRAFIA

CASTRO ESQUIVEL, ARTURO, *José Figueres Ferrer,* (San José, Imp. Tormo, 1955).

DOBLES SEGREDA, LUIS, *El caso de Figueres...,* "Diario de Costa Rica" (2 diciembre 1948). Reprod.: A. CASTRO ESQUIVEL, op. cit., p. 171-176.

MAYO, W. K., *Don Pepe Figueres,* "La Prensa Libre" (8 noviembre 1961).

NAVARRO BOLANDI, HUGO, *La generación del 48,* (México, 1957).

ROSSI, JORGE, *Una visita a...,* "Surco", 26 (1942), p. 10-11.

VALLE, R. H., *Hist. Ideas Contemp. Centro-América* (1961), p. 47-48, 67, 134-137, 192-193, 292, 294, 299.

VALVERDE, EMILIO, *Un interesantísimo ensayo social...,* "Surco", 26 (1942), p. 11-13.

Como en todo el capítulo, prescindo de todas las publicaciones estrictamente de orden político concreto.

Rodrigo Facio

Hombre ecuánime, con sentido del humor, de un temperamento equilibrado, infatigable acometedor de empresas, terco en la obra y flexible en la realización, Rodrigo Facio representó para

Costa Rica el prototipo de intelectual administrador. Pasó de la Filosofía del Derecho a la Economía y entregó su vida a la maduración de la Universidad Nacional, la cual le debe su Ciudad Universitaria y la realización de la reforma de 1957.

Nació en San José en 1917. Licenciado en Derecho en 1941. Profesor de Filosofía del Derecho en 1941-1946 y de Historia de las Doctrinas Económicas hasta 1960. Rector de la Universidad Nacional en 1952-1959. Diputado en la Asamblea Constituyente de 1949, en la que influyó orientando el concepto de Estado según la doctrina de Luis Recaséns Siches. Murió en 1961.

Como doctrinario, hizo la crítica del liberalismo clásico y postuló un "liberalismo constructivo", coincidente con lo que en el país se entendió como "socialismo", aunque a él no le parecía adecuada esta denominación. En el concepto de Estado evolucionó del nacionalismo al internacionalismo.

En su *Estudio sobre la Economía Costarricense* (1942) afirma: "Sería utópico plantear en Costa Rica la socialización o nacionalización de la tierra; todas sus características íntimas desautorizarían tal pretensión, y así lo han reconocido hasta los marxistas de casa" (p. 161). "Ahora se trataría de la pequeña propiedad defendida, estimulada y fortalecida por la organización cooperativa y la intervención científica de un Estado inspirado en los postulados político-económicos que impone la hora presente" (p. 162). Ello lo justifica así: "Todos esos principios son manifestaciones del criterio liberal constructivo moderno, según el cual, el Estado no debe ni desentenderse en un criminal *laissez faire* de los resultados de la economía, suponiéndolos automáticamente garantizados por su libre juego, ni intervenir en su funcionamiento y sus resultados necesarios, ni arrogarse la dirección de la vida nacional entera, suponiendo en un gran plan totalitario la garantía de la felicidad colectiva" (p. 163).

Hombre de sentido práctico, veía a las ideologías como instrumentos y no como fines.

" . . . , cuando propugnamos el cooperativismo para la solución de ciertos problemas nacionales, no lo enarbolamos como programa integral de reforma social, ni a nadie lo señalamos como el camino para la "sociedad perfecta". Estamos luchando por el mejoramiento patrio, pero nos negamos a hacer demagogia prometiendo utopías y paraísos terrenales a nuestro conciudadano" [122].

Sobre el tema de la propiedad, intervino ampliamente en la Constituyente de 1949, acerca de su limitación "para que llene una función social". Sostuvo que la Constitución no debe involucrar una teoría económica determinada, permitiendo así el juego de gobiernos de ideologías distintas. Así, la Constitución debe permi-

---

[122] "Surco", 31 (1943), p. 24-25.

tir, sin imponer, el desarrollo del intervencionismo estatal, tendencia contemporánea dominante, "como única forma de corregir una serie de injusticias del sistema económico liberal": " ... en los últimos años se ha pretendido llegar a una especie de neo·liberalismo, es decir, una fórmula transaccional entre el liberalismo económico y el socialismo de Estado. Se ha planteado el problema de la posibilidad de conciliar en una Democracia los principios de libertad política con los de seguridad social y económica". La función social de la propiedad erradicará "los vicios tradicionales que han imperado en Costa Rica, como el personalismo hipertrofiado, que nos ha llevado en política a un "presidencialismo" exagerado y nocivo". Ahora bien la intervención estatal es buscada, no para ahogar la propiedad privada, sino para fomentarla: "Si se quiere que no haya monopolios particulares, ¿basta la prohibición constitucional para evitarlos? La experiencia nos dice que no, y que si en efecto deseamos que ellos no se formen, es necesario complementar la prohibición dando leyes que le pongan coto a toda tendencia monopolizadora, ..., y señalando un régimen especial de control, o bien de expropiación, para los monopolios de hecho, que a pesar de la prohibición y las leyes lleguen a formarse". La intervención del Estado deberá ser "con un fin de racionalización de su funcionamiento económico [de la propiedad privada], es decir, para que opere con beneficio para los diversos factores de la producción". La noción de propiedad privada no es la de un derecho absoluto: "acojo del neo-liberalismo la condenatoria contra esas medidas aventuradas, unilaterales, coercitivas; pero hoy como ayer también, me inclino por la intervención científica, planeada, meditada, del Estado en los problemas económicos con las finalidades democráticas que hoy persiguen en todo el mundo occidental el intervencionismo económico, y en eso continúo separándome del neo-liberalismo". En resumen, sostiene "no se trata de "socialismo", sino de intervencionismo estatal" [123].

Sin embargo, su concepción filosófica de superación del liberalismo desde el liberalismo gracias al Estado, ya desarrollada en *2 Discursos,* vuelve a centrarse en la libertad humana en su ensayo *La victoria del hombre contemporáneo sobre los dogmatismos económico-sociales.* Del análisis del clasicismo, liberalismo, marxismo y socialismo, concluye: "Y se inicia así la transformación evidente del capitalismo en sentido humanitario y con criterio de justicia social inmediata y operante, lo que para los clásicos era un error imperdonable y peligroso, y para los marxistas un sueño pequeño-burgués... Y lo que es más importante: la reforma se inicia y se continúa y obtiene logros concretos y sensibles, limitando el funcionamiento libérrimo de las fuerzas económicas me-

---

123 *Asamblea Nal. Constituyente de 1949,* tomo I (1953), p. 585-604.

diante una serie de cada vez más audaces controles sociales, pero al mismo tiempo salvaguardando y, más bien, fortaleciendo los derechos y las libertades del espíritu y la ciudadanía". ... "Otro triunfo del hombre, teóricamente disminuido por ideologías abstractas, sobre tales ideologías y tales abstracciones". Con lo que afirma el triunfo del espíritu sobre los sistemas.

Este tema le preocupó reiteradamente. Su planteamiento final fue: "..., si bien pudo darse incompatibilidad doctrinaria, pura, entre planificación y capitalismo clásico, ello no puede producirse entre planificación y el capitalismo intervenido de nuestros días". Y precisamente pasó a sostener que la aplicación del liberalismo clásico a las relaciones económicas internacionales agravó la inferioridad de los países subdesarrollados: "Una experiencia histórica, larga y dolorosa, ha demostrado suficientemente cómo, dentro de un mundo liberal, las naciones económicamente fuertes tienden a convertir a las débiles en simples productoras de materias primas y frutos alimenticios, imprimiéndoles una forma de crecimiento *hacia afuera*"; "Frente a las pregonadas recíprocas ventajas del libre comercio internacional y el libre juego de la empresa privada, fundadas en la pretendida aplicabilidad universal de la doctrina económica clásica, las diferencias reales de niveles culturales, sociales, capitalistas y tecnológicos de unos países a otros, lo que produjeron fue el progreso casi continuo de los fuertes y el estancamiento casi total de los atrasados".

"De donde se infiere, por la presión angustiosa de los hechos, que la misión del Estado, aparte de fútiles y desorientadoras consideraciones doctrinarias, tiene que ser en estos países mucho más amplia y activa de lo que lo fue en la infancia de los países industrializados ... ". "En éstos [aquéllos], la planificación se justifica y se requiere para evitar el estancamiento. Y para asegurar el desarrollo" [124].

OBRAS

[Ver Bibl. en cap. sobre "Los Estudios de Filosofía", Universidad Nacional].

Autoridad y libertad, "Surco", ns. 1-13 (1940-1941).

La importación por el Estado..., "Surco", 19 (1941), p. 2-4.

Estudio sobre Economía Costarricense, (San José, Ed. Surco, 1942), p. 174.

Naturaleza y trayectoria del liberalismo económico en Costa Rica, "Surco", 30 (1942), p. 10-13.

124 *Planificación ...* "Rev. Ciencias Sociales" 4 (1959), p. 11-16.

... *Cooperativas,* "Surco", 31 (1942), p. 19-20, 24-33.

Un programa costarricense de rectificaciones económicas, "Surco", 38 (1943), p. 8-12; 39 (1943), p. 9-12.

Legislación social y organización económica, "Surco", 40 (1943), p. 26-31.

Breve noticia sobre la Unión Soviética, "Surco", 42 (1943), p. 4-11.

La Moneda y la Banca Central en Costa Rica, (México, Fondo Cultura Económica, 1947).

Discurso... [sobre la constitución históricra de la nacionalidad costarricense], "Rev. Arch. Nac.", XII, 9-10 (1948), p. 490-497.

Trayectoria y crisis de la Federación Centroamericana, San José, 1949.

Asamblea Nacional Constituyente de 1949, tomo I (1953), p. 214-217, 224-231, 232-235, 276-279, 415-416, 553-557, 564-584, 585-604; tomo II (1955), p. 15-16, 154, 245-249, 367-372, 466-467, 471-476, 560-561, 608-615, 637-640; tomo III (1957), p. 76-80, 87-92, 225-227, 412-414, 522-525.

Resumen de la obra "Teoría general de la Ocupación, el Interés y el Dinero" de John Maynard Keynes, (Ed. B.A.S., 1952).

La Universidad de Santo Tomás, en: OBREGON LORIA, RAFAEL, *Los Rectores de la Universidad de Santo Tomás* (1955), p. 7-32.

2 Discursos del Rector, (1956), 34 pp.

La victoria del hombre contemporáneo sobre los dogmatismos económico-sociales, "Rev. Univ. C. R.", 16 (1958), p. 97-124.

Planificación económica en régimen democrático, "Rev. Ciencias Sociales", 4 (1959), p. 5-79.

"Algunos conceptos sobre libertad", "El Universitario", V-VI-1964.

Se halla en preparación la ed. de sus obras completas.

BIBLIOGRAFIA

BONILLA, A., *Hist. Ant. Literatura Costarricense* (1967), p. 337-340.

HERNANDEZ POVEDA, R., *Desde la barra,* San José, Ed. Borrasé, 1953.

HESS, R., *Rodrigo Facio el economista,* Univ. Costa Rica, 1972, p. 223.

L. C. C., en: "Rev. Filosofía", 1, 1958.

RODRIGUEZ VEGA, E., *"Ideas políticas de Rodrigo Facio",* "La República", 10 y 14 agosto 1970.

SALAS, J. M., *"Lic. Rodrigo Facio Brenes",* "La Prensa Libre", 4 octubre 1973.

SOTELA, R., *Escritores de Costa Rica* (1942), p. 783-784.

VARGAS FERNANDEZ, en: *Asamblea Nal. Const. de 1949,* tomo I (1953), p. 266-273.

Alfonso Carro

Responde plenamente al prototipo del político ideológico. Tanto como profesor universitario de Teoría del Estado, que como Diputado, que como político, es en todo momento un planificador racionalista. De gran vitalidad concentrada, es hoy día, en Filosofía Política, el pensador de mayor envergadura en el país.

Nació en Juan Viñas (Cartago) en 1924, Licenciado en Derecho por la Universidad de Costa Rica en 1950, se doctoró por la de Madrid en 1953. Profesor de Teoría del Estado en la Facultad de Derecho desde 1955. Diputado en 1958-1962. Director de la "Revista de Ciencias Jurídicas" (1955-1958) y co-Director de la de "Ciencias Sociales y Jurídicas" (1958). Ministro de Trabajo (1962-66), creó el Instituto Nacional de Aprendizaje.

Dentro de la problemática contemporánea de la Filosofía Política, e influido especialmente por Recaséns Siches por una parte, y por Conde, Heller y Schmitt por otra, pertenece a la corriente costarricense que busca en el intervencionismo planificador del Estado la solución a los problemas sociales.

En su curso universitario de *Teoría del Estado* [125], Alfonso Carro empieza desarrollando una panorámica histórica de la evolución de las formas de organización política, a partir de la génesis de la Ciudad-Estado, cuyo análisis desarrolla desde la doctrina aristotélica, pero sobre el supuesto de la visión de Xavier Zubiri del hombre como "inteligencia sentiente" ("animal de realidades"): "El hombre, si quiere vivir, debe hacerse cargo de la situación y entonces excede de la situación misma de que se hace cargo; así hace su vida y la historia. Hacerse cargo de la situación es estar vertido a la realidad". Pero es fundamentalmente a través de la obra de Javier Conde como enfoca la problemática general. Así, halla, dentro del ámbito de la vida humana, la realidad política enmarcada en la "vida pública": "En esta zona [la vida pública] señorea el "poder político"; éste es la realidad primaria y fundamental". "En el mundo moderno, el problema máximo que se plantea en esta zona es el de hacer posible la convivencia política (no la meramente social), lo que se logra mediante la creación o fundación de un "status" o situación política, que hemos dado en llamar Estado. Ese "status" está constituido básicamente por un *orden* impuesto por el "poder político" a través del Derecho".

La Ciencia Política, afirma siguiendo a Heller, prescinde de los problemas deontológicos; sólo se ocupa de las actividades políticas "que suponen un ejercicio autónomo de poder, que no aparece predeterminado de cabal manera mediante precisas reglas jurídicas normativas". Justifica una Ciencia Política general, "en-

---

125 19 fascículos, mimeografiados, (1959-1960).

cargada del estudio de los problemas que son comunes a todas las realidades políticas. Pero, a su vez, cada una de esas zonas de la realidad política, ... exige un enfoque científico particular". Por esto, distingue Teoría del Estado, Historia Política, Economía Política. "La Teoría del Estado se propone el estudio objetivo de la realidad estatal: su estructura, naturaleza de ésta, formas que adquiere, sus aspectos sociológicos y jurídicos, etc.".

Delimita lo "político" como "una forma de la vida humana, forma social e histórica", punto en el que adapta el orteguismo.

"La Teoría del Estado no puede ser ciencia de conceptos universales y abstractos, sino que tiene que basarse en las realidades de la sociedad y de la historia, y en nuestro caso la limitamos al conocimiento del Estado moderno occidental".

En los orígenes de la Edad Moderna, la separación de la moral respecto de los principios religiosos; el abandono de los principios éticos en economía, política, Derecho; la puesta de la Naturaleza al servicio del hombre mediante la técnica; la actitud científico-racionalista; la ruptura del sistema de economía cerrada; son las bases de la aparición de dos grandes realidades: la Nación y el Estado. Y éste adoptó la forma de Estado nacional. Sus caracteres son: soberanía del poder estatal, ejército permanente, el Estado como creador de un nuevo Derecho, Administración de justicia centralizada y permanente, organización de la hacienda pública, organización burocrática.

La función social del Estado consiste en posibilitar la convivencia humana dentro de un territorio. Por otra parte, el Derecho no tiene existencia fuera del Estado. Estudia Alfonso Carro con detalle los tres elementos reales del Estado (territorio, pueblo y poder). "Pueblo, en sentido político, es una organización humana universal, dentro de un territorio determinado, con estructura nacional y estatal o sea, caracterizada en general por un nivel superior de organización política, y en particular por una voluntad política unitaria".

Pero los elementos reales resultan insuficientes, si no se toma en consideración además los formales, que se derivan de la *identidad inmediata* del pueblo como unidad política, o de la *representación* del pueblo en la estructura del Gobierno.

Ello lleva al problema del sentido y naturaleza de la representación política, sólo dable en un régimen democrático, como nexo entre pueblo y poder: "Desde el punto de vista político, el pueblo, como realidad colectiva, no es una realidad perfecta a la que falta simplemente visibilidad o potencia, presencia empírica; es una realidad 'deficiente' "; "Lo político consiste precisamente en la actualización de esa posibilidad ofrecida al hombre de elevar una realidad colectiva, en sí misma plural, a verdadera unidad de acción llamada a realizar un ideal del derecho".

Después de estudiar el poder constituyente, distingue entre órganos del Estado y formas de Estado. Y a su vez, éstas respecto de las formas de Gobierno: monarquía, república; democracia, autocracia; Estados simples, compuestos y uniones de Estado.

* * *

Al estudiar la estructura política nacional, frente a la concepción del positivismo jurídico-político, Alfonso Carro sostiene que el Estado es "una realidad propia del mundo moderno, consolidada por el hombre como nueva forma de organización política a partir del Renacimiento y de la Reforma". "El Estado moderno nace, fundamentalmente por el fenómeno de la concentración del poder jurídico y político en una sola instancia". El Estado moderno ha tenido tres manifestaciones concretas: el Estado Absoluto, el democrático-liberal y el Estado totalitario. En el Estado democrático-liberal, "para garantizarle al individuo la libertad que exigen su condición natural y la necesidad de realizar plenamente su vida, es que la organización política debe impedir que los diversos poderes del Estado estén divididos, y cada uno de ellos sea ejercitado por un titular diferente al de los otros poderes".

Ve la actual Constitución costarricense como democrática-liberal.

" . . . en lo que hace referencia a las distinciones esenciales que es preciso hacer entre Democracia y Liberalismo, podemos afirmar: la Democracia se propone resolver el problema de la titularidad del poder. A la pregunta de quién es soberano, responde: el pueblo es el soberano; él es el titular de la soberanía. En cambio, el Liberalismo busca precisar *"cómo"* se ejerce el poder: si éste, para beneficio de los hombres que son gobernados, debe tener límites o no. Y responde que el poder debe ejercerse, con limitaciones concretas, de tal manera que garantice al individuo una zona de libertades que por propia naturaleza le corresponde".

Ahora bien, Alfonso Carro sostiene que hace años se viene perfilando un nuevo tipo de Democracia, la Democracia social. "Por su medio busca el proletariado emanciparse de las diferentes fuerzas —económicas, religiosas, éticas, políticas, etc.— que le han mantenido tradicionalmente subordinado a otras clases sociales. Es la forma democrática que poco a poco afirma sus principios en nuestros días y que se presenta como complemento necesario de la democrático-liberal. Por su medio se afirma y alcanza vigencia social un grupo de nuevos derechos, los sociales, que tienen por objeto inmediato la protección de las grandes masas de trabajadores, y por objeto mediato la consolidación de un nuevo régimen social sobre bases más justas".

Sin embargo, no ve oposición entre democracia liberal y democracia social, sino que considera que debe darse "la fusión de ideales e instituciones de las dos", aunque "La Democracia social no se plantea, como cuestión central a resolver, los mismos problemas de la Democracia liberal". A ésta le preocupó básicamente la afirmación de una esfera de libertades para el individuo, y la participación igualitaria de los miembros de la comunidad en la formación de la voluntad colectiva o Estado. Para la Democracia social, lo importante es asegurarles a todos los hombres, sin distinciones, una participación cada vez mayor, y con arreglo a la justicia, en las riquezas materiales y espirituales de una nación". "Por esas dos vías, —la económica y la cultural—, la Democracia social busca consolidar la emancipación del proletariado moderno" [126].

Los objetivos políticos concretos que plantea son:

"La dignificación de los trabajadores mediante el mejoramiento efectivo y justo de sus condiciones de vida, constituye la más extraordinaria conquista de la sociedad contemporánea. Esta portentosa hazaña de la justicia ha rescatado a millones de hombres, mujeres y niños, de la miseria y la ignorancia, la humillación y el abandono.

"Pero no debemos olvidarnos que esta cruzada mundial por el mejoramiento de mejores condiciones económicas, sociales y educativas para los trabajadores y los humildes, tiene que realizarse manteniendo intactas las libertades del hombre. Ofrecerle justicia social a las masas a cambio del sacrificio de su dignidad y de su libertad, constituye una estafa infame.

"Además de luchar por el establecimiento de relaciones más justas entre patronos y trabajadores, el Partido Liberación Nacional ha desarrollado y continuará impulsando planes amplios para llevar a todos los grupos económicamente débiles, los frutos de la civilización y la cultura, como electricidad, viviendas, reforma agraria, crédito bancario, ayuda técnica, bienestar social, asistencia médica, escuelas y vías de comunicación.

"Aumento de la riqueza nacional, y justicia social con libertad y dignidad: ésta es la fórmula política de nuestro Partido" [127].

El pensamiento político de Alfonso Carro en estos años, salió de la cátedra para centrarse en la acción política. Ministro de Trabajo, Diputado, Presidente de la Asamblea Legislativa, ha actuado, dentro del Partido Liberación y en el campo de la política nacional,

---

126 *Teoría del Poder Constituyente . . . ,* "Rev. Univ. C. R.", 13 (1956), p. 54-87.
127 "La Nación" (2 enero 1961).

con arreglo a la ideología social-demócrata de su Partido. Creador del Instituto Nacional de Aprendizaje. Se le considera representante de la postura ortodoxa dentro del Partido. Mantiene la necesidad de revisar todos los niveles de la enseñanza, para prever la orientación nacional futura: "... si no construimos un hombre costarricense dotado de un saber suficiente y bien asimilado y de una conciencia clara de su propio valor tanto humano como ético, y de los valores sociales, todas las empresas o proyectos de tipo económico, social o político fracasarán...". Considera que su Partido ha logrado imprimir su sello al país, especialmente por los entes autónomos y la banca nacionalizada. Se declara partidario de un partido permanente y mayoritario, pero contrario al partido único. Igualmente, considera innecesaria en Costa Rica cualquier revolución: "No creo en la revolución, pero sí en la necesidad de cambios amplios y profundos. Dentro del esquema actual del país tanto económico como político se puede hacer toda una revolución si es que hay que llamarla así. Es cuestión de organizar mejor el trabajo, la asignación de los recursos tanto humanos como financieros, y particularmente el régimen de la tierra". Se declara contrario a la concentración financiera del poder económico [128].

OBRAS

Los Derechos del hombre y el Derecho Internacional Público, Tesis Escuela de Derecho, 1950, Bibl. Univ. (s. Tesis 100), 103 pp.

Teoría del Poder Constituyente, Teoría de la Constitución y la Constitución Política Costarricense, "Rev. Univ. C. R.", 13 (1956), p. 7-87.

La opinión pública y los Partidos políticos, "Rev. Ciencias Jurídico-Sociales", I, 2 (1957), p. 173-190.

Introducción a la Teoría de la representación política, "Rev. Ciencias Sociales", 4 (1959), p. 123-145.

Teoría del Estado, 19 fascículos mimeografiados, (1959-1960), 316 pp.

BIBLIOGRAFIA

FOURNIER, FABIO, en: *"Anales Univ. C. R."* (1956), p. 466-470.

FOURNIER J., FABIO, en: *"Anales Univ. C. R."* (1957), p. 490-492.

---

128 *La Nación,* 16 febrero 1975.

Alberto F. Cañas

Alberto Cañas es el miembro del Partido Liberación Nacional de más abundantes publicaciones. Sin embargo, opino que el motivo no está en sus ideas políticas, aunque se traslucen frecuentemente. Alberto Cañas es escritor nato, "columnista" de periódico. Luego resulta que es abogado, profesor y político, pero todo ello desde la perspectiva del periodista.

Alto y corpulento, vital, hombre "de tertulia", decidor que sabe escuchar. Si el país lo permitiera, sería autor teatral, pero no solo en el sentido de escribir teatro, que eso ya lo hace también, sino de esos viviseccionistas del teatro que gozan con fruición todo el mundo de bambalinas a camerinos. Quizá de ahí, su vocación política ..., si es cierto que la política tiene mucho de espectáculo a contemplar y construir.

Nació en 1920. Abogado. Diputado (1962-1966) por el Partido Liberación. Embajador de Costa Rica en la ONU (1948-49, 1956-58). Viceministro de Relaciones Exteriores (1955-56). Columnista durante muchos años; director de "La República", 1950-52; con la sección editorial a su cargo: "Los hechos y los hombres", 1946-48, en "La Nación"; "Chisporroteos" en "La República" desde 1960. Presidente de la Editorial Costa Rica, Profesor de Teatro en la Universidad y columnista de "Excelsior".

Como escritor ha dado ensayo, teatro, cuento, historia, crítica teatral, crítica cinematográfica, polémica política, etc. Premio Nacional. Por ello, la exposición que voy a hacer es parcial, por tomar solamente un aspecto de su obra, y no el central.

En el período 1942-48 (política de oposición) publicó numerosos artículos en pro de la libertad electoral, así como otros contra las dictaduras en el Caribe. Varias polémicas con Manuel Mora. Luego, abundan los artículos sobre el desarrollo de la clase media, la autonomía de los servicios públicos, las incongruencias de la censura moral de espectáculos, etc. Considero los más acertados los que tratan sobre la idiosincrasia nacional: el chunche, la fábrica de cemento, etc.

Sin llegar a poseer la vivencia de la palabra costarricense "chunche" no se conoce Costa Rica. Yo diría que casi llega a ser el autóctono "ente" de los griegos. El ensayo de Alberto Cañas es el más penetrante que se ha escrito.

La importancia de Costa Rica en el mundo: " ... un país inerme estorba a los que no lo son, porque predica con el ejemplo" [129].

La historia de Costa Rica es, así, la historia de una democracia que pugna por afirmarse y renovarse contra los obstáculos

---

129 *Discurso pronunciado ...*, San José, Talleres tipogr. Falcó, 1957?, p. 21.

interesados que se le ponen en el camino. Y la historia de los grandes hombres de Costa Rica es la historia de los capitanes de esa lucha. La historia de los hombres que se adelantan a su tiempo.

"Costa Rica tiene hoy (1954) la fortuna de estar gobernada por un hombre así" [130].

Son interesantes especialmente sus polémicas con los liberales, sobre todo los columnistas de la ANFE y el editarialista de "La Nación" (Manuel Formoso). Frente al liberalismo mancheste-riano, ha sostenido constantemente el intervencionismo estatal. Puede ser expresivo el siguiente artículo:

"... cuando se habla de lo social, se habla de dos cosas: de la responsabilidad que el hombre tiene para con la comunidad en que vive, ... y de la responsabilidad que la comunidad tiene para con el hombre.

"A la larga esto es una defensa del hombre como tal. ... En lo que sí sabe diferir del colega (con el que polemiza), es que el colega, al asumir la defensa del individuo, nos deja entrever que esa defensa debe estar a cargo del mismo individuo. Presumimos que esto se basa en la teoría de que el buey solo bien se lame, pero se nos ocurre apuntar que esa escuela de pensamiento sólo se ha apli-cado hasta la fecha a los bueyes. (Nadie ha dicho, que sepamos, que el toro solo bien se lame). Y nosotros no somos, al día de hoy, bueyes. Además, ser un defensor del hombre (en singular) como tal, aun cuando se haga en términos de 1855, no presupone que uno sea partidario de Robinson Crusoe, ...

"A la larga, lo que se distingue con el término 'social', no es sino una forma refinada del individualismo. Porque el individua-lismo que dice 'yo soy un hombre', sin conjugar el verbo hasta la tercera persona del plural, no es más que egoísmo. Los que hablan en términos sociales, llegan hasta decir 'ellos son unos hombres' ...

"Nosotros no somos muy dados a hablar en términos de 'lo social', pero no tenemos nada contra quien decida que él es el guarda de su hermano, y como los hermanos son tantos, en vez de tomarlos uno por uno, los toma en conjunto y se preocupa de lo que todos necesitan.

"El peligro para el orden social lo puede constituir más bien el individuo que decide que él es quien necesita mejor sueldo, des-canso y seguridad, y se lanza a obtenerlos a costa del prójimo, lo cual podría ser muy grato para algunos, pero es una barbaridad (desde un punto de vista social, por supuesto)" [131].

---

130 *El hombre desintegrado ...*, Orbe, 126 (IX-1958).

131 *Estampas filosóficas*, Orbe, 126 (IX-1958).
     Un Congreso de Neuropsiquiatría, La Nación (18-XII-1965).
     La idea del hombre en la filosofía actual, Orbe, 164 (V-VI-1967).

Dentro de esta línea, más que las grandes definiciones, es su aplicación día a día lo que le preocupa. La política del Caribe empuja, ciertamente, a no tomar en serio las declaraciones doctrinales. "El problema del comunismo es nuevo en el continente y o mucho me equivoco, o es el otro problema, el de la tiranía, el que lo ha creado por reacción" [132].

Los 8 años es una historia del período de gobierno por los Presidentes Calderón y Picado que abocó a la revolución de 1948. Es una historia *desde* el punto de vista liberacionista. Y desde nuestro punto de vista, la más importante que se ha publicado (con la tesis, ya publicada, de Aguilar Bulgarelli).

OBRAS

Los 8 años, San José, 1955, p. 120.

Uso y práctica del chunche, "Brecha". Reproducido: A. Bonilla, *Hist. Ant. Lit. Costarr.* (1961), Vol. II, p. 312-320.

Reflexiones en torno a una fábrica de cemento, "Mundo Hispánico" (Madrid, noviembre 1959).

Además de los artículos aparecidos en las columnas citadas y de las publicaciones literarias.

BIBLIOGRAFIA

"Dr. Gloss", *Don Alberto F. Cañas,* "La República" (5 septiembre 1956).

F. M. C., *Cómo ve y siente el periodismo Don Alberto F. Cañas,* "Diario de Costa Rica" (8 febrero 1959).

F. M. C., *Dos autores costarricenses . . . ,* "Diario de Costa Rica" (11 abril 1959).

Pumarabin, Julian, *Diplomacia y Juventud, "El Pueblo"* (Tegucigalpa, 3 enero 1955). Reproducido: "La República" (16 diciembre 1956).

Pumarabin, Julian, *Otra despedida,* "Panorama" (Maracaibo, 5 julio 1958).

Sancho, Alfredo, *Los 8 años,* "La República" (9 octubre 1955).

Alberto F. Cañas, en: Rev. Fil. Univ. C. R., 17 (1965), p. 137-138.

"Chisporroteos", Sobre *"Su Voz en Mí",* "La República" (23-V-1965).

Lemus, Jose Maria, *Aguilar Machado . . . ,* "La Nación" (9-VIII-1961).

---

132 *Estampas Filosóficas,* Orbe (junio 1961).

EL SOLIDARISMO

Alberto Martén

Iniciado el solidarismo en el plano económico, como fórmula de solucionar los problemas surgidos en las relaciones obrero-patronales como consecuencia de la promulgación del Código de Trabajo, lentamente ha sido madurado como doctrina político-económica por su fundador y difusor, Alberto Martén.

Nacido en San José, en 1909, Alberto Martén se licenció en Derecho. Profesor de Economía Política. Participó activamente en el Centro para el Estudio de los Problemas Nacionales y fue una de las principales figuras del Gobierno Revolucionario, organizado por el Partido Liberación Nacional en 1948; como Ministro de Economía, dirigió la nacionalización de la Banca; desde 1952 se dedicó a promover en Costa Rica el movimiento solidarista.

La obra de mayor envergadura de Alberto Martén es su *Teoría Metafísica del Dinero*. Desde su primer trabajo, *El enigma monetario,* se sentía inquieto, como economista y como político, ante qué sea el dinero. En la *Teoría* emprende la delimitación de su ser, convencido de que de su "concepción cierta" depende el acierto en la comprensión de los fenómenos económicos. "... el dinero es un concepto abstracto que no puede tener entidad propia, porque su esencia metafísica pertenece a la categoría de relación" (p. 3). Este punto de partida es llevado a conclusiones lógicas. Visto el valor como una abstracción de las cualidades útiles de las cosas, pasa a sostener que el dinero es tanto una creación de la economía como del Estado, lo que le lleva a la determinación del dinero, entre los bienes, por el criterio "de la certeza de su poder de compra" (p. 15). "Hemos aceptado que el dinero tiene una naturaleza funcional. Su esencia la determinan sus funciones, que son varias. Si esas varias funciones fueran esencialmente distintas, entonces el dinero sería cosas distintas. Es decir, el dinero .sería un mismo nombre usado para cosas diferentes. Pero si las varias funciones se reducen a una sola, entonces el dinero es el nombre de una cosa de naturaleza única. Una de las funciones primordiales del dinero es la de servir de medida común de los valores" (p. 29). La otra, "... servir como intermediario de los cambios" (p. 32). En cambio, debe suprimirse el ahorro como función de la moneda (p. 35).

En consecuencia, ve un proceso histórico en tres etapas: dinero materializado (el oro como su perfeccionamiento), el papel moneda como transición a la desmaterialización, y "la Teoría metafísica del dinero". Esta "... permite sustituir la política monetaria empírica de los bancos centrales por un proceso orgánico de creación de dinero realizado automáticamente por la misma actividad económica de la comunidad" (p. 44). Este proceso lo estudia seguidamente en el *mercado* y en las cuentas corrientes.

Esta concepción llevó a Alberto Martén a dedicar su vida a la realización de lo que llamó solidarismo. El que parecía que iba a ser el doctrinario económico del Liberación Nacional, se perfiló pronto como el doctrinario de una postura económicamente más avanzada.

El solidarismo se presenta como tercera posición, frente al dilema capitalismo-comunismo. Reconoce en Marx el acierto en señalar el proceso de progresiva concentración de la plusvalía y de la pobreza del obrero como mal, en el régimen capitalista. Pero repugna del comunismo la supresión de la libertad política, la iniciativa privada y la legítima propiedad de bienes de capital. En esta tesitura plantea como fórmula la "capitalización universal", fundada en el principio de solidaridad, connatural al hombre, la "justicia social" preconizada por José Ortega y Gasset, es vista como objetivo a realizar: "Nosotros, en Costa Rica, convencidos de la excelencia teórica de la doctrina de la Solidaridad, aceptamos el reto de hacerla llegar a las masas y de convertir esta escuela académica de pensamiento en un movimiento popular".

La fórmula de acción se basa en la capitalización de la plus-valía a favor del obrero. Ello supone el proceso de convencimiento del capitalista, para que acepte la deducción de ese porcentaje (que se hace oscilar en los textos entre el 5 y el 15% del sueldo) y su capitalización, no a la libre disposición del obrero, sino, o bien para invertirlo en casa o bienes de uso, o bien para hacer frente a los gastos de indemnización en caso de despido o cese del trabajo y otras cargas sociales. De esta manera, la contribución patronal no es gratuita, sino que constituye un fondo de reserva; y por parte del obrero, cesa el antagonismo anti-patronal.

"El castigo para los trabajadores desaprensivos o rebeldes es seguir vegetando en su pobreza. El castigo para los patronos sordos y sórdidos es perderlo todo." El principio de la solidaridad implica la desaparición de los latifundios, los impuestos directos y los salarios altos: reforma agraria, reforma tributaria, reforma monetaria, reforma fiscal. En la situación actual, "la única esperanza de salvación es la justicia". "El Movimiento Solidarista espera que todo empresario, todo patrón, todo propietario que materialmente pueda hacerlo, ponga a funcionar un Plan de Ahorro y Capitalización en su negocio, en nombre de la Justicia, de la civilización, y del instinto de supervivencia".

Como Partido, ha planteado la urgencia de un nuevo capítulo en la Constitución, creando las "Garantías Económicas", para dar soporte financiero a las Garantías Sociales. Otro aspecto, implica la creación de un Banco Popular de Desarrollo Económico, propiedad de todos los asalariados costarricenses: "Nos proponemos, en resumen, sacar del atraso económico a la nación y de la mediocridad o la pobreza a los costarricenses". Y puedo concluir recogiendo esta frase: "introduzcamos la ética en el campo de los negocios".

En estos diez años, Alberto Martén ha mantenido una intensa actividad, tanto en el plano de las publicaciones [133], como en el de la organización práctica. En cierto modo, ha dado una dimensión más amplia a su doctrina, enfocando los problemas del subdesarrollo desde el punto de vista de la capitalización universal.

OBRAS

El enigma monetario, (1942).

Principios de Economía Política, (San José, 1944).

El movimiento solidarista, (1947).

Solidarismo y Racionalización, (1948).

Democracia política y Democracia económica, (1948).

Teoría metafísica del dinero, (1951), 107 pp.

El comunismo vencido, (San José, 1952).

El movimiento solidarista, (San José, 1961), 11 pp.

El plan solidarista y la capitalización universal, (San José, 1961), 17 pp.

BIBLIOGRAFIA

BONILLA, A., *Hist. Ant. Lit. Costarr.* (1957), I, p. 343.

---

133 "La capitalización universal". *La Nación,* 13 octubre 1974, y una serie en los meses siguientes. Ibídem, *Rev. de Filosofía Univ. C. R.,* 35 (1974), 127-130. En éste, la relación con la Universidad Nacional.

MARXISMO

En Costa Rica, doctrinario marxista no comunista, puede mencionarse Mario Sancho [134] que se verá en Filosofía Social, y de ideología comunista, es Manuel Mora el más destacado, tanto por su personalidad directiva, como por sus alegatos doctrinales.

El partido comunista empezó a manifestarse en el país hacia 1931; actuó como "Bloque de Obreros y Campesinos" hasta 1943, en que se disolvió y se creó "Vanguardia Popular", dentro de la política de la época de Frentes Populares. En 1949 fue declarado el partido fuera de la ley. "Vanguardia Popular", y sobre todo Manuel Mora, tuvo influencia en el inicio de legislación social de los años 1941 a 1944.

En junio 1943, la Conferencia Nacional del Partido Comunista a propuesta de Manuel Mora, declaró disuelto el Partido y se constituyó "Vanguardia Popular", de estatutos mucho más amplios. El 4 de ese mismo mes, Manuel Mora dirigió carta al Arzobispo Mons. Sanabria, al que informó y le preguntó finalmente: "¿Cree usted Señor Arzobispo— que exista algún obstáculo para que los ciudadanos católicos colaboren o concierten alianzas con el Partido "Vanguardia Popular?". Mons. contestó el mismo día. Se remite a su carta pastoral de 28 de abril de 1940 y a las Encíclicas. Considera, dentro de todas las salvedades, que enumera, que "quedan solucionados, siquiera en su forma mínima, los conflictos de conciencia que para los católicos resultaban de la situación anterior".

El Partido Vanguardia Popular, proscrito desde 1949, apoyó en las elecciones al Partido Republicano (calderonista), hasta 1966, en que apoyó al candidato presidencial del Partido Liberación. Manuel Mora justificó el cambio de táctica, en un discurso resonante, con el argumento de ser el Liberación un partido "pequeño burgués" progresista.

Entre los marxistas ortodoxos, deben citarse: Eduardo Mora, economista, Diputado en 1974, autor de estudios de dialéctica económica, director del semanario *Libertad,* en el que pueden verse numerosas colaboraciones suyas; Arnoldo Ferreto, Diputado; y otros colaboradores del semanario.

---

134 Acaso, también el científico Clodomiro Picado, aunque más por actitud que por doctrina.

En el pequeño número de marxistas destacan tres novelistas: Carlos Luis Fallas [135], Fabián Dobles y Joaquín Gutiérrez, pero sus novelas, aunque corresponden a lo que suele llamarse literatura marxista, no son de tesis. Lo mismo, la obra poética de Carlos Luis Sáenz y la literatura de Carmen Lira.

A nivel de la acción política, a través de numerosos libros, debe citarse Vicente Sáenz, que residió muchos años en México, sobre todo, anti-imperialista y centroamericanista. ZELEDON, MARIO, "Pensamiento y vigencia de Vicente Sáenz", *Universidad,* 14 junio 1971 [136].

Manuel Mora

Idealista tenaz, convencido de la dialéctica de la lucha de clases, siempre en lucha por las reivindicaciones sociales, da más la impresión de un intelectual que de un político. En sus discursos en la Cámara tuvo que actuar a la defensiva y ésta fue siempre razonadora y congruente. La poca virulencia que la lucha de clases adopta en el país, también que sus escritos sean de defensa o reivindicación moderadas.

Nacido en San José, Licenciado en Derecho, Diputado, fue jefe del Partido Vanguardia Popular.

La doctrina marxista la expone cuando estima que ha sido mal interpretada. Así:

"Adam Smith y Ricardo, ..., ciertamente afirmaron antes que Marx, que el valor de las mercancías depende de la cantidad de trabajo en ellas contenido. Pero tal tesis, así como ellos la plantearon, conduce con facilidad a conclusiones absurdas, a círculos viciosos que determinan su propia negociación. Es una tesis estática, sin vinculaciones con el proceso evolutivo de la economía social. Marx hizo de ella una tesis revolucionaria. Descubrió que el trabajo humano no produce valor a secas, sino a la vez valor de uso y valor de cambio. Por ese camino conectó el concepto valor con la evolución social y demostró su carácter de simple categoría histórica, transitoria desde luego. ... Entre la teoría de Ricardo y la de Marx hay una enorme distancia; la misma distancia que puede haber entre un régimen que caduca y otro que se levanta vigoroso, por imperativo histórico" [137].

O bien, el carácter internacional del marxismo:

---

135 "Rev. Arch. Nac.", VII, 7-8 (1943) p. 386-389.

136 Flores Macal, Mario, "Ante el olvido de Vicente Sáenz", *Diario de Costa Rica,* 8 junio 1973.

137 En: R. Sotela, *Escritores de Costa Rica,* (1942), p. 814.

"... recordando el empeño... por demostrarnos que el marxismo es un fenómeno puramente ruso y en consecuencia, exótico en nuestro medio. Recuerdo haber leído en un libro de Bogdanov que cuando el marxismo comenzaba a penetrar en Rusia, los reaccionarios rusos también lo llamaban doctrina exótica, por ser occidental. ¡Cosa curiosa! Esa doctrina juzgada exótica en Rusia por ser occidental, ahora nos resulta exótica, en occidente por considerársela oriental; y... responde a fenómenos exclusivamente rusos. ...yo pregunto... ¿es exótico el liberalismo en Costa Rica? Pues oid: el liberalismo no es doctrina elaborada en Costa Rica, el liberalismo tiene su cuna en los Enciclopedistas Franceses. A pesar de eso, no es francés, ni inglés, ni norteamericano. Lo mismo que el marxismo, es universal, y responde a las necesidades de una etapa determinada de la historia humana. La sociedad es un organismo vivo de la Naturaleza, que evoluciona de conformidad con leyes propias" [138].

La conexión entre esa ideología y la realidad social y económica del país, la ve de la manera siguiente:

"Lo que nosotros queremos es una organización científica de la economía nacional. Lo que nosotros queremos es que el pueblo goce de una prosperidad que es perfectamente posible. Lo que queremos es que el carro de nuestra economía no siga corriendo al garete, tras un objetivo absurdo que se llama ganancia del capitalista, sino que corra científicamente orientado tras un objetivo más noble que se llama: bienestar del ser humano en Costa Rica" [139].

"No queremos trasladar a Costa Rica formas de vida y de organización social establecidas en otros medios distintos al nuestro, por más que en esos medios exista campo abonado para que florezca nuestra admiración, los costarricenses debemos hacer nuestra propia revolución social tomando en cuenta las características de nuestro medio, sus tradiciones, sus costumbres, su grado de evolución. La revolución no se importa ni se exporta. Quien dijera lo contrario no sería un revolucionario sino un charlatán.

"Respetamos profundamente la soberanía de nuestra Nación y menguados seríamos si estuviésemos luchando para hacer de nuestro país una colonia de ninguna potencia. Somos socialistas y sabemos que el Socialismo enarbola, como principio básico, el derecho a la convivencia de todos los pueblos en un plano de igualdad y de respeto mutuo" [140].

Ante los ataques de "extranjerismo" responde:

---

138 En: R. Sotela, *Escritores de Costa Rica* (1942), p. 815-816.

139 En: R. Sotela, *Escritores de Costa Rica* (1942), p. 828.

140 *Dos Discursos* ... (1958), p. 35.

"Actuamos siempre como costarricenses. Respetamos siempre las mejores tradiciones de nuestro pueblo. En medio de la tempestad, de los odios desatados, de los intereses creados en efervescencia, de la calumnia y de la infamia puestas a la orden del día, luchamos por mantener operante el régimen democrático y conseguimos que así se mantuviese hasta donde eso era compatible con la necesidad de mantener el orden público.

"Hoy estamos fuera de la ley. No se nos permite entrar al Congreso ni a las Municipalidades" [141].

Y en esta disposición, afirma su influencia en la evolución del país:

"Las garantías sociales no se quedaron en el papel gracias al poderoso movimiento de masas que nosotros logramos desarrollar. Bajo los dos gobiernos de los cuales fuimos aliados se dictaron leyes muy importantes con el propósito de hacer realidad las Garantías Sociales. Entre otras conviene recordar las siguientes: Código de Trabajo, Seguros Sociales, ley de Casas Baratas, ley de Impuesto sobre la Renta, ley que creó el Consejo de la Producción, ley de Juntas Rurales de Crédito, etc. Todas estas leyes las obtuvimos luchando contra la labor obstruccionista de . . . " [142].

1974: " . . . en Costa Rica no se puede hacer una revolución que desconozca esa pasión del costarricense por la libertad de prensa y por el legalismo. Por eso creo que una posición marxista bien entendida debe apoyar un desarrollo de la economía nacional y en general una política desarrollista que no enajene nuestras riquezas a monopolios extranjeros y que esté en manos de empresarios costarricenses y del Estado costarricense. Sin desarrollo y sin producción las políticas sociales y los proyectos contra la miseria extrema son falsos" [143].

En estos últimos años, la figura de Manuel Mora ha adquirido el aire de una figura nacional. Ha salido avante de varias crisis internas del Partido, en general provocadas por jóvenes impacientes o por marxistas de tendencia maoísta. Manuel Mora ha mantenido la línea rígida de la disciplina del Partido. Numéricamente, éste ha disminuido. Sin embargo, ha logrado el ingreso en la legalidad parlamentaria. Con ocasión del proceso castrista en Cuba, Manuel Mora reafirmó la tesis del marxismo costarricense de influencia pacífica en la evolución social del país.

Cuando la revolución de Hungría, justificó la represión rusa.

---

141 *Dos Discursos* . . . (1958), p. 33.

142 *Dos Discursos* . . . (1958), p. 31.

143 *La Nación*, 15 diciembre 1974.

OBRAS

Discurso ... *Cámara el 12 de junio de 1934 contra la Demagogia de Jorge Volio y definiendo posiciones del Partido Comunista,* (San José, Imp. La Tribuna, 1934), 28 pp.

Discurso ... *Cámara de Diputados en* ... *noviembre de 1936* ... *, en:* Sotela, R., *Escritores de Costa Rica* (1942), p. 813-834.

[Correspondencia], "Rev. Arch. Nac.", VII, 7-8 (1943), p. 384-389.

Plan contra la crisis [en colab.], (San José, 1955), 20 pp.

Dos discursos en defensa de Vanguardia Popular, [San José, 1958], 62 pp.

La lucha se ha desplazado ... , (San José, Imp. Tormo, 1958), p. 43.

Dos discursos, (San José, Tormo, 1959), 34 pp.

Defiende la Revolución cubana, (San José, Imp. Tormo, 1959), 19 pp. De entre otros muchos artículos, deseo destacar dos:

"El camino de la revolución. Los 40 años de lucha del Partido Vanguardia Popular", *La República,* 27 junio 1971.

"23 horas con el candidato del Partido Acción Socialista", *La Nación,* 24 enero 1974.

Exposición del Lic ... *en nombre del Partido Vanguardia Popular.* [Mesa Redonda en la Univ. de C. R., 19 agosto 1967], San José, Imp. Elena, p. 16.

Con sangre y sacrificio del pueblo fue amasada la legislación social, La Prensa Libre (20 diciembre 1966).

Numerosos artículos en "Trabajo" y en "La Tribuna" entre los años 1939 y 1944.

BIBLIOGRAFIA

Cañas, Alberto F., *Los 8 años,* (San José, 1955), 120 pp.

Editorial, *El Partido Comunista de Costa Rica* ... , "Surco", 37 (1943), p. 1-14.

Sancho, Mario, *Memorias* (1962), p. 330-335.

Valle, R. H., *Hist. Ideas Contemp. Centro-América* (1961), p. 295-296.

Rodolfo Cerdas

Profesor de Ciencias Políticas, ideólogo marxista, abandonó el Partido Comunista para fundar otro partido denominado "Frente Popular". Desde el marxismo-leninismo, somete a revisión la posición de la vieja guardia del Partido.

Ya como estudiante, publicó: *La Conferencia del Rector Facio sobre Marxismo. Una respuesta,* en el n. 2) de la Revista *Universidad,* 1960, pp. 21-126. Contesta la interpretación socialista del marxismo del Rector Facio. La primera parte es doctrinal; la segunda, de discusión política, bastante violenta.

Rodolfo Cerdas centra su explicación del origen y desarrollo del Estado costarricense en la teoría de la lucha de clases, como punto de partida, y lo aplica de la independencia a la dictadura de Carrillo. Identifica Cartago con "una economía feudataria" y San José con una mercantil; la primera dio un tipo "doméstico y cerrado", con "un grupo aristocratizado", con "manifestación clasista"; la segunda dio lugar a "una naciente burguesía". "Mientras que la economía urbana y la burguesía naciente tendía a organizar la vida nacional a la luz de instituciones de tipo universal,..., la aristocracia y la economía cerrada o doméstica buscaban la organización con criterios localistas y estáticos, o sea, los municipios y el Poder Central. La síntesis de esta dialéctica fue "la creación de una economía nacional", mediante la creación de "un poder político en escala nacional", ambas realizadas por Carrillo: "... la legislación de Carrillo tendió a crear una estructura económica nacional, unitaria y eficiente, capaz de servir de base al desarrollo del nuevo modo de producción surgido en el país desde la Independencia, como superación a la contradicción operante entre los tipos de economía existentes entonces en Costa Rica".

Mas madura considero la obra *La crisis de la democracia liberal en Costa Rica.* El método sigue siendo el mismo, dialéctico, pero el desarrollo de la población permite al autor análisis más serios. Destacaré ahora la visión del desarrollo del obrerismo. Según Rodolfo Cerdas, en Costa Rica se da "una crisis total de su economía, su estructura social y su Estado" (p. 167). Considera fracasado el capitalismo y fuera todavía de lugar el socialismo. Sostiene que solamente una "democracia popular" podrá salvar al país frente al peligro de dictadura, sobre la "democracia burguesa".

O B R A S

"Concepción materialista de la Historia", *Rev. de Filosofía,* Nº 28.

"La conferencia del Rector Facio sobre Marxismo. Una respuesta",*Universidad,* 1960, pp. 21-126.

La formación del Estado en Costa Rica, Univ. C. R., 1967.

La crisis de la democracia liberal en Costa Rica, EDUCA, San José, 1972, pp. 191.

FILOSOFIA GENERAL

Incluyo en este capítulo los pensadores que en sus escritos han tratado en conjunto, o por etapas, los distintos campos de la Filosofía. Dudé si hacer la exposición por escuelas o tendencias, pero finalmente he preferido hacerlo, con la sola excepción de los escolásticos, por nombres individualizados.

No he hecho apartado especial para · Historia de la Filosofía. Algunos trabajos son mencionados a lo largo de la obra. Otros son los de Francisco Hernández Urbina [144], Gerardo Zúñiga Montúfar [145], Víctor Lorz [146], y especialmente los numerosos ensayos de Emilio Moirin, aparecidos en los últimos años en las revistas "brecha", "El Sol", "La Prensa Libre" y Revista de Filosofía, sobre Camus, Gastón Berger, Merleau Ponty, Francois Mauriac, Teilhard de Chardin, Sartre, etc.

Ha publicado (entre numerosos artículos de temas variados, muchos de ellos de temas gramaticales y lingüísticos) artículos de crítica filosófica el Sr. Cristián Rodríguez, todos ellos en *La Nación* en los últimos cinco años. Con frecuencia, ha sostenido las tesis del logicismo empirista, en especial con referencia a Russell, y atacando ya el existencialismo, ya el idealismo.

En otro aspecto, aunque no filosofía sistemática, es de fuerte poder sugerente *El sentido trágico del Quijote* [147] del poeta y ensayista Rafael Cardona.

---

144 *El pensamiento de Alberto Einstein*, "La Prensa Libre", (28 noviembre 1956); *El pensamiento de David Hume*, "La Prensa Libre" (8 agosto 1956); *El pensamiento de Juan Locke*, "La Prensa Libre" (19 julio 1956); *El pensamiento de Renato Descartes*, "La Prensa Libre" (30 agosto 1956); *Pietismo en pleno siglo XX*, "La Prensa Libre" (1º agosto 1956); *El pensamiento de Arturo Schopenhauer*, "La Prensa Libre" (6 febrero 1957). Residente en Venezuela desde 1960.

145 *Teorías de Kant y Bentham*, "El Foro", VII, 7 (1911), p. 239-240; *Ideas de Rousseau y de Spencer sobre la vida social*, "El Foro", VII, 8 (1911), p. 399-400 *Páginas de Laurent*, "El Foro", X, 12, (1915), p. 383-387; etc.

146 Autor de ensayos penetrantes. Vid.: *Ocios mentales a la luz de Renán*, "Repertorio Americano", 1174 (1956), p. 170-173. Agnóstico, violento anti-clerical, escritor brioso. Muerto en 1967.

147 San José, Ed. El Convivio, 1928. Sobre Rafael Cardona: Bonilla, A., *Hist. Ant. Lit. Cost.* (1957), I, p. 217-222 y 413-415; Valle, R. H., *Hist. Ideas Contemp. Centro-América* (1961), p. 146, 231-233, 251-252, 287; Vargas Coto, Joaquín, *El grupo del Morazán*, "La Nación" (20 mayo 1955), reprod. en: Bonilla, A., ib.; p. 218-220.

Roberto Brenes Mesén

Rafael Osejo, José María Castro y Roberto Brenes Mesén han sido los tres hombres de más decisivo influjo en la evolución del país. Supongo que esta opinión mía encontrará muchos pareceres discordes; sin embargo, la considero plenamente fundada.

Roberto Brenes Mesén significa la plena vigencia del siglo XX, no ya como aspiración o eco, sino como creación.

El cerebro más poderoso y el escritor de mayor calidad, como prosista y como poeta, que ha producido Costa Rica, y, sin duda, una de las figuras señeras del Continente, es, sin embargo, orillado. Pero es de justicia reconocerlo. Este parecer mío no se funda en afinidades, pues la evolución ideológica de Brenes Mesén me desagrada.

Nació en San José el 1874. Estudió en Chile, de 1897 a 1900, en el Instituto Pedagógico. A su regreso fue profesor de Lógica, Psicología y Castellano en el Liceo de Costa Rica [148]. Más tarde, Director del Colegio San Luis Gonzaga de Cartago y de la Escuela Normal de Heredia (1916). Secretario de Instrucción Pública en 1913; Ministro de Costa Rica en Washington. Profesor de las Universidades de Siracuse en Nueva York y Northwestern de Chicago, entre 1919 y 1939. En este año regresó a Costa Rica; intervino activamente en política. Murió en 1947.

Muy preocupado por sí mismo, atildado, de manos bellas y cuidadas, fue un profesor que despertaba la inquietud en sus alumnos; y, sobre todo, hombre vocado a forjarse a sí mismo a través de sus escritos. Suele decirse que estaba por encima de su medio, pero esto es general a todos los hombres que descuellan. De temperamento combativo y disputador, polemista duro (tan duro como Ricardo Jiménez y Juan Fernández Ferraz), quiso reformar: la enseñanza, el Estado, el arte, la filosofía. De manera inmediata, fracasó en todo lo importante, pero su triunfo lejano estuvo precisamente en su trabajo.

Su "Autobiografía" (1918) es la siguiente:

"Roberto Brenes Mesén nació en 1874, el 6 de julio, en la ciudad de San José, Avenida 6ª entre calles 4 y 6. Fueron sus padres Martín Brenes Córdoba y Elena Mesén Pérez. Fue un hijo del amor, para emplear la expresión de Erasmo, y reconocido por su padre, muerto el cual cuando el niño contaba muy pocos años de edad le reconoció su tío don Alberto Brenes Córdoba, hoy Magistrado quien ha sido siempre su protector y con cuyo auxilio hizo todos los estudios primarios hasta su ingreso en el Liceo de Costa Rica en 1887-1889, fecha en que el Director. ..., le ofreció una beca para que siguiera los estudios normales.

---

148 En 1905 desarrolló un curso de "Filosofía de la Historia y de las Ciencias" en la Escuela de Derecho. "El Foro". I, 4 (1905), p. 63-64.

"A los cinco años aprendió a leer en una escuelita privada de la vecindad y a los seis años comenzó el recorrido de las mejores escuelas de la ciudad; la de don José Ramón Chavarría, la de doña Amelia de Rivero, la de don Leopoldo Montealegre, el Instituto Nacional, la de don Félix Pacheco y la de don Miguel Obregón o Escuela Nueva en 1886.

"Su vida de estudiante en el Liceo fue la de un joven serio y estudioso en cuyas manos podían verse más frecuentemente los libros de filosofía que los de texto, entonces corrientes.

"Los estudios pedagógicos le absorbieron muy pocas horas; se contentó con la lectura de Spencer y de Rousseau y con las explicaciones de la Pedagogía alemana que hacía en clase el profesor Littmann.

"En 1892 recibió su grado de Maestro Normal y dos meses después, en febrero de 1893, habiéndosele ofrecido una plaza de maestro en la capital, pidió se le diese en Alajuela, al lado de su maestro don Carlos Gagini, por quien tenía una devota admiración.

"En 1896 ingresó en la Escuela de Derecho sin dejar de ser maestro: las clases comenzaban a las seis de la mañana y terminaban a las nueve, hora en que el maestro comenzaba las clases ordinarias en el sexto grado. Aprendía las lecciones del Código de memoria y se dio a la lectura de los comentarios del Derecho Francés para ilustrar los artículos del Código.

"En 1897 partió para Chile con una beca que el Gobierno del señor Yglesias puso a su disposición; una de las seis que el de Chile había ofrecido a Costa Rica. Aquí comenzó su iniciación en los estudios filológicos a que había mostrado aficiones sin que hubiera hallado quién le iniciase en ellos. Con pasión se dedicó a los estudios de Fonética y Latín, se familiarizó con las obras de los fonetistas chilenos, franceses, ingleses y alemanes. Continuó sus estudios literarios y filosóficos y entró de lleno en el conocimiento de los poetas franceses contemporáneos que han influido, a través de Rubén Darío, en la transformación de la técnica del verso castellano."

"Vuelto a su país se encontró con un movimiento del profesorado del Liceo de Costa Rica, en donde, según se le anunció, debía prestar sus servicios como profesor de castellano. El señor Salinas le encomendó además las clases de Psicología y Lógica. Fue esto en 1900. Entonces comenzó la carrera de profesor.

"La evolución del carácter del profesor ha ido de la severidad del gesto y la austeridad de la palabra a la familiaridad sonriente que el biógrafo conoce. Ese cambio lo ha producido la experiencia, sobre todo el trato de los antiguos discípulos, ya hombres. Su concepto del profesor cambió asimismo.

"Los cambios de opinión han llamado la atención de sus amigos y conocidos. Se le ha juzgado claudicante y voluble. Fue materialista y dejó de serlo. Entró a practicar experiencias espiritistas y las abandonó del todo. Luego ingresó en la Sociedad Teosófica, en 1903 y es desde 1910 Presidente de una Logia. En una revista llamada "Vida y Verdad" se mostró socialista, anarquista y ahora, tiene escrito un libro que se titula *La Aristarquía* contra la democracia.

"Respecto de lo político es lo cierto que no he tenido actuación alguna en el país. Tuve en 1908 el pensamiento de lanzarme de lleno a la política para poder realizar una obra de educación, porque en aquella fecha se me combatió en la ciudad de Heredia con armas políticas, si bien el fondo de la lucha era de carácter religioso o mejor dicho, clerical. Pronto me pasó el impulso. Terminando el curso de ese año se me propuso la Sub-Secretaría de Instrucción Pública, en mi calidad de técnico y no en pago de servicios políticos, porque ninguno se me debía; era el último año de la administración del señor González Víquez y se me llamaba en sustitución de otro hombre que no tenía representación política.

"Mis relaciones con la que hoy es la compañera de mi vida comenzaron en 1895 y se formalizaron en 1897, en los días que precedieron a mi viaje de estudios a Chile. Casé con ella el 26 de agosto de 1900, seis meses después de mi regreso. Mis hijos son ocho, cuatro parejas. Mi hija mayor tiene 16 años y la menor 6 meses.

"La armonía del verso libre la descubrí en los poetas franceses de la última década del siglo pasado y la discutí con poetas y escritores chilenos a propósito de Rubén Darío" [149].

María Eugenia Dengo [150] distingue, con acierto, tres épocas en la obra de Brenes Mesén: período positivista, con *Voluntad en los Microorganismos* [151]; período metafísico, con *Metafísica de la Materia* [152], y período religioso, con *El misticismo como instrumento de investigación de la verdad* [153], *Los dioses vuelven*, (1928), *Rasur*, (1946). En los dos últimos, se va intensificando en él la teosofía.

Básicamente, después de superar el positivismo materialista, Brenes Mesén es un pagano. Pagano tanto por sus vivencias ante la naturaleza, como por su actitud filosófica. Panteísta, monista, hilozoísta, desarrolla con gran variedad de motivos esta actitud:

"Porque el paganismo, para bien de los hombres, no fue jamás vencido del todo. Por largo tiempo enmudeció su lengua, pero sus secretas adoraciones sobrevivieron a la crueldad de las edades. El paganismo es ingénito en el alma humana. Fueron unas cuantas

---

149   "La Nación" (4 marzo 1961).

150   Autora de *En el pensamiento de Roberto Brenes Mesén,* estudio muy valioso que seguiré en bastantes puntos.

151   San José, Imp. Alsina, 1905, 23 p.

152   San José, Imp. Lehmann, 1917, 65 p.

153   San José, Imp. Alsina, 1921, 64 p.

gotas de la ambrosía pagana las que sazonaron el elixir con que salvó la vida del Cristianismo. Las naturalezas primitivas retornan al paganismo. ¿Retornan? No. Las criaturas primitivas, en el sentido hesiódico, como si estuviesen más cerca de la naturaleza, penetran mejor en sus secretos. Reciben la revelación inmediata de la vida y del pensamiento en las cosas de la naturaleza. Están como dotadas de la visión maravillosa de la sustancia de las cosas, del poder de comprender a través de la capacidad de sentir. Poseen la comprensión rotunda, no esa apocada, angular comprensión de la mera verdad lógica...

"las líneas externas conducen la mirada de nuestro entendimiento hacia las esencias invisibles. Y tal fue el secreto propósito del arte pagano: la revelación de las esencias inasibles...

"Y no ha perecido jamás el paganismo, porque él responde a recónditas urgencias de la naturaleza humana. Por siglos ha vivido acallado, ya temeroso de encasulladas persecuciones, o ya disimulado en alegóricas imágenes. ... El Renacimiento le dio voz" [154].

Este paganismo es platónico. Platónico *more* "Banquete", con bastante de apolíneo y mucho de dionisíaco. Pleno de exaltación intelectual, y latiendo siempre un filantropismo exigente. Todo ello, inmerso en un espiritualismo profundo.

No es de extrañar que diera vuelta a la etimología del término filosofía y la definiera como "sabiduría del amor" [155], viendo en éste la raíz umbilical de todos los seres y la escala de tensión ascendente a lo divino palpitante en todo.

> "El sortilegio de la vida me ata
> al árbol y a la piedra y al torrente,
> y siento que mi espíritu se funde
> en todas estas cosas; que yo vivo
> en la curva graciosa de la piedra,
> y respiro en las hojas de la planta,
> y voy cantando en las sonoras linfas.
> Se ha desbordado mi existencia y fluye
> por los ocultos cauces de las cosas
> como una sangre ideal, sangre de ninfas,
> por las violáceas venas de las rosas" [156].

Y claro es que todo ello lleva a una erotología cósmica:

---

154 *Los dioses vuelven*, en *Crítica Americana* (1936), p. 127-128.

155 "Un buen día, releyendo el maravilloso *Banquete* de Platón, tropecé con un pasaje, que yo mismo había subrayado años antes, aquél en que Sócrates declara que lo único que él sabe es acerca del amor, porque había recibido lecciones provechosas de Diótima. Allí me detuve a meditar, y una claridad, toda hecha de alegría, me dejó fascinado. Por primera vez comprendí el profundo contenido de la voz Filosofía. No significó, pues, para Platón su Amor de Sabiduría, sino la infinita Sabiduría del Amor —Philein-amor, sophia-sabiduría, arte. Esta revelación transformó mi entendimiento". *Universidades y Misterios*, p. 45.

156 *Voces de Soledad*, en: *Hacia nuevos Umbrales*, p. 57.

"... Comprendí por qué la antigüedad helénica guardaba en las urnas de sus mitos aquél de que Eros, el Amor, fue el primero y más antiguo de los dioses, el verdadero creador de los mundos, porque sin él la armonía desaparece, la armonía entre las cosas y dentro de las cosas mismas. Todas las formas son criaturas del Amor, sin cuyos lazos su disgregación es inevitable. La fuerza que mantiene la vida de un átomo o la de un sol, para aquella sabia y remota antigüedad, fue el Amor. Los conceptos de afinidad, de cohesión, de atracción, ni esclarecen, ni definen con la excelencia con que lo hace Eros, el Amor, que implica vida, conciencia y voluntad. La suprema Realidad es una síntesis de esos tres aspectos con que se ofrece a nuestra comprensión" [157].

María Eugenia Dengo sintetiza así: "Hay un principio de *Amor* en la fuente causal de la existencia en el Universo; en la vida de la Naturaleza como en la humana, como en el ritmo que rige al Cosmos, pues el ritmo se resuelve en armonía y *ésta* es la expresión del Amor universal. Toda manifestación de vida y de belleza entraña una esencia de amor, porque éste *'implica vida'*, es energía creadora de formas, es lo que 'une y cohesiona'. Hay, diríamos, una *voluntad de amor* como ley de íntima existencia" [158].

Y el mismo Brenes Mesén: "...es el espíritu divino cerniéndose o flotando sobre las aguas del abismo; es Eros sobre el Caos en la teogonía hesiódica, el Amor que es vida y Harmonía infundiéndose en la Kósmica Materia Primordial. Toda la materia del sistema solar queda permeada de esta energía divina..." [159].

Si no se tratase más que de este marco intelectual, Brenes Mesén habría construido una Filosofía Poética, pero hizo más, ya que se adentró en la especulación sistemática, sobre todo en el campo de la teoría de la Ciencia, que fue su mayor preocupación metodológica.

El positivismo materialista le resultó asfixiante. Entonces estudió, con extraordinaria agudeza, la naturaleza del conocimiento científico. Con verdadero deleite, halló límites a las ciencias; es más, las encontró en crisis permanente por su misma estructura. Y sobre todo, que no nos dan el mundo tal como es:

"En ciencias, fuera del pensamiento nada existe. La objetividad es una tremenda y peligrosa ilusión de los rezagados de la ciencia que entre nosotros pretenden ejercer jurisdicción de cientifismo. Tremenda y peligrosa ilusión a causa de la plasticidad de cierta juventud que ignora que jamás sacará fuerzas y genio de otra fuente que de sí misma. Establecer la objetividad de la ciencia es

---

157 *Universidades y Misterios,* 46.

158 Op. cit., p. 20.

159 *Metafísica de la Materia,* p. 154.

tan absurdo como afirmar la objetividad de un pensamiento sin la existencia de un pensador. ¿Qué es, qué puede ser la ciencia sin ese mismo pensador que la crea o que la rehace, o que simplemente la repite? Vale tanto como hablar de la objetividad de la filosofía. . .

"Ciertamente que sorprende que quienes aquí se han vestido la capa pluvial para pontificar en ciencias desconozcan tan radicalmente la verdadera situación de los hombres de ciencia que la hacen progresar" [160].

El aspecto polémico (frente a Gagini, Elías Jiménez y otros dogmáticos del cientifismo) es ahora secundario. Todo lo que en el siglo xx ha representado la necesidad existencial de hallar un mundo auténtico, se vuelca en Brenes Mesén cuando encuentra el camino de superación:

> "Positivista como fui, los hechos
> de la Naturaleza o de la Historia
> —y nada más— me parecieron dignos
> de mi intelecto— y dogmas de mi ciencia.
> Me olvidé de pensar
> que a la Naturaleza nadie ha puesto
> los últimos linderos.
> Rasur rompió el fanal
> que guardaba la ciencia de mis dogmas
> y dogmas de mi ciencia" [161].

Prefiero ahora citarle en verso, incluso cuando pasa a afirmar el carácter estrictamente *convencional* del conocimiento científico:

> ". . .
> Sólo la Poesía y sólo el Arte
> son representación del Universo;
> la forma filosófica no expresa
> una real totalidad del mundo,
> es sólo una abstracción de lo que existe;
> la fórmula científica se aleja
> de nuestra realidad remotamente;
> H_2O no es agua, ni lo ha sido
> jamás; ese es un dogma de la ciencia;
> sólo una convención le da sentido;
> como los otros dogmas,
> requiere los concilios" [162].

---

160 *La Obra* (1918), T. I, Nº 2.

161 *Rasur o Semana de Esplendor*, (1946).

162 *Rasur o Semana de Esplendor*, (1946).

Su concepción metafísica aparece en una docena de ensayos, pero es sistematizada en *Metafísica de la Materia,* que comienza: "Augusta misión de la verdadera Ciencia es la de revelar al hombre, al lado de lo poco que sabe, la majestad del océano de cuanto ignora". La Ciencia no es fin en sí misma, sino "un medio para el desenvolvimiento paulatino del hombre", en evolución, por tanto, igual que el hombre. "Se ignora mucho para poder asentar los dogmas de la Ciencia". Impugna el agnosticismo que niega un conocimiento extra-científico y sostiene la necesidad del estudio de los "orígenes". "En resumen, la ciencia no tiene límites precisos en el pasado ni para el porvenir; abraza la naturaleza entera, la que vemos y la invisible; de tal modo que si mañana se descubriese un medio físico de ponernos en contacto con fenómenos no explorados hasta hoy, ellos deberían caber dentro de los linderos de la Ciencia". Y establece los siguientes puntos: "1º, todos los hechos de la Naturaleza caben en la Ciencia, que está constituida por el método y no por el contenido de los hechos, 2º, La Ciencia no es una simple catalogación de descripciones de hechos; ella debe explicarlos; es, pues, necesario que indague los orígenes de las cosas".

Después de un extenso análisis de la idea de espacio, llega a afirmar que éste es incomprensible; ni su objetividad ni su subjetividad lo aclaran; y termina afirmando el espacio absoluto. El tiempo "es tan incomprensible como el espacio". Por ello, fundamenta un universo *noumenal,* causa del universo *fenomenal* o *visible.* "La Materia está en la base de todos los fenómenos de la Naturaleza. El problema, pues, de la constitución de la Materia es tan antiguo como la Filosofía. La Ciencia, en épocas recientes de su desarrollo, no ha hecho otra cosa que desgajar esta rama del árbol de la Filosofía y estudiarla a la luz de los principios, también suministrados por la Filosofía". Y, tras un análisis de las teorías atomísticas, pasa a examinar, en su divisibilidad, la unidad de la materia, concluyendo los siguientes puntos: "a) La teoría de los átomos indivisibles no satisface ya las necesidades de la Ciencia... b) La doctrina de la unidad de la materia sostenida y abandonada sucesivamente, tiende a prevalecer hacia fines del siglo XIX... c) Los átomos de la materia no son simples, sino complejos; por lo tanto divisibles. Detrás de los átomos hay una sustancia (materia-fuerza) que constituye su esencia". Finalmente, sobre la tesis del *eter,* pasa a construir su metafísica, que ya pertenece a la teosofía.

En su obra *El misticismo...* ha dado un paso más allá. Sostiene que el misticismo es ciencia "experimental", y sobre ello construye toda una gnoseología religiosa, basada en considerar al hombre como "ser divino" y desarrolla los viejos temas platónicos de la caída, de la cárcel del cuerpo, del destierro, y la deificación posterior. El cuerpo, aunque en jerarquía distinta, también es divino.

"Sólo hay un centro posible [para la intelección del universo] para el hombre, por ser la única cosa que el hombre cree conocer bien: su conciencia. Lo que por este centro no pasa no lo conoce el hombre, no lo sospecha siquiera".

Debe señalarse su concepción del arte como vía directa de conocimiento de la realidad individual y cósmica.

En todo caso, Roberto Brenes Mesén fue en todo momento un artífice racional de sí mismo.

". . ., la vida es un combate contra la fácil acomodación a las cosas efímeras del mundo ambiente. Que nada en el universo es más real que lo que vive en mi conciencia, que esto que llamo mi yo, este poder inquebrantable que en mí batalla por no someterse a las circunstancias ni doblegarse a lo transitorio, a lo que amaga mi independencia interior, la integridad recóndita y eterna de mi ser; lo que en mí combate heroicamente para no confundirse con la masa de las muchedumbres cambiantes de mentalidad arrebañada. Y la sola victoria se hallará en la no conformidad con el siglo que nos envuelve. Pero distinguir, adaptarse para conocerlo mejor y luchar contra él no es doblegarse ni someterse. La enseñanza más meritoria de la vida −...− es la distinción de lo permanente en el seno de todas las cosas transitorias, como se ve la hebra de oro que atraviesa un collar de perlas" [163].

A su regreso de los Estados Unidos tuvo una fuerte influencia en los jóvenes que formaron el núcleo inicial del Partido Liberación Nacional.

O B R A S

Vid: MARIA EUGENIA DENGO, *En el pensamiento de Roberto Brenes Mesén,* Tesis de Licenciatura, Univ. Costa Rica, (1959), 2 vols. Obras de R. Brenes Mesén, en p. 174-187 (unos 600 títulos).

B I B L I O G R A F I A

Vid. *ibídem,* p. 187-190.

FERRERO ACOSTA, LUIS, *Brenes Mesén, prosista,* San José, Impr. Trejos, 1964.

JIMENEZ MESEN, MARCO TULIO, *Roberto Brenes Mesén,* La Nación (31-VII-1965).

Moisés Vincenzi

Moisés Vincenzi es, hasta hoy, y juzgando el conjunto de su obra impresa, el filósofo más maduro, completo y original que ha

---

163 Reprod. en: Bonilla, A., *Hist. Ant. Lit. Costarr.* (1961), II, p. 201.

producido Centroamérica; y es ciertamente más estimable que muchos valores del continente que han gozado de más amplia caja
de resonancia.

Nació en Tres Ríos, provincia de Cartago, Costa Rica, en 1895.
Maestro normalista, Profesor de Estado y Licenciado en Filosofía
y Letras, ha sido profesor en varios Liceos y de Filosofía e Historia en la Universidad de Costa Rica (1942-1948), así como visitante
en la Nacional preparatoria de México, y Director de la Escuela Normal de El Salvador, director de la revista "La Escuela Costarricense",
director de Archivos y Bibliotecas, Miembro de la Academia Costarricense de la Lengua, Doctor Honoris Causa por la Universidad
Nal. de Nicaragua. Muerto en 1965.

Moisés Vincenzi era hombre retraído. En un principio me hizo
pensar en un profesor retirado de la enseñanza y dedicado a escribir libros, pero rectifiqué esta impresión. Más bien, no logré delimitar en Moisés Vincenzi el profesor. Sin embargo, fue profesor
durante treinta años, y es de reconocer que ha dejado huella, en Costa Rica y entre sus discípulos de El Salvador.

Sin atreverme a asegurarlo, tengo la impresión de que a medida que ha ido abismándose en la especulación filosófica, ha ido
desligándose progresivamente de la acción directa sobre los hombres. También es interesante observar que la enseñanza de la Filosofía ha sido escasa como obra suya comparativamente con la
enseñanza del lenguaje y sobre todo de la Gramática.

Pero no se trata de un pensador socrático que interfiera en la
vida de los otros hombres y violentamente los lleve a filosofar. Moisés Vincenzi es, antes que nada, un escritor. Acaso su obra más
maciza sea "Bandera Blanca", en "La Prensa Libre". Yo he visto
"Bandera Blanca" como el acoso de fragmentos de realidad mediante el ensayo. En la línea del Espectador de Ortega y Gasset,
del Glosario de D'Ors, "Bandera Blanca" es la obra cotidiana que a
través de lo disperso va dando orden temático a la fluencia del
mundo. Por esto, como aquellos autores, antes que nada Moisés Vincenzi es un escritor.

Entiendo por escritor el hombre que utiliza el idioma para
decir. Así, hace falta que tenga algo que decir y que luche con el
idioma hasta lograr instrumentalizarlo, o sea, hasta crearse un
estilo. Pero Moisés Vincenzi no es un estilista, aunque sí es un
domeñador del estilo.

En este sentido, debo mencionar sus novelas: *Atlante* (1924),
La Rosalía (1931), *Pierre de Monval* (1935), *La Señorita Rodiet*
(1936), *Elvira* (1940). Son prosa acertada, a veces jugosa, a
veces desmañada. Son estudios de novela que no han llegado a
cuajar. Y esto sucedió al dominar en su autor el pensamiento
abstracto sobre el crear imaginativo. Abelardo Bonilla las juzga
así: "Las cinco revelan a un escritor que reconoce su oficio, claro

y vigoroso, pero en el cual priva lo cerebral sobre lo emocional y se destaca el juego de las ideas sobre el fluir humano de la vida" [164].

Más difícil me resulta situar al Moisés Vincenzi poeta. Conozco de él *Las Cumbres Desoladas,* volumen que contiene ochenta y ocho composiciones de estructura variada. En bloque, pertenece al modernismo y el ala de Rubén agobia y vivifica al mismo tiempo al poeta. El dominio de la versificación es muy grande, aunque en general el lirismo está demasiado racionalizado para ser poesía.

Si Heidegger tiene razón al definir la poesía como la dación del ser por la palabra, Moisés Vincenzi sólo será poeta cuando da el ser por la palabra pensada. El lirismo puro es atrofiado por la presencia candente del pensamiento. El deseo de pervivencia es vivido en su poesía *Hijo Mío* con aguda conciencia de trauma pensado. La imprecación al olvido como medio de presenciarse es existencialmente racional.

Como escritor, otra faceta de Moisés Vincenzi es la de ser maestro del estilo, no sólo en su uso, sino en la formulación de su aprendizaje. La expresión habitual en Costa Rica sería la de que es Profesor de Castellano, al menos así se dice en lenguaje administrativo. Pero sin entrar a discutir esta denominación, que me desagrada por inexacta y pretenciosa, nuestro escritor, tanto en labor docente como de autor de obras de trabajo didáctico, ofrece la peculiaridad, hoy día en este continente tan rara, del sentido académico del idioma y del efluvio inspirador del respeto al idioma racionalmente domeñado. Destaca de esta serie de once obras suyas *La Enseñanza del Estilo.* Sólo haré una consideración: el pensador, cuando se inclina sobre el idioma, no se limita a ser gramático, sino que lo hace vivir fluyente dentro de sus esquemas lógicos.

Por otra parte, Moisés Vincenzi es autor de biografías y escritos de crítica, Froylán Turcios, Antonio Mediz Bolio, José Vasconcelos, Rufino Blanco Fombona, Roberto Brenes Mesén, Octavio Méndez Pereira, el General Francisco Menéndez. El prólogo de su libro *Caracteres Americanos* empieza así: "El crítico se ha puesto hoy las plumas doradas del faisán en la cabeza, el carcaj en el pecho y lleva un gran arco de caña en las manos, fuertes como pedernales. Ha recorrido los países de América, del Bravo a la Patagonia, en busca de los poetas de la Raza para flecharles la frente y ofrecer los cadáveres en holocausto a Aquel que no se puede nombrar". Si se tratase de simple crítica estilística o rememoración anecdotaria, no me detendría en señalar estas obras, pero hay algo más. Su biografía de Don Francisco Menéndez comienza: "Cada vez

---

164 Bonilla, A., *Hist. Ant. Lit. Costarr.* (1957), I, p. 185.

hemos confirmado con un número mayor de razones, que no es posible hacer crítica alguna, sin el apoyo de una amplia base filosófica... No basta encararse simplemente ante una vida cualquiera, con el fin de sacarle una precisa biografía, realista unas veces, ensoñadora en ciertas ocasiones e interesante siempre. El verdadero crítico debe emplearse a fondo a efecto de descubrir en los hechos concretos del hombre, si esto es posible, el milagro de una norma suprema" [165]. En este sentido puede servirme ahora de ejemplo de realización el estudio sobre Vasconcelos.

Ahora bien, todo lo que hasta ahora he venido examinando de la obra de Moisés Vincenzi, sólo cobra sentido bajo la categorización filosófica de su autor. No se trata del escritor multifacético que ha invadido campos distintos, sino de un pensamiento actuante sobre lo dado filosóficamente. El ser que Moisés Vincenzi se ha dado a lo largo de su existir no es el de escritor, ni el de novelista, ni el de poeta, ni el de profesor; todo eso han sido cauces transitados por una conciencia vigilante. El pensador se impuso la misión de la filosofía como información de la existencia concreta y esto le abrió el ámbito de la construcción abstracta del mundo, pero le polarizó también a la contracción racional del mundo.

En su obra filosófica hallo tres estadios de elaboración. El primero lo encuentro manifestado en *Mis Primeros Ensayos* (1915-1917 y llegaría hasta *Preceptos,* comprendiendo sus libros *Valores fundamentales de la razón* (1919), *Diálogos filosóficos* (1921), *Mi segunda dimensión, Principios de crítica filosófica* (París, 1928). Son ocho volúmenes, de extensión y presentación muy variadas, entres las cincuenta y las trescientas páginas, expresión del filosofar de Moisés Vincenzi entre los veinte y los treinta y cinco años de edad. Su característica general es el atrevimiento y cierta autosuficiencia. La "Tercera Serie" de *Mis primeros ensayos* lleva como subtítulo "Prueba de una Filosofía personal", lo que muestra la actitud del pensamiento joven que necesita afirmarse ante los demás como creador original. Filosóficamente, muestran talento, pero son faltos de madurez. Les falta el peso de la meditación sosegada de los grandes maestros y el adentramiento solitario en la naturaleza iluminada por la razón individual. Son prenuncios de una vocación que todavía no ha alcanzado la universalidad de la aceptación de los límites del pensamiento en brega consigo mismo. Tomado en su conjunto, este período corresponde todavía a la Centroamérica forjadora de pensadores [166].

---

165 *Vida, ejemplar del General don Francisco Menéndez* (1955), p. 1-2. *Vid.* la teoría en: *Psicología del Líder,* (1938). `

166 A pesar de esta opinión mía mereció este juicio de José Vasconcelos:
   "Que nos baste con decir que además del interés de la tesis fundamental, el libro contiene una infinidad de sugestiones, un derroche de atisbos que, por sí solos, bastarían para destacar la figura de Vincenzi como uno de los más libres, penetrantes y atrevidos pensadores del Continente".

Juzgando nada más por la obra impresa, encuentro el año 1930, fecha de la publicación de *El Caso Nietzsche,* como el hito de un nuevo período. "Pretendo realizar hoy... dos ideales: mostrar al lector ejercicios propios de mi espíritu y ofrecerle un mensaje inédito de Nietzsche" (p. 5): Para Moisés Vincenzi, Nietzsche no ha sido simplemente un filósofo a estudiar. Nietzsche es catalizador violento que exige autenticidad y adentramiento. Meditar Nietzsche es hacer examen de conciencia y tener que optar entre cerrarlo cautamente y mentirse, o replantearse acremente el sentido de la radicalidad de la existencia. Moisés Vincenzi, en 1930, dio la muestra impresa de una nueva conciencia de la integridad del filosofar. Y la aceptó plenamente. Filosóficamente, representó el paso de la adolescencia a la juventud, o, si se quiere, la sistematización del filósofo en el pensador: un hombre concreto se ha dado su destino.

A este período pertenecen, que yo conozca, dos obras importantes: *El Hombre máquina,* y *Marx en la fragua,* ambos de temática político-social. En el primero se propone describir el desconcierto de la civilización contemporánea y señalar al hombre moderno el camino a transitar la cultura. La aceleración del proceso evolutivo de la historia, avivada en nuestro tiempo, ha llevado a la incertidumbre de la determinación del Hombre: la civilización (técnica) ha devorado los motivos mismos de la cultura. Seguidamente, va aislando las características psicológicas del "hombre máquina": "Una ciencia de esta especie es tan ignorante en su propio terreno, como la filosofía que combate parapetada en la explicación muerta, aunque mecánica, de la existencia: no ignora menos el positivista que el idealista; el buscador de escarabajos, de fórmulas químicas y de verdades matemáticas, que el filósofo. Sólo que, a la postre, la moral práctica que se desprende de los conceptos de materialismo histórico y de simple sensualismo artístico, ha servido para maquinizar la vida moderna, poniendo al servicio del apetito sensual y del instinto, los recursos de la velocidad". ¿Qué hará el filósofo?: "Mas el contemplativo no está en su propio reino en el siglo de la máquina" (p. 29). La implicación del fariseísmo que ha llevado a la mercantilización del arte, la subordinación de la pedagogía a la masificación y la autosuficiencia de la época, hacen que el hombre contemplativo considere la llegada futura de una nueva época en que un "superhombre" supere esta distensión atrofiadora: "El dominio material de la tierra, del mar y del aire, llegará a tal punto, que el superhombre disfrutará de estos elementos en inconcebibles direcciones, gratas, más que nunca, al análisis de la ciencia y a la síntesis cosmogónicamente emocional, de la filosofía y del arte" (p. 61).

Marx en la fragua es una obra de crítica de algunos conceptos centrales de la filosofía que fundamenta la Economía de Marx, especialmente el de trabajo, que es tomado como central. En resumen, la crítica se basa en señalar que el concepto marxista de trabajo se apoya en un tiempo y un espacio absolutos e idénticos; "...fuera de lo que ha esperado durante tantas épocas el seco intelectualista, encontrará el hombre nuevo, un ritmo más complejo y más hondo que un sistema helénico de ideas o un cuadro de mitos fijos y uniformes de Marx. Lo que importa saber, en primer término, es que la ciencia económica tanto como cualquier otra disciplina, está reatada en su fenomenología interna y sus reflejos externos, a este flujo universal que mueve al átomo como a la estrella. El filósofo integralista no busca otra verdad que la de plasmar la mente humana sobre el cosmos entero. Y es ésta la batalla que habrá de librar, en definitva, el complicado siglo xx" (p. 75-76).

No sabría señalar momento exacto de paso de este segundo período al que denomino tercero. Acaso más bien debiera considerarse éste como lenta maduración del anterior. En todo caso, los dos ensayos largos sobre el teatro publicados en 1957 y su obra básica, *El Hombre y el Cosmos,* aparecida en 1961, se me presentan como las obras de madurez de Moisés Vincenzi. Los dos primeros son los escritos de Moisés Vincenzi que mayor deleite intelectual me han producido.

Refiriéndome a *El teatro de H. Alfredo Castro Fernández,* escribí en una ocasión: "Después de leer gran parte de la producción de Moisés Vincenzi, tengo la impresión de que sus mejores obras (es decir, nada más: las que me gustan más) son sus ensayos de estos últimos años; como ejemplos, su estudio de la esencia del teatro y el presente; así, la madurez fecunda de este pensador se inicia" [167]. En este ensayo, Moisés Vincenzi estudió el teatro de un escritor costarricense, pero en lo que tiene por encima de las tramas concretas, buscando "sus aspectos superiores: aquellos en que el espíritu abarca grandes zonas de expresión dramática". En otras palabras, crítica de teatro hecha filosofía, o mejor, filosofía del hombre con ocasión del teatro. Y no vacila en afirmar: "el teatro que no es capaz de sugerir altas meditaciones, no es perdurable y, por eso mismo, no interesa a los críticos exigentes"; Vincenzi tiene "propósitos de universalidad". Y ciertamente lo logra. En un vaivén que va de la obra dramática concreta a la consideración universal, se entreteje un ensayo sobre los hombres, en que el aspecto dramático es dimensión existencial. Para lograrlo, hace falta tener los pies bien sobre la tierra y Vincenzi lo logra hincando el pensar en el dolor, no un dolor abstracto y metafísico, apto para facilitar la solución del problema del mal, sino en los dolores de los hombres que han sido capaces de crear con dolor.

Los ídolos del teatro, título baconiano, es un acoso del ser arte de la obra de teatro, quizá el más ceñido al tema, el más sis-

---

167 Constantino Láscaris C., "Rev. Filos. Univ. C. R." II, 5 (1960), p. 101.

temático, de la producción vincenziana. Quiero destacar, de entre las conclusiones a que llega, la siguiente: "Las grandes obras de teatro han buscado la expresión perenne de sus motivos, en el afán de interpretar el mundo dentro de sus más amplios horizontes. Por eso, han producido un arte perenne que justifica mi fórmula estética de la eternidad como denominador común de toda belleza" (p. 44).

Finalmente, debo referirme a su última obra, *El hombre y el cosmos*, cuyo subtítulo, "Síntesis de una Filosofía", es asaz significativo. Publicada en 1961 Moisés Vincenzi la dedicó a los participantes en el Congreso de Filosofía celebrado en Costa Rica. Gran parte de la obra viene a ser reelaboración de trabajos anteriores, sin caer por ello en la compilación. Más bien diría yo que se trata de la sistematización de enfoques filosóficos anteriormente dispersos, trabajados ahora en forma orgánica. Algo así como un intento de Suma Filosófica que viene a culminar un período, extenso, de incursiones en cotos del ser. Una primera parte puede ser vista como Teoría de la Naturaleza, seguida por una segunda parte, Nietzsche, metodológica, que abre paso a la "Visión del Cosmos Humano". La visión de la naturaleza, Vincenzi la centra en el hombre, formulando una filosofía antropológica, elevando nada menos al hombre de "microcosmos" a "cosmos", con lo que el plano entitativo humano pasa a ser el central demarcador de horizontes. Sin embargo, evita caer en todo sustancialismo y formula las condiciones de apertura de todo sistema para no caer en el fanatismo filosófico de los sistemas cerrados. "La libertad creadora —contradictoria en esencia, si es que hay esencias al modo clásico— es un fenómeno que tiene que ajustarse, de innumerables maneras, de modo antinómico, a este recuerdo de las viejas cascadas y los antiguos huertos" (p. 148), por lo cual el arte es el verdadero eje del conocimiento.

La sombra de Kant gravita poderosamente sobre nuestro presente; a veces con tanta fuerza que asfixia en su confinamiento del hombre en sí mismo. Y este confinamiento ha condicionado las tendencias existenciales del hombre de nuestro siglo. Moisés Vincenzi no es existencialista; más bien en momentos se aproxima a un biologismo racionalista en un plano personalista.

O B R A S

Mis primeros ensayos; 1ª serie; 1915; 2ª serie, 1916; 3ª serie, 1917; (San José, Imp. Lehmann).

Aticismos Tropicales, Aforismos de Arte; (San José, Tip. Lehmann, 1918), 34 pp.

Principios de crítica, Roberto Brenes Mesén y sus obras, (1918).

Metafísica de la unidad, (1919).

Paulino y Suetonio, (San José, Imp. Lines, 1919), 35 pp.

Valores fundamentales de la razón, (San José, Imp. Falcó, 1919) 35 pp.

Crítica trascendental, (1920).

Diálogos filosóficos, (1921). Prólogo de José Santos Chocano.

Ruinas y leyendas, (San José, Imp. Minerva, 1921), 17 pp.

Mi segunda dimensión, (1923); 3ª ed. 1930; Prólogo de José Vasconcelos.

Atlante, (1924).

El recitador costarricense, (1924).

Caracteres Americanos, (San José, Imp. Trejos, 1925), 108 p.p. Prólogo de Rufino Blanco-Fombona.

Mensaje a los jóvenes yanquis, (San José, Imp. Trejos, 1926), 32 pp.

América Libertada, (San José, Imp. Trejos, 1927). 105 pp.

Principios de Crítica Filosófica, París, (1928).

Preceptos, (San José, Imp. La Tribuna, 1929), 3ª ed., 1934. Reproducidas las dos últimas págs. en: *Antología,* "Rev. Filos. Univ. C. R.", II, 9 (1961).

Lecturas para Colegios, (1929).

Prólogo..., a: Luis Dobles Segreda, *Indice Bibl. Costa Rica,* Tomo III, (1929), IX - XIII.

Metodología de la composición, (1930).

El caso Nietzsche, (San José, Imp. Gutenberg, 1930, p. 52. Trad. en francés, año? Reseñado en *Kantstudien* por A. Meyer.

La Rosalía, (1931).

La Nueva Razón, (1932).

Fragmentos para dictado, (1933)

Pierre de Monval, (1935).

La Señorita Rodiet, (1936).

Hombres de América. Octavio Méndez Pereira, (1936).

El arte moderno, (1937).

El Hombre máquina, (San José, Imp. Lehmann, 1938), 72 pp.

Psicología del líder, 1938.

La Enseñanza del Estilo, (San José, Imp. Española, 1939) 102 pp.

La Enseñanza de la Ortografía, (1939).

Enseñanza de la puntuación, (1939).

Gramática para escuelas primarias, (1939).

Marx en la fragua, (San José, Imp. Lehmann, 1939), p. 76.

Conocimiento antinómico, (1940).

Preceptiva literaria, (1940).

Gramática para Segunda Enseñanza, (1940).

Elvira, (1940).

Filosofía de la Educación, (1940).

Enseñanza de la Moral en la escuela activa, (1941), (Ed. Soley), 78 pp.

Guía del maestro Costarricense, (1941).

El conocimiento, (1941).

Arte, Vida y Filosofía, (1943).

Las Cumbres Desoladas, (San José, Imp. Española, 1947).

Vida ejemplar del General don Francisco Menéndez, (San Salvador, Ed. Ahora, 1955), 261 pp.

Preciosismo y salvajismo literarios, "brecha", I, 3 (1956), p. 11.

El vitral, "brecha", II, D (1957), p. 21-22.

El teatro de H. Alfredo Castro Fernández, (San José, Imp. Trejos, 1957), 62 pp.

Los ídolos del teatro, (San José, Imp. Trejos, 1957), 44 pp.

El conocimiento, Orbe, 126 (IX - 1958).

Pragmatismo y Filosofía, "brecha", V. 9 (1960), p. 6.

El Hombre y el Cosmos, (San José, Imp. Lehmann, 1961), 234 pp.
[No se recoge la serie *Bandera Blanca,* de "La Prensa Libre"].

BIBLIOGRAFIA

Barahona, L. *Moisés Vincenzi,* Rev. Fil. Univ. C. R., 17 (1965), 105-108.

Bonilla, A., *Hist. Ant. Lit. Costarric.,* (1957), I, p. 306-308.

Brenes Mesen, R., *Acerca de algunos trabajos del señor Moisés Vincenzi,* "Repertorio Americano", V, Nº 23, Nº 26, Nº 27.

Brenes Mesen., R. *Respuesta al discurso de recepción de...,* "brecha", 3, 10, (1957), p. 5-8.

Castro Fernandez, Alfredo, *Moisés Vincenzi...,* "Orbe" 125 (1958), p. 9-10 y 18.

Castro Fernandez, Alfredo, *Moisés Vincenzi, su personalidad, su obra literaria,* Orbe 155 (III-IV-1965).

Castro Saborio, C., *Ese libro de Moisés Vincenzi [Los ídolos del teatro],* "La Prensa Libre" (21 mayo 1957).

El filósofo don Moisés Vincenzi..., "Diario de Costa Rica" (17 mayo 1957).

F. FACIO, J. A., *Una opinión...* (sobre M. Vincenzi), "La Prensa Libre", (25 junio 1957).

HERRA, RAFAEL ANGEL, *La moral en la crisis contemporánea*, La Nación (7-VI-1965).

LAIN ENTRALGO, PEDRO, en: "Rev. Filos. Univ. C. R.", I, 2 (1957), p. 193-194.

LASCARIS C., CONSTANTINO, "Rev. Filos. Univ. C. R.", II, 5 (1960), p. 101.

MAYER, ROSITA G. DE, en: Rev. Fil. Univ. C. R., 14 (1964), 273-274.

MAYER, ROSITA G. DE, *Moisés Vincenzi*, Surco Nuevo (I-II-1965), 12. *Moisés Vincenzi*, La Prensa Libre (12-V-1961). *...Moisés Vincenzi*, La Prensa Libre (11-V-1963).

NUÑEZ, FRANCISCO MARIA, *El filósofo Vincenzi abrió su cátedra en el Parque Central*, La Prensa Libre (26-IV-1963).

ORTEGA CASTRO, GUSTAVO ADOLFO, *El filósofo Prof. Moisés Vincenzi...* Orbe, 148 (XI-XII-1963).

PACHECO, NAPOLEON, *Filosofía de la Crítica. M. Vincenzi. Su personalidad crítica*, (San José, Imp. Greñas, 1920), 38 pp.

QUESADA SOLERA, C., *Acerca de... Moisés Vincenzi*, "La Prensa Libre" (30 marzo 1957).

RUBIO, DANIEL, *Estudios de un Humanista: Vincenzi*, (El Salvador, 1941).

SABORIO MONTENEGRO, ALFREDO, *...Moisés Vincenzi*, Orbe, 153 (XI-XII-1964).

SALAZAR HERRERA, ALEJANDRO, *Apreciación...*, "Rev. Arch. Nac.", XII, 1-2 (1948), p. 89-94.

SOTELA, R., *Escritores de Costa Rica* (1942), p. 713-717.

ULLOA Z. ALFONSO, *Panorama Lit. Costarr.*, en: *Panorama das Literaturas das Américas* (1959), III, p. 946-947, 1001-1002.

VALLE, R. H., *Hist. Ideas Contemp. Centro-América* (1961), p. 228.

VASCONCELOS, JOSE, *José Vasconcelos y Moisés Vincenzi*, La Prensa Libre (6-IV-1963).

VILLALOBOS, J. F., *Filosofía de Vanguardia en América*, (San José, Imp. Trejos, 1927), 80 pp.

Abelardo Bonilla

Nacido en Cartago, Costa Rica, en 1899, Abelardo Bonilla Baldares cursó los estudios medios en el Colegio San Luis Gonzaga y los universitarios en la Facultad de Derecho. Publicista nato, durante treinta años ha mantenido colaboración intelectual, artística y política en la prensa costarricense y centroamericana. Profesor de la Facultad de Filosofía y Letras desde su fundación, y actualmente de la Central de Ciencias y Letras, ha sido maestro de varias generaciones costarricenses. Sin ser un político de acción, su persona representa la presencia en la política nacional de la figura intelectual; por su prestigio de hombre rígidamente honesto, de concepción amplia y de envergadura doctrinal, ha desempeñado cargos como los de Diputado, Presidente de la Asamblea Legislativa y miembro de la Comisión Redactora de la Constitución de 1949, y actualmente la segunda Vicepresidencia de la República, con el respeto general de los partidos políticos. En julio 1961 ocupó la Presidencia de la República. Académico de la Costarricense de la Lengua y Correspondiente de la Española, es tenido por uno de los principales estilistas centroamericanos [168]. Dos veces han sido premiados libros suyos en la sección filosófica de los concursos centroamericanos de El Salvador, así como recibió el premio "Eloy González Frías". Fundador de la Asociación Costarricense de Filosofía, ha sido su Presidente, y, en esta condición, Vicepresidente de la Federación Interamericana de Filosofía; y fue Presidente del II Congreso Interamericano E. de Filosofía (San José, julio 1961). Murió en 1969.

"Caballerosamente humilde, su misión en la vida ha sido la de instruirse, leer y enseñar. Vaivenes de la política lo separaron un día de sus disciplinas para llevarlo a funciones públicas; ... Entró limpio a la vida pública, piedra de toque para tantos ciudadanos, y limpio salió de ella, con la sastisfacción de haber cumplido su deber, con honestidad y cabalmente. No otra cosa podía esperarse de un ánimo tan sereno como el suyo, de una cultura tan bien cimentada y de una honestidad como la que lo adorna" [169].

Me fijaré especialmente en el estudio *La crisis del humanismo*, por ser el más afirmativo de una actitud y un pensamieno. No es frecuente una afirmación como ésta, inicial: "...siento, comprendo y tengo fe en esa humanidad futura que se perfila, como una realidad espléndida, a través de la crisis del humanismo occidental". Esta crisis se manifiesta como "el cambio radical de todos los principios y de todas las realidades de nuestra civilización occidental". El humanismo griego y europeo se muestra desquiciado y se anuncia un mundo nuevo; la crisis, vigente desde hace un siglo, llevará a la vuelta a los grandes principios que han sido la base del humanismo. La razón de la crisis es el desequilibrio entre tres factores: la invariabilidad de la naturaleza humana, el desplazamiento del sentido integral del ser, la evolución del progreso. Pero la consideración del espíritu como "potencia de transformación" muestra la progresiva conquista de "una nueva victoria del espíritu, un nuevo peldaño hacia la perfección material, que es la base de la ple-

---

[168] En el año 1944, publicó una novela, *El Valle Nublado,* de poca fuerza argumental por un excesivo peso de los temas ideológicos. La preocupación analítico-existencial es muy marcada.

[169] *Abelardo Bonilla . . . ,* "La Nación" (San José, 16-XII-1956), p. 69.

nitud espiritual". El hombre volverá a ser nuevamente hombre integral cuando se haya adaptado a la gran realidad colectiva de una nueva humanidad y haya forjado su indispensable estructuración. Al mundo nuevo "es necesario, en suma, darle fe y espíritu, para darle también existencia".

Esta actitud de A. Bonilla se complementó con la proyección del pensamiento de Unamuno [170] y el ahondamiento en los problemas del hombre concreto, así como en el tema de la fe [172].

Aparte de numerosos estudios aparecidos en la prensa, donde plantea desde los temas de la Filosofía del Arte hasta el enjuiciamiento de obras de actualidad, destaca su estudio *Sobre el porvenir de la Estética como Ciencia general,* en que sostiene: "Las rutas actuales de la Estética, su creciente importancia en la reflexión filosófica desde mediados del siglo XVIII, el auge extraordinario de la Axiología, la nueva concepción de la Lingüística y, sobre todo, las últimas tendencias educacionales, mueven a pensar en un brillante porvenir de la Estética como la ciencia primera que habrá de absorber toda la Filosofía". La razón está en la insatisfacción que producen los intentos de considerarla como ciencia particular, intentos que han consolidado errores graves en el campo general de la Filosofía, como, por ejemplo, el desligar la intuición sensible de la intuición emocional. La dificultad mayor estriba en que los hombres de nuestro tiempo han perdido "la antigua calma filosófica" y viven dominados por una fe o por un fanatismo, con lo que no pueden plantearse el tema como problema. De la necesidad de la precedencia de la duda y la incertidumbre, llega al dinamismo de los valores: "La realidad externa, los valores, se impone por su propia presencia, pero no con carácter teórico, sino trascendente y activo, vale decir, con fuerza creadora. La objetividad no es sólo una estructura óntica o un principio de conocimiento, como lo pretende la intuición sensible, sino una norma de acción en cuanto que es una intuición emocional y espiritual". Y señala: "...la ruta de la Estética se abrirá definitivamente cuando se cambie de frente y de método y se descubran, como se hizo con la Lógica desde la Antigüedad, las categorías del sentimiento".

A este intento dedicó varios trabajos, especialmente *Conocimiento, Verdad y Belleza,* en el que analiza el problema del conocimiento y los escollos que, en el estado actual de la teoría plantean el objetivismo y el subjetivismo como posiciones irreconciliables. Se inclina, no por la solución correlativista, que no resuelve los

---

170 *Vid.:* G. Malavassi, *Presencia de Unamuno en Costa Rica,* Tesis de Grado, Univ. de Costa Rica, 1958. Esta influencia la encuentro especialmente marcada en *El Valle Nublado.* Explícita, en varios cursos universitarios dedicados a este pensador.

172 *Vid.:* la polémica a propósito de la condenación de dos obras de Unamuno por la Iglesia Católica, en G. Malavassi.

problemas, sino por la concepción de una estructura de relación, autónoma, proyectada en las formas, que es la base tanto del conocimiento científico, como del conocimiento estético. Después de analizar las diversas doctrinas gnoseológicas, enfoca directamente el conocimiento estético, no como ciencia de lo bello o Filosofía del Arte, sino como punto de partida de todas las formas del conocimiento y como la vía más directa de acceso a la verdad y como un acto recíproco de sujeto y objeto, que se constituye inmediatamente en una estructura formal autónoma. Al fin, la obra se extiende sobre las posibilidades teóricas y prácticas que esta concepción ofrece, dando a la Estética una amplitud y una fecundidad muy superiores a las de la doctrina tradicional en este campo de las disciplinas filosóficas: "Nosotros eliminamos el *fuera* y el *dentro* y decimos sencillamente *entre*. El *entre* de la percepción autónoma y de la forma, en el que está todo: el punto de partida de conocimiento, la verdad posible y su desvelamiento iluminado por la belleza" [173].

Nuevas precisiones recibió el tema en la Mesa Redonda (23 julio 1958) sobre "La Filosofía en América" del 33 Congreso Internacional de Americanistas. Aparte de la Ontología, hay otros muchos caminos para el filosofar, especialmente por el tema del "conocer": "Si enfocando el problema o los problemas desde el punto de vista del sentimiento, más que desde el punto de vista de la razón, no se hace Filosofía, ese es el tema justamente... Yo creo que sí. Es decir, estimo que la razón se aplica cuando se quiere razonar y siempre en un sentido falso, humanamente falso. Lo que llamo "sentimiento" no es pasión, ni es estado de alma; es, más bien, el sentido griego del amor, es decir, ingenuidad frente al mundo, concepción del mundo ingenua, es decir, un estado de receptibilidad de las intuiciones que el mundo nos proporciona. El sentimiento concebido en esta forma es un instrumento filosófico extraordinario y más valioso que la razón" [174].

Aunque las influencias son variadas, A. Bonilla ha dedicado especial atención a Heidegger. En un estudio de conjunto [175], centrando su atención en *El Origen de la Obra de Arte* [176] y en *Conferencias y Artículos*, estudia el poetizar como el hacer surgir la verdad del ente [177] y cómo presencia el *Dasein* histórico de un pue-

173 *Conocimiento, Verdad y Belleza*, p. 70.

174 "Revista de Filosofía de la Universidad de Costa Rica", I, 4, (1958), p. 364 ss., especialmente la 369.

175 *El pensamiento estético de Martín Heidegger*, "Rev. Univ. Costa Rica". 16 (1958), p. 53-62. *Vid.*: Víctor Brenes, "Rev. Fil. Univ. Costa Rica", I, 4 (1958), p. 399.

176 *Vid.*: A. B., "Rev. Fil. Universidad de Costa Rica", I, 1 (1957), p. 86.

177 La aplicación del "fundamentar" de Heidegger a los valores, señalada en: *Sobre el porvenir . . .*, p. 11.

blo; luego, la esfera del *Geviert*, ámbito de la auténtica existencia del hombre, con el retorno a la experiencia mítica y el acercamiento del pensar al poetizar, alejándolo de la ciencia y de la lógica: "Heidegger se ha asomado al misterio y no sólo al del mundo sino al del arte y al del pensamiento. Ha realizado una aventura extraordinaria, inquietante y asombrosa. Pero su pensamiento no puede tener términos medios. O se olvida o se impone. Si se olvida o desecha, la Filosofía irá a una reacción racionalista. Si se impone, como lo creo, ese pensamiento va a realizar una de las revoluciones más profundas de la historia humana".

Esta actitud es nítidamente sostenida por A. Bonilla: "¿Coinciden la belleza y la verdad? Sí, en cuanto la percepción estética revela una verdad inmediata del ser... Coinciden, además, en cuanto la poesía nos revela una capa profunda del ser y de nuestra existencia... Coinciden, finalmente, en cuanto verdad y belleza se manifiestan originalmente por la sensibilidad y, en último término, se resuelven en formas"[178].

Por lo demás, el carácter de esteta de A. Bonilla se manifiesta igualmente en su estudio sobre Menéndez Pelayo [179] y a él mismo podrían aplicarse estas palabras: "Don Marcelino fue esencialmente un esteta y creo que el estudio de cualquiera de los aspectos de su obra requiere un conocimiento previo de las ideas estéticas que en ella dominan hasta convertirse en densa atmósfera y quizá en la razón última de esa Obra". Y de Menéndez Pelayo termina afirmando: "Fue también el primer europeo que comprendió la unidad esencial de la belleza".

Enlazando el sentido estético del conocimiento filosófico, a través de los valores, con el humanismo, A. Bonilla planteó su visión de la Filosofía del Derecho [180]. La tesis central afirma que "el progreso y el perfeccionamiento pragmático del Derecho sólo pueden obtenerse mediante una adecuada educación cuya esfera principal no puede estar exclusivamente en la esfera de la ciencia o teoría de esta disciplina, sino en el análisis y comprensión de sus fundamentos axiológicos". Solamente el conocimiento ahondado del valor Justicia (p. 131 ss.) y el análisis, en el sentido de Scheler o Hartmann, del concepto de Persona, lograrán dar trascendencia y dinamismo al Derecho, y hacerlo vivir en su sentido como resultado del conocimiento (Epílogo). Los caminos tradicionales de estudio del Derecho, tanto el sistemático como el histórico y el deontológico, son eficaces e indispensables, pero este último exige su revisión en función de la Teoría de los Valores.

---

178 *Conocimiento, Verdad y Belleza*, p. 55.

179 *Las ideas estéticas de D. Marcelino Menéndez y Pelayo*, "Rev. Universidad Costa Rica", 15 (1957), p. 7-15.

180 *Introducción a una Axiología Jurídica*, Ministerio de Cultura, (El Salvador, 1956), p. 161.

Aparte de sus trabajos de pensamiento personal, destaca la labor de historiador erudito, especialmente en el campo nacional. Un artículo de síntesis es *Algunos aspectos del pensamiento costarricense*, pero la obra principal es su *Historia y Antología de la Literatura Costarricense*, que no se limita a abarcar la esfera de la creación poética, sino, prácticamente, todas las manifestaciones escritas que permiten la visión del panorama cultural costarricense. Ello hace que más de una cuarta parte de la obra venga a ser historia del pensamiento en Costa Rica y otro tercio, historia de las tendencias estéticas. "... contando en el plan del libro todos los aspectos de nuestra cultura, no podríamos eliminar el ensayo en campos que corresponden al pensamiento y a las ciencias" (p. 9). El fundamento de este criterio estriba en la consideración de la historia de la creación estrictamente literaria en función de la "historia de nuestra cultura", por tres razones: 1º, en Costa Rica es imposible desligar la creación poética, en general, de las demás formas de creación literaria; 2º, eclecticismo en cuanto al origen del estilo literario; 3º, "... la más importante, porque en ella está la concepción filosófica y la organización de este libro. Desde la colonia hasta finalizar el siglo XIX, privó en nuestras letras una expresión racionalista, lineal y cerrada, de "acabamiento", según el término en que Fritz Strich resumió los conceptos de Wolfflin sobre lo clásico, mientras que desde 1900 —en parte con el realismo y en parte con la obra de Brenes Mesén— se inició la aventura hacia la "infinitud" anticlásica. Pero la primera forma no ha desaparecido aún y es aún hoy parte integrante de nuestras letras y de nuestra modalidad nacional, y es imposible desestimarla sin destruir algo esencial en el espíritu costarricense" (p. 11-12). Así, en la caracterización global de la literatura costarricense, A. Bonilla destaca el predominante carácter lógico. Traduciéndolo a otras palabras, yo diría que el escritor costarricense es, antes que poeta, novelista, jurista o educador, un intelectual. Son muy contados los casos del poeta "puro". Esta disposición, que viene desde la época colonial, responde a la casi general ausencia de sentido plástico. Es muy raro que un pueblo destaque en todas las creaciones del espíritu y el costarricense eligió el camino del intelecto. La comparación con Nicaragua, por ejemplo, se prestaría para hacer ver un fuerte contraste.

Otra caracterización interesante es la de que se trata de un pueblo cuyo pensamiento ha sido siempre "no americano, sino europeo, occidental" (p. 15). En Costa Rica carece de sentido el indigenismo "y el pensamiento carece de toda relación con él" (p. 16). Es interesante esta apreciación pues viene a coincidir plenamente con el ambiente dominante en la Mesa Redonda, ya citada, sobre 'La Filosofía en América"; admitiendo la posibilidad de filosofías "regionales", gracias a la peculiar inclusión de la intuición sentimental en la demarcación del "paisaje", sin embargo, A. Bonilla, como la casi totalidad de los participantes abogó por el carácter universal de la Filosofía [181].

O B R A S

La crisis del humanismo, (San José, 1934), 50 pp.

Visita emocional..., "La Hora" (21 octubre 1936).

Bonilla contesta a Francisco Amighetti, "La Hora" (24 octubre 1936).

El valle nublado, (San José, 1944).

Walther de Aquitania, "Rev. Univ. C. R.", 1 (1945), p. 18-21. [ponencia reforma universitaria], "Rev. Univ. C. R.", 2 (1947). p. 156-166.

Letras Costarricenses, (Buenos Aires, Ed. Jackson, 1947).

Cervantes, el hombre, "Rev. Univ. C. R.", 3 (1948), p. 189-195.

Sobre el porvenir de la Estética como Ciencia general, "Rev. Univ. C. R.", 6 (1951), p. 9-12.

Nacionalismo, "Diario de Costa Rica" (12 mayo 1951).

Los intereses creados, "Diario de Costa Rica" (15 mayo 1951).

Humanismo, "Diario de Costa Rica" (17 mayo 1951).

El mundo de Shakespeare, "Diario de Costa Rica" (20 mayo 1951).

El ocaso de la revolución socialista en Inglaterra, "Diario de Costa Rica" (27 mayo 1951).

Unamuno y el partido social demócrata, "Diario de Costa Rica" (29 mayo 1951).

El efecto de las ideas en la política, "Diario de Costa Rica" (3 junio 1951).

Abstracción y realismo, un aspecto del conflicto mundial, "La Nación", (20 diciembre 1953).

"El Diablo" de Giovanni Papini, "La Nación" (8 enero 1954).

La tragedia del arte en la Unión Soviética, "La Nación" (15 enero 1954).

Oriente y Occidente en la Historia de Heródoto, "La Nación" (7 febrero 1954).

Toynbee y la esencia religiosa de la Historia, "La Nación" (10 noviembre 1954).

Einstein y las humanidades, "La Nación" (31 mayo 1955).

---

181 "Recordando la obra del Cusano, diría que vivimos, no una docta ignorancia, sino una ignorancia espectante, que suele rechazar todo lo que no es auténtico. Abrigo la certeza de que la contrapartida no será materialista: América tiene un definitivo porvenir metafísico". *Discurso Inaugural,* II Congr. E. Interamer. Filos. (San José, 17 julio 1961).

Política, pragmatismo y realidad [sobre Ortega y Gasset], "La Nación" (5 julio 1955).

El balcón del espíritu, "brecha", I; 1 (1956), p. 7.

Juan Ramón Jiménez, "brecha", I, 3 (1956), p. 18.

Introducción a una Axiología Jurídica, (El Salvador, Ministerio de Cultura, 1956), 161 pp.

Historia y Antología de la Literatura Costarricense, (San José, Imp. Trejos); 1er. vol. 1957, p. 447; 2º vol. 1961, p. 590.

Las ideas estéticas de D. Marcelino Menéndez Pelayo, "Rev. Univ. C. R.", 15 (1957), p. 7-15.

Dos libros de Unamuno en el Indice, "La Nación" (31 enero 1957).

Visión sinóptica de la cultura en los Estados Unidos, "brecha", I, 12 (1957), p. 14-15.

Abel y Caín en el Ser Histórico de la Nación Costarricense, "brecha", 7 (marzo 1957), p. 9-11.

Algunos aspectos del pensamiento costarricense, "Rev. Filos. Univ. C. R.", I, 3 (1958), p. 249-251.

Conocimiento, Verdad y Belleza, (El Salvador, Ministerio de Cultura, 1958), 74 pp.

El pensamiento estético de Martín Heidegger, "Rev. Univ. C. R.", 16 (1958), p. 53-62.

Mesa redonda..., "Rev. Filos. Univ. C. R.", I, 4 (1958), p. 364.

Verdad y Belleza en: *Actas XXXIII* Congr. Int. Americanistas, (San José, 1959), III, p. 67.

José Marín Cañas..., "brecha", IV, 2 (1959), p. 13.

Costa Rica en su Historia, "Mundo Hispánico", 141 (Madrid, diciembre 1959), p. 13-15.

La poesía, "brecha", IV, 7 (1960), p. 4-6.

Discurso Inaugural II Congr. E. Interamer. Filos. (San José, 17 julio 1961).

Estilística del lenguaje costarricense, San José, Univ., 1967, pp. 85.

América y el Pensamiento poético de Rubén Darío, San José, Ed. Costa Rica, 1967, pp. 135.

BIBLIOGRAFIA

Abelardo Bonilla, "La Nación" (16 diciembre 1956).

BARAHONA, LUIS, *El Valle Nublado,* "Diario de Costa Rica" (1944).

BORGE, EMILIO, *Un gesto de la democracia,* La Prensa Libre (4-VIII-1961).

CASTRO FERNANDEZ, ALFREDO, *Abelardo Bonilla y "El valle nublado",* "brecha", I, 9 (1957), p. 12-13.

Lascaris C., Constantino, *El pensamiento filosófico de Abelardo Bonilla*, "La Nación".

L. C., C. *Bibliografía...*, "Rev. Filos. Univ. C. R.", I, 4 (1958), p. 395-397.

Sancho Mario, *El viaje de Abelardo Bonill-* "Diario de Costa Rica" (20 abril 1934).

Sancho Mario, *Mario Sancho comenta... Abelardo Bonilla*, "Diario de Costa Rica" (6 abril 1933).

Trejos, Juan, *Temas de nuestro tiempo* (1954), p. 91-93.

Ulloa Z., Alfonso, *Panorama Lit. Costarr.*, en: *Panorama das Literaturas das Américas* (1959), III, p. 964-965, 1011-1012.

Valle, R. H., *Hist. Ideas Contemp. Centro-América* (1961), p. 119, 255.

Vincenzi, Moises, *Abelardo Bonilla*, "Diario de Costa Rica" (23 setiembre 1935).

Vincenzi, Moises, *"El Valle Nublado" por Abelardo Bonilla*, "Diario de Costa Rica" (18 julio 1944).

León Pacheco

León Pacheco nació en 1900. Estudios universitarios en La Sorbona. Profesor de Estética en la Universidad y de Literatura en la Secundaria, y de Literatura Francesa en la Universidad. Académico y escritor. Fue embajador de Costa Rica en Francia y allí ha retornado con frecuencia. Tiene, y bien ganada, la formación francesa clásica, tanto en ese esteticismo formal de la Academia francesa, como en la valoración, bien gala, del ensayo, pues los ensayos de León Pacheco no son orteguianos, sino bergsonianos. Es "el costarricense más joven", tanto por su dinamismo, como por la fuerza expresiva de sus escritos.

El hilo de Ariadna está formado por seis estudios (Gide, Cocteau, Verlaine, Hugo, Montaigne, Pascal) de auténtica vivisección intelectual. Pueden servir de modelo del intelectual francés. Sin ser estudios profesionales de fisolofía, pertenecen a la inquisición filosófica de la cultura. En gran parte corresponden, por hacer una comparación, a lo que Sartre ha llamado el psicoanálisis existencial, que es la búsqueda del proyecto vital que dio sentido a la obra de un escritor. Su estudio sobre Camus, publicado en "Cuadernos Americanos" busca la delimitación de la angustia existencial, así como otro sobre Unamuno.

Un extenso estudio sobre lo costarricense en la Literatura le permitió acosar el tema nacional. Y en su discurso de ingreso en la Academia intentó definir a Latinoamérica, vista como un continente en gestación, a la búsqueda de su futura manera de ser desde el actual "humanismo del subdesarrollo".

OBRAS

El Costarricense en la literatura nacional, Rev. de la Universidad, 10 (1954), 75-141.

Pascal escritor, Rev. Fil. Univ. C. R., 12 (1962), 375-387.

En busca de una definición, San José, Imp. Trejos, 1963, pp. 22.

El hilo de Adriadna, Ed. Costa Rica, 1965, pp. 193.

BIBLIOGRAFIA

BONILLA A. *Seis estudios en busca de nuestro ser costarricense...,* La Nación (18 diciembre 1954).

HERRA, R. A. en: Rev. Fil. Univ. C. R., 17 (1965), 136-137.

Alexander F. Skutch

Ornitólogo de reconocido prestigio científico, Alexander F. Skutch es filósofo en el pleno sentido de la palabra. Vive retirado en el Valle de El General, al extremo sur del país, dedicado a estudiar la vida de los pájaros, en plena comunión con la naturaleza. De talante bueno, su especialización científica fue determinada por la norma de no privar de vida a ningún ser vivo. Su carácter reentrado, le mantiene retirado de la sociedad. Poseedor de una honda penetración, es un escritor de lengua inglesa de gran belleza.

Nació en Baltimore, Maryland, USA, en 1904. Doctor en Botánica en 1928 por la John Hopkins Univ. Desde 1930, dedicado a Ornitología en Centroamérica y desde 1935 residente en San Isidro de El General, Costa Rica.

Su formación de biólogo se trasluce en su filosofar como un trasfondo vivencial de amplias resonancias. Pero más bien lo considero como hombre poseído por el *thaumadsein* helénico, en candente perplejidad ante la naturaleza. Y así su obra filosófica es simultáneamente maciza y delicada, osada y congruente, sensitiva ante el dolor y estoica. Empleando una terminología que supongo que no le gustará, diré que su filosofía es una visión racionalizada de la dialéctica biológica del cosmos (del "Ser Fundamental") en trance de progresiva espiritualización. De buscar un paralelo (no una influencia) lo hallaría en Hegel; y de buscar una influencia (no un paralelo) lo hallaría en Heráclito.

En contra de mi costumbre en esta obra, en lugar de ir haciendo yo un resumen a base de citas de sus estudios, transcribo un artículo suyo [182], en que resume su pensamiento.

---

182 Traducido por Maud Curling. En prensa en "brecha".

Parte de las ideas apuntadas en este artículo corresponde a *The Quest of the Divine,* y otra parte a sus estudios de Etica. Lo hago así porque siento que un intento mío sería menos logrado.

Su título, "la Filosofía de la lealtad cósmica", corresponde exactamente a esta Filosofía, pues a la vez que una Cosmología es una Etica cósmica y en consecuencia un imperativo hacia el logro de una progresiva espiritualización.

LA FILOSOFIA DE LA LEALTAD COSMICA

Mi inspiración en filosofía proviene directamente de sus fundadores, los griegos. En los días de su gloria en la antigua Hélade, la filosofía no era tanto un estudio académico como un modo de vida, seguido por hombres sinceros, quienes, en numerosas ocasiones, abandonaron su patrimonio o su profesión para buscar la sabiduría. En la tradición helénica, la filosofía es un intento de dar a la vida significación, coherencia, contemplándola en su integridad, y en relación con un todo mayor. La lógica y la semántica, que reclaman una porción tan grande de la atención de los filósofos modernos, son instrumentos necesarios en la búsqueda de la verdad, pero no constituyen la meta de la fisolofía como tampoco constituyen la meta de las ciencias los instrumentos de fabricación. Para proporcionar orientación en la vida, las grandes filosofías de la antigüedad, tales como la Platónica, la Peripatética y la Estoica, consideraron necesario desarrollar una cosmología, una antropología o doctrina de la naturaleza humana, y una ética. Mi principal esfuerzo en filosofía ha sido por derivar de una visión del mundo, una ética que se ajuste a los descubrimientos de la ciencia moderna. El filósofo, sin embargo, debe iluminar los descubrimientos puramente objetivos de las ciencias con la luz que ha recibido al examinar su ser interior, en cuanto sea accesible a la introspección. Tal escudriñamiento del ser revela un aspecto de la realidad que se mantiene velada para las ciencias físicas y aún para las biológicas.

"La primera gran perplejidad que confrontamos cuando tratamos de conocernos a nosotros mismos y al mundo en que vivimos es la relación de nuestra conciencia con nuestro cuerpo, de la mente con la materia. Tanto el punto de vista materialista de que la materia engendra el pensamiento, como el punto de vista idealista, que el pensamiento crea al mundo que llamamos material o al menos la apariencia de tal mundo, no son convincentes. Ninguna de estas doctrinas ha proporcionado una explicación clara de cómo el aspecto del mundo que considera primario produce sus otros aspectos. Esto nos lleva al dualismo, que asimismo es insatisfactorio, porque no explica cómo la materia y la mente interactúan.

"¿Tienen la mente y la materia algo en común? Contempladas como sustancias parecen tan inconexas, tan separada una de la otra e incapaces de afectarse mutuamente, como se lo parecieron a Descartes y a sus seguidores. Pero si pensamos en términos de proceso en vez de sustancia, se hace evidente que el mismo proceso básico ocupa nuestras mentes, nuestros cuerpos y al Universo como un todo. Este proceso dominante del cosmos, que yo llamo *armonización,* es la construcción de los materiales del Universo en patrones de siempre creciente coherencia, complejidad y amplitud. Un ejemplo de armonización en gran escala es la condensación de la finamente difusa materia de una nebulosa en sistemas solares, cada uno de los cuales consta de un sol central emanador de calor, rodeado por planetas que giran a su alrededor con gran regularidad, con a menudo uno o más satélites o lunas. Un sistema solar es un vasto y coherente modelo que ha alcanzado tan grande armonía que persiste casi invariable por un período inmensamente grande, durante el cual la vida se levanta en la superficie de los planetas favorablemente situados.

"La armonía en pequeña escala está ejemplarizada en la unión de protones, neutrones y electrones para formar átomos, cada uno de los cuales es un patrón estable y coherente. Donde las condiciones físicas lo permiten, los átomos se ordenan en cristales, que son simétricos, perdurables modelos a menudo preciosos. Asimismo se asocian para formar moléculas, las cuales en un ambiente favorable, tal como la superficie de la tierra, llegan en forma creciente, a ser grandes y complejas hasta que por último la sustancia viviente surge.

"El crecimiento de un organismo, especialmente el de una planta autotrófica, es un perfecto ejemplo de armonización. La planta toma moléculas relativamente simples del aire, el agua y el suelo, y las transforma en las mucho más complejas moléculas de carbohidratos, proteínas y del protoplasma mismo. Con estos materiales la planta forma un número siempre creciente de células, de las cuales su tejido está constituido. Estos tejidos a su vez están ordenados en órganos, que unidos forman el organismo vegetal, un complejo y creciente modelo que puede continuar creciendo por años. En un animal, incapaz de sintetizar su propio alimento de sustancias inorgánicas, la armonización se inicia con materiales elaborados, derivados de plantas y otros animales, pero el proceso es llevado a un nivel más alto que en las plantas; por lo menos en los más avanzados miembros del reino animal, los tejidos y órganos son más diversos que aquellos de los vegetales, y cada parte está en dependencia más estrecha con las otras. Un ser viviente contiene una mayor variedad de materiales, ligados en un modelo coherente, más que cualquier ente sin vida de tamaño comparable.

303

"El crecimiento de una mente, como el de su cuerpo, consiste en construir las relativamente simples contribuciones del mundo externo en modelos de siempre creciente coherencia, complejidad y amplitud. Una mente es nutrida a través de sus órganos sensoriales, como lo es un cuerpo a través de su boca y estómago. Incontables vibraciones luminosas percibidas por la retina producen una única sensación de color. Muchas excitaciones nerviosas son sintetizadas en una sola imagen percibida, tal como la de una piedra o una flor. De numerosas percepciones más o menos similares la mente deriva un solo concepto, tal como el de "color" u "hoja". De simples ideas la mente procede a formar más ideas, hasta que finalmente ultima una visión unificada del mundo, una filosofía. La mente trabaja incesantemente para ordenar sus contenidos en un patrón coherente, porque la coherencia es su único criterio de la verdad, y sólo en la verdad queda satisfecha.

"No solamente estamos formados de cuerpo y mente por armonización; nuestros mayores esfuerzos son una continuación de este proceso formativo. En los esfuerzos prácticos tales como la fabricación de una máquina o la construcción de una casa, tomamos materiales de diversas fuentes y los ligamos en un todo coherente. Para crear belleza, el artista reúne diversos materiales, tales como color y forma, o una variedad de sonidos en un coherente y armonioso modelo. La moralidad es, en primer lugar un esfuerzo del individuo para ordenar todos los aspectos de su vida —sus pensamientos, palabras y actos— en un todo armonioso. Su felicidad depende de la armonía que logre. Por otra parte nos esforzamos en lograr concordia en las relaciones con todos los seres que nos rodean, de modo que cada uno pueda desempeñar su vida mientras ayuda, en lugar de frustrar los esfuerzos similares de los demás. Cuanto mayor sea el número y la variedad de los seres que viven en concordia, y más perfecta la armonía que logren, más exitoso juzgamos que es nuestro esfuerzo moral, más nos satisface. La moralidad es un estado avanzado en el proceso de construcción de los materiales del Universo en patrones de creciente coherencia, complejidad y amplitud.

"La moralidad, en sentido estricto, es un atributo del ser capaz de escoger deliberadamente entre rumbos previstos. No tenemos evidencia de que esta capacidad esté presente en alguna parte, excepto en los seres humanos. Sin embargo, puesto que nuestra moralidad es una fase de un proceso universal, que comenzó antes de que la vida surgiera, debemos reconocer una *moralidad* que ocupa el cosmos. Entre la moralidad cósmica y la moralidad específica del hombre, podemos reconocer la *protomoralidad* de los animales, expresada en sus numerosos modos de conducta, grandemente innatos, la cual promueve concordia entre los individuos de una misma especie, y aun entre los de distintas especies.

"Es evidente que aquellos modernos pensadores que claman con desesperación que el Universo no provee guía y soporte para el hombre, no han comprendido el Universo. En nuestros más altos esfuerzos, estéticos, intelectuales y morales, simplemente llevamos a un nivel más alto el proceso universal que nos formó en cuerpo y mente. Si mantenemos la naturaleza de este proceso claramente ante la vista, muchas de nuestras perplejidades se desvanecerán.

"Mucha de nuestra confusión, duda y desesperación provienen de la contemplación de la gran cantidad de maldad existente en el mundo. La maldad es disarmonía por el dolor, sufrimiento y pérdidas que causa. Algunos filósofos tratan de desviar nuestra atención del mal llamándolo "irreal", "mera apariencia"; "bondad en lugar equivocado" y similares nombres eufemísticos. Yo creo que debemos admitir sin vacilación que el mal o demérito es tan real como lo bueno o con mérito, y que su suma es espantosamente grande. Entonces debemos tratar de descubrir cuanto mal puede surgir en un universo ocupado por un proceso que es constructivo, benéfico, y fundamentalmente moral. *El mal es un efecto secundario, que surge indirectamente de la intensidad de la lucha para alcanzar la bondad o mérito.* La armonización inicia tantos patrones, tan estrechamente relacionados, que, conforme crecen, inevitablemente entran en conflicto, compitiendo entre sí por el espacio y materiales necesarios para su acabamiento. De este choque de crecientes modelos con crecientes modelos surge en mucho la mayor parte del mal y sufrimiento que vemos, especialmente en el mundo viviente.

"La frustración y destrucción que surgen como efectos secundarios de la armonización no demuestran que este proceso sea sin propósito, pero son evidencia de que no está dirigido por una Inteligencia benévola previsora. La armonización parece resultar de la lucha del Ser Primordial por realizar valores ocultos en él mismo. Esta lucha no fue al principio por realizar o alcanzar una meta prevista, sino una búsqueda a ciegas de la realización de sí mismo por el Ser Primordial. Antes de que la armonización pudiera ser dirigida hacia metas claramente previstas, tuvo que crear, lenta y penosamente, por un proceso de pruebas y errores, mentes capaces de concebir objetivos distantes y de planear su alcance. En este planeta, los hombres, o al menos algunos de los más avanzados están comenzando a adquirir la inteligencia, al lado del sentido de responsabilidad y la energía moral que la armonización necesita para sacarlo de algunas de las dificultades en que ha caído debido a la falta de una guía inteligente. Tal moral, e inteligentes agentes, son indispensables para guiar al mundo hacia una realización plena de las metas que desde el principio ha estado buscando [183]. Si los hombres despiertan a sus oportunidades y dedican sus inteligencias al servicio del proceso que los creó, un glorioso futuro nos espera. Si, por el contrario, los hombres egoísta y ciegamente se niegan a cooperar con la armonización, para el bien de su planeta como un todo, con la variedad de vida que soporta, el desastre agobiará al mundo viviente, incluyendo al género humano. Hemos llegado a un estado crítico en el desarrollo de este planeta, cuyo futuro se suspende en una balanza.

"Yo creo que podemos entender mejor nuestra propia relación con el Ser como un todo, y más fructíferamente realizar la parte que nos corresponde, si cada uno de nosotros se considera a sí mismo como una parte, como un *órgano del Universo*. Un órgano es una parte íntegra del organismo a que pertenece. Alejado de este organismo pierde todo su significado y cesa de vivir. Sin embargo, su valor, en el organismo, depende de tener una estructura y un modo de funcionar característicos de él mismo; un ojo, por ejemplo, sería inútil para la visión si se compusiera de piel y carne como el resto de la cara. Quien piensa en sí mismo como un órgano del Universo mantiene en mente con firmeza la verdad de su igualdad con el Ser como un todo, su universalidad, al mismo tiempo que es consciente de su diferencia con respecto al resto del Ser, su unicidad e individualidad. Este conocimiento simultáneo de su igualdad y diferencia es el fundamento firme de su vida espiritual. Perder de vista cualquiera de estos aspectos de nuestra característica situación, partes tan grandemente diferenciadas, es sentenciarnos a la esterilidad y frustración[184]. Entre las funciones que nos corres-

---

183   En su estudio sobre *La Compasión* sostiene:
"Si se me pide que elija el día más importante de la historia del mundo, no vacilaría en designar el día en el cual por primera vez un animal, de cualquier clase, reprimió su apetito, o dominó su pasión, o se negó a sí mismo algún placer, en consideración a los sentimientos de alguna otra criatura, pues en ese día nació la compasión, y la moral reflexiva empezó a surgir de la moral no reflexiva que existe en el mundo y en la vida." "Ignoramos igualmente la fecha en que por primera vez un animal deliberadamente se negó alguna satisfacción inmediata a fin de obtener una ventaja futura, dando así origen a otra gran rama del esfuerzo moral, el interés por el propio perfeccionamiento."
"Señala la diferencia entre *compasión* y *lástima*. La piedad de sí mismo es vista como debilidad. "Nuestra piedad, . . . , no debe sobrepasar nuestra beneficencia. Si somos sensatos, debemos prestar atención a los dolores del mundo en la medida en que los podemos disminuir. Frente al rigor de la naturaleza, justifica la compasión como comportamiento activo, independientemente de todo cálculo hedonista. Y ya sea que nuestro esfuerzo de vivir así para disminuir la suma de dolor o aumentar el total de felicidad de todas las cosas vivientes, cumpla su fin o fracase, es indudable que mejora nuestro propio carácter y nos proporciona paz espiritual."

184   Así se explica su *Crítica del humanismo:*
"Para el humanista, . . . , la superioridad de la humanidad es, no sólo el único posible fin de nuestros esfuerzos, sino que la existencia del hombre no tiene sentido fuera de su propia clase, ni necesita buscar ninguna guía más allá del mismo."
"Necesariamente se une en Filosofía con el Naturalismo y el Materialismo, . . . Emplea desdeñosamente el término "sobrenatural" para todo el vasto sector de realidad que desde Kant han llamado los filósofos trascendente. Atribuye importancia solamente a las facultades perceptivas y racionales de la mente humana, despreciando su facultad intuitiva. Es positivista . . . En Etica es utilitarista . . ."

ponden como órganos del Universo están el uso de nuestra inteligencia, para dirigir y hacer avanzar la armonización, y el agradecido reconocimiento de la bondad y belleza que ella ha producido ya. Somos órganos mediante los cuales el Ser aprecia el valor que ha logrado en su indefinida lucha.

"Yo supongo que todo filósofo debe tomar una decisión sobre las preguntas sobre la libertad, Dios y la inmortalidad. El único significado que puedo dar al término "libre albedrío" es la falta de determinación en el origen de nuestras voliciones. Si nuestras voliciones no son la consecuencia necesaria de lo que somos, nos falta control pleno sobre nuestros actos y no podemos ser considerados responsables de ellos. Aunque no podemos excluir la indeterminación de nuestras voliciones o de cualquier parte del mundo, yo creo que ningún hombre sano desearía el libre albedrío si comprendiera sus implicaciones.

"No creo que un Dios perfecto pudo haber creado un mundo tan imperfecto, tan lleno de contienda y maldad como éste en que nos encontramos. A menudo las maldades del mundo se atribuyen a la libertad de las criaturas; pero puesto que dudo de la realidad del libre albedrío, no puedo aceptar esta explicación. Creo que un sabio y benévolo Creador, previendo los desastres que la libre voluntad o libre albedrío causaría, habría excluido esta fuente de discordia en su Universo. Hubiera infundido su propia voluntad en cada criatura, que se sentiría perfectamente libre de coacción externa mientras lleva adelante el plan divino. Dios no es la fuente del mundo sino su fin, la meta por la cual lucha, su ideal formado en las mentes de sus órganos, los hombres que piensan. El verdadero componente divino del Universo es la armonización, que lo conduce hacia su ideal.

"La inmortalidad o existencia espiritual indefinidamente continuada, es necesaria para la realización del proceso del mundo y de nuestras aspiraciones morales. La meta de la moralidad es vivir en armonía con todos los seres, pero las condiciones de la vida animal hacen esta meta irrealizable. Sólo en un reino espiritual podría darse una diversidad de seres viviendo en perfecta armonía. Debemos desear la inmortalidad, no como un premio por vivir rectamente, sino como condición indispensable para la realización de nuestros ideales morales. Además, puesto que toda la vida de este planeta parece destinada a una eventual extinción, por el enfriamiento o explosión del sol, todos los valores que el Ser ha estado luchando por realizar a lo largo de las épocas serán totalmente perdidos, a menos que algunos habitantes de la tierra sobrevivan a su destrucción, y sólo como espíritus separados de sus cuerpos parece posible que sobrevivan. A pesar de que carecemos de pruebas para considerar que la mente o conciencia pueda existir separada de un cuerpo orgánico, debemos conservar la fe en que la inmortalidad es realizable por nosotros, viviendo día tras día como si guardáramos dentro de nosotros un imperecedero espíritu".

O B R A S

Life Histories of Central American Birds, (Cooper Ornithological Society, Berkeley, 1954-1960).

The Quest of the Divine, (Boston, Forum Pub. Co., 1956).

Crítica del humanismo, "Rev. Filos. Universidad de Costa Rica", I, 3 (1958), p. 253-262.

La compasión, "Rev. Filos. Universidad de Costa Rica", II, 6 (1959), p. 43-54.

Los ideales básicos del género humano, Rev. Fil. Univ. C. R., 13 (1963), 27-34.

y otros numerosos artículos de Ornitología.

B I B L I O G R A F I A

CARR, ARCHIE, en: "Rev. Filos. Universidad de Costa Rica", I, 1 (1957), p. 87-88.

"30 años aquí...", La Nación, 2 agosto 1971; *"Costa Rica..."*, La Nación, 3 agosto 1971.

Teodoro Olarte

Vasco macizo; de presencia que impone respeto, distancia al principio y afecto pronto; fumador de pipa que posee una mente rigurosamente metafísica; hombre teorético, de palabra radical y estilo contundente; Teodoro Olarte marca huella en quienes le escuchan. Su recorrido filosófico es paralelo al de Heidegger: de una tesis sobre escolástica, al existencialismo. Su tesis fue sobre Alfonso de Castro, el escolástico penalista, pero pronto gravitó, y precisamente hacia Heidegger, es decir, al existencialismo metafísico y sin concesiones.

Nació en Vitoria, España en 1908; hizo estudios de filosofía en la Universidad de Madrid, reconocidos por la de Costa Rica, en la que se licenció. Profesor en Costa Rica desde 1940, lo fue luego de Psicología y Metafísica en la Universidad. Desde 1957, Profesor Asociado en Estudios Generales, titular de Antropología Filosófica, Director del Departamento de Filosofía y Jefe de Redacción de la Revista de Filosofía, Vicepresidente de la Asociación Costarricense de Filosofía, fue Vicepresidente del II Congreso E. Interamericano de Filosofía (San José, 1961). En 1951-1952, dirigió la revista "Idearium".

Puede resumirse su concepción filosófica en los siguientes puntos:

"1. La Filosofía es el conocimiento viviente del sentido de la realidad en su totalidad.

"2. La realidad está centrada por el ser del hombre, quien por su constitución existencial, vive dos planos: el del ser que engendra la experiencia y el del ser mediante el cual aspiramos a dilucidar la totalidad; estos planos no se repelen entre sí.

"3. El ser de la realidad total está 'informado' por el ser del hombre, que evoluciona; la sustancia queda substituida por la relación o complejo de relaciones.

"4. De aquí, lo relativo de la distinción entre cultura y naturaleza, concepto éste que también es cultural, histórico.

"5. La experiencia es el producto del ejercicio o de la acción recíproca, necesaria y existencial, de los factores que implica la dimensión de ser-en-el mundo.

"6. La ciencia y sus progresos son producto de la creciente profundización que el hombre efectúa de sí mismo; la ciencia está constituida por las siempre renovadas proyecciones sobre el universo, del hombre mismo.

"7. El hombre, por sus esenciales limitaciones, inherentes a su condición de encarnado, sólo puede poseer sospechas, más o menos fundamentadas, de la realidad metafísica, presente en la temática, filosófica del Occidente.

"8. La verdad no es relativa por ser histórica; es absoluta, pero su absolutez le viene de lo que será y no de lo que fue ni de lo que es. Ella no consiste en encontrar, sino en hacer para.

"9. No es admisible la dicotomía del Sujeto y del Objeto; por consiguiente, tampoco el realismo que supone una realidad dada a priori; ni el kantismo, que supone un Sujeto apriorístico, ni el Sujeto productor del idealismo.

"10. El destino humano —su problema— debe resolverse, metafísicamente hablando, suprimiendo la paradójica posición en que se admite el 'hacerse' humano históricamente y el producto 'definitivo' de ese hacerse.

"11. Nuestro género de existencia es uno, pero no el único; cabe pensar otros en los cuales, aun dentro del espacio y del tiempo, se viva sin las limitaciones de nuestro actual modo de existir, aunque siempre y de alguna forma, históricamente. Nuestra existencia actual postula otra, hacia la que parece tendemos por nuestra transfinitud".

Y tratando del choque entre la filosofía tradicional y el evolucionismo, afirma:

"Por estas razones hemos visto... que:

"1º El principio de causalidad es inoperante en aquella parte de la realidad en la cual probablemente se engendró y para la cual se formuló;

"2º Otro tanto sucede con el principio de finalidad aplicado al campo extraño a la voluntad humana;

"3º Tampoco le va mejor al principio de identidad, del cual, frente a capitales problemas, hay que prescindir;

"4º Y, finalmente y como corolario de todo, la categoría de sustancia no nos sirve y si todavía anda como concepto vigente, se debe esto a ciertos ordenamientos de carácter práctico de los cuales no es el menos principal el lenguaje, natural refugio de muchos malos hábitos del pensar y del hacer"[185].

Desde otro punto de vista, es significativo su concepto de filosofía, elaborado sobre el contrafondo de Teilhard de Chardin:

"Para mí el existencialismo no es un sistema, es un conjunto de actitudes que, tal vez, resistan un común denominador si se las considera desde muy alto. Entonces, sería más ceñido a la realidad hablar de existencialistas que de existencialismo. Yo también participo de esa actitud, y por estas razones: la primera —no muy intrínseca— es porque veo la imperiosa necesidad de salvar la persona, el individuo humano, la vida y la independencia interiores, en otras palabras, el fundamento de cada uno de los destinos personales, contra poderosas corrientes que, por imperativo de su misma esencia, tienen que desconocer esos valores, agotando al hombre en lo social, en lo económico y en lo político. La segunda —de orden metafísico— descansa en estos principios: el ser por el que se ha venido preguntando en la metafísica, es el ser del hombre; el ser del hombre evoluciona y hace evolucionar; se hace y hace que haya más ser. La existencia humana esencializa su orbe cultural. Su vertiente hacia lo social es de valor necesario, pero subordinado a su ser "único", a su unicidad. Mi concepción se acerca más al Heidegger de "El ser y el tiempo", pero con fuerte influencia de Whitehead. A este punto he llegado en mi concepción filosófica: la existencia es actividad y para desenvolverse, está dotada, no sólo de razón, sino también de voluntad y de ímpetu emocional. Desde el hombre y desde su obra íntegra, siempre por lo demás, abierta, hay que construir una metafísica de orden inductivo" (La Nación, 13 agosto 1967).

"Por supuesto, la filosofía no es ciencia, pero no es menos cierto y exacto que la fisolofía se anquilosa —y el filósofo, también— sino pone oído atento a lo que con modestia le dice la ciencia; no puede existir divorcio entre el ser y el fenómeno bien captado —que no lo será a base de las experiencias que datan de

185 *La filosofía* . . . , "Rev. Univ. C. R.", 10 (1954), p. 15.

hace dos mil cuatrocientos años. El tránsito, no sólo legítimo, sino necesario, en el filosofar es del fenómeno al ser; pero el fenómeno, punto de arranque para el filosofar, no puede ser el que nos dan los simples sentidos guiados por el pobre sentido común, sino el que nos ofrezca la ciencia, todas las ciencias y no solamente la Física. Reconozcamos que la cosa ha cambiado desde hace dos mil años o, si se prefiere algo menos antiguo, desde hace setecientos años"[186].

Esto no supone positivismo, sino cientismo como punto de arranque para la Metafísica, plano que da sentido al filosofar entero:

"Si la filosofía posee sustantividad propia frente a otras áreas del saber, la tendrá por y desde la metafísica. Pues bien, la revulsión operada por *Sein und Zeit* en este terreno ha sido sencillamente fundamental. La preocupación que por la metafísica alienta hoy en el filosofar, hay que atribuirla en grandísima parte a esta obra heideggeriana; pues nadie puede desconocer que Heidegger logró sacar a la filosofía del callejón sin salida en que la tenían determinados sistemas filosóficos monopolizantes..., para implantarla frente a los auténticos horizontes metafísicos: los horizontes del ser"[187].

Esta metafísica es existencial. Puede servir de ejemplo de desarrollo el siguiente análisis quijotesco:

"Nos hallamos, pues, con una filosofía desde el hombre; con la eterna problemática de su existencia. Visto este libro a la luz de una verdadera filosofía existencialista, tendremos quizá la oportunidad de sumergirnos en su valor último". "La dialéctica existencial que sorprendemos en el Quijote no es de orden místico, sino humanista,..." Sancho es visto como la falta de angustia existencial al recorrer los caminos trillados por "todo el mundo". Al contrario, "Don Quijote vibra en amplias y fuertes olas de angustia existencial". "Se siente, por esenciales imperativos de su propia existencia, impulsado hacia mundos que permanecen ocultos a la vulgaridad de los hombres. Renuncia a la seguridad de 'todo el mundo' y comienza..., la vida de otro modo de existir. Don Quijote está angustiado porque siente las enormes posibilidades de su propia existencia, ..." "La existencia humana tiene una finalidad. ¿Cuál es ella? El reino de los valores a cuya realización se halla llamada en forma sustancial; esos valores que se encuentran en nuestra misma constitución existencial y condicionan nuestros modos de existir esencialmente, siendo el fundamento metafísico de la vida extravertida, de la vida introvertida y de la vida endogélica, la flechada hacia los últimos valores: la verdad, la belleza y la bondad".

---

186 *El Universo* . . . , "Rev. Filos. Univ. C. R.", I, 2 (1957), p. 147.
187 "Rev. Filos. Univ. C. R.", I, 1 (1957), p. 76.

Luego analiza las dos fases, negativa y positiva, de la angustia de Don Quijote, para culminar con su visión como existencia auténtica: "La tesis vital de Don Quijote es cierta: lo personal, en su individualidad, debe concordar con lo universal y eterno y de éste habrá de vivir. En lo que se equivocó fue en querer universalizar la materia..." Y así, "lógicamente, Don Quijote tiene que morirse. A los requerimientos de Sancho, ya semiquijotizado, para una nueva salida al campo, el Caballero contesta con su deseo de morir. ... Ha comprendido que su ideal es inadaptable a este mundo; vive en este mundo, pero ya no es de este mundo". La muerte es "la única solución que a su existencia le resta"[188].

Este filosofar, que es desde la situación concreta, es, al mismo tiempo, universalista, por la universalidad de la razón. Al enfrentarse al tema de las filosofías nacionales o continentales, expresa:

"La integralización por medio de la creciente y efectiva solidaridad universal, tanto en el pensar como en el sentir, hace que tanto el objeto de la Filosofía como el filosofar se universalicen, imposibilitando la provincialización de la Filosofía. Si lo anterior empieza a ser valedero para el mundo entero de hoy, hace tiempo que lo es para América respecto al orbe occidental.

"El pensamiento filosófico americano, si sigue esos derroteros de universalidad perenne, podrá, con su acento americano, decir palabras interesantes y aun necesarias para esa cultura. No somos esclavos, sino iguales e incluso, alguna vez, superiores a los demás. Tal es el único horizonte auténtico y honrado que cabe asignar a la Filosofía 'americana' "[189].

Tesis semejante se aprecia en sus escritos sobre la Cultura, la Universidad, y en sus análisis de las corrientes existencialistas.

"La Universidad es una institución que transmite cultura y que crea cultura". Es una institución porque tiene partes jerarquizadas. "Por exigencia íntima de la misma cultura, tiene que contraerse a cimentar tanto la cultura personal como la profesional, porque el trabajo de culturizarse y de profesionalizarse tiene una fecha universitaria de comienzo, pero su término coincide con el término de cada una de las existencias". "Si éstos son sus fines fundamentales, la razón de ser de la Universidad consistirá en su fidelidad a esa vocación". "En consecuencia, parto del siguiente principio: la unidad intrínseca, lo que dé forma a la Universidad será un saber con contenido universal y totalizador en su universalidad. Este saber es la Filosofía. Sólo la Filosofía puede fundamentar el núcleo de una cultura general y, por consiguiente, sólo la Filosofía puede ser cimiento de la unidad de la Universidad". Ahora bien, como segunda perspectiva, "¿Cómo se ha de formar

---

188 "Rev. Univ.", 3 (1948), p. 204-212.
189 *En Torno...*, Actas XXXIII Congr. Int. Amer. (1959), p. 22.

filosóficamente a los que no se preparan para ser filósofos profesionales? ¿Cómo se ha de formar filosóficamente a los que se han decidido a ser filósofos profesionales?" Al primer punto, que desarrolla con amplitud, contesta señalando la teoría general del Método, las disciplinas filosóficas que fundamentan cada ciencia, y la Antropología Filosófica. La realización de esta enseñanza corresponde al órgano filosófico docente (Departamento, Instituto, etc.) de Filosofía"[190].

Especial interés merece su *Curso de Psicología,* en el que desarrolla de manera sistemática su concepción "fundamental" del hombre. "El yo es el punto de diferenciación entre el mundo interior y el exterior" y la esencia de la psique es actividad, "devenir y cambiar en un espontáneo dinamismo". Por facultades entiende "grupos o familias de funciones cotejadas y sistematizadas atendiendo a sus semejanzas bajo una denominación común". Planteada en un doble plano, antropológico y filosófico, esta obra es de poderosa envergadura y muchos de sus desarrollos son originales y profundos.

Su estudio sobre Alfonso de Castro sigue siendo la obra fundamental y completa sobre el fundador del Derecho Penal. No es éste el lugar para exponer el conjunto de sus ideas; sólo señalaré el rigor del trabajo y la profundidad de la exposición:

"En suma, he aquí un excelente libro por todos conceptos. De un lado, por la corrección con que transfiere la complejidad del pensar de Castro; de otro, por la finura con que aborda y sintetiza la doctrina general y particular en orden a los múltiples problemas que constituyeron el saber español. Añádase a esto la pulcritud con que ha discurrido la pluma y tendremos una tesis que le acredita de experto investigador. . . una obra de probado vigor científico,. . .

En estos años han aparecido numerosos ensayos y los dos libros más importantes de Teodoro Olarte: *Filosofía Actual,* 1963, y *El Ser y el Hombre,* 1974. La Universidad le concedió el Doctorado Honoris Causa, y a continuación presentó su Doctorado con el segundo libro citado.

El obstáculo doctrinal con el que ha forcejeado el pensamiento de Olarte es el sustancialismo. Y en especial el sustancialismo aplicado al hombre. El evolucionismo y el existencialismo han sido dos coordenadas clarificadoras. La superación: la visión del hombre concreto construyéndose como esencia individual desde y para la libertad. Pero todo ello, con un temple radicalmente metafísico. Todos los subjetivismos son barridos por la búsqueda del sentido del ser, pues solo desde el ser el hombre se entifica. Todo ello, con un optimismo vital admirable. El valor de exigir al hombre concreto la construcción radical de la existencia con sentido, y ello desde la

---

190 *La función de la Filosofía* . . . , Ii Congr. E. Interamericano Filos. (1961).

noción funcional de espíritu, le lleva a un "anarquismo" de la libertad. Y a una confianza racional en el trabajo humano: desdeñar o repeler la técnica no tiene sentido. Su último libro termina con esta frase: "Por la técnica, que hoy no solo prolonga el poder de la mano, sino también el poder de la inteligencia, el hombre crea el ser y su propio ser. La técnica ha hecho posible la gran presencia universal del hombre concreto".

O B R A S

Alfonso de Castro, San José, 1946. pp. 287.

Curso de Psicología, San José, s. a., pp. 87.

Filosofía Actual y Humanismo, Ed. Costa Rica, 1963, pp. 327.

El ser y el hombre, Ed. Fernández-Arce, 1974, pp. 239.

B I B L I O G R A F I A

ABELLAN, J. L., *Filosofía Española en América,* Madrid, Ed. Guadarrama, 1966, pp. 261-2.

AGUILAR MACHADO, A., "Dos pensadores: Láscaris y Olarte", *La República,* 17 agosto 1967.

BONILLA, A., *Hist. Ant. Lit. Costarr.* 1957, I, p. 309.

A. B., "Idearium", *Diario de Costa Rica,* 30 mayo 1951.

DELTA, "Una tesis sobre el pensamiento de Teodoro Olarte", *El Universitario,* VIII-IX-1966.

DOMINGUEZ CABALLERO, D., "La Universidad y la Filosofía", *El Tiempo de Panamá,* 10 noviembre 1962.

LASCARIS, C., "Teodoro Olarte", *Rev. Filos. Univ. C. R.* 11 (1962), 279-283.

LASCARIS, C., "Teodoro Olarte", *La Nación,* 1975.

LOAIZA, N., "Premio Nacional de Ensayo...", *La Nación,* 13 agosto 1967.

MORA, A., "Don Teodoro: ...", *La Nación,* 9 septiembre 1974.

PACHECO, F. A., "El pensamiento de Teodoro Olarte a través de sus escritos", *Rev. Filos. Univ. C. R.,* 15-16 (1965), 361-404.

ROSAL, J. DEL, *Rev. Est. Políticos,* 29-30, Madrid, 1946, pp. 427-435. Reprod.: *Rev. Filos. Univ. C. R.* 2 (1957), 195-198.

ZELEDON CAMBRONERO, M., en: *Rev. Filos. Univ. C. R.* 9 (1961), 129-130.

Claudio Gutiérrez Carranza

Nació en Cartago en 1930. Hizo estudios en Madrid y Chicago. Licenciado en Filosofía y Letras por la Universidad de Costa Rica en 1953, y en Derecho en 1959. Profesor de Lógica Simbólica en el Departamento de Filosofía y Asociado de Filosofía en Estudios Generales, Secretario de la Facultad de Ciencias y Letras, fue su Decano de 1961 a 1965. Doctor en Filosofía por la Universidad de Chicago en 1966. Profesor de Lógica y de Teoría de la Ciencia en la Universidad.

Discípulo de Gabriel Marcel, a la hora de definir la Filosofía sigue a Jaspers, y en temas sociales a Ortega y Gasset, pero todo ello desde la Lógica Simbólica. Es de los pocos casos de logicistas matemáticos que no se quedan en formalizar estructuras lógicas, sino que pretende instrumentalizarlas en su filosofar.

Considera al hombre como "un ser que se hace preguntas". Estas preguntas-problemas constituyen "la materia de su existencia, por imperativo de su existencia". "El problema es un hecho vital incómodo, una situación que se le impone al hombre como necesidad de librarse de ella"; ello supone el dualismo sujeto-objeto, los cuales surgen como tales precisamente de la problematicidad. Así, la ciencia es una "respuesta subjetiva a ese quebrarse del mundo" en objetos, pues el ser-objeto consiste en un estar delante. En cambio el problema filosófico preexiste a la escisión sujeto-objeto; "el objeto es infiel a su condición de objeto", pues para la filosofía no hay más que un "objeto total", el cual además no consiste en estar-delante, sino que implica al sujeto. "La filosofía es una actitud entre la actitud transparente y dominadora de la ciencia y la actitud fecunda pero también oscura o misteriosa del conocimiento religioso"[191].

Este existencialismo se mostró primeramente en su *Teoría del nexo real,* en que, partiendo de Simmel, busca un "tercer" elemento entre "ser" y "medio", como problemática vitalista: "La vida es una relación concreta y misteriosa entre lo vivo y lo no vivo, entre el ser y su mundo particular, que comprende a ambos términos sin renunciar a ninguno". Ello le conduce a centrar la filosofía en Dios como "ámbito"[192].

Sus estudios específicos de Lógica Simbólica son, unos formulación de problemática jurídica, otros de Metodología. No es ésta la ocasión de resumirlos.

Otros ensayos son de Filosofía Social y de Teoría del Estado.

Desarrolla "una teoría dinámica de la democracia". Parte de tres hechos de trascendencia en la vida política de Costa Rica en los últimos años: servicios públicos especializados, independientes del Poder Central; desarrollo, dentro de la órbita de los Poderes del Estado, de organismos con funciones eminentemente jurídicas y variable grado de autonomía; y reestructuración y consolidación de los partidos políticos. Como *hipótesis* que explica estos tres

191 *Proceso y contenido* . . . , (1958).
192 A. Bonilla, *Hist. Ant. Lit. Costarr.* (1957), I, p. 308-309.

hechos enuncia: "...un proceso de desviación del centro de gravedad del Estado, desde el Poder Ejecutivo o Central, ..., hacia otros núcleos o estructuras cuya característica principal es la pluralidad y la heterogeneidad de su naturaleza política". Sobre esta hipótesis, "nuestra tesis es que, frente a la oposición auténtica de los Cánones del Estado liberal, Policía y Contralor jurídico, salvaguarda de una libertad irrestricta y disolvente, y los imperativos del moderno Estado social, Interventor o Tutor, normalmente inclinado hacia el totalitarismo, la democracia puede encontrar y de hecho está encontrando un tercer camino que, sin ser mezcla ecléctica de los otros dos, combina las ventajas de los anteriores sistemas en una forma orgánica, evitando sus desventajas". Ello se realiza según un proceso de leyes que detalla[193].

"Toda personalidad robusta y progresiva, toda cultura pujante y bien equilibrada, debe rendir amplio tributo a la ilimitación del mundo en que se mueve, negándose a cerrarse definitivamente, como obra completa a la que nada puede añadirse, nada quitarse, ni nada modificarse". Si se aplica el sentido *lúdico* de la vida a la política, a la actitud lúdica corresponde "...la defensa del sistema político frente a toda totalitaria mixtificación que arrebate la ciudadanía de los brazos maternos del arte para lanzarlos en las garras de hierro de la pura técnica". "Y es que ante problemas graves sólo cabe ser serio; ante problemas gravísimos no hay más remedio que actuar deportivamente". "En esto no hay que engañarse: si la democracia es un buen sistema político no lo es porque permite al electorado, en forma desapasionada y objetiva, elegir a los mejores valores de entre el conjunto de los ciudadanos; es un buen sistema porque permite, sin derramamiento de sangre, que los políticos más capaces, ejerciendo su arte e inspiración, puedan demostrarse como más capaces. El candidato es llamado a demostrar su habilidad en el juego libre, antes de ser encargado de un otro juego, más limitado, que será su función como titular del Estado".

Luego estudia el carácter lúdico de los partidos políticos, en cuanto partidos y en cuanto "oposición" a los otros partidos.

Después de su Doctorado en la Universidad de Chicago, ha profesado la Logística, así como una posición anti-metafísica. Los estudios de Cibernética le han llevado hacia el estudio de estructuras lógicas. No entraré en el detalle, por incapacidad mía. En la *Revista de Filosofía,* ns. 20, 25 y 34 se encuentran extensos estudios suyos. La preocupación por la Teoría de los Métodos en la Ciencia es complementaria. Señalaré su concepción de los "persómatas" (palabra compuesta de "persona" y "autómata") como indicativa de la orientación de sus investigaciones. Posición: pragmatismo.

---

193 *Funciones formales . . . ,* (1961).

O B R A S

Análisis de la emoción del pudor, "ECA", 82 (San Salvador, 1954), p. 215-218.

Ensayo sobre las generaciones costarricenses. 1823-1953, "Rev. Univ. C. R., 10 (1954), p. 51-61.

Proceso y contenido de la Filosofía en el Mundo Antiguo, (San José, Univ., 1958), 152 pp.

El pensamiento de Gabriel Marcel, "Rev. Univ. C. R.", 16 (1958), p. 35-52.

Apreciaciones sobre América en la obra de Gabriel Marcel. Actas XXXIII Congr. Int. Americanistas. (San José, Imp. Nacional, 1959), tomo III, p. 53-56.

El Consentimiento civil a la luz de la Lógica moderna, "Rev. Filos. Univ. C .R.", II, 7 (1960), p. 225-262.

Pretensión y Política, en: Bonilla, A. *Hits. Ant. Lit. Costarr.* 1961), II, p. 292-301.

Sistemática de enunciados indiferentes, II Congr. E. Interamer. Filos. (San José, Julio 1961).

Funciones formales y materiales del Estado frente a la presente evolución del sistema político costarricense, II Congr. E. Interamer. Filos. (San José, julio 1961).

Los Estudios Generales en el College de la Universidad de Chicago, Rev. Univ., 23 (1961).

Comentarios al movimiento de Reforma Universitaria... Centro-América, San Salvador, 1961.

Perspectiva de un período universitario, San José, 1964.

La libertad académica. Sus paradojas, San José, 1964.

Epistemology and Economics Contribution to the Logical Analysis of Economic Theory, diss., Chicago Univ., 1966.

Un sistema de deducción natural basado en las leyes del pensamiento. Rev. Fil. Univ. C. R., 20 (1967).

Roberto Murillo

Licenciado en Filosofía por la Universidad de Costa Rica, Doctor por la de Estrasburgo, profesor de Teoría del Conocimiento, ha sido Director del Departamento de Filosofía y es Director del Instituto de Teoría de la Técnica en la Universidad Nacional, en el que es profesor de Teoría de la Técnica. Su formación como investigador partió del bergsonismo para centrarse en la preocupación del sentido del saber y de la existencia humana. Estudió con Gusdorf, con el que participa en la preocupación por la autenticidad de la cultura.

Dos de sus libros son sobre el pensamiento de Bergson.

En *Comunicación y Lenguaje,* parte del análisis del dualismo metafísico y epistemológico, resultado de establecer dos órdenes de ser y de conocer: el "élan" vital y la materia, la intuición y la inteligencia. "Elan" e intuición se identifican, así como inteligencia y materia. Pero los dos primeros son originarios, en tanto que materia e inteligencia se derivan de ellos por negación: los orígenes son unitarios; la diversidad es oriunda de la materia. Por ello, la comunicación deberá ser un retorno a los orígenes. Para expresar la realidad originaria, el lenguaje será un medio inadecuado. A pesar de las cualidades del lenguaje humano sobre el animal, estas cualidades constituyen las limitaciones del lenguaje humano. Por el análisis del "esquema de sentido" concluye que el lenguaje es ocasión de comunicación, como lo confirma la teoría de la metáfora y del ritmo. El lenguaje puede ser utilizado, pese a su unidad, como obstáculo o como ocasión de comunicación, lo cual lleva a la "teoría del buen sentido", en el que se fundan las ideas sobre la educación. La conclusión es optimista, mediante la noción de "simpatía" y la referencia a las disciplinas que en ella se fundan: la metafísica, el arte, la literatura, la novela, la comedia, la poesía, la música, la moral y la religión.

"La noción de causalidad en Bergson" se publicó en francés, en un número monográfico de la *Revista de Filosofía,* y valió a su autor el Premio Nacional de Ensayo. La construcción de la filosofía desde el evolucionismo biologista dio al bergsonismo una amplitud y unos horizontes insospechados antes. La noción de causalidad culmina en Bergson una áspera crisis en el empirismo. En cierto modo, Bergson vino a reinstalarla, al darle una variedad de "lugares", desde el plano físico, al biológico y al psíquico. En sentido propio, causalidad se da solamente en el plano físico, del determinismo universal. En los otros planos, solo se hablará de causalidad por analogía, o más bien se darán dos planos, el del determinismo y el de la libertad (el de la causalidad y el de la negación de la causalidad) y el desarrollo biológico será el puente tendido entre ambos límites. Bergson reserva la palabra causa para la "implicación" en el orden material (duración y materia); por sus desarrollos, la vida, la realidad auténtica, se manifiesta como "presentación en la conciencia", por sobre "la conexión lógica o causal", ya que la vida es creadora de energía. Una dialéctica vital permite la conversión del determinismo y del finalismo en contradicciones superadas por la existencia misma, en cuanto creación originaria.

Con referencia a la situación nacional, me interesa destacar su ensayo "Noción desarrollada de desarrollo": "enfocar el desarrollo como tema y tarea integrales e interdisciplinarios supone ya un cierto desarrollo social y económico, ya adquirido, o si se prefieren otros términos, un cierto nivel de civilización y progreso". "...si Hegel señala el carácter crepuscular de la filosofía, no debemos entender que ésta nos está vedada porque somos un pueblo de modestos recursos. Podemos hacerla, porque no somos colectivamente miserables, pero solo en virtud de esta capacidad que tiene el hombre de ir más allá de sí mismo, individual o socialmente". Rechaza las concepciones de la filosofía como "superestructura" y considera precaria la "filosofía del desenmascaramiento" y absurdo el mesianismo socio-económico. Considera que el desarrollo de la autocreación del hombre supone, a la una, la satisfacción de las necesidades de subsistencia, así como la creación y satisfacción de necesidades superfluas que dan sentido a su existencia. "La técnica le permite al hombre ambas cosas, adaptando el mundo al hombre, no adaptando el hombre al mundo". "Y esto es llevar el desarrollo a su punto más avanzado: a la conciencia de sus límites, como límites de la más alta voluntad humana: la voluntad de forma, contenido de toda sana voluntad de poder". Conclusión de la tesis: "El filósofo puede colaborar en el desarrollo nacional, sin duda, precisamente porque conoce el camino ascendente hacia las formas más optimistas de la racionalización de toda realidad, y las paradojas y limitaciones de este *epánodos*".

O B R A S

Comunicación y Lenguaje en la Filosofía de Bergson, Univ. de Costa Rica, 1965, pp. 129.

"La notion de la causalité dans la philosophie de Bergson", Rev. Filos. Univ. C. R. 23 (1968).

"Bergson y el problema de la Educación", ibídem, 15-16 (1965), 351 ss.

"Consistencia e integridad de un Sistema Proposicional no-tautológico", ibídem, 17 (1965), 79 ss.

"Noción desarrollada del desarrollo", ibídem, 35 (1974), 165 ss.

Rafael Angel Herra

Licenciado por la Universidad de Costa Rica, Doctor por la de Maguncia, profesor de Filosofía Moderna. Director de la "Revista de Filosofía" desde 1973, Subdirector del Departamento. Autor de dos libros fundamentales y varios ensayos. Su atención se fija primero en el existencialismo y la fenomenología y posteriormente en las cuestiones metodológicas de la dialéctica.

Su estudio sobre Sartre considera los aportes de este filósofo a la Psicología y, desde ésta, a la Antropología. Sartre es un gran escritor y acaso el más extraordinario dramaturgo de nuestro tiempo, pero su principal contribución filosófica ha sido la asimilación ontológica de la Psicología para la comprensión de la persona. De ahí que, igual que las obras de Sartre, este libro es difícil por el rigor y por la pretensión metafísica. Las críticas a la Psicología positivista son el preámbulo para el planteamiento de la Antropología pura: si el hombre actúa de hecho por fines, la Antropología tendrá que ser la ciencia integradora de los fines de la conducta humana. El hombre concreto es el introductor de la nada en el mundo, como resultado de su ser de elecciones. Y de ahí, la importancia del Psicoanálisis Existencial, manera de comprender la conducta humana. Sartre se opone a la interpretación mecanicista del freudismo. La crisis del psicoanálisis se ha debido precisamente a los psicoanalistas negadores de la libertad humana: los complejos no son simplemente resultados de interacciones mecánicas entre estratos de la personalidad, sino que son elecciones deliberadas del hombre concreto. De ahí también la negación del subconsciente, ya que, por definición, no puede ser verificado nunca. En este punto, la doctrina freudiana postuló una hipótesis metafísica hábilmente enmascarada. Herra presenta como central el complejo de Acteón. La conclusión es: Hacia una Psiquitría Humana, y no deshumanizadora.

Su tesis doctoral versa sobre la noción de cuerpo en Husserl. Se sitúa primero en la "realización de la conciencia": por qué el cuerpo es la mediación necesaria entre conciencia y mundo teórica y prácticamente. El autor arranca de los textos dispersos en la obra impresa de Husserl, los sistematiza y en cierto modo los lleva adelante en sus consecuencias, en un desarrollo propio. La conciencia es, corporalmente, una "naturalización legítima" (*Ideen II*, pág. 168). La conciencia naturalizada da lugar a la somatología o ciencia del dominio intermedio entre conciencia y mundo que ve el contexto funcional del cuerpo orgánico (*Leib*) como el necesario ser mundano del ego. El hombre es un medium del poder-hacer, es conexión práctica como cuerpo (*Leibkörper*). La técnica, la praxis, tiene por necesidad esta relación corporal de significación. El cuerpo es la primera realidad práctica de la libertad (lo que va contra toda tesis idealista de una *primera* libertad de la voluntad). El hombre abandona corporalmente el aislamiento de la conciencia solipsista en la praxis o en la relación con el alter ego. Se abre paso aquí a una fenomenología del trabajo (E. Paci), que el autor sitúa en su investigación y que funda en la experiencia corporal egótica activa y necesariamente ligada a la comunidad de egos a que la misma fenomenología del cuerpo remite.

El estudio se cierra con dos anexos independientes del contexto. Para ello el autor se sirve del conceptual extraído de Husserl, o elaborado, y se orienta en lo que Merleau-Ponty llama la "quasi-corporalidad del significante" de toda representación objetiva, opuesta pero análoga a la corporalidad humana. Para hacer operable este concepto el autor usa el método consistente en la explotación de capas sucesivas, superpuestas u oscilantes de significación intencional que se captan en el cuerpo propio y en objetividades mundanas de significación variable o sedimentada (el habla, las obras artísticas, etc.). La fundamentación de este análisis remite principalmente al parágrafo 16 (*Die* intentionalität im Bereich der Leibfrage, pág. 51 sq.) que intenta clasificar capas de significación intencional en el cuerpo y que repite ahora, paralelamente, ante el fenómeno de la quasi-corporalidad. Los anexos versan sobre la *Metamorfosis* de Kafka y sobre el grabado de Durero *El caballero, el demonio y la muerte*.

Como postura personal, partiendo de la evolución de la conciencia pura en conciencia histórica, y del sentido práctico del filosofar, propone entender la filosofía como ideología crítica, según dos momentos: 1, la crítica, o heurística de las condiciones particulares de posibilidad en el mundo o de fragmentos de mundo, con énfasis en una crítica de las ideas; 2, la moral de la acción teórica, o práctica de la ideología negativa, cuyo último objetivo es la desfalsificación de la conciencia. "La acción se mueve en el campo de la teoría y no puede separarse de su origen negativo", para no volver ideología dogmática. "La moral de la acción es igualmente la moral del intelectual que trabaja en la ideología negativa y su praxis", es decir, una moral del presente que apunte al futuro. "En la vida intelectual de un país que por lo general, como Costa Rica, se alimenta de saber importado, la falsa conciencia es real cuando se oculta la verdadera y profunda función mediadora del saber. La larga noche del llamado subdesarrollo vese acompañada de esta mediación oculta que nos hace mirarnos con ojos prestados. El desenmascaramiento, el alba de esta noche, procede a la inversa: las ideas no deben mediar una relación existente, deben servir de medio para convertir la conciencia falsa de esta relación en conciencia lúcida". "Lo positivo de la filosofía es que en última instancia quedará siempre por responder qué es el hombre, pero no en general, sino según condiciones concretas: las que el hombre produce".

O B R A S

Sartre y los prolegómenos a la Antropología, Univ. C. R., 1968, pp. 230.

Unmittelbare Vermittlung der Leiblichket, Ditters Bürodienst, Heidesheim Rhein, 1972, pp. 142.

"Carlos Monge...", Rev. Filos. Univ. C. R., 17 (1965), 63 ss.

"La disonancia hecha carne...", ibídem, 20 (1967), 35 ss.

"Tierranegra...", ibídem, 34 (1974), 87 ss.

"Filosofía de la falsa conciencia, falsa conciencia de la filosofía", ibídem, 35 (1974), 115 ss.

"Los pasos de la violencia institucionalizada", Filósofo, 3 (1974), 26 ss.

BIBLIOGRAFIA

LASCARIS, C., *"Tres..."*, La Nación, 6 abril 1970.

José Alberto Soto

Licenciado por la Universidad de Costa Rica, Doctor por la de Génova, es profesor de Filosofía Moderna y Coordinador de la Comisión Doctoral del Doctorado en Filosofía. Con estudios de post-grado en Alemania e Italia. Medalla de Plata del Ateneum Genuense.

Fue a Génova a doctorarse, no por un azar, sino atraído por la figura de Sciacca, cuyo pensamiento ya había estudiado en su tesis de Licencia. Sciacca representó en Italia el esfuerzo por superar el idealismo croceano y el pensamiento tradicional: un cristiano idealista espiritualista. Oponiéndose al existencialismo, se centra en los planteamientos existenciales, pues en todo momento busca la originalidad de la existencia; sin embargo, es desde una Ontología idealista como se plantea el tema crucial en su filosofía, de la integralidad de la persona humana. La filosofía de Sciacca ha influido fuertemente en José Alberto Soto y su filosofar es un adentramiento en el personalismo. Pesa todavía Croce en la concepción del ser como "Idea" (idea que es a la vez noema y noesis, acto psíquico y realidad objetiva del ser). La dialéctica de la Idea tiene que culminar, tras largos desarrollos, en la afirmación existencial de la Indentidad de ser y pensar: "Esto confiere a la palabra "ser" (a la que todos los hombres dan espontáneamente un significado), el sentido de algo simple, originario, luminoso y, al mismo tiempo, de algo complejo, enigmático y denso. En efecto, la noción de ser no es obvia ni oscura, sino evidente y, como todas las evidencias, de una claridad velada: vemos a través del ser, pero con los ojos inmersos en el ser". Pero Descartes campea: de ahí, el yo soy: "esa unidad ontológica que acepto, amo y reconozco" y que constituye el ente existente, del cual proviene la identidad, necesaria, del ser y del pensar, la cual a su vez es el fundamento de la concepción integral de la persona humana: "La Ontología concreta es metafísica del hombre", y esta metafísica es desarrollada con amplitud, tanto en la búsqueda de su estructura, como en el análisis de la integralidad del acto voluntario. En esta integralidad, integra también lo religioso. Podría servir como síntesis este párrafo: "Es la presencia del "ser como Idea", o sea, la intencionalidad que el existente recibe hacia el ser, lo que le da a él ese "toque" último que lo constituye como persona, que es un calor y fin en sí, creada por el Absoluto, y que está llamada a reconocer a todos los seres que existen, como valor y en sí mismos, y con los cuales ella puede y debe entrar en relación de comunión y de amor".

Tres estudios ha dedicado José Alberto Soto a deducir conclusiones dialécticas parciales, sobre la noción misma de Filosofía, sobre el acto espiritual y sobre el significado de la Historia. Pero deseo referirme más en especial a su último ensayo sobre "Educación integral y misión de la Universidad", en el cual parte del esquematismo freudiano, para iniciar el intento de integración de la persona: "Partamos de una definición de educación ideal o integradora dentro de un contexto evolutivo del individuo a partir del *id*, definiéndola como el conjunto de factores culturales que contribuyen a orientar el *id* hacia la sublimación, donde se logran realizar valores positivos que se traduzcan en libertad". Se apoya luego en Frankl para sentar la sublimación del eros en el amor: "una sexualidad sublimada en amor, donde el acto sexual no es sino la expresión física de los vínculos anímico-espirituales que le unen al ser amado". Y dado que la socialidad es una exigencia vital, será en una interacción con la sociedad como se satisfagan las necesidades. Su análisis le lleva a la tesis: "El hombre, visto en estas tres conjugaciones, se inscribe a un panorama auténtico de su destino, donde la libertad, la fraternidad y el amor marcan el camino a seguir como personas". La aplicación de esta concepción a la Universidad supone: "Hombres cultos que se enfrentan y deciden responsablemente, haciendo propio el momento histórico a que pertenecen". Ese servicio abarcando todas las facetas de la investigación, la justicia, la paz, culmina con la libertad.

O B R A S

Hacia un concepto de persona, 1968, Univ. Costa Rica, pp. 188.

"La lezione Liturgica di Antonio Rosmini", Studi Cattolici, 128 (Milano, 1971), pp. 708-710.

"El ser como idea. . .", Rev. Filos. Univ. Costa Rica, 22 (1968), 243 ss.

"Filosofía y Antifilosofía", ibídem, 25 (1969), 163 ss.

"El significado de la Historia. . .", ibídem, 20 (1967). 75 ss.

"Educación Integral y Misión de la Universidad", ibídem, 35 (1974), 153 ss.

"Responsabilidad y cambio histórico", Anuario Centro Est. Hum., Univ. Nuevo León (1972), 671-676.

NEOESCOLASTICA

Costa Rica, como hemos visto, ha sido un país carente totalmente de tradición escolástica. Esta sólo se hace presente, y en forma leve, ya iniciado el siglo XX, con Claudio María Volio. Su introductor propiamente es Jorge Volio, a partir de 1941. Así, se halla, además, centrada en el mercierismo. Pueden verse, además, los profesores del Seminario, en el capítulo: *Los estudios de Filosofía.*

Claudio María Volio

Nació en Cartago en 1874. Discípulo del Cardenal Mercier, se doctoró en Filosofía por la Universidad de Lovaina en 1896. Ordenado sacerdote en Malinas en 1898. En 1899 regresó a Costa Rica y se dedicó al ministerio sacerdotal. Profesor del Seminario en 1900-1902. En 1906, Presidente de la Unión del Clero. En 1916, Obispo de Santa Rosa de Copán en Honduras; en 1918 regresó a Costa Rica. Desde 1924 a su muerte, en 1940, se dedicó a la beneficencia.

Hombre inteligente, seguía fielmente la filosofía de Mercier. Así, cuando terció en la polémica de Brenes Mesén con Zambrana, en 1900, sostuvo la oposición de la inteligencia y los sentidos, así como que la inteligencia es la esencia del espíritu.

En diversas ocasiones manifestó su postura conservadora, en temas sociales, políticos y morales.

O B R A S

García Moreno et l'Etat chrétien. Discours prononcé le 26 Juin 1892, (Louvain, Typ. Vanlinthout, 1892), 16 pp.

Ideas de Estética del Sr. R. Brenes Mesén, "La Prensa Libre" (mayo 1900).

Respuesta a Brenes Mesén, "La Prensa Libre" (mayo 1900).

Manifestaciones..., "La Nación" (18 julio 1909).

Discurso... 1917. En: Mata Gamboa, Jesús, *Monografía de Cartago* (1930), p. 64-67.

Sólo Dios..., "La Prensa Libre" (7 noviembre 1938).

Naturaleza y objetividad de la sensación. Perdido.

BIBLIOGRAFIA

BRENES MESEN, R., *Al Dr. Claudio Volio,* "La Prensa Libre" (17 mayo 1900).

Dr. *Claudio María Volio Jiménez,* en: El "Libro Azul" de Costa Rica (1916), p. 412-413.

Dr. *Claudio Mª Volio...,* en: Mata Gamboa, Jesús, Monografía de Cartago (1930), p. 399-400.

BEJARANO, LETICIA, *Monseñor Claudio María Volio...,* "Rev. Arch. Nac." IV, 7-8 (1940), p. 375-376.

SANABRIA, VICTOR, *Discurso...,* "Rev. Arch. Nac.", IV, 7-8 (1940), p. 372-374.

HIDALGO, ALFREDO, *Oración fúnebre...,* "Rev. Arch. Nac.", IX, 1-2 (1945), p. 7-12.

JUNOY, R., *Homenaje póstumo...,* (San José, Imp. Trejos, (1946), 122 pp.

MENDIETA, SALVADOR, *Etica para los costarricenses,* "Repertorio Americano", XXXVIII, p. 318.

SANCHO, MARIO, *Memorias* (1962), p. 303-304.

ZAVALETA, JOSE ANTONIO, *El Convento de Cartago,* VIII. La figura, "La Prensa Libre" (8 marzo 1960).

Jorge Volio

Hemos visto su personalidad y su ideología "reformista" al tratar del social-cristianismo. Y considero preferible tratar ahora su aspecto estrictamente filosófico.

Con la creación de la Universidad Nacional en 1941, Jorge Volio pasa a ser el Profesor de Filosofía, que además, como Decano de la Facultad de Filosofía y Letras, hasta 1948, orienta estos estudios. Su formación neoescolástica se traduce entonces en cursos y en algunos trabajos escritos.

En los cursos conservados en apuntes en la Bibl. Univ. sigue a Mercier con bastante fidelidad, sobre todo en Ontología. Sin embargo (o quizá por ello), su trabajo filosófico más importante es un análisis de Kant, que muestra una larga preocupación. Le costó superar el kantismo en el problema del conocimiento. Un plan, hecho por él mismo, es el siguiente:

"I. El problema gnoseológico. Un problema central de la Fa. ¿Qué es el ser? P. ontológico; que luego se desdobla en este otro implicado en el primero, sobre el *valor del conocimiento* que lo aprehende: ¿poseemos capacidad, medios para llegar al ser? ¿Hasta dónde llega nuestro conocimiento? Problema metafísico y problema gnoseológico. Una sola cuestión fundamental enfocada desde dos puntos de vista, de afuera y de adentro. Los *dos caminos* de abordarlo y solucionarlo: por el ser o vía metafísica (S. Tomás) y por la reflexión crítica o vía gnoseológica (Kant). Uno dirigido directamente al análisis del ser en sí y en todas sus manifestaciones, incluso la misma inteligencia, y otro encaminado a discernir el valor de nuestro conocimiento.

"El doble error inicial de Kant: a) la deformación del conocimiento, objeto de la crítica; y b) el método adoptado, conducente a la contradicción y al idealismo.

"El camino seguido por Sto. Tomás, camino largo y penoso, lleno de dificultades, pero camino seguro, que en su término alcanza el esclarecimiento e integración y armonía del ser: primeramente del ser consigo mismo y con sus causas (metafísicas), v luego del ser de la inteligencia (gnoseología) y finalmente del ser con el deber ser (ética). Este cuidadoso análisis sobre el ser es el que da consistencia, armonía y trabazón a toda la síntesis metafísico-gnoseológico-moral del Doctor Angélico.

"Dos caminos: uno metafísico-psicológico, directamente dirigido al *análisis del ser en sí y en todas sus manifestaciones, incluso la de la misma inteligencia y del conocimiento*: y otro crítico, encaminado inmediatamente a discernir el valor de nuestro conocimiento.

"El primer camino es el más obvio, el señalado por la naturaleza de la intelig. etc.

"El otro más directo: dirigir inmediatamente la reflexión hacia el hecho mismo del conocimiento.

"Riesgos de este camino"[194].

La consideración final es:

"Para salir del impasse la filosofía moderna no tiene otro remedio que desandar el *camino de Descartes y de Kant,* que la condujeron a esta encrucijada (despedazamiento y contradicción interna, contra naturam, inanición, pobreza, despojo).

"Es menester que la inteligencia contemporánea recobre la clara conciencia de la auténtica noción de su acto, *de que conocer no es representar o copiar en la inmanencia un objeto que está más allá de su alcance en una trascendencia inaccesible al contacto inmediato de su acto —sino devenir, hacerse o identificarse intencionalmente con el ser trascendente en el seno mismo de la inmanencia de su acto—* de que un acto de conocimiento sin su objeto es absurdo e impensable y de que, consiguientemente, es imposible reflexionar sobre el acto intelectivo sin encontrar en sus entrañas el ser trascendente que lo determina, lo ilumina y le da sentido, sin encontrarse con una inteligencia, *"in cujus natura est ut rebus conformatur",* como dice Santo Tomás.

---

194 "Rev. Filos. Univ. C. R.", I, 3 (1958), p. 267-268.

"Articulada nuestra actividad en su objeto (el ser trascendente) no sólo Dios y el mundo se esclarecen, mas también nuestro ser se ilumina y queda integrado armónicamente dentro del ser total. Nuestra inteligencia está determinada por la verdad del ser y en definitiva por la Verdad del Ser Divino, el cual se nos manifiesta en la verdad del ser creado; nuestra voluntad gobernada por la bondad del ser y sus exigencias, por la Bondad del Ser Divino, por una ley divina que viene del Ser en sí y se nos comunica por el lenguaje del ser creado, por sus exigencias ontológicas, por su deber ser; y entonces nuestra inmanencia cognoscitiva aparece toda ella gobernada por la trascendencia, nuestra autonomía personal y libre por la heteronomía de la norma del deber ser y la ley moral derivada de la voluntad del Ser Supremo, nuestro ser creado por el Ser increado de Dios, su causa creadora y final.

"Y de este modo, sin llegar a ser el dios imposible y contradictorio del trascendentalismo kantiano panteísta y de la filosofía moderna, por el camino humilde de la sumisión al ser, el hombre encuentra no solamente el sentido de su ser y de su vida, del mundo y de Dios, sino que en cierto modo y en la medida de lo posible, llega a divinizarse con la posesión del mismo Ser infinito de Dios. . . por la vida sobrenatural"[195].

También dejó inédito[196] un tratado sobre "La Teología Mística según San Juan de la Cruz", en latín, de un centenar de páginas, que esperamos sea publicado en breve. Plantea el concepto de Teología Mística siguiendo a Santo Tomás y luego va examinando en San Juan punto por punto. Entiende, en sentido propio, Teología Mística como *sapientia infusa,* la cual es efecto de la *caridad,* y la define como *illuminatio mentis oriens ex ipsa propinquitate nostri cordis seu voluntatis ad Deum.* Ignoro el año en que fue compuesto este trabajo; pudo ser acaso un proyecto de tesis doctoral.

Sin embargo, más que estos escritos, fue su acción personal como profesor la que tuvo influencia. Su agudo ingenio, su talante sugestivo y sus originalidades dieron peculiar brillo a su docencia.

Otros Escolásticos

Además de los profesores del Seminario Central, que veremos en el último capítulo, debe señalarse a dos profesores de la Universidad de Costa Rica.

Ligia Herrera (San José, 1919), Licenciada en Filosofía y Letras, profesor de la Facultad de este nombre, como luego se señalará, y en el Departamento de Filosofía de Lógica, Filosofía Me-

---

195 *Ib.,* p. 275-276.
196 Biblioteca Universitaria.

dieval y Moderna, y Asociada de Filosofía de Estudios Generales. Su postura es tomista en la línea de Gilson y Maritain. Actualmente reside en Guatemala.

Ha publicado:

Lógica y Etica, (San José, Imp. Lehmann, 1955).

Lógica, (San José, Imp. Lehmann, 1958, 1961).

Historia de la Filosofía Medieval y Moderna, (1955, 1960).

Maritain y el existencialismo tomista, "Rev. Filos. Univ. C. R.", I, 2 (1957), p. 153-162.

Jacques Maritain, "Rev. Univ. C. R.", 16 (1958), p. 77-84.

Antonio Figueras (San José, 1915). Ingresó en la Orden Dominicana er 1934. Estudió en San Esteban de Salamanca, donde obtuvo el doctorado en Teología y Filosofía. Licenciado en Filosofía por la Universidad de Costa Rica en 1958, Profesor en ésta de Historia de la Cultura. Tesis: "Relaciones entre Religión y Moral"[197].

Ha publicado:

Principios de expansión dominicana en Indias, Misionalía Hispánica (Madrid, 1942).

De Magistro de Santo Tomás, (San José, Univ. C. R., 1961).

Muerto en 1961.

197   "Rev. Filos. Univ. C. R.", II, 6 (1959), p. 75.

FILOSOFIA SOCIAL

Costa Rica es un país sin historia, lo que ha hecho que no se manifieste una problemática filosófica de la historia. En su lugar, se aprecia un amplio desarrollo de la Filosofía Social; así, incluso el historicismo de Alejandro Aguilar Machado lleva a la fundamentación de la Sociología. Por una parte, el análisis de la realidad social en busca de las características de la idiosincrasia nacional, por otra la fundamentación epistemológica de la Sociología positiva, han llevado a un auge, notable, en este campo, que ciertamente descuella sobre otras disciplinas.

Son importantes las ideas ya señaladas de Abelardo Bonilla.

Rómulo Tovar

Poseedor de una clara inteligencia y de una fina percepción intelectual de los problemas, Rómulo Tovar es un escéptico. Y como típico escéptico, por paradoja permanente, posee una gran vitalidad y un pensamiento osado. Pero esa vitalidad, que le ha llevado a un trabajo incesante de acoso de realidades, le falla cuando llega al límite de la decisión de la razón. Así, Rómulo Tovar es un buen filósofo frustrado.

Nació en San José en 1883. Licenciado en Derecho, fue muchos años profesor de esta Facultad. Hacia 1910 dirigió "El Pabellón Rojo" (periódico relativamente conservador) y colaboró en 'La Epoca", "El Foro" y "Repertorio Americano". Muy buen ensayista, ha llenado el medio siglo pasado con sus producciones, siempre atinadas, siempre de sesgo doctrinal, y siempre vacilantes a la hora de la decisión.

"En el pensamiento de Tovar hallamos a veces vislumbres de ideas trascendentes que no llegan a concretarse. Medita sobre la muerte y se pregunta si será realmente el final de la existencia, o bien si el mundo no habrá sido creado para algo superior "a esta humanidad que se atormenta con mezquinos dolores". En *De Atenas y la Filosofía* expresa nostalgia por el profundo sentido integral que tenía la filosofía en Grecia y que hoy ha perdido, convirtiéndose en una disciplina pedante o impuesta. Además, la tolerancia hacia las ideas ajenas y el deseo de penetrarlas son características en él, pero le dan a su estilo una modalidad discursiva y difusa y una falta de concreción que no logran superar la claridad y la altura moral con que escribe"[198].

De Atenas y la Filosofía pudo haber sido su obra decisiva. Pero le falta la enjundia del acabar de "tomar en serio" la Filosofía. De haberlo logrado, hubiera sido plenamente existencialista. Nostalgia del filosofar profundo, macizo, directo de los griegos, en forma de ensayo. Y un no entrar en el estudio académico, riguroso, de la Filosofía. Rómulo Tovar deseaba filosofar como Sócrates, en un mediodía cálido a la sombra de un "plátano", pero no entrar en clase de Aristóteles.

El resultado es un pensador agudo en sus captaciones de temas sociales, del que no sé si era espiritualista o materialista, empirista o idealista.

Cuando trata de su propio país, Costa Rica, es cuando su pluma se hace más vigorosa y tajante.

"Siempre se ha querido atribuir a una razón económica el origen de los trastornos sociales de un pueblo. No es despreciable, seguramente, esa causa. Sin embargo, es más que el origen de todas estas dolencias públicas sea de un orden puramente moral, y consiste en la mayor o menor fuerza de resistencia que el ciudadano por sí, o la sociedad, le puede oponer al mal que siempre trabaja en contra del hombre"[199].

"La sociedad es grande obra de hacer el bien a los hombres, y no un bien místico, sino un bien real y humano; de que el trabajador trabaje y aproveche sus salarios; de que el industrial prospere en su industria; de que el que siembre recoja en paz noble su cosecha; de que el comerciante ejerza sin temores su comercio; de que el intelectual no sufra vergüenza y de que no haya nada de todo aquello que favorece a la humanidad que sea escaso o estéril"[200].

Como típico costarricense, estaba obsesionado por los problemas de la enseñanza, que considera los decisivos para la vida nacional:

"La escuela es, en mi concepto, la institución eminente del Estado, la institución orgánica del Estado o en una palabra: la expresión del Estado. El gobierno, en sí mismo, tiene muchas preocupaciones grandes o pequeñas, pero todas ellas transitorias. Mientras que la escuela tiene a su cuidado una preocupación única y preferente: la de construir el espíritu nacional. Y ésta es obra, no digamos eterna, pero sí perpetua. El gobierno es un juego de los hombres movidos casi siempre por su egoísmo, y así, es hasta un

---

198 A. Bonilla, *Hist. Ant. Lit. Costarr.* (1957), p. 279-280.

199 "Repertorio Americano", I, 6 (1º noviembre 1919), p. 81.

200 "Repertorio Americano", I, 5 (15 octubre 1919), p. 66.

juego de maldad. La escuela es ajena a este mal, y en su obra los hombres no pueden poner más que su corazón y su virtud"[201].

Pero no es simplemente un hombre de letras el que escribe esto; es además un pragmático positivista:

"Un país debe ser necesariamente rico y debe ser necesariamente ilustre. Ambas políticas son imperativas y sus consecuencias resultan de que haya entre ellas un perfecto y sabio equilibrio"[202].

Así, pertenece a la generación que a lo largo del continente, bajo el impacto de la guerra del 1914-1918, busca la forma de adentrarse en un ser y un pensar propios y peculiares:

"Este desear una nueva América es para nosotros como un arrepentimiento instintivo y como la advertencia de nuestra salvación. Queremos ahora comenzar a vivir, comenzar a vivir de nuestras propias fuerzas, de la substancia de nuestro propio continente, de la luz de la inteligenica americana"[203].

Falleció en Los Angeles, California, en 1970.

O B R A S

[no recojo las publicaciones forenses].

El libro de los pobres, (1908).

Don Mauro y el problema escolar costarricense, (San José, Tip. Alsina, 1913), p. 80.

Hércules y los pastores, (San José, Imp. Alsina, 1914), p. 63.

Algunas observaciones sobre nuestros sistemas monetarios, (San José, Imp. Lehmann, 1916). p. 16.

La biblioteca de Don Quijote, en: *Cervantes en Costa Rica,* (San José, Colección Ariel, 1916) p. 64-66.

De variado sentir, 1917.

Don Mauro Fernández, Colección Ariel, año XI, vol. III, cuaderno 89 (1917), p. 135-142.

"Repertorio Americano", 11 setiembre 1919, I (2): p. 17.

"Repertorio Americano", 15 octubre, 1919, I (5): p. 65-66.

"Repertorio Americano", 1 noviembre 1919, I (6): p. 81.

"Repertorio Americano",, 15 noviembre 1919, I (7), p. 98.

"Repertorio Americano",, 1 diciembre 1919, I (9): p. 114.

201 "Repertorio Americano", I, 5 (1919), p. 65.

202 "Repertorio Americano", I, 9 (1919), p. 114. La transformación de los países centroamericanos podrá hacerse mediante su mejoramiento económico. ". . . el pueblo más sabio en la miseria, no tiene más que un destino: el de la humillación, el de la esclavitud". *Ib.*

203 "Repertorio Americano" (15 octubre 1920), p. 66.

"Repertorio Americano",, 15 octubre 1920, p. 66.

Exhortación patriótica..., (San José, Imp. Alsina, 1920). p. 14.

De Atenas y la Filosofía, (San José, Imp. Alsina, 1920). p. 94.

Las conferencias de don Omar Dengo, "La Prensa" (20 noviembre 1926).

Un discurso y una campaña, (San José, Imp. Lines, 1928), p. 110.

La Araucaria de Don Mauro, "brecha", III, 4 (1958), p. 7.

Discurso..., "Anales del Liceo de Costa Rica", 3-4 (1937). p. 17-19.

Homenaje a los maestros idos, "Anales Univ. C. R." (1944), p. 14-20.

Omar Dengo, "El Noticiario", IX, N° 111, Supl. (noviembre 1946).

BIBLIOGRAFIA

BONILLA, A., *Hist. Ant. Lit. Costarr.* (1957), I, p. 278-280.

BRENES MESEN, R., *Rómulo Tovar.* "Pandemonium", 90 (1913).

DENGO. OMAR, *Escritos y Discursos* (1961), p. 112-115 y 383.

"FRAY JUAN", *Del filosofar sabe don Rómulo,* "La Nación" (26 septiembre 1956).

SOTELA, R., *Escritores de Costa Rica* (1942), p. 461-464.

VALLE, R. H., *Hist. Ideas Contemp. Centro-América* (1961), p. 129-131, 147, 184-187.

Mario Sancho

Hombre de profunda vocación intelectual, profesor inspirador, brillante ensayista, Mario Sancho dejó una obra doctrinalmente poco profunda. Su ídolo fue Renán, lo que filosóficamente ilustra mucho. Hombre de letras con talento, político idealista, desarraigado y al mismo tiempo íntimamente localista, buscó en todo la claridad. Sus ensayos son diáfanos y congruentes. Librepensador, su pensamiento tendía a un aristocratismo de la inteligencia.

Nació en Cartago en 1889. Discípulo de Valeriano Fernández Ferraz, estudió luego en la Escuela de Derecho. Exilado en Nicaragua durante el régimen Tinoco, a la caída de éste fue profesor en el Simon College de Boston y en la Brawn University de Providence. En 1930 regresó a Costa Rica y fue profesor de Literatura en el Colegio San Luis Gonzaga de Cartago. En 1941, profesor de la Universidad de Washburn de Toleka en Kansas. Murió en 1948.

"... es una erudita y vigorosa personalidad intelectual, sobre todo, artística y literaria, pero aislada y asistemática, la cual, a juzgar por la forma en que brilló en todos sus escritos en virtud de su singular talento y erudición, hubiera sido, sin lugar a dudas, simplemente eminente en cualquier disciplina intelectual de haberse consagrado a ella con la dedicación y continuidad que exigen éstas de sus cultores,... Mario Sancho llevó a todos los ramos de las letras la brillantez de una inteligencia privilegiada, singularmente cultivada por una lectura continua y asidua"[204].

Este juicio se compagina perfectamente con el de Abelardo Bonilla: "Mario Sancho es, en este campo del ensayo, nuestro más auténtico valor, por su aguda y clara inteligencia, por su cultura excepcional de humanista y, ante todo, por su estilo, sin duda alguna el mejor de la prosa costarricense"[205].

Víctor Brenes presenta, dentro del asistematismo de Mario Sancho, como su rasgo típico el culto a las letras y artes y la defensa de los valores superiores de la cultura humanística, frente a un falso "positivismo", término con el que, afirma, se encubre el egoísmo. Y cita:

"¿Quién de nosotros no ha visto sonreír despectivamente y altaneramente a cierta clase de individuos por cuyos nervios no discurren otras sensaciones que las del frío y del calor de la estación, en presencia de quienes dedican su tiempo y energías a algo más desinteresado y trascendente que amontonar monedas? ¿Quién de nosotros no las ha oído expresar su desprecio por las sugestiones de la Belleza y las empresas del Idealismo, cosas en su concepto inútiles, si no perjudiciales? Por todas partes se hacen llamar personas prácticas y positivas, cuando su verdadera condición es la más negativa de todas. Con una gravedad que deja atrás la del sacerdote egipcio, manifiestan llenos de suficiencia desdeñosa, la inutilidad del ministerio de las letras, recomendando en consecuencia, a quienes tienen el triste privilegio de escucharlos, que se debe desechar lo que no tiene un interés práctico y tangible. Para estos señores, el arte es un entretenimiento de niños, la ciencia que no tiene aplicaciones inmediatas a sus industrias y comercios, disputa ociosa de viejos chochos... El interés de los países, proclaman, no está en los cuidados de la cultura nacional, sino, única y exclusivamente, en el... de los negocios agrícolas y comerciales"[206].

El texto es significativo, pues viene a expresar el período de transición de la cultura costarricense, en que ya individuos van a lo estrictamente humanístico, pero la sociedad no ha estructurado las instituciones pertinentes. Podría decirse, en concreto, que Mario Sancho no dio en Costa Rica todo lo que su inteligencia anunciaba por no haber Universidad ni cultura superior organizada.

El choque entre su temperamento idealista y un medio prosaico, le empujó a la dispersión de temas y enfoques. Personalmente, lo

---

204 Víctor Brenes, *La crítica ...*, p. 31.
205 *Hist. Ant. Lit. Costarr.* (1957), I, p. 415.
206 *Palabras de ayer ...* (1912), p. 9.

caracterizaría como un culturalista, que oscila entre el ensayo político y la filosofía social. Su sentido humanístico lo llevó al menosprecio de la burguesía y la exaltación del pensamiento y del arte: "Sólo el pensamiento y sus frutos supremos: la ciencia, la literatura y las artes, dan grandeza a los pueblos, atrayendo hacia ellos la reverencia y cariño universales; y formando el tesoro de verdades y de bellezas que el mundo necesita, los hace sacrosantos ante el mundo"[207]. Y esto lo reitera muchas veces en tonos exaltados que llegan al lirismo: "Si no entendéis los sublimes arrebatos del poeta ni respetáis los éxtasis serenos del sabio, ni quemáis vuestro corazón como un grano de mirra en el incensario de plata del Ideal, sois inferiores a los vegetales y algo peor que las bestias"[208].

Todo ello lo lleva hacia un esteticismo teñido de culto reverencial a la belleza y a la sinceridad.

Su ensayo sobre la democracia es notable por la acuidad con que presenta la disparidad entre la evolución legal de la política en los países hispanoamericanos y su situación real. "Terminemos de una vez con la superstición de que basta declarar por ley soberano en lo político a un pueblo que es esclavo de lo económico, para realizar la democracia" (p. 31). Aquel aristocratismo suyo le empuja precisamente a lamentar las "muchas injustas desigualdades". "El único camino de sanear nuestra política es elevar el standard de vida de las clases populares y tal vez el standard de moralidad de las altas" (p. 35). Y en este sentido sus ideas fueron muy avanzadas, de tendencia marxista, aunque no se mezcló nunca en luchas de partidos. "Libre nací y libre quiero morir, y mi corazón profesa la misma repulsa hacia la dictadura, en todas partes y en todos los tiempos,..."[209].

El culto a la libertad lo halla, en la educación, en el estudio de ideas. Dirigiéndose a Joaquín García Monge, le decía: "El ideal sería que usted nos diera [en "Repertorio Americano"] más cosas de Lugones, de Masferrer, de Elías Jiménez, de los hombres que piensan, y menos versos, los menos versos posibles"[210]. Obsérvese que de los tres autores citados dos eran anarquistas. "Los idealistas de verdad son para mí los que hacen algo para mejorar el mundo en que viven, los que en alguna forma contribuyen a hacer a la humanidad más sabia, más justa, más saludable, más inteligente y más feliz"[211]. Por ello, justificó en varios artículos el espíritu emprendedor de los "millonarios" norteamericanos y su sentido humano del maquinismo. Duro contraste ofrecen

---

207 *Palabras de ayer* . . . (1912), p. 17.
208 *Palabras de ayer* . . . (1912), p. 24.
209 *El pueblo español* (1937), p. 19.
210 *Viajes y Lecturas* (1933), p. 99.
211 *Viajes y Lecturas* (1933), p. 101.

con el ensayo que irónicamente tituló *Costa Rica, Suiza centroamericana.* Igualmente pesimista es *Consideraciones actuales*[212]. Ambos son ensayos sociológico-políticos interesantes por su visión del país, prototipo de pesimista.

Debe señalarse en sus ensayos sociológicos una fuerte influencia de Ortega y Gasset.

OBRAS

Discurso. . . Zambrana, "El Foro", VII, 3 (1911), p. 96-97.

Palabras de ayer y consideraciones actuales, (San José, Imp. Alsina, 1912), p. 63.

Mistral y el Conde de Perigny, "Pandemonium" (1914), p. 396-399.

Darío, el poeta enfermo (1915), "brecha", IV, 4 (1959), p. 4-6.

El pan de los presos. Algo de todo. Al partir el maestro Zambrana. En la fiesta de los obreros. Mistral y el Conde de Perigny. Mi adiós al Conde León. Leyendo Ariel. El doctor Ferraz. La reina Godiva, "Renovación", IV, 78 (1914), p. 82-96.

[sección editorial de "El Diario", El Salvador, 1917], [edita "El Fígaro", en Nicaragua].

La joven literatura nicaragüense, (San José, Imp. Alsina, 1919). p. 85.

Omar Dengo, "Repertorio Americano", XVIII, 3 (1929), p. 45.

Viajes y lecturas, (San José, Imp. La Tribuna, 1933), p. 318.

El Doctor Ferraz. . ., San José, 1934.
Costa Rica, Suiza centroamericana, (San José, Imp. La Tribuna, 1935). p. 57.

El pueblo español, (San José, Imp. Española, 1937), p. 40.

Vicisitudes de la democracia en América, (San José, Imp. Trejos, 1944), p. 35.

Recuerdos de Cartago, en: Bonilla A., *Hist. Ant. Lit. Costarr.* (1961), II, p. 514-527.

Paco Soler, "brecha", III, 9 (1959). p. 10-12.

Memorias, (San José, Bibl. Autores Costarr., 1962), p. 417.

Recuerdos de Cartago, La Nación (12 agosto 1967).

BIBLIOGRAFIA

BONILLA, A., *Hist. Ant. Lit. Costarr.* (1957), I, p. 415-418.

BRENES, VICTOR, *La crítica filosófica en Mario Sancho,* Actas XXXIII Congr. Int. Americanistas (San José, Imp. Nacional, 1959), tomo III. p. 27-36.

---

212 *Palabras de ayer . . .* (1912), p. 27 ss.

Macaya Lahmann, Enrique, *El último libro de Mario Sancho*, "Repertorio Americano", XXVIII, 13 (abril 1934), p. 200-206.

Mañach, Jorge, *Viajes y Lecturas, por Mario Sancho*, Hispánica Moderna, II, 3 (Columbia University, 1936), p. 220.

Picado, Clodomiro, *En Costa Rica...*, "Repertorio Americano", XXVIII, 5 (febrero 1934).

Soler, Francisco, *Una silueta amiga*, "Renovación", IV, 78 (1914), p. 81.

Ulloa Z., Alfonso, *Panorama Lit. Costarr.*, en: *Panorama das Literaturas das Américas* (1957), III, p. 947-948.

Una obra ejemplar: Viajes y Lecturas, "Repertorio Americano", XXVIII, 9 (marzo 1934).

Vives Lorenzo, *Mario Sancho ha muerto*, "Repertorio Americano", XLIV, 17 (diciembre 1948).

Alejandro Aguilar Machado

Alejandro Aguilar Machado es, como vocación profunda, orador, es decir, hombre vocado a la dicción espiritual. Ya en la tribuna, ya en la labor docente, ha mantenido siempre una llamada al estudio del hombre y de la Historia. Jurista, político y, sobre todo, educador, ha explanado y desarrollado las tesis historicistas en numerosos escritos y numerosas conferencias y cursos. En el campo de la Filosofía de la Historia, es el pensador más destacado de Centroamérica[213].

Su concepción del hombre es espiritualista. Muestra cierta influencia del existencialismo, pero lo considera insuficiente. En una primera época, tuvo fuerte influencia de Bergson. Pero es en Dilthey donde ha hallado el cauce orientador de su Antropología.

Nació en 1897 en San José. Licenciado en Derecho. Ministro de Educación en 1939, ha desempeñado diversos cargos diplomáticos y políticos. Director del Liceo de Costa Rica y del Colegio San Luis Gonzaga, de Cartago; profesor de Derecho Político en la Universidad, su labor docente ha tenido lugar sobre todo en cenáculos, reuniendo grupos de jóvenes.

En *Historicismo o Metafísica* recogió una serie de artículos sobre aspectos del historicismo. Estudia las aportaciones de Dilthey, especialmente la ampliación de la ciencia al mundo de lo histórico, como objetivación de la vida en el tiempo. Así, ejemplifica con la noción de Ser, mostrando sus desarrollos históricos, de los que pasa a afirmar: "La reducción del concepto de ser a elemento constitu-

---

213 "En mi concepto —y no creo equivocarme— Alejandro Aguilar Machado es una de las inteligencias más brillantes de Centro América. Su inquebrantable voluntad de labor y superación, le han colocado en una elevada y respetable posición social e intelectual". B. Mantilla Pineda, *Un pensador costarricense* (1950), p. 4.

tivo permanente del hombre, es la base para un cambio radical en la vida", pero ganando también, además de la verdadera categoría de sujeto, la dimensión histórico-social. Seguidamente estudia las derivaciones de ese planteamiento, para, la tercera parte, examinar los conceptos centrales historicistas: vivencia, expresión, comprensión. Más que una rígida exposición de Dilthey, es una reelaboración de los principios diltheyanos desde supuestos personales, particularmente de manifiesto en la final apelación espiritualista a la divinidad.

En *El Congreso Internacional...* (1951), Alejandro Aguilar Machado recogió su ponencia sobre "La Idea del Hombre en la Filosofía actual", en la que considera como "el episodio más original e interesante de la historia de las ideas filosóficas" el encuentro del hombre consigo mismo. Por encima de nuestra época conturbada, sólo encuentra dos vías de superación: la caída en el no-ser, o, gracias a la razón histórica, superando la posición kantiana, la visión de la vida haciéndose continuamente. "El Historicismo, sin duda alguna, por contemplar la sustancia del existir, no el ente individual o aislado, que sólo lo es *de razón,* sino en el ser que vive la vida auténtica, la que determina las relaciones de un *yo con su mundo,* enfoca el problema en forma distinta. Con apoyo de sus categorías esenciales, puédese alcanzar una jerarquía de valores normativos de la conducta, con la cual las esferas de lo bello, de lo justo, de lo noble, se intensifiquen y dilaten a medida que la espontaneidad creadora de nuestra propia naturaleza vaya llenando el cauce del tiempo de mayores y más elevadas significaciones". En la actual crisis, considera como la mejor defensa la superación de nuestras propias ideologías, al verse el hombre escindido en las tesis de los racionalistas y del materialismo filosófico, por lo que la Antropología Filosófica debe emprender la conquista de la perdida unidad. Con los aportes de la Psicología Descriptiva y del Historicismo, interpretar "la conexión viva, la honda e íntima realidad del ser en cuyas esencias brota la novedad creadora, o en cuyo seno se incuba lo que llámase, en frase insustituible, 'el *futuro* con porvenir' ".

El historicismo lo entiende de la siguiente manera:

"Claro es que al tomar como punto de apoyo para mover el universo (...) el historicismo y más concretamente, el diltheyano, no lo hacemos en actitudes dogmáticas ni como si se tratase de un sistema cerrado de metafísica. Lo hacemos sí, considerando la razón histórica como un sitio de salida o como un haz luminoso, destinado a enfocar la vida y sus meandros todos, y hasta sus mismas oquedades... Con la razón histórica. ..., podemos del mismo seno de esta temporalidad extraer las raíces eternas y trascendentes que ahí duermen,..."[214].

214 *La esencia del hombre...* (1953), p. 7-8.

Estas raíces eternas y trascendentes se incardinan en el espíritu. Profundamente espiritualista, trascendentalista por encima de la materia, identifica espíritu y esencia del ser.

"El espíritu inmortal que engrandece al hombre y proyecta su realidad en las esferas de lo eterno es la profunda verdad que explica la tragedia de la vida. Es el soporte en el cual el hombre y la sociedad encuentran, cual si estuviesen contenidos en un círculo divino, al par, su primera y última razón de ser. Si el espíritu es la esencia del ser, no puede existir una sola representación colectiva que no haya sido antes una vivencia del alma individual. Esta es la clara explicación que los espiritualistas suelen darle al importante problema a que nos hemos referido"[215].

Pero, entonces, el problema que se ofrece como medular entre las incógnitas de la existencia, es el de la muerte:

"En la perspectiva vital de nuestro ser, ningún problema reviste mayor trascendencia ni inquieta tanto como el de la muerte". "La prueba de la muerte es, sin duda, la más dramática y sugerente que pueda afrontar el hombre". "Hasta el presente hemos hecho la filosofía de la vida, y seguiremos soslayando la de la muerte, que debe complementar a aquélla. Sólo en la integración de ambas, se alcanzara una noción cabal del ser; de nuestra más entrañable naturaleza"[216].

Muchos de sus escritos, y en conexión con la Antropología historicista, están dedicados a la Sociología, entendiendo con este nombre Filosofía Social. Concepto, métodos, campo y estructuras sociales son temas suyos favoritos. Considero puede ser representativo el siguiente texto:

"En las modernas corrientes de la sociología, tal causalidad [mecánica] ha sido sustituida por el *pluralismo funcional,* que ve en el juego combinado de diversos factores la trama que va tejiendo el proceso social. Así hemos llegado a concebir ahora la interdependencia de factores, en el campo social, en vez de la clásica noción de dependencias, según la cual, los elementos ideales determinaban todo el acontecer social, o la tesis marxista, en que se fundamenta la interpretación económica de la historia. Hoy en los dominios de las ciencias sociales no pueden abarcarse los problemas con métodos parciales, o mirarse en forma unilateral. Ya las causas convertidas en *variables* y los efectos en *funciones,* constituyen el terreno abonado, en donde germina como el mejor fruto, el firme soporte del movimiento sociológico moderno, que es la necesaria y fatal interdependencia de los impulsos vitales en el proceso de la disociación humana"[217].

---

215 *Miscelánea* (1948), p. 25.

216 *Reflexiones sobre la muerte* (1958), p. 8.

217 *Miscelánea* (1948), p. 23-24.

Considera la guerra mundial como consecuencia de la crisis de la concepción racionalista, al ser aplastado el espíritu por la organización de la técnica. Confía en que el neo-humanismo, al transfundirse en la realidad social, será el soporte sobre el que florezca un nuevo estilo de vida: "Después de todo, hoy como ayer, el problema humano es un problema de cultura"[218].

Pero esto no quiere decir relativismo, ni mucho menos escepticismo. Su espiritualismo lo levanta por encima de las contingencias del culturalismo sociológico:

"..., he mantenido como una de las afirmaciones más sólidas de mi interpretación, que el rumbo de las ideas diltheyanas no alcanza jamás el ambiente crepuscular en donde se incuba el escepticismo. ¿Cómo podrá estimarse escéptica, la dialéctica de quien elaboró el método singular de las Ciencias del Espíritu, no sin restañar al propio tiempo, las heridas que pudiera dejar la convicción de lo relativo de todos los conceptos, con la certeza de que, frente a todos ellos, mantiénese la autonomía del espíritu que les da la vida? Aquí en este problema del espíritu, ..., está la zona que en el área del pensamiento de Dilthey, ofrece a los desinteresados y leales intérpretes suyos, ancho campo para una acuciosa especulación".

"Pienso que cuando pasamos de los aspectos externos y objetivos, que se dan en lo temporal, a los internos y subjetivos, la estructura psíquica en perenne creación, ..., logramos la respuesta para tanta inquietud que nos acecha desde el fondo del alma; y con esa respuesta no se nos ha de escatimar esa paz dulce y reconfortada, destello al fin del mundo inefable de lo eterno"[219].

O B R A S

Problemas Centroamericanos, (San José, Imp. Trejos, 1921), 15 pp.

La Conferencia Internacional Americana Renovación Pública, (San José, Imp. Trejos, 1923), p. 20.

Lázaro de Betania [de R. Brenes Mesén], "Repertorio Americano", XXV, 16 (29 octubre 1932).

Al margen de la tesis anti-reeleccionista, "La Tribuna" (3 julio 1934).

[Prólogo] en: J. ALBERTAZZI AVENDAÑO, *Palabras al viento,* (San José, 1936).

Memoria..., Educación Pública, (1939), p. 3-10.

Discurso... Aquileo J. Echeverría, en: SOTELA, R., *Escritores de Costa Rica* (1942), p. 501-503.

---

218 En: *Ideario Costarricense* (1943), p. 132-133.

219 *Del Profesor* ... "brecha", II (1957), p. 11-12.

Respuesta del Sr...., en: *Ideario Costarricense* (1943), p. 132-133.

Miscelánea, (San José, Ed. Aurora, 1948), p. 134.

Historicismo o Metafísica, (San José, Ed. Aurora, 1950), p. 32.

El Congreso Internacional de Filosofía..., (San José, Ed. Aurora, 1951), p. 20.

Eugenio Imaz, "Idearium", 2 (1951), p. 3.

La esencia del hombre y de lo humano, (San José, Imp. Tormo, 1953), p. 8 Reprod.: "La Nación" (11 marzo 1961).

Impresiones de un viaje, (San José, Imp. Trejos, 1956), p. 34.

En su recuerdo, (San José, Imp. Covao, 1956), p. 28.

Comentando un importante comentario, "La Nación" (16 marzo 1956).

El problema de la Sociología, "La Nación" (17 julio 1956).

Ciencias de la Naturaleza y Ciencias del Espíritu, "brecha", I, 8 (1957), p. 4.

Del Profesor..., "brecha", II (1957), p. 11-12

Discurso..., (San José), Imp. Falcó [1957], p. 21.

Discurso... III Congr. Hispano-Luso-Americano de Derecho Int., (San José, Ed. "Repert. Amer.". p. 12.

Reflexiones sobre la muerte, (San José, Ed. "Repert. Amer.", 1958), p. 12. Reprod.: "La Nación" (11 marzo 1951). *Ib.:* "brecha", II, 11 (1958), p. 6-7.

Discurso... Cleto González Víquez y Ricardo Jiménez Oreamuno, "brecha", IV, 4 (1959), p. 22-24.

Un destino aciago, "La Nación" (11 marzo 1961).

El hombre desintegrado..., Orbe, 126 (IX-1958).

Estampas filosóficas, Orbe, 126 (IX-1958).

Estampas Filosóficas, Orbe (junio 1961).

Un Congreso de Neuropsiquiatría, La Nación (18-XII-1965).

La idea del hombre en la filosofía actual, Orbe, 164 (V-VI-1967).

Ecos de la Tribuna, San José, 1971.

BIBLIOGRAFIA

A. S. en: "brecha", III, 7 (1959), p. 26-27. Reprod.: "Rev. Filos. Univ. C. R.", II, 5 (1959), p. 91.

Ante una solicitud del ..., "La Nación" (17 marzo 1956).

BONILLA, A., *Hist. Ant. Lit. Costarr.* (1957), I, p. 277-278.

"Impresiones de un viaje" del Lic. Aguilar Machado, "La Nación" (15 marzo 1956).

CAÑAS, ALBERTO F., en: Rev. Fil. Univ. C. R., 17 (1965), 137-138.

"Chisporroteos" [Sobre "Su Voz en Mí"], La República (23-V-1965).

L. C., C., en: "Rev. Filos. Univ. C. R.", I, 2 (1957), p. 190-191.

L. C., C., en: "Rev. Filos. Univ. C. R.", I, 3 (1958), p. 296.

LEMUS, JOSE MARIA, *Aguilar Machado...*, La Nación (9-VIII-1961).

MANTILLA PINEDA, E., *Un pensador costarricense,* colombiano (10 noviembre 1949). Reprod.: *Historicismo o Metafísica,* (1950), p. 3-8.

ULLOA B., RICARDO, *Alejandro Aguilar Machado en España,* "Diario de Costa Rica" (27 diciembre 1955).

ULLOA B., RICARDO, *Alejandro Aguilar Machado en España,* "Diario de Costa Rica" (20 octubre 1957).

ULLOA Z., ALFONSO, *Panorama Lit. Costarr.* en: *Panorama das Literaturas das Américas* (1959), III, p. 955.

Enrique Macaya

Intelectual de formación francesa, Enrique Macaya es, por excelencia, un espíritu cultivado, con agudo sentido cultural. Y como buen afrancesado, su dedicación académica y sus trabajos básicos de investigación son sobre la Literatura española del siglo de oro. Pero, además, o acaso como sustrato de todo ello, Enrique Macaya realizó en Costa Rica el corte intelectual de épocas que culminaría en 1941 y que se había prenunciado con el reformismo. Sin embargo, no se trató propiamente de ideología política, sino de la visión intelectual de la cultura nacional desde la problemática reformista, lo cual desconcertó en gran medida, en los años 1934-1936, a los políticos de oficio. Posteriormente, volvió a la Literatura y fue uno de los impulsores de la reforma universitaria de 1957.

Enrique Macaya nació en San José en 1905. Licenciado en Derecho por la Universidad de París, se doctoró por la de Cornell. Profesor de la Universidad Nacional muchos años:

"Ha sido uno de los mayores propulsores de la cultura académica en Costa Rica, por sus ensayos, por su contribución a la reforma de la Universidad y por sus numerosas conferencias en diversos centros, y cuenta entre los pocos que aquí abrigan plena fe en los valores del espíritu"[220].

En 1956-59 fue Decano de la Facultad de Ciencias y Letras, primer Director del Departamento de Filosofía y primer director de la "Revista de Filosofía de la Universidad".

---

220 Bonilla, A., *Hist. Ant. Lit. Costarr.* (1957), p. 419.

A poco de su regreso de sus años de estudio, publicó en 1934 su ensayo sobre *La personalidad de Don Ricardo Jiménez*. El patriarca y árbitro de la política costarricense, desconcertado ante lo que era el más duro ataque que se le había dirigido y que no encajaba en fines electorales, guardó silencio, por única vez en su larga vida. El ensayo logró su objetivo: remover la política localista en términos de cultura.

Es un análisis profundo de la realidad colectiva nacional. Parte de la consideración de que Costa Rica es un país *inédito*: "He aquí, pues, el tema básico de la conformación político-social de nuestra patria: la autonomía ideológica de las generaciones, la falta total de coordinación en la conciencia nacional. Nadie ha tenido entre nosotros ni siquiera la intuición vaga de lo que es, y de lo que fue, el alma y el cuerpo de nuestro terruño en todo un siglo que lleva ya de vida independiente". "Apenas si se podría vislumbrar a lo largo de toda nuestra historia, como su sola afinidad posible, un vaporoso espíritu pasivo de burguesía democrática". Luego presenta al poeta Aquileo Echeverría y al político Ricardo Jiménez como los hombres que vivieron el localismo costarricense. En esta visión es duro, acerado, en una exposición claramente demoledora del "patriarcalismo".

Hondamente sacudido por la meditación de obras de Ortega y Gasset, Enrique Macaya escribió una serie de ensayos culturalistas, con acierto y penetración.

"Cuanto más fuertemente delineados estén los rasgos innatos de una nación, tantas más posibilidades tiene de crear una cultura sólida y amplia, ya que ésta, en su intimidad, no es "especulación", muy por el contrario, es "conciencia", auto-comprensión socrática. Lo étnico, es la verdadera simiente de las grandes culturas. Observad, que son justamente los pueblos más cultos, los que ofrecen las psicologías más complejas y variadas de alma popular y escuetamente humanas, ajenas a todo intelectualismo especulativo.

"...nada hay de más directamente renovador y refrescante para el alma de una nación, que las influencias extranjeras; ... Pero antes, es indispensable que nos arraiguemos racialmente, que lleguemos a adquirir una perfilada conciencia nacional,...

"... nuestro problema cultural es *inicial y básico* y no un mero problema de orientación y de vivificación. Ha de ser negativamente destructivo y positivamente constructivo: implica una ignorancia casi total del pasado (que nos ha de servir tan solo como lección histórica experimental) y una esperanza renovadora en el porvenir. En su esencia más íntima, es primordialmente la destrucción o el olvido voluntario de un "statu quo"... no negamos tampoco una realidad cultural "actual" en Costa Rica. Lo que combatimos en ella, es su forma objetivizada, su valor, casi exclusivo, de signos externos y tradicionales"[221].

Y sin entrar en la política "menuda", hizo análisis "espectrales" de la política nacional:

"Siendo [la democracia] un valor en el cual entran un factor emotivo de conducta social, de idealidad y de ética, su significado ha de plegarse íntimamente a las realidades, para encontrar dentro de ellas, una expresión electiva de hecho. Una cosa es la democracia en las instituciones y otra cosa la democracia en la realidad; se origina ésta en los "principios", pero esto no es suficiente, ya que ha de vivir fatalmente de los hechos concretos de gobierno, los cuales a veces logran burlar hábilmente las instituciones. Las democracias institucionales abundan en América, pero se niegan en la realidad menuda de la política diaria". "La política ha de ser siempre, una síntesis de sentimiento nacional, expresado en una orientación definida de gobierno"[222].

Y en la Costa Rica mesocrática y agraria echó en falta la racionalización cartesiana de la vida pública:

"En Costa Rica no tenemos nada, absolutamente nada, socialmente "racionalizado"; ni los de arriba, ni los de abajo; ni mucho menos... "los medios ". Todo lo contrario: es justamente allí [en los de en medio] donde encontramos con mayor intensidad las características de nuestro anarquismo democrático".

"Yo me quedo con la reforma dentro de la democracia; una socialización de la democracia"[223].

O B R A S

[prescindo de las de crítica e historia literaria]

Notas al margen, "Repertorio Americano", XXVII, 24 (1933), p. 378-379.

La personalidad de Don Ricardo Jiménez, "La Tribuna" (25 marzo, 1934). Reprod.: BONILLA, A., *Hist. Ant. Lit. Costarr. II* (1961), p. 216-228.

El último libro de Mario Sancho: Viajes y Lecturas, "Repertorio Americano", XXVIII, 13 (1934), p. 200-206.

El concepto de la cultura, en: DOBLES SEGREDA, LUIS, *Indice Bibl. Costa Rica,* tomo VII (1935), XVII-XXII. Reprod.: "Repertorio Americano", XXVIII, 17 (1934). p. 259-260.

El país..., "La Prensa Libre" (9 junio 1934).

Don Ricardo..., "La Tribuna" (10 enero 1935).

---

221 *El concepto de la cultura* (1935).
222 *El país . . . ,* "La Prensa Libre" (9 junio 1934).
223 *Tópicos,* "La Hora" 20 abril 1936.

Periodismo y democracia, "Diario de Costa Rica" (3 febrero 1935).

Leyes de emergencia, "Diario de Costa Rica" (15 febrero 1935).

Política de la Nación..., "Don Lunes" (13 mayo 1935).

La futura Universidad, "Diario de Costa Rica" (26 junio 1935).

La organización de las minorías, "La Hora" (6 abril 1936).

Tópicos, "La Hora" (20 abril 1936).

Algunos antecedentes inmediatos a la actitud anticlerical del Lazarillo de Tormes, "Rev. Univ.", 1 (1945), p. 25-33.

Institucionalidad municipal en los orígenes de nuestras primeras constituciones, "R ːv. Univ.", 10 (1954), p. 63-74.

Significación cultural de la Universidad de Santo Tomás, "Rev. Filos. Univ. C. R.ː', III, 9 (1961), p. 83-93.

BIBLIOGRAFIA

BONILLA, ABELARDO, *Hist. Ant. Lit. Costarr.* (1957), I, p. 419-420.

BONILLA, ABELARDO, *Un artículo de Enrique Macaya,* "Diario de Costa Rica" (8 febrero 1935).

BORGES, ABELARDO, *Costa Rica...* "La Tribuna" (29 marzo 1934).

CARRANZA VOLIO, C. E., *Contestando al...,* "Diario de Costa Rica" (17 enero 1935).

Enrique Macaya Lahmann, "Dominical" (23 julio 1933).

ULLOA Z. A., *Panorama Lit. Costarr.,* en: *Panorama das Literaturas das Américas* (1959), III, p. 966-967.

ZAVALETA, MANUEL, *Aclaraciones...,* "Diario de Costa Rica" (23 julio 1933).

ZELAYA, ANTONIO, *Destrozando...,* "Don Lunes" (18 febrero 1935).

Luis Barahona

Buen escritor, la obra de Luis Barahona se inició con un libro sobre el *Mío Cid,* comentario literario que no era literario, y ya se centró en la especulación filosófica, sobre todo en el campo de la Filosofía Social.

Introvertido, contemplativo y razonador, poseedor de un ágil estilo, plantea los temas al hilo de su personal discurrir, que responde siempre a un ceñido esquema. Intensamente creyente, su mundo sentimental se trasluce con diaſnidad a lo largo de sus obras.

"Por su carácter serio e introvertido, por su espíritu religioso y por su dedicación a los estudios filosóficos, Barahona es el escritor contemporáneo mejor capacitado para el ensayo, en el que cuenta ya con una obra valiosa, y en el que, ..., le espera un porvenir brillante"[224].

346

Nació en Cartago en 1914. Licenciado en Filosofía y Letras por la Universidad de Costa Rica, se doctoró en Filosofía por Madrid, en 1959. Profesor de Metafísica e Historia de la Filosofía Antigua en la Universidad de Costa Rica de 1949 a 1955; Agregado Cultural en Madrid de 1955 a 1959; Profesor de Filosofía, nuevamente, en la Universidad de Costa Rica desde 1960. Primer Presidente de la Democracia Cristiana.

Primeros contactos con la Filosofía... tiene una finalidad muy concreta: facilitar el desarrollo completo de los adolescentes para la realización de la misión que a cada uno corresponde, y ello enfrentándolos con la Antropología. Es decir, una manera de introducir en la Filosofía a los principiantes. El método consiste en exponer sistemáticamente unos temas introductorios y luego centra la visión en la Antropología griega. Aquellos temas son: Ciencia y Filosofía, y Religión y Filosofía. Y tras una exposición del nacimiento histórico del Saber Filosófico se exponen Sócrates, Platón y Aristóteles. En un Apéndice se resaltan los valores conquistados por este filosofar, centrados en el descubrimiento consciente del hombre, "el primer gran descubrimiento que sólo pudo llegar en el período de mayor esplendor de la cultura griega". Sobre esta base, Luis Barahona termina señalando la actual necesidad de centrar la filosofía en una Antropología, valiéndose de la purificación o perfeccionamiento del método platónico, en lo que tiene de idealismo, pero salvando el principio básico del conocimiento.

Las *Glosas del Quijote* son un recrear algunos episodios del Quijote, los centrales, vividos desde una dimensión deliberadamente personal. Por ello, es especialmente difícil señalar unas características, que acaso podrían ser: arranque profundamente íntimo de la vivencia "quijotesca" de la vida, y fidelidad permanente al texto cervantino. Una glorificación de la vida noble, arriscada de ideales: "Su caballería no reconoce épocas ni decadencias", afincada en el carácter *sacral* del oficio o profesión. Toda la obra es incentivo a la autenticidad, frente a los "sofistas" de la vida, de la política, exigiéndose ese retorno del hombre hacia adentro, hacia el "señorío", hacia la virtud, en un canto constante a la justicia. La "Oración final" puede informar plenamente de esta vivencia del quijotismo: "¡Oh, Dios!, que diste vida y carne al ideal perfecto del caballero cristiano en la persona de Don Quijote, alcánzanos, por tu misericordia infinita, realizar en nosotros el desencanto y liberación de nuestras almas y el triunfo final sobre la Muerte mediante la práctica constante de las virtudes heroicas, y, sobre todo, mediante el amor puro y desinteresado. Sea nuestro quijotismo preparación para la muerte, pero, sobre todo, garantía

---

224 *A. Bonilla, Hist. Ant. Lit. Costarr.* (1957), p. 422.

de salvación para nuestra persona, para nuestro ser y para todos los valores espirituales que en él se contienen. Y sea, finalmente, este ideal supremo salvación y transfiguración de toda esta humanidad que hoy vive alejada de Ti y que anhela encontrarte de nuevo para vivir, vivir, vivir. . .".

Pero sus dos estudios que considero fundamentales pertenecen, como señalé, al campo de la Filosofía Social: Caracterización del costarricense, y caracterización del hispanoamericano, así como su artículo sobre el hombre español.

La obra de Barahona *El gran incógnito* es el primer estudio sociológico del campesinado costarricense, cuyas características peculiares analiza y valora. Una primera conclusión es que el campesino costarricense, en sus formas de vida, sufre una violenta crisis de readaptación. Ello hace que su estudio exija una visión amplia de contraste de épocas. Tras una introducción descriptiva del país, en la que se pone de relieve el marcado contraste entre la meseta central y las restantes regiones, o costeras o montañosas, se llega a la conclusión de que esta meseta explica la historia y la idiosincrasia del país, al ser la región que ha condicionado el tipo humano dominante. Luego, se delimita el tipo humano del *concho,* el cual es el tipo humano representativo por excelencia del país. Se describen y analizan muy en detalle las formas de vida del *concho,* y del *gamonal* y del bracero, así como las diversiones, la vida religiosa y la familia.

La agudeza de las descripciones y el preciso criterio valorativo realzan la que constituye, ciertamente, una valiosa aportación a la sociología hispanoamericana.

Esta obra marcó la pauta de las publicaciones sobre Sociología Costarricense, tanto por su acierto al perfilar los tipos humanos, como por haber sido seguida por la mayoría de los estudiosos.

El ser hispanoamericano es una delimitación de las peculiaridades del modo de ser de la resultante del indio y del español en el continente americano. Comienza con un examen del indio, sin exaltaciones, y luego enumera facetas del hispano; la agudeza, la impetuosidad pasional, la tenacidad, el realismo, el individualismo, "el sentido de su valor en cuanto hombre", "su vivir en función de la muerte". Seguidamente, se adentra en el tema. En el orden de la inteligencia: 'De aquí nuestro más angustioso problema, la falta de ideas. El hispanoamericano no tiene ideas, ideas convertidas en sustancia propia, . . ." (p. 71), de donde proviene una tendencia al dogmatismo intelectual. El "hombre medio" se caracteriza por la falta de atención y el exceso de imaginación. Frente a lo viejo, lo hispanoamericano tiene una vocación de plenitud universal, que garantiza su futuro. Esto lleva al *presentismo:* "Colocado en esta situación el hispanoamericano, es natural que no cuaje el sentido histórico, quedando sólo la vivencia de un presente que engloba el ayer, que aún dura, en la forma de un antepresente que nos llega tibio y palpitante" (p. 89). La vida afectiva la caracteriza por "un estado de languidez espiritual", lo que lleva a la anarquía interior y exterior. En su dimensión estética, el hispanoamericano posee pujante fantasía y capacidad de ejecución. El "ethos" es de desorbitada sensualidad, con una tonalidad ética proveniente del español. En lo político, halla la influencia democrática de los cabildos coloniales, el concepto cristiano de la vida y el espíritu de confraternidad internacional. En el aspecto religioso, considera que el grado de madurez es incipiente, apoyado en el individualismo religioso y la ausencia de vida interior. El *Tono* dominante de la vida hispanoamericana lo define por tres notas: tendencia fáustica de expansión vital, *presentismo* y vocación de universalidad.

O B R A S

Al margen del Mío Cid, (San José, Univ. de C. R., 1943), 163 pp.

Cátedra y Profesor, "Surco", 36 (1943), p. 12-13.

Aportaciones a la Estética musical, "Surco", 38 (1943), p. 25-28.

Los hechos y los principios, "Surco", 46 (1944), p. 4-5.

Primeros contactos con la Filosofía y Antropología Filosófica Griega, (San José, Ed. Aurora Social, 1952), 127 pp.

El gran incógnito. Visión interna del campesino costarricense, (San José. Ed. Universitaria, 1953), 164 pp.

Glosas del Quijote, (San José, Imp. Tormo, 1953), 124 pp.

Glosas al margen del poema del Mío Cid, (San José, Univ. C. R., 1957).

Notas fundamentales del hombre español, "Rev. Filosof. Univ. C. R.", I, 1 (1957), p. 27-40.

El ser hispanoamericano, (Madrid, Graf. Urbina, 1959), 288 pp.

Destino social del catolicismo, "Senda" (octubre 1946).

Sentido sobrenatural de la cultura, "Senda" (septiembre 1946).

Meditación Centroamericana, "ECA", IV, 35-36 (El Salvador, 1949). p. 1395-1398.

Sarmiento y la Cultura Continental, Rev. Fil. Univ. C .R., 11 (1962), 269-274.

Vincenzi, Rev. Fil. Univ. C. R., 17 (1965), 105-108.

Unamuno e Hispanoamérica, Rev. Fil. Univ. C. R., 17 (1965), 53-62.

En 1944-1947, colaboró en "Columna de Humo", "Diario de Costa Rica".

B I B L I O G R A F I A

AZOFEIFA, ISAAC F., *"Al margen del Mío Cid". Ensayo valioso,* "Surco", 44 (1944), p. 14-16.

"BARNABY", *Luis Barahona,* "Diario de Costa Rica" (12 diciembre 1946).

A. B. [A. Bonilla], *Glosas del Quijote*, "La Nación" (22 enero 1954).

Bonilla, A., [Prólogo], en: Barahona, Luis, *Al margen del Mío Cid*, (1943), p. 7-9.

Bonilla, A., *Hist. Ant. Lit. Costarr.* (1957), I, p. 422-423.

Bonilla, A., *Respuesta al... Luis Barahona*, "Diario de Costa Rica" (21 abril 1953).

Camacho Monge, Daniel, *Lecciones de Organización Económica y Social de Costa Rica*, 1967.

F. M. R., en: Rev. Política Internacional", 56-57 (Madrid, 1961). p. 547-548.

Fernandez Shaw, Guillermo, *Glosas americanas del Quijote*, "El Correo de Andalucía" (Sevilla, 29 noviembre 1955).

Jimenez V., Marta, en: Rev. Filos. Univ. C. R.", II, 8 (1960).

Hernandez, Ruben, *Jerarquía intelectual...* "La Prensa Libre" (enero 1944).

Moscoso P., B., en: "ECA", 82 (San Salvador, 1954), p. 255.

Lascaris C., C., en: "Anales Cervantinos". (Madrid, 1957). Reprod.: 'Rev. Filos. Univ. C. R.", I, 1 (1957), p. 93-94.

Lascaris C., C., en: "Cuadernos Hispanoamericanos", 75 (Madrid, 1956). Reprod.: "Rev. Filos. Univ. C. R.", I, 1 (1957). p. 92-93.

Ulloa B., Ricardo, *Glosas del Quijote*, "Diario de Costa Rica" (27 octubre, 25 noviembre 1956).

Ulloa B., Ricardo, *En torno al Centenario*, "Diario de Costa Rica" (Diciembre 1956).

Ulloa Z., Alfonso, *Panorama Lit. Costarr.* en: *Panorama das Literaturas das Américas* (1959), III, p. 972.

Wender, E. J., *Glosas del Quijote*, "Diario de Costa Rica" (9 enero 1953).

Eugenio Rodríguez Vega

Abogado, Profesor de Sociología en la Universidad, ex-Secretario de la Universidad, actualmente Contralor General de la República, intervino activamente en el Centro para el Estudio de los Problemas Nacionales (origen del Partido Liberación Nacional). Preocupado por la caracterización de lo costarricense.

Su obra *Apuntes para una Sociología Costarricense*[225] es destacada. Comienza buscando "el origen histórico del individualismo

---

225 San José, Ed. Univ. 1953, p. 130. *Vid:* E. J. Wender, en: "Rev. Fil. Univ. Costa Rica", I (1957); Daniel Camacho Monge, *Lecciones ... Costa Rica* (1967), p. 56-61.

costarricense", cuya raíz fundamental halla en el aislamiento, el cual tuvo como consecuencia el moldear un pueblo tímido, sin arte popular ("Curiosa excepción en el Continente..."), un pueblo de política personalista, un pueblo reacio a la organización social. Todo ello ha dado un "modo de ser", que caracteriza por la ausencia de espíritu de empresa, la cortesía y suavidad de carácter, carencia de tradiciones, conservatismo y ausencia de prejuicios, sin emociones visibles. En una tercera parte estudia las clases sociales en Costa Rica, en lo que se muestra básicamente orteguiano, sobre todo, aplicando el concepto de generación. Considera como decisiva la clase media; la alta como desorganizada; y la baja como carente de conciencia de clase[226].

La pobreza colonial provocó la ausencia de verdaderas clases sociales. El resultado, unido al aislamiento geográfico, dio, así pues, un pueblo individualista y huraño, lo cual se manifiesta: a), en la psicología nacional, por la timidez y desconfianza hacia lo circundante; b), en el arte popular, por la ausencia de inspiración autóctona y verdaderamente nacional; c), en la política, el personalismo político y la ausencia de partidos permanentes; d), en lo social, el espíritu contrario a sindicatos o cooperativas. Todo ello lo completa con otras características: la desconfianza (el recelo a lo ajeno o lo nuevo), la ausencia del espíritu de empresa, la condición conservadora y desprejuiciada, pocas emociones visibles.

José Abdulio Cordero

José Abdulio Cordero, nacido en 1927, Director del Liceo de Costa Rica, por su tesis de Licenciatura en Filosofía y Letras (1960) sobre "El ser de la nacionalidad costarricense", contribuyo a estos estudios. Estudia las condicionantes locales que fueron el punto de partida y la actitud ante la tarea de construir la propia nacionalidad, por parte de la colectividad que se halló ante el hecho de la independencia. Los caracteriza por la íntima compenetración en la empresa colectiva. Propiamente, traza la historia intelectual de la forjación de Estado costarricense, al hacer la historia de los procesos y de las instituciones que esbozaron la psicología colectiva. Por ello, centra su estudio en la Universidad de Santo Tomás, que imprimió su sello en la mentalidad campesina colectiva. Este enfoque contradice el habitual. Este proceso, José Abdulio lo complementa con el del impacto que tuvo la campaña nacional, es decir, la lucha contra los filibusteros en tierras de Nicaragua.

---

226 Señalado, en el capítulo de Ideas Políticas, como social-estatista, es decir, para Costa Rica, liberacionista.

Tanto por su orientación católica, como por centrar la orientación del país en unas vigencias básicas, que se polarizan en la Universidad de Santo Tomás, el libro es sugerente y original, y ciertamente fuera de la manera habitual de enfocar lo costarricense, por lo liberal y lo individualista.

O B R A S

La búsqueda del propio ser, Rev. Fil. Univ. C .R. (1961), p. 3-8.

Vigencias básicas costarricenses, Rev. Fil. Univ. C. R., 9 (1961), p. 63-68.

El ser de la nacionalidad costarricense, Madrid, Ed. Tridente.

B I B L I O G R A F I A

ALBERTO F. CAÑAS, en: Rev. Fil. Univ. C. R., 17 (1965), p. 135-136.

Nuestra Educación, La República (11-XII-1966).

Otros

Especial mención merecen dos números monográficos, de la "Revista de la Universidad", y de la "Revista de Filosofía".

El primero[227] comprende, bajo el epígrafe general "En busca de nuestro ser costarricense": CARLOS MONGE A., *La Universidad y la misión de los hombres de letras,* p. 7-8, EUGENIO RODRIGUEZ VEGA, *Debe y Haber del hombre costarricense,* p. 9-32[228], ABELARDO BONILLA, *El costarricense y su actitud política,* p. 33-50; CLAUDIO GUTIERREZ CARRANZA, *Ensayo sobre las generaciones costarricenses 1823-1953,* p. 51-61; ENRIQUE MACAYA LAHAMANN, *Institucionalidad Municipal en los orígenes de nuestras primeras constituciones,* p. 63-74; LEON PACHECO, *El costarricense en la literatura nacional,* p. 75-141[229].

El segundo[230] comprende: JOSE ABDULIO CORDERO, *La búsqueda del propio ser,* p. 3-8; PAUL GACHE, *Una República agraria: Costa Rica,* p. 9-28; PHILIPPE PERIER, *Algunas observaciones sobre una civilización del café,* p. 29-42; CARLOS JOSE GUTIERREZ, *Las bases de la realidad social costarricense,* p. 43-62; JOSE ABDULIO CORDERO, *Vigencias básicas costarricenses,* p. 63-68.

---

227 Nº 10 (1954), p. 141.

228 Reprod.: A. Bonilla, *Hist. Ant. Lit. Costarr.* (1961), II, p. 260-275.

229 Cfra. [A. Bonilla], *Seis estudios en busca de nuestro ser costarricense . . . ,* "La Nación" (18 diciembre 1954).

230 Vol. III. 9 (1961), p. 67.

No puedo entrar en el detalle de estos ensayos. Mencionaré solamente los temas centrales: individualismo y su posible relación con las condiciones geográficas; aislamiento del país; idiosincrasia pacífica y de convivencia democrática; sentido de la libertad civil y política; etc.

Aunque humorístico, es interesante y significativo: ALBERTO F. CAÑAS, *Uso y práctica del chunche,* "brecha", Reprod.: BONILLA, A., *Hist. Lit. Costarri.* II (1961), p. 312-320.

Daniel Camacho Monge se plantea el tema de la "filosofía nacional" costarricense[231], la cual entiende como "las ideas que, aunque no hayan sido desarrolladas metódicamente por autor alguno o aunque no hayan sido expuestas sistemáticamente, sí tengan en el conglomerado nacional una aceptación —expresa o tácita— de tal grado que puedan considerarse arraigadas en el Ideario costarricense". Y la resume: "Un sustrato de doctrina católica mal aprendida, aceptada irracionalmente y en peligro de ser dejada de lado, parcial o temporalmente, según la conveniencia del 'creyente'. Una aceptación de las ideas liberales en política, en economía (y en religión especialmente en cuanto a la tolerancia) que han venido siendo cambiadas de 1940 en adelante, primero por un neo-liberalismo y luego por un socialismo muy moderado, que, para no asustar a los tranquilos pensadores de meseta, se ha dado en llamar 'izquierda democrática' o más técnicamente 'socialestatismo' ". Ideas permanentes: "en cuanto al cambio social, un conservadurismo formal acompañado por una gran disposición al cambio; en relación con los valores económicos, el respeto 'sacrosanto' a la propiedad privada; y en lo que atañe a teoría política, el celo ultrasensible en relación con algo que al costarricense se le ha ocurrido llamar libertad". Los cuales luego analiza ampliamente, sobre todo el de libertad.

231 *Lecciones de Organización Económica y Social de Costa Rica* (Univ. 1967), p. 61-67.

ETICA

Situación general

Es la disciplina filosófica menos representada en la bibliografía costarricense.

En el XIX hemos visto las lecciones de Etica de Nicolás Gallegos. Y nada más propiamente doctrinal he encontrado.

En el XX aparecen algunas publicaciones sobre temas de moral profesional (médica y jurídica). Deben señalarse sin embargo, Claudio González Rucavado, Moisés Vincenzi, A. Skutch, Pablo Luros y Víctor Brenes.

Una defensa de la moral católica publicó en 1907 el Pbro. Rosendo de J. Valenciano[232], autor de encomiables trabajos históricos. Es un opúsculo, respuesta a un folleto, *Piedra de escándalo,* en el que niega la "moral libre", que conduce a inmoralidades, y defiende la moral católica, apoyándose en la teología de San Alfonso María de Ligorio.

Moisés Vincenzi, que ya hemos estudiado, es autor de *Enseñanza de la Moral en la Escuela Activa*[233], obra sugerente y original. La postura básica es estoica, pero desenvuelta dentro de un positivismo moral. El primer capítulo se titula: "Donde se ve que el cansancio del pecado es el principio de la virtud", y otro: "Página en donde se estudia en qué momento una virtud pasa a ser un vicio".

Claudio González Rucavado, jurista y escritor folklórico, nació en 1878[234]. En 1911 publicó *Ensayo sobre Moral y Política*[235]. La primera parte comprende: 1º, Fundamento de la Moral racional. 2º, Egoísmo y altruismo. 3º, Educación por el dolor. 4º, El ideal y la gloria. 5º, El dolor y el valor. Desarrolla un intelectualismo ético, acaso epicúreo en su sentido pristino. De probable influen-

---

232 *Por sus frutos los conoceréis. Procedimientos de la moral libre,* (San José, Imp. Cartín, 1907), p. 44.

233 San José, Ed. Soley, p. 78.

234 *Cordero Z. Hernán, La vida del Lic. don Claudio González Rucavado.* "La Tribuna" (20 octubre 1940).

235 San José, Imp. Alsina, 1911, p. 78.

cia krausista, es una obra valiosa. "Todo lo bueno, lo mejor que buscan los hombres es para la vida"; el objetivo de la vida es "el contento de la existencia". En política nacional, González Rucavado propugnó la creación del "poder docente"[236].

Pocos son los ensayos sobre moral nacional. Puede citarse a Luis Cruz Mesa[237] y sobre todo el de Ricardo Jinesta[238] dedicado a enseñar moral a los presos y facilitar su rehabilitación.

Alberto Brenes Córdoba, que veremos en Filosofía del Derecho, publicó un tomito sobre *la moral y profesión del abogado*[239]. La Escuela de Derecho tuvo siempre, claro es, preocupación por este tema[240].

En moral médica, el tema acuciante fue el de la esterilización de criminales y alienados. Negada por Simeón Poveda Ferrer[241]. También lo fue por el Obispo Claudio María Volio. Refiriéndose a la situación en Alemania en 1938, éste sostuvo que sólo Dios está en derecho de mutilar al hombre; la moral universal y la religión cristiana se oponen de modo terminante a las prácticas que irrespetan el derecho de vida de los seres humanos[242]. Postura contraria sostuvo Pablo Luros, como se verá a continuación.

En los últimos años se ha empezado a difundir la temática de la "paternidad responsable". Es de señalar que la legislación

236 *Bibliografía:*
Bonilla, A., *Hist. Ant. Lit. Costarr.* (1957). I, p. 161-162.
Sotela, R., *Escritores de Costa Rica* (1942), p. 236-240.
Zeledón Brenes, en: *Asamblea Nal. Constituyente de 1949*, tomo III (1957), p. 330-335.

237 *Defectos de moral nacional*, "El Foro", VIII, 8 (1912), p. 242-268.

238 *Sándalo. Armonía Social. Salvación de los Presos*, (San José, Imp. Alsina, 1915), p. 126.

239 *Otros:*
Santiago Durán Escalante, *La moral profesional* [del abogado]. (San José, Imp. Falcó, 1918), p. 16.
Jorge Rossi, *Divisiones del Derecho. Nexos entre la Moral y el Derecho*, "Rev. Colegio Abogados" (1939), p. 46-49.

240 *Tesis de Debate y Práctica Forense de la Escuela de Derecho. Parte Teórica.*
Profesor: Tomás Fernández Bolandi. (1924):
II Continuación del examen del Código de Moral Profesional. Estudio concienzudo del asunto por parte del abogado; éste debe obedecer a su propio criterio y a su conciencia. Alusiones de los abogados que implican cargos y ofensas personales. Trato del abogado para la parte contraria y para los testigos del juicio. Consideraciones al colega contrario con motivo de pesares graves ocurridos a éste durante la tramitación de un juicio. Oportunidad del consejo de otro abogado. Las transacciones y el arbitraje como medios de definir las cuestiones judiciales. Intereses directos del abogado en el asunto de su cliente; manejo de fondos de éste. La representación de intereses opuestos, la puntualidad en las citas. La provocación de litigios y las agencias para obtenerlos. Actitud del abogado frente a los candidatos mal preparados. Sanción contra la inmoralidad profesional. El abogado como colaborador de las leyes y de la administración judicial. Examen del fallo de los jueces. Cobro de los honorarios". "Rev. Costa Rica", V, 8 (1924), p. 221.

241 *La esterilización humana y la falsa ley de la herencia*, "El Foro", X, 1 (1914), p. 27-32.

242 "La Prensa Libre" (7 noviembre 1938).

costarricense era ya relativamente avanzada (en comparación con los países del continente) en cuanto a la obligatoriedad paterna de alimentar a los hijos, dentro o fuera del matrimonio, así como el derecho de los hijos extramaritales a heredar. En un principio, como en casi todos los países, la paternidad responsable fue proscrita por el clero y el plano legal por el gobierno del Presidente Orlich. Lentamente ha dejado de ser tabú. Los intelectuales y los médicos hablan con frecuencia de su necesidad.

Sobre moral militar es curioso señalar los dos opúsculos de reglamento, ambos del XIX[243]. Tienen como objetivo central estimular el patriotismo. Son muy poco prusianos; supongo que están inspirados en otros países.

Entre los profesores jóvenes dedicados a la Etica menciono:

Jaime González. Licenciado por Lovaina, Profesor de Moral Profesional. Publicaciones en la *Rev. Filosofía,* ns. 13 y 20 y varios fascículos de Etica. Principal doctrinario en la Democracia Cristiana, después del retiro del Dr. Luis Barahona.

María de los Angeles Giralt, Dra. por la Universidad de Lovaina. Publicaciones en la *Rev. Filosofía,* n. 29.

Pablo Luros

Nació en Atenas, Grecia, en 1903. Doctor en Medicina (1926) por la Universidad de Atenas, y en Ciencias Económicas y Sociales (1932) por la de Ginebra. Trabajó en Costa Rica desde 1935 a su muerte, que tuvo lugar en 1959. Desempeñó diversos cargos de administración hospitalaria, redactó gran parte de la legislación sanitaria vigente, y publicó numerosos libros y más de ciento cincuenta ensayos.

Aparte de los ensayos de tema general y de los de investigación biológica y de técnica hospitalaria, escribió estudios sobre educación y sobre todo sobre problemas de moral médica, campo en el cual destaca, tanto por el planteamiento como por los desarrollos. La introducción del certificado pre-nupcial de salud (voluntario) fue precedida por larga polémica, en la que fue apoyado por el Obispo V. Sanabria. La aplicación de la psicología de Jung es el fundamento de sus numerosos estudios sobre esterilización y sobre eugenesia.

Bibliografía completa de Pablo Luros en: Rev. Fil. Univ. C. R., 11 (1962), pp. 355-358.

---

243 *Deberes morales del Soldado.* (San José, Imp. Nacional 1883), p. 66. *Tratado de Moral Militar para uso del Ejército de Costa Rica,* (San José, Tip. Nacional, 1883), 61 pp.; 2ª ed. 1900.

BIBLIOGRAFIA

Aborda el Sr. Obispo de Alajuela... el problema de la esterilización...
"La Tribuna" (9 diciembre 1938).

AGUILAR MACHADO, A., *Aquí...*, "La Tribuna" (24 abril 1937).

ASTUA AGUILAR, *La significación social...*, "La Tribuna" (13 agosto 1937).

PEÑA CHAVARRIA, A., *Deben sumarse los esfuerzos de maestros y médicos...*, "La Tribuna" (23 abril 1937).

SOTELA, R., *Cuando el destino...*, "La Tribuna" (13 julio 1937).

ZELAYA, RAMON, *El Obispo Sanabria y la esterilización*, "La Tribuna" (22 diciembre 1938).

ZUMBADO, MARCO, A., *Cuando...*, "La Tribuna" (27 noviembre 1936).

Víctor Brenes

Nació en Cartago en 1930. Licenciado en Filosofía por la Universidad Gregoriana, es Profesor de Etica en la Universidad. Su tesis de Licenciatura versó sobre Unamuno, pensador al que ha dedicado varios estudios, y del que tiene fuerte influencia. De formación básica escolástica, se dedica preferentemente a temas de moral pública y profesional. Organizó la Oficina Católica de Cine, y ha desarrollado frecuentes cursillos de moral y es prestigiado publicista sobre estos temas. Fue Director del Depto. de Filosofía desde 1965.

Como pensador centrado en la reflexión sobre la acción, reacciona enérgicamente contra la acusación generalizada de cerebralismo hecha a los filósofos: "en el fondo de toda gran filosofía, ..., palpita fuertemente una problemática ética, vale decir, humana". De ahí que haga hincapié en que la apetibilidad del bien no es el constitutivo formal de su ser, sino, por el contrario, efecto de la misma, por lo cual busca la definición del "bonum" partiendo del "verum": "Si el 'verum' es el 'ens', el 'bonum' es la plenitud del 'ens' ". En consecuencia, sostiene la subordinación de la Filosofía especulativa a la Etica: "La inteligencia aparece, pues, como una *función* vital, es decir, como un medio, no como un fin. En otros términos, no se define por sí misma, sino por el fin al cual se ordena: la vida". Esto no es de extrañar puesto que V. Brenes sostiene que es la Etica la que encierra los valores existenciales por sobre los del pensamiento: la filosofía es exigencia de conocer; la Etica es exigencia de ser. "En este sentido toda la labor filosófica no viene a ser otra cosa más que una propedéutica a la vida plena".

". . . esa filosofía por la que murió Sócrates y quemó sus versos Platón. Filosofía para la cual la verdad es un valor y exigencia existencial, objeto de amor y prosecución, y no sólo de conocimiento y frío análisis conceptual. Así la vivieron Sócrates y Platón, Séneca y Agustín, Spencer y Ortega, Nietzsche y Carrel, Kierkegaard y Unamuno. Así la vive Gabriel Marcel y viviría Sartre si en algún valor creyera. Filosofía que, al decir de Platón, es *meditatio mortis* porque, añadimos nosotros, es *exigentia vitae*".

Los estudios de Moral Profesional han recibido un extenso desarrollo en la Universidad gracias a su acción. Con preocupación por la moral cristiana, ha publicado varios estudios en relación con las encíclicas papales y la renovación de la Iglesia Católica. En todo, es la búsqueda de la autenticidad como medio de formación del hombre integral: "El fin de la verdad es, pues, iluminar la mente del hombre: si esta verdad no trasciende a todos los órdenes de su existencia, será una verdad muerta, como un capital soterrado en nuestra casa cuya existencia ignoramos. El fin de la verdad es realizar plenamente al hombre, es decir, hacerlo más hombre. La verdad es entonces liberadora, enriquecedora, exigencia de plenitud. La verdad debe darse, pues, traducirse en el plano de lo vital, de lo ético. Aquí es donde encuentra su radical acabamiento y último sentido. Aquí es donde la verdad es tal porque es vida".

Por lo demás, en sus publicaciones se muestra pensador de amplia apertura ante los problemas morales planteados en nuestra época. En los últimos años, se ha dedicado especialmente a los temas de la Moral y la Educación Sexual. Ha publicado un tratado de Etica y numerosos artículos sobre estos temas. Es de especial interés el n. 3P-31 de la *Revista de Filosofía,* pp. 299-416, con sus escritos sobre Educación.

Desde la Etica, ha dedicado su pensamiento a los temas de Educación Familiar y Sexual. A los programas nacionales en este campo, les ha dado una fundamentación ética:

"La educación sexual es un proceso harto complejo y delicado, cuyo derecho y obligación corresponde, en primer lugar, a los padres de familia y, en estrecha colaboración con la familia, a las ulteriores instituciones de educación. Tiende al logro de la madurez corporal y espiritual del sujeto con el fin de contribuir a que se capacite para el uso racional, vale decir, responsable y positivo, de la sexualidad, como instrumento al servicio de la constitución de una personalidad sana, armoniosa y creadora en orden al bien común".

Desde el Ministerio de Educación, ya como Ministro, ya como Supervisor, ha orientado instituciones y legislación, tanto en este plano, como en orientación scout. Me atrevo a adaptar el viejo lema en esta forma: Saber para ser responsable.

"... lograr la madurez sexual total —biológica, psicológica, moral y social— necesaria para que esta sexualidad llegue a ser instrumento adecuado tanto de responsable procreación y educación de los hijos como de expresión de creciente amor entre los esposos".

Frente al "método del silencio" y al "método exclusivamente técnico y profiláctico", propugna un "método integral". Frente al biologismo lucha por el personalismo: "Y el punto medular de la convergencia entre la Demografía y la Educación Sexual es ... la madurez sexual que lleva al sujeto al uso racional y altamente responsable de su sexualidad".

PUBLICACIONES:

La educación sexual de los hijos. Serie de cinco artículos publicados en *El Eco* (mayo-junio 1969) por cortesía de la Asociación Demográfica Costarricense.

Filosofía del sexo y del amor. Texto poligraf. Depto. de Publicaciones, Universidad de Costa Rica, 11 pp.. 1967.

Filosofía, ética y vida. Revista de Filosofía de la Universidad de Costa Rica, Nº 11, 1962.

Curso de ética profesional económica. Escuela Superior de Ciencias Contables y Administración de Empresas, 100 pp. edic. polig., San José, 1974; 9 edición.

Elementos de ética. Texto aprobado por el Ministerio de Educación Pública para la Enseñanza Media, 100 pp. Edic. E.T.U.P., San José, 1969, II edición.

El tema de la persona humana en la didáctica de la ética profesional odontológica, Ponencia presentada al *Primer Congreso Latinoamericano de Facultades de Odontología* (ALAFO), Bogotá, Colombia, 20-25 octubre de 1962, Departamento de Publicaciones, Universidad de Costa Rica, 12 pp., 1962.

La crítica filosófica en Mario Sancho. Ponencia presentada al *XXX Congreso Internacional de Americanistas,* Imprenta Nacional, San José, C. R., 1959, Vol. III de las Actas.

El profesor universitario. Ponencia presentada al *Congreso de la Federación de Asociaciones de Odontología de Centroamérica y Panamá* (FOCAP), mayo de 1963, Departamento de Publicaciones, Universidad de Costa Rica, 15 pp.

El tema de Dios en Miguel de Unamuno. Ponencia presentada al *V Congreso Interamericano de Filosofía,* Bs. Aires, set. 1958.

El concepto de fe en Miguel de Unamuno. Revista de Filosofía de la Universidad de Costa Rica, Vol. II, nn. 5-8 (1959-1960).

El naturalismo ético en Spencer. Revista de Filosofía de la Universidad de Costa Rica, Nº 13, 1963 (pp. 7 a 26).

Sancti Augustini de re Morali Quaedam Excerpta. Antología de textos originales latinos para el curso de "Seminario de Filosofía Fundamental", Departamento de Filosofía, 1954, 25 pp. Departamento de Publicaciones, Universidad de Costa Rica.

Bibliografía de fuentes de ética. Selección de 450 obras básicas de Etica. Departamento de Publicaciones de la Universidad de Costa Rica, 11 p., 1963.

El pensar-prudente como traducción de la "Fronesis" en los fragmentos de Heráclito. 17 pp. Departamento de Publicaciones, Universidad de Costa Rica, 1964.

Positivismo jurídico y estatismo en el pensamiento político de Pío XII. Revista de Ciencias Jurídicas de la Universidad de Costa Rica, N° 3, mayo de 1964, pp. 179-204.

Por un escultismo adulto. (Reflexiones críticas sobre el Movimiento Scout dentro del marco actual de la realidad costarricense); 48 pp. Asociación · de Scouts de Costa Rica, marzo de 1973.

El escultismo en su momento decisivo (los retos del Escultismo frente a la realidad social de América Latina). Presentado en la IX Conferencia Scout Interamericana (Miami, agosto de 1974). Oficina Scout Interamericana, San José, Costa Rica, 1975, 30 pp.

Educación sexual integral. (En colaboración con el Centro de Orientación Familiar); 400 páginas. Centro de Orientación Familiar, San José, Costa Rica, 1975. Publicación autorizada por el Consejo Superior de Educación para el Programa Nacional de Educación Sexual.

El milagro de la vida y el deber paternal. (Elementos de educación sexual integral para II y III Ciclos de la Educación Formal). Texto aprobado por el Consejo Superior de Educación; 4 edición: enero de 1975. Asociación Demográfica Costarricense, San José, Costa Rica, 45 pp.

Bibliografía de educación sexual y familiar. Ministerio de Educación Pública; 3 edición agosto de 1974. Edit. por Asociación Demográfica Costarricense.

Escritos sobre educación. En "Revista de Filosofía de la Universidad de Costa Rica", NN. 30-31; Vol. X; Enero-Diciembre de 1972, pp. 301-416.

Etica profesional docente: Antología de Textos. 100 pp. Universidad Nacional, Heredia, marzo de 1975.

Métodos y principios de educación sexual. Ministerio de Educación Pública, Asociación Demográfica Costarricense, IV edición, 1974.

¿De dónde hemos venido? (Elementos de educación sexual para el I ciclo de la enseñanza escolar); en colaboración con la Asociación Demográfica Costarricense, febrero de 1975.
De Filosofía General ha publicado:

Consideraciones sobre el conocimiento natural de Dios, "La Prensa Libre" (octubre y noviembre 1957).

La historia y sus protagonistas, "Eco Católico" (1 enero 1961); "Presencia" (mayo 1961).

Los falsos anticomunismos, "Eco Católico" (29 enero 1961).

Estatismo e individualismo en el pensamiento político de Pío XII, Congr. E. Interamer. de Filosofía (San José, Costa Rica, 1961).
Sobre Etica ha publicado los siguientes (algunos con el pseudónimo

"Gregorio Romano"):

Gangsterismo pornográfico, "Eco Católico" (febrero 1958).

El problema pornográfico, "Eco Católico" (9 y 23 marzo 1958).

Las novelas de la radio, "Eco Católico" (22 junio 1958), Reprod.: "La República" (23 y 25 junio 1958).

Reflexiones de un ingenuo sobre el estado actual de la educación. "Eco Católico" (13 julio 1958).

Diálogos de sobremesa, "Eco Católico" (3 agosto 1958).

Sinceridad, "Eco Católico" (21 septiembre 1958).

¿Podría ser ésta una solución al problema del divorcio?, "Eco Católico" (23 noviembre 1958).

El problema vocacional en Costa Rica, "Eco Católico" (18 enero 1959).

¿Es la pena de muerte intrínsecamente inmoral?, "La Prensa Libre" (26 febrero 1959).

Visión cristiana y humana del deporte, "Eco Católico" (5 abril 1959).

La Iglesia y la educación sexual de los hijos, "Eco Católico" (5 mayo 1959).

La razón de lo mismo que culpáis, "Eco Católico" (17 mayo 1959).

Educación sexual, "Eco Católico" (31 mayo 1959).

Los mitos de nuestro tiempo, "Eco Católico" (7 junio 1959).

Educación sexual, "Eco Católico" (junio 1959).

Guía moral del cine, "Eco Católico" (20 septiembre 1959).

Filosofía y Política, "Presencia" (octubre 1960).

Periodismo, "Aros" (diciembre 1960).

ESTETICA

Parte de los escritores de Estética y Filosofía del Arte los hemos hallado en capítulos anteriores, especialmente Antonio Zambrana, Roberto Brenes Mesén, Abelardo Bonilla y Moisés Vincenzi. Enrique Macaya es autor de numerosos ensayos que oscilan entre la estética y la crítica literaria. En este campo, debe mencionarse también el dramaturgo Alfredo Castro Fernández y los pintores Manuel de la Cruz González y César Valverde[244].

Rogelio Sotela

Nació en San José en 1894. Licenciado en Derecho, fue profesor de Literatura en el Liceo de Costa Rica, Secretario del Ateneo, Académico de la Lengua, dirigió la revista "Athenea". Diputado, Gobernador de San José. Murió en 1943.

Poeta, magnífico prosista, buen crítico literario, fue un consumado hombre de letras[245]. Panteísta, teósofo, desarrolló una "serena y bondadosa filosofía..., notoriamente influida por el pensamiento oriental"[246].

No puede hablarse en rigor de filosofía en sentido técnico, pero poseyó una actitud especulativa apreciable. Su esteticismo optimista con frecuencia se trasfunde de un misticismo cósmico. Su obra ideológica más importante es *Recogimiento* (1922). Sus esfuerzos por estudiar y dar a conocer la literatura nacional fueron muy valiosos.

Su postura en Estética es la siguiente:

"Me inquiere este amigo estimado acerca de mi orientación y de mi estética, y yo sé solamente que podría proclamar la forma sencilla y sin fausto de la belleza pura. Entiendo por belleza pura

---

244 Barahona, Luis, "Notas para una historia de las ideas estéticas en Costa Rica", *Revista de Costa Rica*, 5 (1974), 39-56. Examina temas en poetas: Pío Víquez, Lisímaco Chavarría, Carlomagno Araya, Gonzalo Dobles, Rogelio Sotela, José Basileo Acuña.

245 "Rogelio Sotela se construyó a sí mismo con hidalguía, inteligencia y valor. Hizo un apostolado del Arte: vivió siempre en función de escritor en un país en que el libro y el artículo se hacen al margen de la realidad cotidiana". Moisés Vincenzi.

246 R. Fernández Guardia, *Contestación* . . . (1942), p. 81.

toda eclosión ingenuamente manifestada que tenga en sí un principio de armonía. Pienso, además, que en todo lo que escribamos debe haber una presencia constante de ánimo y que no debemos escribir sino lo que amamos, como aconseja Renán. No soy exclusivista en estética; creo que todos los géneros son buenos si ninguno está al servicio del mal. La visión intelectual que hace fría y dura la obra no me parece que sea la ponderable. Quien tiene que recurrir a la permeabilidad intelectual para concebir las formas externas, dará sin duda una cosecha intelectual impávida. De allí la supremacía que concedo a lo emocional que intuye, concibe y expone, en una forma íntegra, esto es, en armonía con todos los sentidos. Yo voy tras lo bello ideal, tras la visión subjetiva que entra por una corriente nerviosa a la emoción; porque lo bello ideal es compendio y culmen de lo bello, entre lo cual está la divina idea de Dios"[247].

Y respecto al arte:

"Ya está muy citado Goethe con su definición de poeta y convenimos por ella en que el arte consiste en realizar ideas por medio de imágenes. Pero conviene saber que las imágenes no sólo existen, como para Chocano, en las cosas que se ven, sino que existen también en el mundo sutil invisible que el hombre debe buscar. Cuando el artista logra ver la imagen de las cosas y realiza ideas por medio de imágenes, es poeta; pero si, además, comprende el sentido interior de la imagen de las cosas —como Nervo— es Poeta y Sacerdote. Sacerdote en el gran sentido de la palabra"[248].

"Tampoco debería haber más figura de pensamiento que la metáfora. ¿No se refieren todas a la traslación del sentido de la frase? ¿Y no están todas las figuras de pensamiento constituidas con la misma estructura interior que la metáfora?"[249].

La aceptación de la inmortalidad del alma le lleva a aceptar su preexistencia, en un cosmos bello, ordenado, eurítmico, en el cual el dolor es obra humana y no divina. El cosmos es visto así:

"Dios creó el mundo y su Verbo creador fue música; música fueron y son sus manifestaciones creadas porque todo está infiltrado de un ritmo como todo está infiltrado de una idea"[250].

Este esteticismo se centra, naturalmente, en el amor:

"Amor es lo bello buscando lo bello, Amor es la idea suprema del bien, Amor es la adquerencia de lo bueno para el ser, Amor es felicidad, Amor es identidad, continuidad de pensamiento; . . .[251].

247 *Recogimiento* (1922), p. 81-82.

248 *Escritores de Costa Rica* (1942), p. 681.

249 *Recogimiento* (1922), p. 91.

250 *Recogimiento* (1922), p. 103.

251 *Leyendo a Platón*, "brecha", II, 3 (1957), p. 15.

Por estas ideas puede colegirse la tonalidad, de un esteticismo intelectual, de todos sus escritos, dignos de un acendrado cultivador de la belleza.

O B R A S

La Senda de Damasco, 1918.

Cuadros vivos. 1919.

Valores literarios de Costa Rica, 1920.

Recogimiento, (San José, Ed. García Monge, 1922), p. 153; 2ª ed. 1925, Ed. Reus, Madrid.

Escritores y poetas de Costa Rica, 1923.

La doctrina de Monroe desde un punto de vista subjetivo, 1925.

El libro de la hermana, 1926.

Crónicas del Centenario de Ayacucho, 1926.

Literatura costarricense, 1927.

Complementos gramaticales..., 1928, 1929, 1941.

Apología del Dolor, 1929, 1938, 1941.

Silabario..., 1930.

Carta... [sobre] *Alberto Masferrer* (1933), en: *En torno a Masferrer*, (San Salvador, 1956), p. 271-275.

Motivos literarios, 1934.

Rimas Serenas, 1935.

Escritores de Costa Rica, 1942.

Sin literatura, 1949. Ed. Borrasé, p. 127.

Poesía y prosa de..., "brecha", II, 3 (1957), p. 15.

B I B L I O G R A F I A

AZOFEIFA, ISAAC FELIPE, *Rogelio Sotela ha muerto*, "Surco", 38 (1943), p. 19-20.

BONILLA, A., *Hist. Ant. Lit. Costarr.* (1957), I, p. 263-266; (1961), II, p. 388-397.

FERNANDEZ GUARDIA RICARDO, *Discurso con que recibió...* Academia Costarricense de la Lengua. En: SOTELA, R., *Escritores de Costa Rica* (1942), p. 75-84.

IBARBOUROU, JUANA DE, [prólogo], *Recogimiento*.

Juicios sobre..., en: *Sin Literatura* (1949), p. 97-127.

MISTRAL, GABRIELA, *Carta...* En: *Recogimiento*.

ULLOA Z., ALFONSO, *Panorama das Literaturas das Américas* (1957), p. 949.

VILLALOBOS, J. F., *Crítica Americana*, (San José, Imp. Trejos, 1925).

Max Jiménez

Max Jiménez (1900-1947) fue el pintor costarricense de ma·
yor personalidad y talento creador. Prosista de nervio, poeta me·
diocre, fue un millonario bohemio; hombre inquieto, perturbador y
duro, vivió constantemente angustiado.

Pero ahora sólo debo referirme a una obra suya, *Candelillas*.
Conservada inédita, publiqué una selección en la "Rev. Filos. Univ.
C. R.", Nº 5 (1959) p. 66-73.

Se trata de una serie de pensamientos, en más de trescientas
páginas. En general son agudos; poseen carácter sentencial y fuerza
incisiva. Algunos revelan un genio atormentado. Domina el pesimismo y se expresa una amarga experiencia vital.

"Es bien difícil encontrar consuelo en la filosofía. Se queda
uno de filósofo y sin consuelo"; "Dios; la palabra escape de la fi·
losofía"; pueden servir de ejemplos de ese pensar inconexo en
aforismos. Los de moral podrían calificarse de amorales; "Si un
vicio se abandona ha sido de gran utilidad"; "Hay personas que
tienen que adquirir un vicio para ser alguien"; "En todo vicio
grande hay algo heroico".

Son más abundantes los que hacen referencia al arte: "Ayuda
mucho a ser un buen artista creerse en el pecado"; "A la obra de
arte le llegan los dolores después del parto"; "Se pierde el arte
si se le busca finalidad".

Considero que el siguiente pensamiento de Max Jiménez es el
que mejor lo retrata: "Llevar una cruz es muy distinto a buscár-
sela".

BIBLIOGRAFIA

BONILLA, A., *Hist. Ant. Lit. Costarr.* (1957), I, p. 174-177. Bibliografía
literaria en p. 177.

Rafael Estrada

Nació en El Salvador en 1901. Poeta, de tendencia modernista,
bastante aceptable, se dedicó a la Estética, de la que llegó a tener
un conocimiento amplio. Murió en 1934.

En el ensayo sobre los estudios estéticos realiza una crítica
muy general de las corrientes estéticas, desde la materialista de
Meumann al idealista Croce. No considera la Estética como obra
construida, sino como un comentario de la actividad artística;
"...La Estética no describe en la historia, como las Ciencias Ob-
jetivas al multiplicarse en organismos que la agrandan, como la Fi-

losofía, al ampliarse en distantes perspectivas, ningún derrotero independiente que permita definirla y darle carácter propio" (p. 6). Encuentra íntima afinidad entre la Estética y la Filosofía, pero la Estética no la hacen los estetas, sino los artistas. Como señala Fernández Lobo: "...antes que la Estética, con sus definiciones teóri-cas, está la obra del artista, única expresión del sentimiento estético". Así, la Estética no tiene vida propia, sino que depende de sus disciplinas auxiliares, y de las filosofías a que se subordina; y no puede fundamentar las manifestaciones del arte contemporáneo.

O B R A S

Huellas, 1923.

Viajes sentimentales, 1924.

Sobre los estudios estéticos, (San José, Imp. Alsina, 1926), 38 p.

Canciones y Ensayos. 1929.

B I B L I O G R A F I A

Bonilla, A., *Hist. Ant. Lit. Costarr.,* (1957), p. 222-225, II (1961), p. 376-380.

Fernandez Lobo, Mario, *Las ideas estéticas de Rafael Estrada,* "Rev. Filos. Univ. C. R.", II, 6 (1959), p. 55-57.

Ferrero Acosta, Luis, *Rafael Estrada,* "brecha", II, 11 (1958). p. 1-4. Bibliografía en p. 4.

Las noches de Rafael Estrada Carvajal, "brecha", I, 4 (1956), p. 11.

Vincenzi, Moises, *La Estética de Rafael Estrada,* ed. con *Sobre los Estudios Estéticos* (1926).

Francisco Amighetti

Pintor de prestigio, magnífico grabador en madera, Francisco Amighetti es un buen escritor, con mucha frecuencia crítico de arte.

Nació en San José en 1907. Profesor de Historia del Arte y Pintura en la Universidad, sus colaboraciones en la prensa son abundantes, en relación con temas de estética pictórica; en ellas enjuicia las obras dentro de la evolución general de la pintura, de cuya problemática filosófica muestra amplio conocimiento[252].

---

252 "Yo soñaba dormido y con los ojos abiertos; así pocas veces estaba en la realidad. Transformaba el mundo en que vivía, caminaba por un gran espejo donde todo era de plata, de un metal de silencio sin riberas. Veía lo que soñaba, de ahí mis caídas y mis bruscos despertares. Todavía se sigue diciendo que existe el mundo objetivo; existe como un obstáculo para los ciegos que ven y como una zancadilla para los poetas" *(Francisco en Costa Rica,* 21).

"Como argumento para explicar el impulso hacia lo abstracto han sido invocadas, entre otras cosas, la aparición de la fotografía, la influencia de la máquina, los nuevos descubrimientos científicos, el paralelismo con la música y el *Filebo* de Platón.

"En este arte hay varias tendencias, una cuando el cuadro se resuelve en apariciones bimórficas interrelacionadas con líneas en sentido caligráfico, y en donde el color no requiere la pureza del espectro y se buscan efectos emocionales, es el llamado arte abstracto romántico o emocional. La otra dirección es la del purismo, en que la tela o la madera se considera como un área de dos dimensiones, tratando que el espacio se defina por la superficie de la tela. Las formas y los colores dentro del espacio del cuadro tratan de presentar una vida que le es propia, no contaminada por referencias o prototipos exteriores y que constituye un severo programa de acción. Estas dos actitudes, particularmente la última, significan un gran empobrecimiento al renunciar a una amplia escala de valores, como el tema, el sentimiento, lo moral, lo documental, lo religioso lo político y el placer de reconocer un objeto lo mismo al eliminar la imitación de materias, formas y superficies".

"...la inteligencia se marchita sin la sed de conocimiento que lo lanza en una búsqueda continua hacia lo absoluto"[253].

Pero donde acaso ha alcanzado una vivencia más intelectual, no ya del arte, sino de la existencia, es en su *Historia Natural del Diablo,* cuadros de corte kafkiano de entrevisiones simultáneamente hondas e irónicas: "He intentado hablar con Job, pero el anciano conserva su vieja costumbre de lamentarse, no ha inventado nuevos quejidos metafísicos y se repite; admito el clamor continuo cuando se trata de difundir una verdad o una mentira importante y Job se justificaba antes, cuando sus lamentos llegaban hasta el cielo y resultaban estremecedores. Todo le fue devuelto y con creces, como si la fe fuera un negocio que produce intereses. Se transformó en azucarada comedia el gran drama de sus gritos y sus llagas. Hoy nos fastidia y no consigue sino estimular nuestro ingénito mal humor..."[254].

O B R A S

Amighetti contesta a A. Bonilla, "La Hora" (27 octubre 1936).

Francisco en Harlem, (México, Ed. Galería de Artes Centroamericana, 1947).

Historia Natural del Diablo, "brecha", I, 3 (1956), p. 16-18; 8 (1957), p. 8-9.

Manolo Cuadra, "brecha", II, 5 (1957), p. 4-5.

---

253 *La Pintura de . . . ,* "brecha", (1959), p. 12.
254 "brecha" (1957), p. 12. "El diablo . . . se introdujo en el poético aburrimiento del Paraíso, para abrir los ojos de los primeros padres a las maravillas de la carne de que estaban hechos. Para que reconocieran la presencia del espíritu que se manifiesta en la tensión y la angustia" *(Francisco en Costa Rica, 1966).*

La pintura de Manuel de la Cruz González, "brecha", III, 7 (1959) p. 10-12.

Francisco en Costa Rica, Ed. Costa Rica, 1966, pp. 223.

BIBLIOGRAFIA

BONILLA, A., *Visita emocional...,* "La Hora" (21 octubre 1936).

BONILLA, A., *Bonilla contesta a Francisco Amighetti,* "La Hora" (24 octubre 1936).

BONILLA, A., *Hist. Ant. Lit. Costarr.* (1961), II, p. 448-453.

ECHEVERRIA LORIA, ARTURO, *Con la poesía y la pintura de Francisco Amighetti,* "brecha". I, 10 (1957), p. 1-2.

FERRERO A., LUIS, *La poesía de Francisco Amighetti,* "brecha", II, 3 (1957), p. 16-19.

Alfredo Cardona

Alfredo Cardona Peña, poeta y ensayista, nació en San José en 1917. Desde 1938 reside en México. Autor de varios libros de poesía, por los que goza de prestigio. Premio Nacional.

En sus ensayos busca la penetración en el mundo mágico de la creación poética, lo que logró especialmente con Neruda[255]. En ensayos breves y comentarios de libros, ha analizado con frecuencia los temas de Estética: Aristóteles, Platón, Hegel, Jung, Dilthey, Unamuno, etc. Busca la delineación del ser del lenguaje en su trascendencia de obra de arte, reveladora y plasmadora del artista. No hay palabras "impoéticas", afirma contra Hegel: "Los poemas que hacen pacto con el *sonido* se quedan en la superficie del alma. Los que enamoran el ritmo *suboído,* ..., penetran en ella. Porque, en última instancia, la palabra no es más que Silencio"[256].

OBRAS

Pablo Neruda y otros Ensayos, (México, 1955).

Semblanzas Mexicanas, (México, 1955).

Recreo sobre las Letras, (El Salvador, Ministerio de Educación, 1961). 368 pp.

Numerosos ensayos y poesías en: "Repertorio Americano", "brecha", "Ars.", "Cultura" y revistas mexicanas.

---

255 "El poeta, ..., es el receptor y retrasmisor de las energías anónimas del pueblo; y en la voz del poeta —*os magna sonatarum*— se reflejan y sobrenadan las notas diferenciales de su tiempo". *Pablo Neruda...,* (1955), p. 64.

256 *Recreo de las Letras* (1961), p. 39.

BIBLIOGRAFIA

BONILLA, A., *Hist. Ant. Lit. Costarr.*, I (1957), p. 392-394; II (1961), p. 454-460.

ECHEVERRIA LORIA, ARTURO, *Alfredo Cardona Peña en sus libros*, "Repertorio Americano", XLIX, 8 (1956), p. 121-122.

VALLE, R. H., *Hist. Ideas Contemp. Centro-América* (1961), p. 97-98, 257-258.

No recojo la bibliografía sobre su labor poética.

Ricardo Ulloa

Ricardo Ulloa es artista que ha mostrado su capacidad creadora como músico y pintor; y su preocupación polifacética le ha llevado a la poesía unas veces y otras al enfrentamiento racional con la esencia del arte.

Nació en San José en 1928. Estudió en el Conservatorio de Madrid. Ha hecho numerosas exposiciones de pintura y conciertos.

Director de la revista "Artes y Letras", profesor del Conservatorio Castella y de Historia del Arte Español en la Universidad. Autor de valiosos estudios de historia del arte, tanto español como costarricense.

En Estética está abierto a las corrientes contemporáneas, del vitalismo al perspectivismo.

Su punto de arranque es subjetivo: "El mundo como mundo no es ni profundo ni hermoso, ni bueno ni malo. Lo hermoso, lo bello nace en nosotros. En nuestro íntimo, en nuestro yo. El mundo nosotros lo creamos: . . . El cielo es hermoso mientras sea cielo en nosotros".

"Mi concepto de ser es un sentido de humanización"[257].

Busca la esencia del arte a través del conocimiento de la obra de arte ". . . el conocer y el sentir de una obra de arte responden a un único fenómeno totalizador. Muchas veces he intentado delimitar el campo preciso de su individualidad, llegando a la conclusión de que ambos conviven recíprocamente, ya sea en la misma aprehensión, ya en la forma de la vivencia, ya sea en la manera de la sensibilidad".

El proceso de comunicación de lo artístico se da en la identificación con la obra de arte. ". . . todo arte es comunicación basada en una identificación". "Resumiendo, entiendo la identifica-

---

257 *Yo y el arte*, "Diario de Costa Rica" (abril 1956).

ción-comunicación como un complejo organizado que determina una serie de premisas correlacionadas. Primero, el arte en sí mismo con su ciencia y su arte estricto. El sujeto receptor deberá investigar lo que el arte significa y qué es lo que en tal o cual arte particular actúa como ciencia y arte estricto. Segundo, el mecanismo general que hace posible una identificación-comunicación. Luego, en síntesis total, debe investigarse cómo se estructura ese ser total —casi ideal— que haría posible una vivencia universal del arte todo"[258].

Y esto le lleva a tratar de indagar el "actuar" de "la obra de arte ante un sujeto que la contempla, es decir, la relación de un sujeto creador con un sujeto receptor". Este proceso lo define: "el arte se nos ofrece como un lenguaje cuyo mecanismo tendrá por objeto comunicar dos sujetos", para lo cual "se hace necesaria una identificación y comunicación que los hace explicables entre sí". El contenido definirá especialmente el "sentido" de la obra de arte. Opuesto a Bergson, concluye que el acto creador implica "una síntesis especial entre instinto e inteligencia"[259].

En su ensayo *De la incomprensión hacia la pintura contemporánea* hace una aplicación de la problemática general a la pintura. "Cuando el pintor pinta cosas, hace tanta pintura como cuando pinta ideas, por cuanto estas "cosas", "ideas", "sensaciones" no son fines absolutos, sino sólo medios mediante los cuales el ser creador se manifiesta. . . . En un sentido formalista estricto, al pintor —. . .— no le interesan las cosas o las ideas. Lo que primeramente le interesa es la pintura. . . Y aunque comprendamos que el acto creador totaliza al ser en una indivisibilidad, es cosa distinta que en el rasgo mismo esté ya expresado el contenido, y que sin embargo el "objeto" de la pintura no es la "expresión" pura del ser. El objeto de la pintura misma, aunque ella contenga al ser. La gran masa de gentes está muy convencida —convencimiento negativo, claro está, como todo lo referente a "la gente"— de que pintar es representar cosas; . . . Por esto confunde siempre "el tema" con lo pictórico en sí".

Es evidente que esta visión del arte descansa en una Antropología que Ricardo Ulloa busca por el camino de la autenticidad especulativa ante el arte:

"Más que una teoría del super-hombre propongo un concepto de realización posible que nace y muere en el hombre mismo"[260].

---

258 "Rev. Filos. Univ. C. R.", II, 8 (1960), p. 357-361.

259 II Congr. Interamer. Filos. (San José, 1961).

260 "Repertorio Americano". L. n. 1184 (1958), p. 49-54.

OBRAS

Algo más sobre "Las Glosas del Quijote" de Luis Barahona, "Diario de Costa Rica" (25 noviembre 1956).

Yo y el arte, "Diario de Costa Rica" (19 abril 1956).

Cantares y Poemas de Soledad, Madrid, 1957.

Fe y corazón, "La Nación" (9 julio 1957).

Autocrítica a mi libro "Cantares...". "brecha" (febrero 1958).

Poesía y Cristal, Madrid, 1958.

Meditando sobre Tolstoi y el Arte, "Repertorio Americano", L, n. 1184 (1958), p. 49-54.

Velázquez y la realidad, "brecha", IV, 10 (1960), p. 12-13 y 16.

Arte e identificación, "Rev. Filos. Univ. C. R.", II 8 (1960), p. 357-361. Reprod.: "brecha", V. 12 (1961), p. 10-13.

Exposición..., "La Prensa Libre" (10 diciembre 1961).

Identificación-comunicación en el arte, II Congr. Interamer. Filos. (San José, 1961).

Ensayos poemáticos de Fernando Centeno, "brecha", VI, 1 (1961), p. 1-4.

De la incomprensión hacia la pintura contemporánea, "La Nación" (10 junio 1961).

Reflexiones sobre un ensayo. Rev. Fil. Univ. C. R., 13 (1963), 131-134.

Rubens y el Barroco, Rev. de Ideas Estéticas, 86 (Madrid, 1964), 123-138.

La virgen en el Museo del Prado, Madrid, Ed. Nacional, 1965.

BIBLIOGRAFIA

JIMENEZ, JOSE OLIVIO, *Ricardo Ulloa.* "Heraldo Internacional". (La Habana, 28 abril 1958), 11. Reprod.: "La Nación" (10 junio 1961).

Ricardo Ulloa B., "La Nación" (10 junio 1961).

LA FILOSOFIA POETICA

Por Filosofía Poética entiendo la expresión de una concepción del mundo, de índole intuitiva aunque abstracta. En lugar de desarrollarse mediante el pensamiento discursivo, plasma intuiciones esenciales mediante un lenguaje bello. Como término de comparación señalaré a Novalis o Antonio Machado.

Claro es que no se trata de que todo poeta tenga filosofía, ni nada parecido. Pero a veces el poeta acierta en la forjación de un mundo que da sentido al mundo; otras veces, la poesía es cauce de desvelamiento existencial.

En este apartado pretendo presentar a algunos escritores costarricenses que no han intentado formalmente hacer filosofía, pero que, en mi opinión, la han logrado de manera plástica[261].

Fernando Centeno Güell

Nacido en San José en 1908. En una primera época hace poesía modernista. A partir de 1950 escribe poemas en verso y en prosa, de gran amplitud y ambición. Su estilo está embebido de modelos clásicos y destaca por su limpidez melódica. Según Abelardo Bonilla, podría estar emparentado con la corriente fenomenológica; indudablemente corresponde a una actitud esencialista descriptiva, pero ceñida a la existencia humana.

Su principal obra de poesía, *El Angel y las Imágenes,* desarrolla una cosmogonía que tiene como cenit una antropogonía. En muchos momentos tienta el someterla a un análisis heideggeriano, pues los motivos se prestan. Acaso sea debido a un cierto paralelismo con la actitud de Hölderlin respecto al mundo clásico y la patencia de lo divino.

---

261 Cuando publiqué la primera edición de esta obra, me esperaba polémicas por los capítulos de Ideas Políticas. Nadie, que yo me diera cuenta, lo hizo. Pero lo que yo no había previsto era que me cayera el resentimiento del mundo poético, por el capítulo presente.
Un tipo de análisis análogo al que hago de Centeno Güell, podría hacerse con otros escritores, por ej. Isaac Felipe Azofeifa, Cardona (el viejo), Mario Picado. de la Ossa, y otros, o con Carlos Salazar en la prosa. He publicado artículos y ensayos sobre algunos de ellos, que pienso recoger en otro libro.

La divinidad es situada "más allá del ser y donde el tiempo es un reloj sin horas"; es "vida increada" e "insondable noche", "eternidad"; tiene "mente", es "colérica deidad":

> Porque él es el ser y la palabra
> de todo lo que por sí no vive;
>
> . . .
>
> porque antes de sus ojos — antes
> de que él lo vea, nada existe.

Esta divinidad es creadora, *more* platónico:

> . . .Y la Luz fué en el tiempo.
> La Luz era la palabra y el Verbo.
> Detrás de la Luz, el Verbo y la Palabra,
> sólo era el Pensamiento.
> (Detrás del Pensamiento era la Nada).
>
> El Pensamiento era Dios —La Voluntad primera,
> Matriz del Universo, Idea primigenia—,
> y Dios era la imagen de un Dios más antiguo
> que los soles, las noches y los siglos.

El Pensamiento piensa de sí una imagen, con lo que nace el hombre, acaso como forma de colmar la Nada. "En la mente de Dios, el hombre era deseado", desde "la infinita y secreta tristeza de Dios". De ahí la idea cardinal de la obra, las *imágenes*, los hombres, que brotan de una matriz oculta, porque "la eternidad construye imágenes de un dios inacabado". Si las cosas palpitaban informes en la mente de Dios y Dios es Pensamiento que se piensa en imágenes, entonces veremos al hombre como imagen de otra imagen.

> Y como antes de los siglos la Idea fué primero,
> en el aire cobra vida el pensamiento
> y el cuerpo inmaterial adopta
> la forma del deseo. . .

Este hombre cuyo ser consiste en ser imagen, por serlo, se encuentra pensamiento revestido de envoltura corporal. Su vivir consiste en morir, "carne del dolor hacia el dolor creciendo"; pues tiene breve dimensión terrena para "la estatura cabal de sus ideas". Es una criatura "erecta y pensativa", oníricamente trashumante, que se vive a sí mismo como hombre acosado porque "el Angel está sólo": el hombre ha sido construido como "un dios primitivo".

Esta imagen pensante se angeliza:

¿Por qué la exacta voluntad del tiempo,
la verdad pensativa de los números,
el ansia celestial en la materia?

La raíz de esta toma angélica de conciencia está en la visión
de la deidad como "aliada de la muerte borradora de imágenes".
La imagen de la mente blasfema al anhelar: "Habrá en todo una
vida/inefable y eterna", llevado por el dolor de sentirse dolor
"porque el hombre es un dios en la tierra sin dioses,/un dios solitario es el hombre". Y entonces reacciona, y crea:

Semejantes al hombre
los seres y las cosas fueron luego
. . .
De su cósmico sueño despertaban los seres
semejantes al Angel plural y terrestre;
ordenados nacían en las claves del tiempo
porque era ya ordenado el Pensamiento.

La tierra nace y se puebla por el hombre. Pero en la tierra las
imágenes se sienten venidas de una "noche" y abocadas a otra
"noche", y en su espíritu se despiertan todas las víboras "porque
la eternidad es breve en la carne", y llegan a la maldición de la
tierra, que no es suficientemente morada de dioses.

Esta tensión de lo inacabado en el Angel se mantiene constante, plasmada poéticamente con variados giros. El lenguaje fluye
reiterando los motivos y la Idea es, antiplatónicamente, la raíz de
la finitud.

Tres años antes, en 1950, Fernando Centeno publicó dos poemas dramáticos, en prosa, de ambientación helénica. Son los que
más se prestan a la equiparación con Hölderlin. La plástica presentación de un mundo deificado y de unos hombres que viven la naturaleza exultante alcanza una gran belleza y, sobre todo, enmarca
el problema de la existencia.

Rapsodia de Aglae es la tragedia de Eros y Pan, vivida por
una adolescente. En un medio pastoril, el *discóbolo* y el *rapsoda,*
los prototipos humanos, aman a la doncella. El rapsoda, ciego y
viejo, intuye la belleza. El discóbolo, joven y fuerte, se siente do-
minado por el deseo. Un personaje, Epironides, la madurez reflexiva, sostiene: Han muerto los dioses. Pero la doncella ama a los
dioses, baila para ellos y dice: ". . . Arrojados por los hombres,
trotaron, huyendo hacia las selvas, tropeles de biformes centauros,
que llevaban inclinada la humana frente como bajo el peso de una
amarga tristeza. De sus brazos pendía el arco lanzador de flechas. . .

Tras las rocas calló la voz de los egipanes, y enmudeció la siringa de los viejos faunos; los coros danzantes de las ninfas dejaron sus danzas que bailaban al son de divinas liras, en los hondos bosques, a la orilla de las fuentes. ¡Pastores, pastores...: Temed la divina venganza!" La doncella acierta en su aviso, pero ignora que el sacrificio será consumado en ella misma, cuando, fascinada por la flauta de Pan, reciba del discóbolo el lanzazo que le impedirá su unión con el dios. Y Epironides cierra la obra diciendo: "¡Los dioses vuelven! Los dioses vuelven... y piden sangre! ¡Y la sangre, para saciar su cólera divina, corre sobre la tierra fecunda; y el dolor hace gemir, dentro de su pecho, el corazón descreído de los hombres!... (Al dios) ¡Oh, Pan, divino amador de ninfas! Tañe tu siringa agreste; llora en ella tu negro y desdichado amor, porque en los dioses y en los hombres, una vez más, se cumple la sagrada voluntad de Zeus!...[262].

De menor aparato escénico, es trágico el segundo poema dramático, *Andromos,* en el que se presenta una variante original del tema de Edipo, con dos modificaciones, el incesto sustituido por la lucha de clases, y la madre por la hija. Andromos, el hombre sacrificado por el bien del pueblo, roba el tesoro del templo para saciar a los hambrientos.

...¿Quién te indujo a robar el tesoro sagrado?

ANDROMOS:

Crisea, también el hambre de los hombres es sagrada. ¿Preguntas quién me indujo a violar el santuario? ¿Quién, sino su propio corazón, impulsa al hombre al bien o al mal?

A petición de Crisea, de la que más tarde se sabe que es su hija, y por violenta imposición del pueblo, veleidoso desagradecido, Andromos es cegado: "¡Cuán implacable fue para con él la ira de los dioses!".

Años antes, Fernando Centeno había publicado su *Angelus,* con el que había iniciado su hacer poético. Aunque perteneciente a la búsqueda de la sonoridad versificadora, presentaba la temática de *El Angel y las Imágenes,* diluida en un ambiente que ha sido comparado con el de las *Florecillas* de Francisco de Asís.

Básicamente, *Angelus* vive una actitud estética:

Todo es bello. La armonía existe en todo:
en el tiempo, en el espacio y en la nada.

---

262 Sería interesante la comparación por antítesis con la visión de los *dioses que huyen* de Pío Baroja en su *Jaun de Alzate.*

Aunque en forma intermitente, se prenuncia ya el análisis existencial en forma poética: "Tú [mi alma] vas buscando la "verdad desnuda",/yo voy soñando que la vida es sueño". Y el hombre deviene eje del mundo: "En tí [el hombre] existe el final de toda cosa/y el principio de todo lo creado".

Esa búsqueda de radicalización del mundo en el hombre se tiñe en *Angelus* del tema de la divinidad:

> Mi silencio está lleno de armonía;
> extrañas voces pueblan mi silencio.
> Callo para escuchar lo que otros dicen
> y para oír al dios que llevo dentro.
> . . .
> A Dios no se le ve, se le interpreta.
> . . .
> Y encontrarás a Dios en cada cosa.
> . . .
> ¡Sólo Dios calmará tu sed ardiente,
> cántaro de ilusión, cántaro mío!

Lentamente, creando mundos bellos, Fernando Centeno se abisma en el lenguaje como realización del ser mentado, y abandona progresivamente la simple satisfacción en la euritmia. Es la búsqueda, como dice en *Signo y Mensaje,* de "la palabra inédita/—que aún no ha sido dicha porque es cada hombre".

La identidad de pensar-hablar eleva así al lenguaje pleno a la categoría más alta:

> La palabra fue siempre.
> Antes de todo, era el Verbo.
> Un día, los dioses fijaron la palabra
> en la boca y en la mano de los hombres
> y la ataron a su propio pensamiento.

Así empieza *Signo y Mensaje.* Pero ese *signo* sólo se trueca en *mensaje* cuando el poetizar hace el mundo, "deidad de la tierra sin dioses".

El adentramiento en el poetizar es aventura con riesgo, sobre todo cuando se lo busca esencialmente. Fernando Centeno emprende entonces una nueva ruta de acoso dejando el verso como complemento, para poetizar en prosa. En los últimos años ha dado cuatro ensayos poemáticos; el verso es absorbido por la tensión significativa de la palabra.

Los ensayos son sobre el hombre y desde el hombre.

"Creo en la poesía porque creo en el hombre", es el punto de partida. Y ese hombre es un "alma predestinada al infierno de la interrogación y de la rebeldía, al clima celeste de lo poético". "El hombre genera la poesía y ésta crea al hombre". Y en esta autocreación desesperada, se estremece "el hombre en busca de su dios". Pero "Dios... fue avaro de su voz y su palabra". Esas escalas temblorosas tendidas a lo alto al construir *su* nombre con la palabra culminan en un unamunesco: "Magnifiqué el vivir, y el alma se me escondió a llorar junto a la muerte".

Y el hombre se muta entonces en *El Hacedor de Sueños*. Y el hacedor de sueños sueña y se sueña: "Amé las cosas levantadas y puras: el cisne y su ángel; la beatitud del agua y de la espiga; la llama apasionada, que se desmaya y muere en los brazos del viento..."; "Amé al hombre y su pequeña eternidad"; "Amé lo santo y lo sagrado"; "Dialogué con las imágenes solemnes". Pero el sueño del soñador carece de la beatitud; "En la hora dolorosa... a las potencias etéreas preguntó mi angustia: ¿Por qué despedazasteis su ser casi intangible?"; "Yo amaba al hombre más que al arte:... y nuevamente interrogó mi angustia: ¿Qué queda o perdura de su tránsito?". Así, el sueño es plenamente angustia vigilante y "mi corazón no era de la estirpe clara de los héroes y perdió sus sueños. Mi verdad pereció con ellos".

La aceptación de la nihilidad del ser-soñador del soñador consagra al hombre en su soledad: "Heme aquí; soy Juan, viñador, y vivo en soledad". Es el renuevo plenificador del hombre que se otea desde su hondura: "viñador atento de mí mismo, en la vida de la vid y en mi vida, voy tomando noticia de que existo, advierto la realidad de mi existir: ...Recobro la mirada adánica, el asombro del "primer hombre": junto al lecho del alba, asisto al nacimiento de la luz; ..." "Hombre recién nacido a la visión del mundo, emerjo de mí mismo, como la tierra después de que bajaron las aguas".

La soledad se preña de ser. Y *Juan el Solitario* es. Y al ser Juan el Solitario, todo en él es. Y la angustia, siendo, se trueca ansiedad:

"A mi soledad un dios ha descendido, y ansío hablarle de la vida y de mis dioses al Huésped de mi pecho. Le hablo de la muerte. (¿No es la vida, muerte que continúa *siendo?*)".

En la soledad *crece* el· alma: el dolor de los hombres es celeste vendimia.

Fernando Centeno se ha definido de esta manera: "Mi vida es sencilla y se proyecta en dos directrices...: la enseñanza y el arte. Consagro el mayor tiempo al servicio de la pedagogía especializada, a la rehabilitación de individuos psíquica o físicamente defectivos. La otra inclinación, ..., me ha impelido a escribir siempre. En la adolescencia, trataba de expresar el deslumbramiento que me producían las cosas visibles. Ahora, mi visión se ha vuelto introspectiva, más alejada de las formas y del mundo cognoscible. . . .la comunión anímica con, las fuerzas naturales o metafísicas. Fiel a la realidad de nuestro tiempo, me interesan hondamente: la vida cósmica; los fenómenos telúricos; la agonía del hombre". . .

Esencialismo verlainiano, en trance heleno a lo Hölderlin, y muy próximo de una actitud existencial latente, son coordenadas de este poetizar entitativo.

"Según los cánones griegos más sagrados, la poesía es filosofía, y la obra de Centeno Güell es sentenciosa, definidora; es filosófica"[263]. Este carácter se intensifica todavía en *Las danzas de Job,* inédita, obra maciza y de culminación: La rebeldía de Job, frente a la divinidad que no responde.

* * *

Acaso sea su último ensayo, *Intima Búsqueda,* 1975, pp. 17, el que plasma de manera más directa la problemática, ya anunciada en los *Ensayos Poemáticos*: el hombre hacedor de mundos y de dioses, poetizador de la existencia concreta, vislumbrador de trasuntos inquietantes:

"Tenía alma de niño y madurez de hombre.

"Amó el contacto con los buenos y conoció la Bondad.

"Viandante, llevó el morral henchido de belleza.

"Su vida fue la sombra de un ala sobre el agua.

"Su muerte. . .? quién podría recordarse de su propia muerte. . .? La muerte es un sueño que nunca recordamos".

O B R A S

Lirios y Cardos, 1926.

La mendiga del Pinar, 1927.

Carne y Espíritu, 1928, (San José, Tip. La Tribuna), 63 pp.

Poesías, (San José, Tip. La Tribuna, 1928).

Angelus, (Gijón, España, Ed. La Fe, s. a. [1940], 128 pp.

Rapsodia de Aglae, (1ª ed. Barcelona, Ed. Nadal, [1933]; 2ª San José, Ed. El Cuervo, 1950), p. 70.

"Andromos", ed. con la anterior, p. 73-108.

---

263 Mario Alberto Jiménez, "La Nación" (27 marzo 1960).

Evocación de Xande, (San José, Ed. "Repertorio Americano", 1950).

El Angel y las Imágenes, (San José, Imp. La Española, 1953), p. 69.

Signo y Mensaje, (San José, Ed. "Repertorio Americano" 1950), p. 31.

Perenne Luz, "Poesía de América", II, 1 (1953), p. 9-10.

Donadora de Gracia, "Poesía de América", IV, 1 (1955), p. 7-8.

El hombre en busca de su dios, (San José, Publ. Centro Médico Cultural, 1956), p. 18.

[varios trabajos], "La Prensa Libre" (22 julio 1959).

Poemas..., "brecha" III, 12 (1959), p. 14-15.

El Hacedor de Sueños, (San José, Pub. Centro Médico Cultural, 1960), 15 pp.

Vendimia de Juan el Solitario, (San José, Pub. Centro Médico Cultural, 1960), 16 pp.

Ensayos poemáticos, (México, Ed. América Nueva, 1961).

Los nombres de la luz, "brecha", VI, 1 (1961), p. 5-6.

Ensayos poemáticos, 1961, 1972.

Las danzas de Job, 1970.

BIBLIOGRAFIA

AZOFEIFA, ISAAC FELIPE, *Fernando Centeno, un poeta dueño de su voz,* "Diario de Costa Rica" (25 junio 1950).

BONILLA, ABELARDO, *El Profesor...,* "Diario de Costa Rica" (1950).

BONILLA, ABELARDO, *Hist. y Ant. de la Lit. Costarr.* (1957), p. 268-270.

CAÑAS, ALBERTO F., *Apuntes sobre un poeta,* "La Nación" (12 febrero 1960).

CARDONA PEÑA, ALFREDO, *El Angel y las Imágenes,* "Repertorio Americano", XLVIII, 4 (1953), p. 58.

GONZALO DOBLES, CARLOMAGNO ARAYA. *Dos juicios...,* "Diario de Costa Rica" (1 febrero 1953).

JIMENEZ, MARIO ALBERTO, *Poesía y Medicina,* "La Nación" (27 marzo 1960).

LOBO, MARIO, *Fernando Centeno* "Ande", I, 2 (1958), p. 47.

Los últimos tres libros..., "Diario de Costa Rica" (2 julio 1950).

"LUZ DEL ALBA", [José Fabio Garnier], *Aglae, 'la divina pastora,* "Además", supl. "La República". Nº 58, p. 5.

"LUZ DEL ALBA", *Evocación de Xande,* "Además"..., supl. "La República", Nº 79, p. 9.

"LUZ DEL ALBA", *Andromos,* "Además"..., supl. "La República", Nº 86, p. 12.

"Luz del Alba", *Del alma nacen alas*, "Además"..., supl. "La República", N° 96, p. 12.

[I. Montenegro], *Nueva obra poética*, "Diario de Costa Rica", (11 enero
1953).

Montenegro, Isberto, *Elegía en cuatro tiempos*, "Repertorio Americano",
XLVII (1951), p. 8-9.

Picado Umaña, Mario, *Algo más sobre*..., "Diario de Costa Rica" (1
marzo 1953).

R. S. [Rogelio Sinan], *Fernando Centeno*..., "Panamá América", (29
julio 1951).

Rojas Vincenzi, *Centeno Güell*, "Cultura", II, 32 (San José, 1930), p. 1-2.

Saenz, Carlos Luis, *El Angel y las Imágenes*, "Repertorio Americano".
XLVIII, 9 (1953), p. 142.

Saenz, Carlos Luis, *Evocación de Xande*, "Repertorio Americano" XXX,
14 (1950), p. 218.

Ulloa, B., Ricardo, *Ensayos poemáticos de Fernando Centeno*, "brecha",
VI, 1 (1961), p. 1-4.

"Un Lector", *El Libro de Fernando Centeno*, "La Prensa Libre" (13 febrero 1953).

Vincenzi, Moises. *Cultura poderosa y alegre*, "Diario de Costa Rica" (28
marzo 1953).

Vives, Lorenzo, *El Angel y sus Imágenes*, "Diario de Costa Rica" (6
febrero 1953).

Vives, Lorenzo, *El mensaje de Fernando Centeno*, "Repertorio Americano"
XXXII, 1130 (1951), p. 151.

Manuel Picado

Nació en Cartago en 1910. Bacteriólogo de profesión. Hombre inquieto, reside en París desde 1959. El poeta es el hombre
que canta. Y el hombre que canta es el creador de las cosas, pues las
cosas sólo existen cuando en ellas culmina la belleza. El habla es
poesía o es enmascaramiento de la verdad. Por eso no hay "buenos" o "malos" poetas; hay hombres que poetizan la verdad de
las cosas y hay hombres que viven del poetizar ajeno. Estas reflexiones me volvieron a la mente, quién sabe desde qué recovecos de
la memoria, leyendo la *Sinfonía del Camino* de Manuel Picado
Chacón.

"El camino es ovillo que tiramos muy lejos", podría ser el
verso que sirviera de frontispicio al poema, poema que sólo canta
el camino como ser que solo es para quien lo camina. La estructura última del camino consiste estrictamente en su ser-recorrible, y

es quien lo recorre quien le asigna su metal. La angustia de la vida, sin embargo, se hace presente porque "cada cual va en el ritmo de un camino sin meta", y así:

> "El camino no nace, nacen sólo las ansias;
> lo tejemos andando, lo engendramos naciendo".

La radicalidad del problema inside en que el camino se abre al ser recorrido. No hay el camino; sólo hay el caminar, que tras sí deja un camino, y que va abriéndose desde sí mismo. Pero el caminar humano es un proyectarse hacia adelante que logra materializar como camino lo que aún no es camino:

> "El hombre siempre es nómada porque en su germen lleva el dolor infinito de las cosas lejanas".

Por definición, diría, las cosas lejanas son lejanas, es decir, inalcanzables; de ahí, que merezcan ser despertadoras de dolor al ser inalcanzables. Y tan sólo una meta inalcanzable es digna culminación de un camino de hombre.

El poeta es el varón poseedor de la intuición esencial, que acierta a plasmarla en realidades. Todos los hombres recorremos nuestros caminos, cada uno culebrea el suyo, pero pocos alzan la voz y delimitan la ultimidad del suyo. Ahí, en la vivencia nítida hecha verbo, encuentra la inteligencia del hombre anquilosado la esencia de su propia estructura existencial: y si quiere vivirse como ser que es algo más que un yacer, tiene que incorporar a su propia estructura la conciencia, ganada en el poema, de su forma de existir.

Alguien dijo: "Cerrad los ojos y seréis felices". Pero el que esto dijo miraba muy fijamente el camino surgido de su propio caminar. Dichoso el poeta que, al menos, eleva la tragicomedia de la existencia a la categoría de obra bella.

O B R A S

Aljaba, Caracas, 1943.

Sinfonía del Camino, 1948, 1951; 1958, 17 pp.

Sonetos del Amor, del Olvido, de la Muerte, 1962.

B I B L I O G R A F I A

BONILLA, A., *Hist. Ant. Lit. Costarr.,* I (1957), p. 409-411.

LEITON GRANADOS, FRANCISCO, *Ensayo de Ensayo en torno al pensamiento de Manuel Picado Chacón,* "brecha", III, 11 (1959), p. 17.

TEORIA DE LA CIENCIA

Situación general

En el siglo XIX lo más que se puede barruntar son los atisbos de iniciación de la difusión del materialismo, centrado en la figura del Barón d' Holbach[264], uno de cuyos propagadores fue Máximo Jerez[265], como complementario del positivismo; así como Honorato de Balzac[266].

Hay que entrar ya en el siglo XX y llegar hasta los ataques de Roberto Brenes Mesén contra el positivismo dogmático de Carlos Gagini para encontrar planteamientos filosóficos.

Mencionaremos a Carlos Gagini en Psicología. Filólogo, mantuvo. un positivismo materialista[267]. Su tetralogía fue: Comte, Lamarck, Darwin, Spencer[268].

Roberto Brenes Mesén, antiguo discípulo suyo, se distanció de su postura desde 1893[269]. Tuvieron dos acaloradas polémicas. La primera en 1905, a raíz de la publicación de la *Gramática* de Brenes Mesén, la cual atacó duramente y con injusticia Gagini, acusando de plagio: en 1907 publicó Gagini sus *Elementos de Gramática Castellana,* como una respuesta. El trasfondo era ya la antítesis entre materialistas y espiritualistas[270]. La segunda polémica se prolongó de 1917 a 1918 y se centró en el concepto de ciencia. En 1917 publicó Brenes Mesén su *Metafísica de la Materia,* a la cual contestó Gagini en 1918 con su *La Ciencia y la Metafísica,*

---

264 "El Mentor Costarricense", 15 (22 abril 1843), p. 54-56.

265 Enrique Guzmán, *Diario Intimo* (13 julio, 7 septiembre, 9 septiembre 1876).

266 Enrique Guzmán, *Ib.* (20 agosto 1876).

267 "Como profesor de idioma costarricense y de filosofía, don Carlos Gagini ha realizado el mejor tipo de su tiempo, tanto en el campo de la enseñanza escolar . . . como en el de la enseñanza por el libro", Elías Jiménez Rojas, *Don Carlos Gagini,* "Eos", 68 (1918). Reprod.: "Rev. Costa Rica", VI, 4 (1925), p. 78.

268 A. Bonilla, *Hist. Lit. Costarr.* (1947), I, p. 156.

269 *El Itinerario,* "Repertorio Americano", XLIII, 2 (1947), p. 2.

270 Roberto Brenes Mesén, *Respuestas breves* [a Carlos Gagini], "La Prensa Libre" (diez entregas, noviembre 1905); *Carta abierta . . .,* "La Prensa Libre" (16 diciembre 1905); *Carlos Gagini,* "La Revista Nueva", 2 (1906).

prologada por Elías Jiménez Rojas[271]. Es una de las polémicas más violentas que ha habido en el país, y en ella se cruzó la rivalidad profesional.

Como materialista positivista destacó también Elías Jiménez Rojas, que ya hemos estudiado. Igualmente, Vicente Lachner, que mencionaremos en Psicología[272].

Ya superado el positivismo dogmático, en Costa Rica encontramos dos campos que han sido objeto de inquisición filosófica en sus linderos con la filosofía, por parte de científicos: el biológico y el matemático.

Clodomiro Picado, que veremos en detalle, inició los estudios biológicos, que son, como disciplina, los de mayor desarrollo y calidad en el país. Otro nombre que veremos en este capítulo es Antonio Balli. También son valiosos los de Rafael Lucas Rodríguez y John L. de Abate[273]. Claro es que no recojo aquí las referencias a los trabajos propiamente científicos.

Rafael Lucas Rodríguez, Director del Departamento de Biología en la Universidad, autor de sugerentes trabajos sobre representaciones gráficas de series filogenéticas[274], dentro de la corriente neodarwinista, que ha sabido exponer con talento[275].

Merece muy especial mención el Príncipe Michel Sturdza, rumano, antiguo diplomático, ex-Ministro de Asuntos Exteriores de Rumanía, residente en Costa Rica desde 1947. Autor de numerosas obras de política, deseo señalar ahora su estudio: *Hacia una nueva filosofía de la vida y una posible síntesis de lo teleológico y de lo causal*[276]. Con un amplio conocimiento de las corrientes biológicas, ataca fuertemente al neopositivismo neodarwinista y recaba la necesidad de una concepción vitalista. Rechaza el instinto como hipótesis, sostiene la herencia animal de la memoria, y la insuficiencia de la ciencia positiva actual para explicar los fenómenos y procesos vitales.

En el campo matemático, la influencia del filósofo español Roberto Saumells y las ideas de Luis González destacan, como ve-

271 Omar Dengo, *Metafísica y Ciencia* (1918). Reprod.: *Escritos y Discursos* (1961), p. 133-136; *Ciencia y Libertad* (1918), en: Ib., p. 383-388; *Ensayismo y troglodismo* (1918), en: *Ib.*, p. 388-392.

272 "... no existen ni cuerpos ni fenómenos sobre-naturales porque ellos estarían sobre o fuera de lo natural, irían contra las leyes de la Naturaleza y éstas no serían entonces eternas e invariables, ni serían leyes, *Introducción a las Ciencias Físicas*, (San José, Imp. Lehmann, 1935), p. 5.

273 *La evolución hasta Darwin y Wallace*, "Rev. Univ. C. R.", 19 (1959), p. 17-28. Vid.: "Rev. Filos. Univ. C. R.", III, 9 (1961), p. 131-132.

274 *A Graphic Representation of Bessey's Taxonomic System*, Madroño, X, 7 (1950), p. 214-218; *A Graphic Representation of Hutchinson's Phylogenetic System*, "Rev. Biología Tropical", IV, 1 (1956), p. 35-40.

275 *El evolucionismo contemporáneo*, "Rev. Univ. C. R.", 19 (1959), p. 29-42.

276 "Rev. Filos. Univ. C. R.", II, 6 (1959), p. 27-42. Obras, en p. 27, nota.

remos, acompañados en la preocupación por el concepto de la Matemática y por la Teoría de los Métodos por otros profesores, como José Joaquín Trejos, Decano de la Facultad de Ciencias y Letras, Vocal de la Asociación Costarricense de Filosofía[277], Rafael Angel Llubere[278] y Enrique Góngora[279]. Aunque no ha publicado de filosofía, debo señalar las magníficas traducciones de Heidegger y Mickiewick publicadas en la "Revista de Filosofía" por el extraordinario matemático Olgierd Biberstein.

En teoría y metodología de la Sociología puede citarse a Gustavo Santoro, autor de valiosos estudios sociológicos[280]. Actualmente, profesor en El Salvador.

En 1973 se creó, en la Universidad Nacional, un Instituto de Filosofía e Historia de la Ciencia y la Técnica. Director: Dr. Roberto Murillo. Profesores: Dr. Constantino Láscaris, Ing. Eliot Cohen, Arqu. Roberto Villalobos, Dr. Francisco Alvarez.

Clodomiro Picado

Clodomiro Picado fue un biólogo. Como tal, no debemos estudiarlo en esta obra. Sin embargo, a consecuencia de que no era neopositivista, en su estudio fundamental, *Vaccination contre la Sénescence précoce,* (París Libr. le Francois, 1937), por encima del cúmulo de experiencias y datos, planea una concepción del hombre y de la vida fruto de personal especulación, que considero de interés filosófico. También veremos sus ideas sociales y políticas.

Hijo del Clodomiro Picado profesor de filosofía en el siglo XIX, que vimos, nació en San Marcos de Nicaragua en 1887. Estudió en París, en cuya Universidad se doctoró en Biología en 1913. Profesor e investigador en Costa Rica desde 1914 hasta su muerte, acaecida en 1944.

Uno de los grandes cerebros científicos del Continente, autor de estudios altamente prestigiados, se especializó en Gerontología, aunque en su tiempo todavía no se había vulgarizado la palabra. A él se debe la iniciación de los estudios biológicos en el país, ciertamente los de mayor calidad científica.

---

277 Véase la exposición de su pensamiento en el capítulo de "Filosofía de la Educación".

278 *Naturaleza y Fundamento de la Ciencia Matemática,* Imp. Aurora Social, 1961, p. 50. "Galileo . . .", *El Universitario,* VIII-IX-1966.

279 "De la categoricidad de los axiomas en la Matemática actual", II Congr. E. de Filosofía, San José, 1961. *Introd. a la Teoría de las Categorías,* Univ. de Costa Rica. "Evolución del Algebra: Categorías", *Rev. de Filosofía,* n. Y estudios matemáticos puros.

280 *Bertrand Russell y la crisis del dogmatismo sociológico,* "Rev. Univ. C. R.", 16 (1958), p. 63-76; *Las bases de la Sociología científica,* "Rev. Filos. Univ. C. R.", II, 6 (1959), p. 7-25; *Analogías biológicas en la Sociología,* "Rev. Univ. C. R.", 19 (1959), p. 91-103.

La siguiente es su visión de la investigación:

"A las tablas de la ley les falta el onceavo mandamiento: desconfiar de sí mismo y del prójimo. Condición esencial en su trabajo es no creer que la primera cosa que uno encuentra es la verdad. Uno puede estar errado y los otros que discuten también pueden estar errados. Hay que desconfiar de la ley. Sentir la obligación de renovar, de investigar, en condiciones que no sean de interés o egoísmo. No desconfianza que se convierta en inercia sino desconfianza que impulse a la búsqueda. La verdad es temporal. Lo que hoy parece cierto puede ser cambiado mañana a la luz de descubrimientos nuevos. Pero para esto se necesita paciencia.

"Creo que ella [la investigación] tiene sus raíces en las tendencias instintivas. Uno que investiga es uno que tiene impulso atávico de cazador. Todos los seres humanos tienen el impulso de la curiosidad: en algunos se desvía hacia el juego, en otros se satisface en la investigación. Al que tiene acentuado ese impulso hay que ponerle una pieza de caza que valga la pena"[281].

Este hombre inquieto y sistemático, apasionado por saber y agnóstico, de gran vitalidad y obsesionado por la vejez, científico vitalista y materialista integral, desarrolló una larga serie de investigaciones durante más de diez años, para llegar a la honesta conclusión de que para retrasar la vejez el mejor camino es vivir higiénicamente y que la mejor vacuna contra la senectud consiste en vivir pacífica y morigeradamente.

"Una concepción no encontrará nunca sitio en estas líneas [Vaccination...,], la de perpetuidad o inmortalidad. El concepto de estabilidad nos parece incompatible con la idea de movimiento. Pero, siendo la vida movimiento, excluye la idea de perpetuidad, tanto para el individuo como para la especie: lo que marcha se encamina hacia un fin. Tampoco queremos evocar las ideas de destrucción y de nada; un fin es simplemente una etapa ya vivida" (p 13).

En Biología ningún proceso es reversible, afirma; de ahí, que todo intento de "rejuvenecer" está destinado al fracaso, lo único que se puede intentar es retrasar el proceso de envejecimiento.

"...a medida que avanzamos en la serie de los seres vivos, nos encontramos con que la muerte de los individuos llega a ser, no sólo indiferente, sino necesaria para la conservación de la especie, la cual muy bien puede ser considerada como una individualidad superior colonial; los individuos no serían más que las cúspides, temporales y destinados a desaparecer, dado que el encombramiento ilimitado es incompatible con la vida cómoda y normal de la especie... *la necesidad de la muerte individual ha evolucionado para-*

281 E. Gamboa, *Con . . . ,* "Rev. Arch. Nac.", VIII, 5-6 (1944), p. 270.

lelamente a la especialización de los tejidos y al perfeccionamiento de las especies" (sic) (p. 28). "Para la continuidad de la evolución, también las especies deben sucederse unas a otras de la misma manera que vemos ahora a los individuos sucederse unos a otros; es el franqueamiento de la hedionda perennidad vegetativa que pagamos con nuestra vida" (p. 29).

Comparando al hombre, único animal que se queja de la vejez, con las otras especies, se ve que "las cifras ... nos muestran, con una desilusionadora evidencia, que el hombre ha sido, en cuanto a longevidad, el mejor dotado entre los Mamíferos y que, en buena justicia, no tiene mucho derecho de quejarse" (p. 36). "Cuanto más se diferencia una especie, más ineluctable se hace la necesidad de la muerte individual" (p. 57).

El envejecimiento es estudiado biológicamente, y le halla causas externas a internas: "la senilidad, fenómeno filogenéticamente evolutivo, será debida, lo mismo que la muerte al predominio de los productos de auto-intoxicación sobre las substancias anti-autotóxicas elaboradas por el organismo" (p. 66). Por ello, la muerte natural debe ser precedida por el instinto de la muerte y ser deseada lo mismo que se desea el sueño tras un día de fatiga. Y tras citar a Spencer (y claro es que tras largas enumeraciones de experiencias), sigue: "...una vida conforme a la naturaleza verdadera, liberada de las disarmonías que todavía subsisten; ... el cumplimiento del ciclo armónico de nuestra evolución normal. Esta naturaleza humana ideal, sin discordancias, no viciada como hoy aún lo está, sino enderezada, será la obra del tiempo y de la ciencia. Realizada al fin, podrá servir de base sólida a la moral individual, familiar y social. La juventud sana, apta para la acción; la edad adulta prolongada, símbolo de fuerza; la vejez normal, propia para el consejo, tendrían su lugar natural en una sociedad armoniosa" (p. 83). Y así la muerte "llegará a ser, después de una larga vida sana y exenta de accidentes morbosos, un acontecimiento natural y deseado, una necesidad satisfecha" (p. 84).

A continuación, sigue un despacioso estudio de las secreciones internas, desde el punto de vista de la edad, en cuyo detalle ni puedo ni debo entrar, así como tampoco en su desarrollo de los que llamó "anti-cuerpos de vejez" (p. 145).

Sí señalaré los dos peligros que encuentra: el desarrollo acelerado, precocidad, que lleva consigo la senilidad precoz; y el más terrible del aumento progresivo de talla, que en la historia de las especies animales es anuncio de extinción (p. 156).

Desecha la teoría estrecha que liga el sexo a los cromosomas y admite la posible mutabilidad sexual: no es solo un problema de orden genético, sino mucho más complejo.

"Desde hace muchos años, el hombre se ha esforzado por fijar las bases que conducen, por una parte, a abreviar el ciclo vital de las especies vegetales y animales que comparten con él este breve viaje de vida terrestre, mientras que, por otra, trata de prolongar la duración de su propia vida, para poder, como un "Rey de los Cuervos", aprovechar mayor tiempo, en su propio beneficio, la cosecha que prepara para la muerte" (p. 183).

Y después de estudiar las reacciones de los tejidos a posibles intentos de vacunas, concluye contra el deseo de tener hijos precoces, pues ello va contra la estructura de la especie, así como contra los intentos de prolongar la senilidad con sus últimas miserias fisiológicas. Para prolongar la madurez, debe retrasarse ésta (p. 222-223).

Las "Consideraciones finales" las inicia con un muy duro ataque al concepto de "tiempo fisiológico" o "tiempo interior" de Leconte Du Nouy, Carrel y Bergson:

"...el sedicente tiempo fisiológico no sería otra cosa que el conjunto de tres factores diferentes actuando solos o asociados: la actividad, la energía y el ritmo" (p. 224). Pero tampoco queda mejor Einstein: "Acaso llegará un día en que los biólogos se lamentarán del tiempo en que la concepción einsteniana del "tiempo como cuarta dimensión", vino a cancerar la Biología y poner trabas a la obra, por lo demás tan descollante, de los grandes sabios que se han dejado contaminar por variantes inútiles de esos espejismos del espíritu" (p. 225).

No lo dice, pero se entiende: toda teoría del tiempo biológico es pura ilusión. Y aunque no lo afirma, lo da a entender: la postura lamarckiana era más seria[282].

También es interesante esta otra conclusión: "No podemos, ..., considerar al individuo como un complejo formado solamente por el "soma" y por el "germen", sino más bien como un "soma que reacciona,..." (p. 225-226).

Conclusión: el higienismo es la mejor preservación contra la senilidad precoz. Los inmunólogos tratarán de vencer las disarmonías biológicas, en la lucha en favor de la Orthobiosis. Y termina citando la divisa del viejo reloj de sol: *"vulnerant omnes, ultima necat"* (p. 229).

Esta concepción se halla inserta en una teoría de la Vida. Como hombre inquieto, Clodomiro Picado no podía dejar de hacerse la pregunta integral:

---

282 *Vid.* el capítulo "Consideraciones sobre lamarckismo y darwinismo", en *Biología Hematológica* (1942), p. 109-131. Rechaza todo finalismo. Igualmente, el concepto de "preadaptación". Da preferencia a "la concepción lamarckiana, de la influencia del medio y modificación por el uso prolongado de un órgano", así como la de que "el desuso lleva a la atrofia de los órganos". Pero no rechaza totalmente la selección natural, doctrina que usa como complementaria. p. 342-346.

"Cuando, dentro del terreno de la Ciencia experimental, nos formulamos la pregunta de ¿Cuál es el principio de la Vida?, mal que nos pese, hemos de confesar nuestra profunda ignorancia. Puede, por otra parte, que la pregunta esté mal formulada al hacerlo en singular, pues si bien es cierto que dados nuestros escasos medios de percepción, concebimos la Vida como una manifestación protoplasmática, de actividad ininterrumpida, salvo por la muerte, y si para nuestra mente el concepto del ser vivo va unido a la manifestación morfológica, que en sus términos más simples y completos es la célula, los descubrimientos de sustancias tales como los Virus-proteína, conducen a la concepción de lo que puede llamarse "Vida Estática", es decir, vida guardada, condensada, por así decirlo, e incapaz de manifestarse a nosotros si no es por el intermedio de plantas o animales que sufran su ataque. Es entonces que adquiere el poder de Vida Dinámica,. . .

"No es, pues, en nuestros días, un absurdo el pensar que bien puede haber varias formas de vida y no una sola, unida al concepto morfológico de la célula. Los Virus-proteína nos marcan el límite entre la química y la Vida"[283].

El proceso de estas distintas formas de vida se da con arreglo a una ley universal:

"La repulsión parece ser la gran ley que domina el Universo y no la de atracción universal que sólo se ejerce temporalmente entre una y otra repulsión de ritmos desconocidos: los átomos tienden a dividirse en cargas eléctricas, las nebulosas espirales que constituyen nuestro cielo están expandiéndose: *repulsión en lo infinitamente grande como en lo infinitamente pequeño*.

"A cada uno de estos campos puede llegarse en vías de exploración con la idea de la *repulsión universal* y puede que ella produzca útiles frutos al analizar los problemas.

"En los campos de la vida, únicos que nos ha sido dado entrever, la Repulsión Universal o sea la respuesta antagónica, podría expresarse en dos leyes que provisoriamente formularíamos así:

"1º la Repulsión se ejerce en razón directa de la sensibilidad.

"2º la Respuesta antagónica está en razón inversa de la distancia que separa los estímulos"[284].

Esta ley de la Repulsión Universal es integradora y es misión del hombre perfeccionar sus resultados:

"Lo que necesitamos es la armonía en la vida; que nos llegue la muerte natural como llega el sueño, tras un día de fatiga", decía Clodomiro Picado como biólogo. Pero esta personalidad suya, toda

---

283 *Biología Hematológica* (1942), p. 371-372.
284 *La Repulsión, suprema ley,* "Anales Univ. C. R." (1944), p. 64.

rectilínea y volcánica, se manifestaba también en otros planos: poseído del respeto al hombre[285], clamaba contra las injusticias sociales y políticas. El siguiente párrafo puede servir de ejemplo:

". . ., el acabar con la totalidad de los cacicazgos caribeanos y el hacer una federación de todos estos territorios desde el río Grande de México hasta el Sixaola, y desde las islas Tortuga hasta la isla del Coco, es decir realizar el sueño del imperio de Iturbide, pero en forma de confederación socialista, es de imprescindible necesidad para el bienestar de América y para decoro del género humano"[286].

"Poderosa mentalidad de hombre de ciencia, de ciencia de seres vivos, su personalidad se traslucía radical en todo:

"Era un gran ciudadano y nunca rehusó expresar sus ideas —. . .— y lo hacía con sincera franqueza, con criterio original y elevado y con ironía que a veces era punzante.

"Su ideología era liberal, pero estuvo en contacto con la enfermedad y la miseria y muchas veces la censura contra la injusticia y los errores de la administración pública se separaba del ingenio y del talento y adquiría rasgos revolucionarios"[287].

En el campo de la moral social, justificó como necesaria la esterilización de ciertas clases de delincuentes[288].

O B R A S

Relación de trabajos científicos en

Titres et travaux scientifiques (1910-1933) *de Clodomiro Picado,* París, Libr. le Francois, 1934, Reprod.: "brecha", 5, 12 (1961), p. 16-18.

Publicaciones de interés ideológico o doctrinal:

Inmunización contra la vejez, "Repertorio Americano", XVI (1928), 172.

En Costa Rica resulta más difícil deshacerse de un libro que hacerlo. "Repertorio Americano", XXVIII, 5 (febrero 1934).

Don Cleto. . ., "La Tribuna" (28 marzo 1934).

Biología Hematológica, 1942.

---

285 ". . . Hubo siempre en la obra de Clorito el afán revolucionario de bienestar social derivado en una forma práctica e inmediata." ". . . su respeto total tanto dentro del campo científico, doctrinario, religioso o sentimental que él tenía por las ideas de los demás". Manuel Picado Chacón, "Rev. Arch. Nac." VIII 5-6 (1944), p. 263 ss.

286 *Ideario Costarricense* (1943), p. 359.

287 A. Bonilla, *Hist. Ant. Lit. Costarr.* (1957), I, p. 274.

288 *Biología Hematológica* (1942), p. 334.

Respuesta del Sr. ..., En: *Ideario Costarricense* (1943), p. 357-360. Reproducido de: "Repertorio Americano", XXIV, N° 953 (9 enero 1943), p. 7.

No nos tragamos el bodoque, "Rev. Arch. Nac.", VIII, 1-2, (1944), p. 25-28.

Pasteur y Metchnikoff, "Repertorio Americano" (1921).

Nueva quimera, "Repertorio Americano", XVII (1928).

BIBLIOGRAFIA

BONILLA, A., *Hist. Ant. Lit. Costarricense,* (1957), p. 273-274.

DENGO, OMAR, *Sobre la "Enseñanza Utilitaria, por C. Picado Twight,* "Repertorio Americano", III, N° 22 (1923), p. 298.

GAMBOA, EMMA, *Con el Dr. Clodomiro Picado...,* "Rev. Arch. Nac.", VIII, 5-6 (1944), p. 269-272.

KEITH, RAFAEL V., *Clorito Picado,* "Rev. Arch. Nac.", VIII, 11-12 (1944), p. 607-611. *Vid.:* "Surco", 48 (1944), p. 3-5.

NUÑEZ, SOLON, *Palabras... [sobre] Clodomiro Picado,* "brecha", III, 9 (1959), p. 7-8.

PICADO CHACON, MANUEL, *Clorito Picado...,* "Rev. Arch. Nac." VIII, 5-6 (1944), p. 263-269.

PICADO CHACON, MANUEL, *Biografía de Clodomiro Picado,* inédita.

SOLERA RODRIGUEZ, GUILLERMO, *Beneméritos de la Patria* (1958), p. 185-191.

SOTELA, R., *Escritores de Costa Rica* (1942), p. 434-445.

TRISTAN, GUILLERMO, *Clodomiro Picado Twight,* "Educación", V, 16 (1959), p. 14-15.

TRISTAN, GUILLERMO, En: "La Prensa Libre" (1 junio 1944).

ULLOA, S., ALFONSO, *Panorama Lit. Costarr., en Panorama das Literaturas das Américas* (1959), III, p. 940-961.

VALLE, R. H., *Hist. Ideas Contemp. Centro-América* (1961), p. 212.

Luis González

Los matemáticos se pueden dividir en dos grupos, uno grande y otro pequeño. El primero lo integran los "formalistas" o "convencionalistas": matemáticos puros, que hacen Matemáticas y prescinden cuidadosamente de qué son las Matemáticas.

El segundo lo integran esos algunos que no se satisfacen con hacer Matemáticas, sino que sienten la inquietud de preguntarse qué es lo que están haciendo; Husserl puede servir de ejemplo. El problema de estos algunos es que en cuanto se hacen esa pregunta, dejan de hacer Matemáticas para hacer Filosofía.

Luis González nació en 1905 en San José. Ingeniero Civil por la Universidad de Bruselas en 1934, es profesor de Cálculo Infinitesimal y de Mecánica Racional en la Universidad de Costa Rica. Matemático de profunda penetración, ha publicado tres ensayos, que acometen la estructura básica misma de la ciencia. Los tres presentan en común el plantear como problema las relaciones entre la ciencia y la lógica, es decir, señalan el problematismo de la vigencia de los principios lógicos en el campo de la Matemática y de la Física.

"Para el matemático, . . ., su Ciencia es algo palpitante de vida, es una cosa cambiante y en plena evolución".

". . .mientras la Geometría salió de manos de los griegos ya adulta, la Aritmética y el Algebra quedaron en pañales". Ello fue debido a que los griegos creían en la triple unicidad: unicidad del ser, unicidad de la verdad ontológica y unicidad de la verdad óntica. A consecuencia de esta creencia, los griegos creyeron haber descubierto "la" Geometría y no simplemente "una" Geometría, al significar para ellos "conocimientos de la verdad absoluta". Pero al llegar a la Geometría Analítica de Descartes, Geometría que es "la realización consciente y deliberada de un plan filosófico", se rompe la unicidad de la verdad óntica, al cambiar "el tipo de manifestación de los entes geométricos": ". . . ha despuntado un nuevo día y . . . las Matemáticas han emprendido el camino hacia la libertad", al abrir "al entendimiento las puertas de la cárcel tridimensional". "Otro aspecto renovador y, si se quiere, revolucionario de la Geometría Analítica es que introdujo en las Matemáticas la *indeterminación* como un elemento de trabajo", "porque la contextura misma de la Geometría Analítica consiste en un entramado de constantes *indeterminadas* y de cantidades variables". El advenimiento del cálculo infinitesimal constituyó el segundo punto crucial en la evolución del pensamiento matemático "El nuevo cálculo presentaba, en efecto, una dualidad misteriosa y desconcertante: por una parte, parecía estar basado en una contradicción muy manifiesta, y esto era lo que inquietaba a los puristas de la lógica; pero por otra parte conducía siempre a resultados correctos, y además su utilidad era palmaria". "El mundo de las Matemáticas presenta una polaridad; hay en él dos polos diametralmente opuestos: el polo de lo infinitamente pequeño y el polo de lo infinitamente grande. Pues bien, Leibniz y Newton fueron los intrépidos exploradores que en el siglo XVII exploraron el polo de lo infinitamente pequeño;" Esos exploradores nos hicieron una revelación sensacional: "nos dijeron que allá en ese mundo misterioso de lo infinitamente pequeño, no funciona el principio de identidad". "Yo sé que todo esto puede sonar en los oídos de muchos como una blasfemia lógica; pero ahora vamos a oír otra del mismo calibre": ". . .el mensaje de Cantor, cuando regresó de su viaje por ese mundo fantástico de lo infinitamente grande, era el siguiente: Que allá, en el otro polo de las Matemáticas, tampoco funciona el principio de identidad". Consecuencia: "El principio de identidad es al matemático, lo que la brújula es al navegante. Y así como la brújula resulta inoperante en los polos de la Tierra el principio de identidad resulta inoperante en los polos del conocimiento matemático. Pero renunciar al principio de identidad sería una actitud absurda, como si el navegante tuviera que renunciar a la brújula so pretexto de que es inoperante en los polos". "El principio de identidad, de suyo, no es ni cierto ni falso, sino que es operante o inoperante. Dicho de otra manera, el principio de identidad no es una verdad necesaria, sino que es una verdad contingente". Tras señalar las Geometrías no euclidianas, concluye: "Se ve claro entonces que, por lo menos en Matemáticas, la verdad ontológica no es unitaria, puesto que ahora nos encontramos en presencia de diversas Geometrías, incompatibles unas con otras y, sin embargo, exentas de contradicción interna". Esto se debe a que la Matemática no es la ciencia de la verdad necesaria, sino de verdades puramente formales; en sí no es ni cierta ni falsa. Y concluye así citando a Bertrand Russell: "La Matemática es la Ciencia en la cual uno nunca sabe de qué está hablando ni si lo que está diciendo es cierto o falso"[289].

La axiomática moderna ofrece, además, aristas difíciles al principio de identidad.

Parte de la consideración de la Geometría euclídea como dominada por una concepción filosófica realista. El matemático no "inventa" las propiedades de los seres que estudia, sino que los va a "descubrir" en los seres. Ello le confiere "su carácter de unicidad y de eternidad". Así, las "definiciones" de Euclides describen imágenes de cosas concretas, y hay concordancia entre la especulación matemática y el mundo de las realidades sensibles. Examinando los axiomas y los postulados, concluye que éstos son tan evidentes como aquéllos, pese a su definición habitual; no es en la evidencia donde reside su diferencia, sino en que enuncian verdades de naturaleza distinta: "los postulados son verdades de la intuición sensible, mientras que los axiomas son verdades de la razón pura". Los primeros serán, pues, verdades contingentes, y los segundos necesarias.

Por otra parte,... "los axiomas de Euclides, podemos ver que son simples variaciones, modalidades, o conclusiones muy inmediatas del principio de identidad, el cual pasa a ser el prototipo de la verdad necesaria".

Pero la Geometría ha pretendido siempre ser una ciencia de la razón pura, estrictamente lógica, aunque, hasta el descubrimiento de las Geometrías no euclidianas, no logró desvincularse entera-

---

289 *Tres . . .*, "Rev. Filos. Univ. C. R.", I, 4 (1958), p. 325-334.

mente de su andamiaje sensible. Este descubrimiento vino a revelar "que la posibilidad de las demostraciones matemáticas no reside en el contenido intuitivo de las proposiciones, sino solamente en su contenido relacional". Con esto se eliminó todo vestigio de intuición sensible. "Lo que las definiciones axiomáticas nos dan ahora son relaciones entre esos elementos, cuya única realidad consiste en estar ligados por esas relaciones", . . . Estas relaciones son convencionales. Así el postulado pierde su condición de verdad contingente.

En todo caso, ¿en qué relación queda la axiomática con respecto al principio de identidad? La libertad de que goza ahora el matemático para elegir arbitrariamente su sistema de postulados, ¿es realmente tan absoluta que pueda desentenderse del principio de identidad?"

Se suele señalar como condición de toda postulación el ser "no contradictoria", es decir, debe presentar coherencia lógica. "Dicho en pocas palabras, la postulación debe respetar el principio de identidad".

Ahora bien, esta regla no da "ningún criterio, norma o procedimiento que nos permita saber, a priori, si un determinado sistema de postulados es, o no, compatible con el principio de identidad.

Y esto presenta dificultades, tanto que las Geometrías no euclidianas necesitaron recurrir a un *modelo* para decidir su coherencia interna. Pero esto es volver a lo sensible, volver a una ontología, y se presta a dificultades.

"A mi entender, esto se debe a que en un mundo poblado de seres desprovistos de toda significación ontológica, que no son nada en sí mismos, y cuya única realidad consiste en poder efectuar con ellos operaciones matemáticas arbitrarias, ya no podemos proclamar la identidad de cada ser consigo mismo, por la sencilla razón de que esos seres, en sí mismos, no existen". El principio de identidad "no es un principio estrictamente lógico, sino más bien ontológico. Por ese motivo, la lógica aséptica se ve forzada a volver al mundo de la ontología cuando quiere cotejar una doctrina abstracta con el principio de identidad"[290].

La teoría de la relatividad, en otra ocasión, es el tema que provoca nuevamente la inquisición de las limitaciones de los principios lógicos.

Parte de la afirmación de que la relatividad, antes que una teoría física expuesta en lenguaje matemático, fue una profunda meditación filosófica sobre los conceptos básicos de espacio y tiempo, cuya concepción objetivista abandonó.

Pero la relatividad del espacio y del tiempo implica el principio de la unicidad del ser. La razón *deviene* y ha superado los esquemas

---

290 *La axiomática* . . . , II Congr. E. Interamer. Filos. (San José, 1961).

de la lógica formal. Tras examinar algunas "dificultades" (la ley de composición de velocidades, la velocidad de la luz) pasa a examinar el mundo tetradimensional de la Física relativista y sus condiciones para explicar el tridimensional en que vivimos; "muchas cosas que son imposibles en un mundo de tres dimensiones, resultan posibles en un mundo de cuatro"[291].

O B R A S

Tres puntos cruciales en la evolución del pensamiento matemático, "Rev. Filos. Univ. C. R.", I, 4 (1958), p. 325-344.

Meditaciones en torno a la relatividad, "Rev. Filos. Univ. C. R.", II, 7, (1960), p. 209-224.

Turbinas hidráulicas. (San José, Univ. Costa Rica, 1960), 225 p.

La axiomática moderna y el principio de identidad, II, Congr. E. Interamer. Filos, (San José, julio 1951).

Lugares geométricos, (San José, Univ. Costa Rica, 1962).

Antonio Balli

Alto, corpulento, típico italiano del Norte, profundamente individualista, Antonio Balli es un biólogo en el que se entremezclan profundamente el experimentador y el pensador. Consumado criador de abejas, tiene escritos profundos de investigador atormentado por la plenitud del conocimiento. Niega el aislamiento entre ciencia y filosofía: sin filosofar no se puede hacer ciencia.

Nació en 1907 en Correggio, Emilia (Italia). Ingeniero Agrónomo por el Instituto Agronómico de Gemblouse, Bélgica, en 1932; Doctor en Ciencias Agronómicas por la Universidad de Milán, en 1933; Ex Asistente y Director de Laboratorio en el Instituto de Zoología de la Universidad de Modena (1935); Libre Docente de Zoología (1940); Dirección de la Cátedra de Zooculturas (1954); Ex Director del Instituto de Zoología y Anatomía Comparada en las Universidades de Modena y Parma; desde 1957 profesor de Biología en la Universidad de Costa Rica, en la que actualmente es Director de la Cátedra de Zoología. De reputación consagrada en Zoología por sus numerosas publicaciones y premios, ahora aquí me interesa, no como zoólogo, sino por sus ideas filosóficas, y sobre todo por su doctrina acerca de la inteligencia animal. Sostiene que, siendo la Zoología una ciencia empírica, no se limita a la ordenación de descripciones de observaciones. En su estructura se dan

---

291 "Rev. Filos. Univ. C. R.", II, 7 (1960), p. 209-224.

juicios sintéticos a priori. Al ejemplo de Kant "la línea recta es la línea más corta entre dos puntos", podría, en Biología, contraponerse este otro: "La función de reproducción en los seres vivientes sirve para mantener con vida la especie". También este último puede ser considerado un juicio sintético a priori porque es suficiente que se lo enuncie para aceptarlo como una verdad. No es necesaria la experiencia para convencerse del fenómeno. Naturalmente, como en el caso de la "línea recta", se necesita saber primero qué cosa es; hablando de la reproducción debemos primero conocer las funciones, para convencerse, sin experimentar, que ella sirve para mantener con vida la especie entre los seres vivientes"[292]. Así, ve la Biología como ciencia formalmente justificada, por encima de la simple ordenación de datos empíricos.

No extrañará por consiguiente, que considere insuficiente el neo-darwinismo.

Parte del estudio de la "selección natural" y señala sucesivamente las deficiencias del planteamiento hecho por Darwin, ya que la selección así planteada no muestra la pervivencia del "más apto". No todos los fenómenos miméticos y sobre todo las coloraciones simpáticas de algunas especies, pueden ser explicados por un proceso de selección natural. Y después de un extenso análisis de argumentos, señala la repartición de los evolucionistas en dos grupos: los de ideas lamarckianas, que dan mayor importancia a la influencia del ambiente; y los de ideas darwinistas, que atribuyen muchísima importancia a la selección. "...pienso que una solución menos incierta podría ser buscada agrupando, de una cierta manera, ideas de las dos tendencias", pues se olvida "tomar en seria consideración el caso de una asociación entre animal y ambiente": "..., si los factores ambientales son tales que por sí permiten la exteriorización, veremos transformaciones en los animales que, por el hecho de depender de aquellos factores intrínsecos y si son hereditarios, continuarán siendo transmitidos a la descendencia, permitiéndolo el medio. En caso contrario, dichos caracteres intrínsecos continuarían manteniéndose escondidos. El ambiente, en suma, intervendría en el proceso evolutivo, no sólo en el sentido darwiniano, sino como catalizador en lo que, más o menos, concierne a la exteriorización de los mismos caracteres intrínsecos durante el curso de su evolución"[293].

Estudiando los *tropismos,* discute fuertemente el concepto de "reacción obligada", mediante el cual los biólogos neopositivistas explican aquellos procesos. Al negar la existencia de "instintos", establece zoológicamente las formas de comportamientos inteligentes

292 *Fundamentación científica de la Biología,* II Congr. E. Interamer., Filos. (1961).
293 *Evolución..,* "Rev. Univ. C. R.", 19 (1959), p. 43-82.

en los animales: "no creo que un animal —excepción hecha, por lo menos por el momento, de los unicelulares y de aquellos que pertenecen a los grados más bajos de la escala zoológica— pueda reaccionar a lo que denomina estímulos externos (tropismos) y estímulos internos (instintos) sin la presencia de un conocimiento de causa. A mi parecer, los animales son conscientes del ambiente en el cual viven y de sus propias necesidades, por lo cual, en presencia de estímulos, tanto internos como externos, deben responder con reacciones guiadas por un cierto grado de raciocinio. Para mí, tropismo e instinto son términos no apropiados,...". "...inteligente considero el comportamiento de los animales frente a lo que en Biología se considera tropismo". O bien, después de analizar un episodio de la vida de las abejas: "Este fenómeno, bien visible y notorio, comienza con un tropismo, seguido por una reacción que, por su complejidad y variabilidad en dependencia del medio y de las condiciones de la colmena, no puede ser considerada "obligada", sino inteligentemente escogida y acabada".

O sea, recurrir al instinto como medio para explicar la vida animal lo considera insuficiente: "para mí, la expresión "instinto" expresa algo de significado muy inseguro. Tan inseguro, como para proponer el extrañamiento de la palabra 'instinto' de la terminología biológica, al menos hasta el momento en que los estudiosos no hayan clarificado, o hayan clarificado más, su significado". Algo así como que los psicólogos hubieran querido colmar con esta palabra un vacío, pero sin haber logrado iluminar éste. "Si se debiera aceptar como existente el acto instintivo, en los términos comúnmente aceptados, deberíamos acordar que toda la vida se limitaría a actos instintivos, lo que no es posible ya que la vida misma es demasiado compleja". Pero incluso si se admiten instintos, hay que fijarles como *tutor* la inteligencia: "En el sentido que, cuando necesidades concretas llevan a un ser viviente a realizar una acción, que con excesiva ligereza tendemos a considerar como consecuencia de un acto instintivo, pronto debe tener lugar la intervención de la inteligencia para llevar a término del mejor modo la acción, para el bien del mismo ser y de la especie". Esta inteligencia animal será diferente a la humana y el animal la utilizará de modo diferente y para otros fines. "Pero un animal, sea de la especie que sea, según mi modo de pensar no puede no vivir inteligentemente".

Actividad científica: Autor de unas 300 (trescientas) publicaciones: la mitad de carácter estrictamente científico en las ramas de Biología y de Zoología General, y la mitad de carácter bio-social-psico-filosófico en animales y hombre en particular.

Los problemas que más interesan al autor son los que se relacionan biológicamente y fisiológicamente hablando, con la denominada "sociedad humana, con la "evolución" de nuestra especie, con su "porvenir" y con la que se considera "libertad en el hombre".

OBRAS

Aparte de unos ciento cincuenta estudios de Biología y Zoología, ahora señalo:

Le mie api... Verità e misteri, Bologna, Italia, Ed. Agricole, 1955, p. 287. Especialmente: cap. XIII, "Instinto e Intelligenza", p. 227-284.

Evolución, ambiente y vida desde el punto de vista zoológico. "Rev. Univ. C. R.", 19 (1959), p. 43-82.

Los tropismos, San José, Univ. C. R., Depto. Biología, 1960, p. 25.

Problemas de Zoología sistemática, Congr. Interamer. Microbiología, (San José, 1961).

Fundamentación científica de la Biología, II Congr. Interamer. Filos., (San José, 1961).

La Zoología no es una ciencia empírica, Diario de Costa Rica (20-VII-1961).

Roberto Saumells

Prestigioso pensador español, su labor docente y de especulación en Costa Rica ha sido fecunda, tanto en lo personal como en forma de estímulo. La Teoría de la Ciencia y el enfoque filosófico de la Matemática han recibido por su influencia un trato peculiar que logró profundidad y arraigo.

Nació en Gironella, España, en 1916. Catedrático de Filosofía de la Naturaleza en la Universidad de Madrid; de 1956 a 1961, en la Universidad de Costa Rica, profesor de Filosofía de la Ciencia e Historia de la Ciencia, y Director de la Cátedra de Matemáticas de los Estudios Generales. Vicepresidente de la Asociación Costarricense de Filosofía.

Sus libros y ensayos son cortos y densos. El enfoque filosófico es ceñido y apretado, siempre difícil, a diferencia de cuando se expone oralmente, lo que hace con claridad meridiana. Buen conocedor de la escolástica medieval, la Teoría del Conocimiento en general y del conocimiento científico en particular son su campo de especulación. Schopenhauer, Bergson y Bachelard pueden ser señalados como sus términos de referencia, y acaso puntos de partida.

Su preocupación básica la señaló ya en 1949: "El estudioso que no abandone el objeto de su empresa científica, ni el carácter íntimo de la esperanza que le incline a proseguirla, se encontrará enfrentado con el problema de la representación exigida por la misma estructura del conocimiento, con un doble bagaje de precauciones. Por un lado se apartará del camino que conduce a la polémica estéril de la representación por las condiciones de un "espacio real", en el cual el contenido matemático de los fenómenos físicos debe traducirse según el ideal de lord Kelwin, para quien cada fórmula era la versión abstracta de un mecanismo. Por otro lado se resistirá a la aceptación de un formalismo exclusivo: el demiurgo no puede ser ni sólo ingeniero ni sólo matemático puro".

"La única vía abierta es el análisis de la estructura interna del conocimiento científico".

Y a este análisis ha dedicado Roberto Saumells sus sucesivos estudios.

Frente a Kant, considera que la Metafísica sí es posible como ciencia, aunque de naturaleza distinta a los métodos de la Geometría y la Mecánica. Y para mostrarlo, busca la contextura profunda de éstas que fundamente una concepción filosófica adecuada del espacio. Para ello, estudia el teorema de Desargues, cuya demostración exige su trasposición al espacio, el cual con su carácter intuitivo, posibilita la demostración, y sin que en dicho teorema haya ninguna síntesis a priori. Con Kant, este teorema sería indemostrable. A continuación estudia el problema de si la Geometría proyectiva trata de la extensión puramente concebida por el pensamiento y no como percibida empíricamente en la sensación, o si los conceptos geométricos están restringidos por la intuición sensible del espacio. Así, analiza varias nociones que, definidas por un carácter estrictamente espacial, presentan a la vez a la intuición, la afirmación y la negación del espacio, lo que le lleva a afirmar que el concepto de espacio puro es "el concepto de una relación sintética entre dos nociones de espacio de contenido analítico antitético", buscando una síntesis de las teorías métricas del espacio basadas en la intuición y las teorías proyectivas del espacio de carácter estrictamente racional. La tesis general es la de que la razón de ser de la Geometría euclídea (que es una síntesis de ambos conceptos antitéticos) es la estructura dialéctica del concepto mismo de espacio[294].

Y frente a la concepción que reduce la ciencia a su método, en *La Ciencia y el ideal metódico* pretende "la demostración de que aun las más formalizadas disciplinas científicas fundan su razón de ser, no en el método que siguen, sino en el objeto que miran". Mostrar "esta razón de ser, vista a través de la Geometría como teoría de las cónicas", y examinar "las condiciones de la conciencia objetiva y las notas esenciales de la estructura del objeto de la ciencia" son los tres temas centrales, sobre la base de que "La especificación de cada ciencia por su método frustra la entraña misma de una convicción efectivamente vivida, propulsora de la meditación fecunda, que nos inclina a especificar la ciencia por su objeto".

---

294 *La Dialéctica del espacio.*

Cada uno de sus libros, en cierta manera, es un capítulo más avanzado en la inquisición de un tema permanente. Desde el ángulo de la ciencia, ahonda en el tema más general del conocimiento.

Su labor en Costa Rica le llevó paralelamente a plantearse la problemática de la docencia de la matemática, siempre desde un plano filosófico, resultado de la cual fueron sus *Fundamentos de Matemática y Física*. Las ciencias matemáticas y físicas determinan hasta tal punto nuestra imagen del mundo, y aun nuestra existencia en nuestros días, que la Filosofía ha de reflexionar sobre sus fundamentos, si no quiere "especular" de espaldas a lo real. Mucho se ha hablado de las lagunas en la formación humanística y filosófica de los científicos; pero no menores lagunas suele haber en la educación humanística y filosófica, pues le falta el conocimiento de al ciencia contemporánea y sus fundamentos. "No sólo es humanista el que lee y entiende a Tácito en latín, sino también aquél que sabe descubrir y saborear el inmenso caudal de inspiración que encierra la obra de un Euclides, de un Newton, de un Faraday, de un Maxwell. Todas estas técnicas científicas complejas, que han ganado el prestigio que confiere la eficacia, han ido precedidas en la mente de sus autores por ideas a la vez simples y elevadas que pueden ser comprendidas al margen de laboriosos desarrollos deductivos".

". . ., no debe ignorarse que la especialización académica presenta un aspecto netamente positivo desde el punto de vista rigurosamente universitario. En muchas y decisivas ocasiones un avance de la matemática o de la físicomatemática en particular, supone la reconvergencia de un amplio dominio del saber en un solo tema concreto de especialización. Los progresos de la matemática pura en una dirección determinada lo mismo que las consecuencias teóricas de la físicomatemática en dominios de apariencia muy particularizada, equivalen a generalizaciones obtenidas después de un ingente proceso de especialización. Puede hablarse en este caso de un verdadero humanismo de la especialización: de una especialización generalizadora que sirve a la vez los intereses de la práctica y complace las aspiraciones de una vasta contemplación teórica. Multitud de ejemplos prácticos podrían ilustrar este aserto: valga el caso de la moderna físico-matemática cuántica para poner de relieve la multitud de ideas procedentes de alejados dominios —Lógica, Filosofía, etc.— que tal disciplina especial ha movilizado en torno suyo"[295].

O B R A S

Sobre la estructura interna del conocimiento científico, "Arbor" 43-44 (Madrid, 1949), p. 1-6.

---

295 "Rev. Filos. Univ. C. R.", I, 1 (1957), p. 68.

La dialéctica del espacio. Madrid, C. S. I. C., 1952.

La caída de los graves en Galileo, Madrid, "Ateneo", 1954.

Programa del curso de Matemáticas de Estudios Generales, "Anales Univ. C. R.", (1956), p. 314-321.

La Ciencia y el ideal metódico, Madrid, Rialp., 1957.

El darwinismo y la contribución británica a la Cultura occidental, "Rev. Univ. C. R.". 19 (1959), p. 83-90.

Fundamentos de Matemática y Física, Madrid, Rialp., 1961. 227 pp.

BIBLIOGRAFIA

ABELLAN, JOSE LUIS, *Filosofía Española en América* (Madrid, Ed. Guadarrama, 1966), 262-3.

ALVAREZ TURIENZO, P. S., *Lecturas y Glosas,* en: "La Ciudad de Dios" CLXV (El Escorial, 1953), p. 162-177.

Cátedra de Matemáticas, "Anales Univ. C. R.", (1957), p. 341-342.

Cátedra de Matemáticas, "Rev. Filos. Univ. C. R.", I, 1 (1957), p. 68-74.

Con el Dr. ..., "La Nación" (14 setiembre 1961).

FAJARDO P., CARLOS, en: "Rev. Filos. Univ. C. R.", III, 9 (1961), p. 131-132.

JIMENEZ, MARTA, en: "Rev. Filos. Univ. C. R.", I, 3 (1957), p. 288-289.

La conferencia del Dr..., "La Nación" (15 de julio 1961).

MAS HERRERA, OSCAR, en: *El Dr. Don Roberto Saumells,* "La Nación", (11 de enero de 1962).

PEMARTIN, JOSE, en: "Rev. Filosofía", 45 (Madrid, 1953), p. 321-323.

REY ALTUNA, L., en: "Rev. Filosofía", 65 (Madrid, 1958), p. 300-301.

TREJOS, J. J. en: "Rev. Filos. Univ. C. R.", I, 4 (1958), p. 389-393.

FILOSOFIA DEL DERECHO

Situación general

En el siglo XIX es de señalar la Cátedra de Derecho Natural en la Universidad de Santo Tomás. Tuvo como profesores: Lorenzo Montúfar, 1854-1855; Pedro Pérez Zeledón, 1874; José María Céspedes; Pedro Pérez Zeledón, 1876; Pío J. Víquez, 1882; Pedro Pérez Zeledón, Ezequiel Gutiérrez[296] y José Astúa Aguilar, 1888[297]. El primero, liberal; el segundo krausista; los tres últimos, positivistas. Salvador Jiménez, que (como los dos primeros) se estudió en el siglo XIX, krausista, fue, en 1870-71, profesor de Derecho de Gentes. Si recordamos que José María Céspedes fue en la Facultad tres años profesor de "Filosofía Racional" y en 1879 lo fue de Derecho Público, sustituyendo a Salvador Jiménez, se pueden distinguir dos épocas, una krausista, y otra positivista.

Después de la supresión de la Universidad, la Escuela de Derecho tuvo Cátedra de Filosofía del Derecho desde 1890 a 1911. De esta fecha a 1926 no la hubo. De 1929 a 1942 dejó nuevamente de existir.

Del programa de 1895, redactado por Alberto Brenes Córdoba, que conozco, se puede deducir una tendencia positivista: "La Filosofía del Derecho como interpretación de las leyes". La parte histórica empieza con Tomás Moro. Entre Derecho y Moral señala: "su armonía recíproca". Termina con dos temas sobre el matrimonio, el segundo sobre su disolubilidad.

El programa de 1900 es casi igual al anterior, algo simplificado.

En 1904-1905, profesor: Carlos M. Jiménez.

En 1905, Valeriano Fernández Ferraz señala graves deficiencias en esta cátedra[298].

---

296 Fervoroso católico, entusiasta de los jesuítas, doctrinalmente fue positivista.

297 bis. En 1885, el Instituto Universitario también tuvo Derecho Natural a cargo de Rafael Montúfar, krausista.

298 *Proceso . . .* (1905), p. 42.

En 1906-1911, el profesor fue Manuel Argüello de Vars, positivista[299]. Seguía a Fouillée[300].

En 1911 hubo un curso de "Filosofía Penal", a cargo de José Astúa Aguilar.

Aunque ya la he citado antes, creo interesante la visión escrita por Ricardo Jiménez de la orientación de los profesores de la Escuela:

"Ya había empezado a alborear un poco con los Ferraz y algunos maestros liberales españoles, en el Colegio San Luis de Cartago. Pero en realidad fue la Universidad la que plasmó esa nueva corriente. La del liberalismo, y con él, ciertas ideas sobre la república realmente democrática y la organización social dentro de la libertad. Los principales abanderados de ese movimiento, los que lo impulsaron desde sus cátedras, fueron el Lic. don Salvador Jiménez, el doctor don Lorenzo Montúfar y el doctor don Antonio Zambrana. El maestro don Salvador Jiménez nos explicaba derecho natural alemán según las doctrinas de Krause, a su vez influidas por las teorías de Kant, de Ahrens, de Hegel, de Fichte. Recuerdo que usábamos un texto traducido por el maestro español señor Giner de los Ríos. Esta cátedra se prestaba para que don Salvador expusiera como él sabía hacerlo, teorías que para nosotros eran nuevas y que en el ambiente de entonces, producto de largos años de oligarquía religiosa y política, nos sorprendían y nos seducían en espíritu con nueva luz que nos parecía racional y lógica. A la vez escuchábamos al doctor don Lorenzo Montúfar, liberal como era, explicándonos sus lecciones de derecho civil, también inspiradas en las nuevas corrientes ideológicas francesas. En cuanto al Dr. Zambrana, bien lo conocieron las generaciones más recientes y saben cuáles eran sus pensamientos. Los jóvenes de entonces acogieron bien las enseñanzas de estos profesores liberales y vino una generación de hombres que lucharon para aplicarlas y darles vida en nuestro medio. . . .la nueva corriente que influyó poderosamente en la vida intelectual del país y llevaron a la política nacional un nuevo ideario democrático"[301].

A lo ya expuesto antes, sólo añadiré que Zambrana sostenía un formalismo idealista jurídico, el impuesto progresivo[302] y no se apasionó por la escuela criminalista italiana[303].

---

299 Elogia el evolucionismo positivista en: *Ideas Spencerianas,* "El Foro" II, 5 (1906), p. 135-137.

300 Mario Sancho, *Memorias* (1962), p. 57.

301 Ricardo Jiménez, "La Tribuna" (25 abril 1944), Reprod. en: "Educación", IV, 10 (1958), p. 18-19.

302 *Estudios Jurídicos,* p. 127.

303 "En Italia se ha hecho poco y se ha disputado mucho". "Estudios Jurídicos", p. 207.

En 1890 introdujo Octavio Beeche las ideas de la Escuela Criminológica, con los programas dictados por Francisco Carrara en la Universidad de Pisa[304], y las divulgó en varias obras[305].

Fuerte influencia de Garófalo se aprecia en Anastasio Alfaro, que sigue a la "escuela criminalista moderna"[306].

En los años siguientes a 1912, Alberto Brenes Córdoba, en la cátedra de Historia del Derecho, suplía la ausencia de la cátedra de Filosofía del Derecho.

Alberto Brenes Córdoba nació en San José en 1888. Discípulo de Valeriano Fernández Ferraz. Profesor de Derecho público (1890), luego de Filosofía del Derecho, y luego de Historia del Derecho. Murió en 1942. Evolucionó del materialismo al positivismo[307]. Aparte de sus valiosos escritos jurídicos, nos interesa ahora su *Historia del Derecho*[308], en la cual dedica tres capítulos a exponer las escuelas filosóficas relacionadas con la jurisprudencia. Postivista, de talento analítico, procede como naturalista. Expositor riguroso, en su visión histórica también es positivista, centrado en la idea de progreso.

En 1925 el Colegio de Abogados consideró indispensable restaurar la cátedra.

En 1927-1928 la desempeñó Guillermo Vargas Calvo. El curso de 1927[309] sigue a Icilio Vanni (Univ. de Roma). Sostiene la autonomía del Derecho respecto a la moral, así como la objetividad del Derecho. Raíz hegeliana: sostiene que las instituciones que no son el Estado, como Municipios, la Iglesia, etc., desde que el Estado recabó la tutela del Derecho no son fuente de normas jurídicas más que por la sanción acordada por el Estado: "...al querer del Estado deben por último referirse todas las demás fuentes del Derecho". Aunque con limitaciones, subordina el fin privado al fin público. Influencia del sociologismo francés respecto al origen del Derecho. Niega el Derecho Natural, como un derecho distinto del positivo, siguiendo a Spencer. Sostiene una concepción racional-histórica para explicar el origen del Derecho, dentro del positivismo.

---

304 *Programa del Curso de Derecho Criminal desarrollado en la Universidad de Pisa por el Profesor Francisco Carrara*, San José, Imp. Nacional, 1889, tomo II, 180 pp. Traductores Octavio Beeche y Alberto Gallegos.

305 *Estudios Penitenciarios*, Tip. Nacional, 1890, 214 pp. *Problemas de Economía Política* [tesis, 16 diciembre 1892]; *Estudios de Derecho Constitucional*, Imp. Lines, 1910, p. 220.

306 Alfaro, Anastasio, *Arqueología Criminal Americana*, San José, Imp. Alsina, 1906.

307 Bibliografía: Bonilla, A., *Hist. Lit. Costarr.* (1957), p. 327-329; Dobles Segreda, Luis, *Indice Bibl. de Costa Rica*, VII (1955), p. 332-335; Fernández Bolandi Tomas, *El Licenciado don Alberto Brenes Córdoba*, "Rev. Costa Rica", VI, 3 (1925), p. 65-69 [incluye una "autobiografía]; Solera R., Guillermo, *Lic. don Alberto Brenes Córdoba*..., "La Tribuna" (18 junio 1942), reprod.: "La Nación" (28 enero 1962); Sotela, R., "Rev. Arch. Nac.", IV, 7-8 (1940), p. 408; Sotela, R., *Escritores de Costa Rica* (1942), p. 50-54.

308 San José, Tip. Lehmann, 1913, p. 348.

309 Inédito, Biblioteca Universitaria. Probable redacción de un alumno.

En 1942 se volvió a crear la cátedra de Filosofía del Derecho, por iniciativa de Rodrigo Facio, que fue su titular desde ese año hasta 1952.

Rodrigo Facio, cuyas ideas hemos visto en el capítulo de "Socialestatismo", en Filosofía del Derecho seguía básicamente a Recaséns Siches. Por influencia suya, las ideas de Recaséns vinieron a ser en Costa Rica una atmósfera respetada y vivida.

Entre 1949 y 1951 desempeñaron la cátedra, como suplentes, los profesores Abelardo Bonilla, Basileo Acuña y Ernesto J. Wender. De los primeros ya he hablado. El tercero, austríaco, Doctor en Derecho por la Universidad de Viena, residente en Costa Rica desde 1940, ha sido profesor de Historia y de Sociología en la Universidad de 1942 a 1961. Autor de valiosos trabajos históricos, tradujo algunos escritos de Dilthey en castellano[310].

Es valioso el estudio de Luis Anderson sobre *El Gobierno de facto*[311], en el que sostiene la tesis, en Derecho Internacional, de no intervención, mantenida y desarrollada de manera radical. Un gobierno de facto, cuyas características analiza con agudeza, debe ser reconocido, como medio de garantizar la normalidad de las relaciones internacionales.

Aplicado sobre todo al Derecho Penal, es interesante el estudio del jurista Héctor Beeche sobre *Auguste Comte y el positivismo*[312].

Merece señalarse el estudio de Jorge Enrique Guier, *En busca del ser del Derecho*[313].

El hecho que marcó un hito en los estudios de Filosofía del Derecho fue la influencia de Recaséns Siches y posteriormente la de García Máynez. La influencia del primero, sobre todo por obra de Rodrigo Facio fue decisiva especialmente en las sesiones de la Asamblea Constituyente de 1949 y en la elaboración de la Constitución de esa fecha; igualmente intensa en el campo de la disciplina, fortalecida por su participación en el II Congreso E. Interamericano de Filosofía (San José 1961). La influencia de E. García Máynez fue estímulo fuerte, iniciada durante su primera estancia en el país en 1951[314] y continuada hasta su estancia segunda durante el mismo citado Congreso.

Es interesante el estudio de Miguel Angel Rodríguez Echeverría, sobre *El Orden jurídico de la libertad* (Univ. 1967, pp. 175). En realidad es un examen de los distintos planos jurídicos todos ellos

---

310 "Rev. Filos. Univ. C. R.", I, 2 (1957), p. 101 ss.

311 San José, Imp. La Nación, 2ª ed. 1950, p. 44.

312 "Ciencias Políticas y Sociales", 5-6 (Univ. Nac. México, 1956), p. 189-230.

313 Polémica, 7-8 (IX-X-1964).

314 *Conferencias del Dr. Eduardo García Máynez; Escepticismo y dogmatismo; Subjetivismo ético individualista y subjetivismo ético social*, "Rev. Univ.", 6 (1951), p. 67-85.

desde el punto de vista de la libertad. No es positivista, sino, por el contrario, ve al orden jurídico como garante de la libertad misma, la cual lo engendra.

Un aspecto docrtinal interesante de la legislación costarricense es el relativo a la pena de muerte y su supresión, y al régimen penal.

Siendo Presidente Carrillo, se dictó el Reglamento del Presidio Urbano, el 22 de febrero 1839, ciertamente de gran dureza, y se modificó el 21 de mayo 1842. Morazán prohibió la pena de azotes u otra cualquiera *corporis aflictiva*, dentro del Presidio, sustituidas con recargo de trabajo y aumento del tiempo. "Por primera vez entonces se manifestó en Costa Rica la tendencia filantrópica con respecto a la disciplina del régimen penal"[315].

El 13 julio 1847, por Decreto firmado por José María Castro y por Joaquín Bernardo Calvo, se volvieron a establecer en el Presidio Urbano las penas corporales, aplicando desde diez hasta cien golpes de vara, "atendiendo a que la pena con que actualmente se castigan las faltas de los presidiarios no alcanza a reprimirlos"[316].

En 1862, el Gobierno lamenta que, pese a la legislación, la situación del Presidio no ha mejorado de hecho en nada[317]. La pena de muerte fue suprimida en 1887[318].

Puede mencionarse, por su interés, la tesis de graduación en Derecho (1920) de J. Albertazzi Avendaño sobre *La miseria como atenuante del delito, en lugar de la ebriedad*[319].

FUENTES Y BIBLIOGRAFIA

Programa, [manuscrito del curso de Filosofía del Derecho de 1895], Biblioteca Universitaria.

Programa, [manuscrito del curso de Filosofía del Derecho de 1900], Biblioteca Universitaria.

FERNANDEZ FERRAZ, VALERIANO, *Proceso del modernismo pedagógico*, 1905.

JIMENEZ, CARLOS M., *Escuela de Derecho*, "El Foro", II, 10 (1907), p. 302-303.

Reglamento de la Escuela de Derecho, "El Foro", III, 1 (1907), p. 31-36.

Reglamento de la Escuela de Derecho, "El Foro", VI, 11 (1911), p. 399-412.

Reglamento Colegio de Abogados, "El Foro". IX, 5 (1914), p. 179-199.

---

315 Anastasio Alfaro, *Arqueología Criminal Americana* (San José, 1906), p. 152.

316 Anastasio Alfaro, op. cit., p. 151-153.

317 Anastasio Alfaro, op. cit., p. 159-162.

318 Alvarado Quirós, Alejandro, *Abolición de la pena de muerte en Costa Rica*. En: *Prosa Romántica* (1933), p. 94-112. Gómez Urbina, Carmen Lira, *La pena de muerte en Costa Rica durante el siglo XIX*, tesis graduación, 1956.

319 Publ.: *Palabras al viento* (1936), p. 151-162.

Reglamento de las oposiciones a cátedras de la Escuela de Derecho, "El Foro", IX, 6 (1914), p. 225-228.

Memoria del Colegio de Abogados, 1925. "Rev. Costa Rica", VI, 1-2 (1925), p. 34-48.

Programas de la Escuela de Derecho de Costa Rica, San José, Imp. Nacional, 1925, 294 pp.

VARGAS CALVO, GUILLERMO, [curso de Filosofía del Derecho, manuscrito], Biblioteca Universitaria.

ALVARADO QUIROS, ALEJANDRO, *El cincuentenario del Colegio de Abogados,* en: *Prosa Romántica* (1933), p. 83-93.

Carlos José Gutiérrez

Es el primer profesor de la Cátedra de Filosofía del Derecho que se ha dedicado de manera continuada a esta disciplina, y por sus publicaciones ocupa un lugar apreciable en la bibliografía del continente.

Nació en Managua en 1927. Licenciado en Derecho en 1949. Discípulo de Rodrigo Facio, le sustituyó en la cátedra, en 1952, hasta el presente. Estudios de Teoría Política en la Universidad de Pennsylvania.

Decano de la Facultad de Derecho desde 1967 y promotor de la creación de la Escuela de Ciencias Políticas.

Las dos corrientes filosóficas por las que ha mostrado mayor interés son la Filosofía de la Existencia y la Axiología. En Filosofía del Derecho, el autor de mayor influencia es L. Recaséns Siches. Sin embargo, hay dos puntos fundamentales en los cuales discrepa radicalmente de él: en cuanto al papel de la coercitividad, que Recaséns considera, como Kelsen, un elemento de la validez del Derecho y no como una garantía; y en cuanto a la relación existente entre el Concepto de Derecho y los otros conceptos jurídicos fundamentales, que él no plantea claramente, al no estudiar la relación jurídica ni los supuestos. Estima, en este campo, que la tesis expuesta por García Máynez en el II Congreso Interamericano de Filosofía ("los otros conceptos jurídicos fundamentales son aquéllos que se encuentran implícitos en el concepto de Derecho") es uno de los aportes más ricos hechos a la Filosofía del Derecho.

Recaséns Siches lo calificó así: "En el área de Costa Rica ha surgido un nuevo filósofo del Derecho de dimensión continental: el Lic. Carlos José Gutiérrez. Sabe calar hondo en los problemas filosófico-jurídicos y muestra en su trabajo una mentalidad clara y un rigor formidable""[320].

---

320 La República (22 julio 1961).

Resume el aporte de las distintas corrientes a la Filosofía del Derecho así: 1) Las distintas escuelas iusnaturalistas representan un valioso antecedente y un primer enfoque filosófico sobre lo jurídico. Hablar, sin embargo, sólo de Derecho Natural es reducir la Filosofía del Derecho a una Estimativa Jurídica. El problema estimativo es uno de los fundamentales, pero no el único. La Filosofía del Derecho es reflexión sobre el Derecho Positivo, no sobre el Derecho Natural, que no es otra cosa que las finalidades axiológicas que el hombre pretende cumplir por medio del Derecho Positivo. 2) El Positivismo, del cual fue Savigny un precursor, le dio a la Filosofía del Derecho el tema de su estudio: el Derecho Positivo. 3) El Neo-kantismo de Stamler y Del Vecchio le dio el elemento básico de su definición: el concepto de Derecho es una forma que se imprime a muy distintos contenidos. 4) La Filosofía de la Existencia iluminó un aspecto de la mayor importancia: es una forma creada por el hombre, para regular su conducta en sociedad. 5) La Axiología transformó radicalmente el problema estimativo, dándole su verdadero carácter: estudio de los valores jurídicos, como valores objetivos, relativos y funcionales. 6) Kelsen le señaló su problemática propia. 7) El realismo sociológico norteamericano le agregó el problema de la interacción entre Derecho y sociedad.

Su *Filosofía del Derecho* (ampliada), como dice en el prólogo, es fundamentalmente "un manual de estudio" destinado a poner al alcance del lector "los principales problemas de la Filosofía del Derecho y las posiciones de mayor importancia que sobre ellos se dan en el pensamiento contemporáneo".

Se compone de las siguientes partes:

I. *Introducción:* Comprende los capítulos I a V, llevándose a cabo una definición del punto de vista de la Filosofía del Derecho sobre lo jurídico, diferenciándolo del punto de vista empírico, el de las Ciencias del Derecho, y la Sociología Jurídica (Capítulo I); un enfoque sobre el problema de las ramas de la Filosofía del Derecho, del cual se aceptan dos: Teoría Fundamental y Estimativa Jurídica (Capítulo II); el problema del método de la Filosofía del Derecho, que se considera que ha de ser predominantemente deductivo, dado su carácter de Filosofía Práctica o aplicada (Capítulo III), y de la Historia de la Filosofía del Derecho, que se considera dividida en dos grandes épocas: época antigua, Escuela Cristiana y Escuela Clásica; y la Filosofía del Derecho de los siglos XIX y XX, terminando con un enfoque sobre el panorama actual y el pensamiento iusfilosófico laitnoamericano (Capítulo V).

II. *Teoría Fundamental del Derecho:* Comprende tres partes:

a. *El Concepto de Derecho*: Estudio de los elementos que configuran el concepto de Derecho: normatividad, distinguiéndolo de los otros ordenamientos normativos: Moral y Reglas de Trato (Capítulo VI); socialidad, definiendo lo social de acuerdo con Ortega y viendo los distintos ordenamientos normativos como regulaciones de la vida individual, la Moral, y de la conducta social, Derecho y Reglas de Trato (Capítulo VII); coercitividad, analizando el verdadero carácter de ésta como una garantía de cumplimiento del Derecho y no como un elemento de su validez, tal y como lo pretenden Kelsen, Recaséns y Del Vecchio (Capítulo IX).

b. *Los otros conceptos jurídicos fundamentales*: Un estudio de la relación jurídica (Capítulo X); los supuestos jurídicos (Capítulo XI); las consecuencias jurídicas, sean derecho subjetivo y deber jurídico (Capítulo XII); la persona jurídica (Capítulo XIII) y la personalidad jurídica del Estado y su concepción plenaria (Capítulo XIV).

c. *La Dinámica del Derecho*: Aun considerando que esta parte del estudio de lo jurídico constituye una rama independiente de la Filosofía del Derecho, se estudia como parte de la Teoría Fundamental por estimar que esa clasificación es la corriente y usual. Comprende un estudio de la producción del Derecho, en sus dos formas de originaria y derivada (Capítulo XV) y un estudio de la función judicial, como actividad específica de la aplicación del Derecho o de forma de creación de éste (Capítulo XVI).

Esta se compone de tres estudios fundamentales: 1, Teoría Fundamental del Derecho: estudio del concepto de Derecho y de los otros conceptos jurídicos fundamentales. 2, Estimativa jurídica: estudio de los valores cuya realización pretende llevar a cabo el hombre, a través del Derecho. 3, Dinámica Jurídica: estudio de la interacción entre Derecho y sociedad.

III. *Estimativa Jurídica*: Se incluyen en ella una fundamentación de la Estimativa Jurídica en la Etica, haciendo ver que los distintos criterios seguidos en ella corresponden a las cuatro posiciones básicas en el campo de la Etica y llegando a una fundamentación de la Estimativa en la Etica de los Valores (Capítulo XVII) y un estudio de los dos valores fundamentales de lo jurídico: Seguridad (Capítulo XIX)

Algunas de sus publicaciones son en torno a la idiosincrasia del costarricense. Duda acerca de la reiterada calificación de individualista: cuando "se dice que el costarricense es individualista... se lo usa (ese término) como sinónimo de incapacidad para mantener formas permanentes de asociación y. se lo corrobora poniendo en evidencia, no las creaciones individuales que se han desarrollado en nuestro medio, sino el pequeño número de organizaciones sindicales y cooperativas que existen en Costa Rica, nuestra política personalista y la apatía que siente el costarricense hacia ciertas formas de vida social". Pero esta explicación "no puede hacerse sino en virtud de una confusión, de un malentendido... al admitir al individualismo como característica social se está cayendo en una grave contradicción". "Afirmar de un pueblo que es individualista es, para mí, tanto como decir que no tiene características sociales".

Explica que ha llevado a muchos a calificar de individualista al pueblo costarricense el hecho de que predominan las formas simples de asociación humana (grupos pequeños dentro de los cuales los lazos de unión son constantes y repetidos, como sucede en la familia, el vecindario, la pequeña comunidad) en contraste con las formas complejas de asociación humana (relaciones de tipo directo, especializadas y parciales como se dan en los sindicatos, las asociaciones, las compañías mercantiles, los partidos políticos, el Estado, etc.).

Por tanto, no es un acendrado individualismo lo que ha llevado al costarricense a fracasar en muchas de las empresas colectivas que ha iniciado, sino una serie de circunstancias del medio costarricense responsables del auge de las formas simples y del poco desarrollo de las formas complejas de asociación humana. Entre esas circunstancias, señala:

a) La pequeñez geográfica y la escasa población, tienen como consecuencia una interrelación intensa y constante entre los pobladores;

b) La característica fundamentalmente agrícola del pueblo costarricense hace que predominen las formas más simples de vida rural por sobre la urbana;

c) La pobreza es en sí misma un límite para la proliferación de organizaciones sociales;

ch) La insularidad, nombre que el autor en comentario da al hecho de que la población se localice en la Meseta Central, zona media del país, reduciendo al mínimo la comunicación con otros conglomerados humanos;

d) La nivelación clasista provocada por la falta de población indígena numerosa y la carencia de riqueza mineral durante la colonia y por el desarrollo y fortalecimiento de la clase media, núcleo de la vida nacional.

e) Homogeneidad racial provocada por la existencia de una abrumadora mayoría de habitantes de raza blanca. Los grupos raciales de otro tipo son tan pequeños que la mayoría blanca no siente la necesidad de discriminar en contra de ellos;

f) La similaridad educacional debida a la generalización de la Escuela Primaria y a la falta de diversificación de la educación superior;

El Lic. Gutiérrez termina llamando la atención acerca del hecho cierto e indiscutible de que esa situación está cambiando debido a una mayor actividad industrial, un incremento en las relaciones internacionales, una división clasista más pronunciada.

O B R A S

La Corte de Justicia Centroamericana, "Rev. Colegio de Abogados", (1949) [parcialmente]. [Completa], El Salvador, Bibl. Pensamiento Centroamericano, 1957.

Principios básicos de Derecho de la obra de los juristas romanos, Colegio de Abogados, VII, 2 (1952). p. 51-58.

Neutralidad e intervención, "Rev. Univ. C. R.", 14 (1956), p. 9-61.

Filosofía del Derecho, San José, Ed. Lehmann, 1956, 120 pp.

La Teoría Pura del Derecho de Hans Kelsen, "Rev. Univ. C. R.", 16 (1958), p. 85-96.

La realidad social costarricense, "Rev. Filos. Univ. C. R.". III, 9 (1961), p. 43-62.

Investigación libre... y obligatoria, "Rev. Univ. C. R.", 19 (1961).

La seguridad y la justicia como valores funcionales, II Congr. E. Interamer. Filos. (San José, 1961).

Lecciones de Filosofía del Derecho, Madrid, Ed. Tridente, 1964.

Libertad, Derecho y Desarrollo Político, Rev. Ciencias Jurídicas (1963). Reproducido: Boletín Inst. Centroam. Derecho Comparado, 3-4 (Tegucigalpa, 1964), 167-210.

Duda razonada sobre el Derecho Natural, Rev. Ciencias Jurídicas (1963). Ib. Anales Congr. Mundial Fil. (México, 1963). Ib, Sul Diritto Naturale, Riv. Internaz. Fil. Diritto, Roma. 1963.

Alberto Brenes Córdoba, prefacio a la edición de Tratado de los Bienes de A.B.C., Ed. Costa Rica, 1963.

Una convergencia de iusnaturalismos. El sustrato filosófico de tres artículos de la Constitución de 1825, Rev. Ciencias Jurídicas, 1965. Ib. Lecturas Jurídicas 25 (Univ. Chihuahua, México, 1965).

Protocolo de San José, Asamblea Legislativa, enero 1969, pp. 56.

B I B L I O G R A F I A

C. G. C., en: "Rev. Filos. Univ. C. R.", I, 2 (1957), p. 192.

CAMACHO, D., Lecciones de Organización... de Costa Rica (1967), 56-61.

[ALBERTO F. CAÑAS] en: La República (28-III-1965).

PSICOLOGIA

La Psicología, en Costa Rica, ofrece la paradoja, desarrollada a lo largo del siglo, de ir perdiendo calidad docente precisamente a medida que gana en nivel de investigación. La explicación está en que su docencia no ha estado, con muy contadas excepciones, en manos de especialistas. Mientras fue anexa a la lógica, se la explicó con carácter filosófico, pero, al perder éste, no ganó el científico, sino que cayó en manos de empíricos.

Propiamente Psicología científica encontraremos a partir de las publicaciones de Luis Felipe González, y sobre todo de Mariano Coronado y de Isaac Felipe Azofeifa, tras los que se desarrolla una generación, reducida, de psicólogos positivistas, en general, limitados a la Universidad. Sin embargo, los nombres de Luis Felipe González e Isaac F. Azofeifa los veremos en Filosofía de la Educación, ya que su labor en Psicología ha sido siempre dirigida por una orientación pedagógica.

Fue importante la estancia en el país de Levy Bruhl (1928) y Charles Blondel (1929) para la Psicología[321].

Profesores de Psicología (1902-1956)

Fijo esa fecha solamente para excluir ahora la Universidad desde la reforma. Antes, en la Facultad de Filosofía y Letras, ocupó la Cátedra de Psicología Teodoro Olarte, cuya filosofía ya he expuesto y de cuya *Psicología* hablaré después.

En la Escuela Normal de Heredia y en los Liceos, como vimos, se daba la Psicología en compañía de la Lógica y la Etica. Lo dicho sobre la enseñanza de éstas podría ahora aplicarse a aquélla. Es muy difícil distinguir etapas, pero sí se aprecia un proceso gradual, cuyos polos podrían ser los años 1915 y 1950, de desvitalización creciente. Al comienzo del siglo los Liceos eran muy pocos y no había Universidad, y entonces se ve desempeñar estos cursos a los hombres de mayor prestigio del país. Lentamente, al crecer

---

321 Constantino Láscaris, *La estancia de Levy Bruhl . . .* , Rev. Fil. Univ. C. R., II (1962), 289-303.

de manera desmesurada el número de Liceos y Colegios (de seis a más de setenta) y absorber la Universidad desde 1941 a los que habían adquirido en el extranjero una preparación psicológica, la disciplina fue vaciándose.

Como profesores de Psicología han destacado algunos, como Roberto Brenes Mesén (Liceo de Costa Rica, 1900-1905; Colegio Superior de Señoritas, 1917-1918); Luis Felipe González (Escuela Normal, 1920-1924); Vicente Lachner (Colegio San Luis Gonzaga, 1935-37); Omar Dengo (Escuela Normal, 1915-1917, 1926-1928); Carlos Gagini (Escuela Normal, 1918-1919); José Basileo Acuña (1933-1940); Lorenzo Vives (Colegio San Luis Gonzaga, 1947); Teodoro Olarte (Colegio San Luis Gonzaga, 1949-1952); Francisco Cordero Quirós (Colegio San Luis Gonzaga, 1956-1957); Juan Zingsheim (Colegio Seminario); Isaac Felipe Azofeifa (Liceo de Costa Rica); Edgar González (Escuela Normal); Jorge Arce (Escuela Normal), Abdulio Cordero (Liceo de Costa Rica)[322].

De algunos ya he hablado y de otros hablaré a continuación. Interesa complementar ahora:

José Basileo Acuña: nació en San José, en 1897. Realizó estudios en Francia e Inglaterra. Es autor de una extensa e interesante obra poética[323]. De exquisita sensibilidad artística, ha mostrado gran preocupación por la filosofía oriental. Parte del modernismo, que supera dentro de la línea de preocupación por la americanidad. La intuición poética del mundo puede ser caracterizada como neoplatónica por su tensión de ascesis racional.

Lorenzo Vives: buen conocedor de la filosofía, de tendencia platonizante, autor de numerosos artículos[324].

TEXTOS DE PSICOLOGIA

Conozco los siguientes:

CARLOS GAGINI, *Nociones de Psicología,* San José, Imp. del Comercio, 1911, 111 pp.

De Carlos Gagini hablaremos en Filosofía de la Ciencia. De su texto es de señalar la orientación asociacionista, dentro de un positivismo materialista[325].

---

322 Solamente cito aquellos de los que conozco publicaciones.

323 Además, *La Iglesia Católica Liberal,* San José, Imp. Alsina, 1927, 150 pp. y numerosos artículos. *Vid.:* Bonilla A., *Hist. Ant. Lit. Costarr.* (1957), p. 266-267, p. 305.

324 *Discurso de Shakespeare sobre el amor,* "Diario de Costa Rica" (18 agosto 1956); *La nueva filosofía de Teilhard de Chardin,* "brecha", I, 3 (1956), p. 22-23; *Los banquetes platoniano y kierkegardiano,* "Diario de Costa Rica" (19 julio 1956); *El complejo amoroso de Amiel,* "brecha", 6 (1957), p. 15-16.

325 Cfr. [Elías Jiménez]. "Renovación" I, 14 (1911), p. 207.

SULLY, *Psicología*, 1919, Traducción.

JUAN TREJOS, que veremos luego.

VICENTE LACHNER, *Lecciones de Psicología*, San José, Imp. Lehmann, 1938, 183 pp.

De tendencia psicofisiológica, interesante en su desarrollo, Vicente Lachner era Doctor en Medicina y en Ciencias Naturales por la Universidad de Estrasburgo, y fue profesor de Biología en el Colegio San Luis Gonzaga de 1914 a 1936. Autor de numerosos artículos científicos[326].

ISAAC F. AZOFEIFA, *Lecciones de Psicología*, San José, Libr. Atenea, 1947, 66 pp.

Que veremos luego.

TEODORO OLARTE, *Curso de Psicología*, San José, S. A. [1953]. *Vid.* el capítulo correspondiente a su Autor. Filosóficamente, es la más importante publicada en Centroamérica.

P. JUAN ZINGSHEIM, C. M., *Apuntes de Psicología*, San José, Imp. Lehmann, 2ª ed. 1960, 121 pp.

De orientación escolástica, entiende la Psicología Experimental como "el estudio científico de los actos (fenómenos) conscientes". Reserva teológicamente la inteligencia al hombre. Recoge la contribución asociacionista, y llega hasta la Psicología de grupos.

El P. Zingsheim nació en Alemania en 1910; profesor de Filosofía en el Seminario Central en 1938-1950; profesor de Psicología en el Colegio Seminario desde 1959.

Francisco Cordero Quirós

Nació en Santo Domingo de Heredia en 1879. Doctor en Medicina por la Universidad de Montpellier, 1905. Además del ejercicio de la Medicina y algunas intervenciones en la política nacional, ha sido profesor de Psicología en el Colegio San Luis Gonzaga de Cartago[327]. Muerto en 1975.

En su *Psico-Fisiología*[328], sobre amplias nociones de Biología, Anatomía y Fisiología, afronta problemas fundamentales de la naturaleza humana. Su información médica y biológica hace que trate con especial desarrollo los temas propios de la Fisiología, a los que sigue una exposición de la evolución histórica de la Psicología, las

---

326 Cfr. Sotela, R., *Escritores de Costa Rica* (1942), p. 141-146.

327 "Irurozqui", *Doctor Francisco Cordero Quirós*, "La Prensa Libre" (12 abril 1957).

328 San José, Imp. Atenea, 352 pp.

observaciones clínicas en la práctica médica, la evolución microdinámica de los seres vivos, para entrar en la esfera de lo intelectual, la zona del sentimiento, en el que parte del estudio de la radioactividad, la teoría de los ritmos y el problema determinismo-libertad, problemas del sueño y la conciencia, la Medicina Antropológica y la Parapsicología. La tesis central de la obra es: "El microdinamo representante del espíritu guiador y regularizador de la energía intraplasmática para proporcionar la vida con forma humana, es también el que se encuentra en todos los átomos componentes de todos los cuerpos del Universo entero, y que entran en la última composición de los alimentos; del agua que bebemos, del aire que respiramos, así como en la estructura de las estrellas, los astros todos formadores del universo, y por eso adquiere el microdinamo proporciones vastísimas que nos permite formular la proporcionalidad adecuada: El cuerpo es a la tierra lo que el espíritu es al universo (p. 342).

En otro trabajo, se refiere al Análisis Existencial como "nuevo tipo de Terapia Profunda", basada en la puesta en relieve del inconsciente espiritual reprimido. Después de señalar las doctrinas de Víctor E. Frankl, expone la teoría microdinámica, que conexiona lo espiritual con el atomismo, siendo la conciencia "el punto de fusión entre la realidad interna del campo espiritual, absoluta intimidad, con la realidad externa objetiva". Y termina con referencia a la doctrina de Grasset[329].

Juan Trejos

Juan Trejos, que hemos expuesto en el capítulo de *liberalismo*, es autor de dos obras de Psicología, que son las que han alcanzado mayor difusión en el país.

La primera, *Resumen de Psicología* es un texto para la enseñanza. Ello hace que se sacrifique la densidad a la claridad, logrando esquematizar los temas fundamentales. La orientación dominante es realista, basada en un psicologismo moderado, teniendo en cuenta las doctrinas psicoanalistas y la vertiente médica de la Psicología. Prácticamente viene a ser obra dedicada a la Psicología científica.

A diferencia de la anterior, las *Cuestiones de Psicología Racional* forman un tratado de Psicología filosófica en el que se toma como objeto de la especulación al alma, en sí misma considerada. Fundamentalmente, la doctrina aplicada es la distinción de sustancia y accidentes, entendiendo así el alma en sentido hilemorfista, siendo forma igual a alma y materia igual a cuerpo. En la concepción de

---

329 *Psico-Análisis y Análisis existencial,* II Congr. E. Interamer. Filos. (San José, 1961).

la vida, Juan Trejos parte de un supuesto básico aristotélico, pero evitando el fijismo de las especies. Respecto al origen de la especie humana, sostiene el evolucionismo de Daniel Rosa, limitado en cuanto al alma. Respecto al destino del alma, desarrolla la certidumbre que cada hombre tiene de su supervivencia; un argumento deduce de la sustancialidad del Yo, por su comparación con la perduración de lo material. Considera que el alma, desde la muerte hasta su resurrección, alma separada, subsistirá en un estado de imperfección, por exigir el ejercicio de la sensibilidad y de toda actividad intelectual al concurso del organismo, aunque es de suponer que en tal estado pueda hallar otros objetos de conocimiento, gracias a poder conocer lo inmaterial, aunque reducida a intuiciones inmediatas.

OBRAS

Resumen de Psicología, San José, Imp. Trejos, 1929, 1931; 1946. 190 pp.

Cuestiones de Psicología Racional, San José, Imp. Trejos, 1934, 1935; 1946; 134 pp. Madrid, 1959.

BIBLIOGRAFÍA

BONILLA, A., *Hist. Ant. Lit. Costarr.* (1957), I, 341-342; II (1961), p. 302-307.

BRENES MESEN, ROBERTO, en: Repertorio Americano" (19 octubre 1946).

LAMA, P. MARIANO DE, en: "Religión y Cultura" (El Escorial, noviembre 1929).

L. C., C., "Rev. Filos. Univ. C. R.", I, 1 (1957).

C. L. C., *La Nación,* 14 septiembre 1970.

Mariano Coronado

Hombre bondadoso, entregado a procurar el bien del prójimo, culto y penetrante, psicólogo investigador y psicólogo educador, se ha dado a la difusión y eficacia de la Higiene Mental.

Nació en 1895 en San José. Estudios de Psicoterapia, Orientación y Psicología en Francia y los Estados Unidos. Discípulo de Henri Arthus. Es profesor de Higiene Mental en la Escuela de Servicio Social de la Universidad, Director del Departamento de Bienestar y Orientación de la misma, Presidente del Comité Nacional de Salud Mental, y Profesor de Psicología en la ESAPAC.

Sus publicaciones, valiosas, buscan siempre el valor formativo, educador, del lector, o propician la aplicación del conocimiento científico a la vida práctica.

"En Costa Rica existe un gran valor, indiscutiblemente superior a todos, que con más propiedad podría llamarse psicólogo, Mariano L. Coronado. Hombre de fortuna, ha dedicado muchos años al estudio y práctica de la higiene mental. Es el único e indiscutido psicoterapeuta de Costa Rica"[330].

Su obra más importante, la *Introducción a la Higiene Mental*[331], se limita a la fase de la Higiene Mental atinente a la esfera psíquica de la personalidad, buscando estos objetivos: "1º, obtener la mayor medida de bienestar y felicidad para el individuo, por medio de la integración de su personalidad y el desenvolvimiento de sus posibilidades intrínsecas. 2º, acrecentar en lo posible la eficiencia del individuo para la acción, por medio del adiestramiento de sus facultades y el aumento de su poder de adaptación. 3º, mejorar la calidad de la contribución individual a la comunidad, en virtud de un ensanche de los sentimientos de responsabilidad social y de solidaridad humana" (p. 37).

En consecuencia, habrá, simultáneamente, prevención y terapeútica. Estudia en detalle su importancia en los procesos educativos: "La posición del autor,. . ., es la de emplear todos los recursos curativos aceptables por psicólogos, combinándolos en la forma y momentos que las circunstancias indiquen, sin establecer ortodoxia de ninguna escuela en particular" (p. 50).

Estudia los conceptos de "normal" y "anormal" y sostiene debe entenderse la adaptación del individuo a su mundo, en forma que le proporcione: bienestar, eficiencia, cooperación. Ello se logra mediante el desarrollo de una actitud "adulta", para cuyo logro coopera la Higiene Mental: "Al fin, lo que precisa no es clasificar a los hombres en categorías más o menos arbitrarias, sino en conocer sus problemas y ayudarles a resolverlos, siempre con miras al más alto ideal de cultura individual que nos sea dable concebir,. . ." (p. 79). En el estudio de las relaciones de la mente y el cuerpo, admite la teoría psicogénica, "que afirma el origen puramente mental de muchas condiciones anormales, tanto en el funcionamiento orgánico como en la conducta de los individuos" (p. 84). Como objetivo central se propone luego "el conocimiento de sí mismo", lograble mediante la introspección, pero a la que, muchas veces, conviene preceda la "exteriorización", para lograr una adecuada visión. Da gran importancia a los procesos de sublimación de las tendencias inconscientes en conflicto, para evitar la "represión" y

---

330 Foradori, I. Américo, *La Psicología en América* (1954), p. 102.

331 "Este libro es la primera contribución realmente original, positiva y seria, a los estudios psicológicos, debida a un costarricense", Foradori, I. A., op. cit., p. 102.

otras actitudes que pueden llegar a patológicas. Considera como los tres problemas fundamentales del hombre ("Vivir es resolver problemas"): la relación del hombre con sus semejantes (problema social), la ocupación (problema del trabajo) y la relación del individuo con el sexo opuesto (problema del matrimonio), los cuales estudia en detalle. El éxito representa la "integración de la personalidad": "Así, la integración es un proceso de coordinación o alineamiento de las distintas capas de la personalidad, que comienza en los estados de mayor disociación y continúa a lo largo de todas las etapas de cultura personal, hasta perderse en niveles que son aún desconocidos para nosotros, por cuanto no nos es dable saber hasta dónde puede conducir el desarrollo y actualización de las potencialidades anímicas inherentes al hombre. Y, aunque esa finalidad en su conjunto continúe siendo un misterio para nosotros, sí nos es posible percibir desde ahora *diversos niveles ascendentes* en ese proceso de unificación de las fuerzas del alma que hace posible la afirmación de los valores del espíritu en la vida personal" (p. 284-285). "Y, lógicamente, el camino hacia la integración consistiría en *estar en todo momento dispuestos a examinar las situaciones de que formamos parte, abriéndonos a su sentido, tanto intelectual como emocional, para actuar de acuerdo con la realidad percibida, y sin buscar medios de evadir tales situaciones o las consecuencias de nuestros actos dentro de ellas"* (p. 291). O sea, transformación de fuerzas instintivas.

Esta orientación es aplicada a casos o temas más concretos en sus restantes publicaciones.

De base pragmatista, filantrópicamente orientada, así la Higiene Mental ayuda al bien de los hombres:

"Demos a los valores humanos la importancia que ellos tienen en ese proceso y miremos hasta qué punto es preciso, para crear un orden social nuevo, crear un tipo nuevo de ciudadano".

"..., póngase a la Escuela en condiciones de ayudar a la juventud a formarse a sí misma en la conciencia de los valores humanos, a despertar el sentimiento social en todas sus manifestaciones, a saber asumir responsabilidades dentro del movimiento evolutivo de la cultura y dentro del engranaje de la vida política nacional, a transformar las fuerzas instintivas dirigiéndolas por los canales del propio mejoramiento y del progreso general".

"...elevar el nivel de la cultura personal y de la responsabilidad social en el mayor número de ciudadanos,..."[332].

Su última obra, *El conocimiento propio...*, retoma en forma más amplia, casi integral, las perspectivas de la Salud Mental como medio de reintegración de la personalidad. Pero no es propiamente

---

332 *Respuesta del Sr...*, en: *"Ideario Costarricense"* (1943), p. 203-207.

una obra de Psicología, sino de Etica, o mejor, de Antropología. No es un estudio descriptivo, sino toda una invitación a la asumpción de la propia responsabilidad. El estudio culmina en la consideración (siguiendo en parte a Fromm) de la libertad, viendo su construcción como superación de las "cadenas interiores" (autoridad, temores, el fantasma del pasado, el sufrimiento, la tradición, etc.): "... la verdadera virtud sólo puede existir en la libertad" (p. 243).

O B R A S

Comentario sobre la vida y obras de Pitágoras, San José, Imp. Lines, 1926, 32 pp.

La Teosofía y la Educación, San José, Imp. Lines, 1927, 20 pp.

La formación del hombre y la moderna Psicología. Mundo Latino (París, abril, 1939), p. 67.

Algunas contribuciones europeas a la Psicoterapia, San José, Ed. Soley, 1941, 38 pp.

La solidaridad humana, San José, Ed. Soley, 1941, 53 pp.

Respuesta del Sr..., en: Ideario Costarricense (1943), p. 203-207.

Introducción a la Higiene Mental. Problemas psicológicos de la vida cotidiana, México, Comp. Gral. Editora, 1943, 334 pp.

Psicología y Salud Mental, México, Ed. Orión, 1956, 314 pp.

El conocimiento propio y la Salud Mental, México, Ed. Orión, 1966, pp. 253.

B I B L I O G R A F Í A

FACIO, RODRIGO, Prólogo a: Psicología y Salud Mental, p. 7-12.

FORADORI, I. AMERICO, La Psicología en América (Buenos Aires, 1954), p. 102.

ROURA-PARELLA, JUAN, Prólogo a: Introd. a la Higiene Mental, p. 11-19.

CABALLERO DE RAMIREZ, ANITA, "Don Mariano Luis Coronado...", La República, 22 julio 1969.

Lilia Ramos

En el campo de la Psiquiatría las publicaciones son escasas. Destaca la obra de Lilia Ramos por la forma original de presentar la temática.

Nacida en San José, en 1903, realizó estudios de Psicología Profunda en las Universidades de Chile y Columbia, en el Institute of Living de Harford, en el Hospital San Pablo de Barcelona y con Piaget en la Sorbona. Realizó una experiencia intensa con la Escuela Profesional Femenina. Como el ambiente costarricense lo exige, ha dirigido su labor psicológica en el sentido de la Pedagogía, preocupación que comparte con la labor editorial, y con una extensa actividad de conferenciante. Es Jefe de la Sección Editorial del Ministerio de Educación, Presidente de la Editorial Costa Rica, y editó la Colección Elit.

Es especialmente el método de trabajo del Instituto of Living el que se muestra aplicado en sus obras, con algunos conceptos fundamentales de Freud, moderados por las apreciaciones de Horney y un sentido comprensivo de la personalidad integral, próximo a los enfoques de Fromm.

Pero donde destacan sus publicaciones es en el acierto en mantener la seriedad académica de la exposición con la agilidad didáctica para conducir al lector. Un cierto pragmatismo puede ser señalado como trasfondo de una guía psicológica individual. La teoría es conjugada en todo momento con la exposición de casos. Así, ya los títulos muestran la preocupación por la labor eficaz, más que por el análisis teórico abstracto. Las experiencias en el Instituto of Living y en la Escuela Profesional son siempre punto de partida para el enfoque de la problemática.

Mujer de temperamento y sensibilidad hondos, pero racionalizados, siente sus libros como vocación de "mejoramiento de las relaciones humanas". En esta actitud, se halla muy cerca de la Psiquiatría existencial, aunque afirma sostener un criterio ecléctico, partiendo de la escuela psicoanalítica, según la exégesis de Harry S. Sullivan y otros especialistas posteriores. Además, el Dr. Charles Baudoin ha influido mucho en sus métodos para estudiar la personalidad. De esta manera, es la psico-higiene, teniendo en cuenta el conocimiento del individuo en sus relaciones con los demás y la influencia de los elementos económico-sociales en el desarrollo de la personalidad, el arte que deriva de una Psiquiatría integral. En su estudio pormenorizado no podemos entrar aquí.

O B R A S

[aparte de las publicaciones de índole literaria y educacional]

Cabezas de mis niños, San José, 1950, Imp. La Nación.

Si su hijito..., San José, 1952, Imp. Nacional [seis problemas psicológicos].

Qué hace usted con sus amarguras, Madrid, España, 1957, Ed. Aguilar.

Donde renace la esperanza (Años de aprendizaje en un hospital psiquiátrico). En prensa.

LA PSICOLOGIA EN LA UNIVERSIDAD

En la Facultad de Ciencias Sociales, una Escuela de Ciencias del Hombre, con sección de Psicología, Diplomas de Bachiller, Profesor y Licenciado. En los últimos años, crecimiento gigantesco del alumnado. Un Instituto de Investigaciones Psicológicas, dirigido por el Dr. Gonzalo Adis, behaviorista, publica numerosas investigaciones, sobre todo de comportamiento del estudiantado, y prepara las pruebas selectivas de ingreso a la Universidad.

No voy a exponer, claro es, en esta obra, los estudios psicológicos, sino solamente aquellos que guarden relación con las ideas filosóficas. Profesores de la Escuela, entre otros:

Florentino Idoate, Doctor en Filosofía, personalista, con estudios publicados sobre Frankl. De formación escolástica, su postura se dirige preferentemente hacia los temas de la Psicología existencial.

Edgar González, Doctor en Psicología, director del DBO, Gloria de Tebas (hoy en España), la Dra. Margarita Dobles, etc. Debe señalarse, como característica general, la progresiva tecnificación de estos estudios, y por consiguiente su alejamiento de la Filosofía

Rodrigo Sánchez Rupuy realizó en Alemania sus estudios psicológicos, hasta el Doctorado. Ha publicado en alemán: "El *stresse* como factor precipitante de cerebralización", Universidad de Mainz, 1968, "Psidinámica del Humor", ibídem, 1967, en colaboración con el Dr. Wellek, una "Teoría de la Personalidad". Es de formación fenomenológica, dedicado a la Psicología Profunda y a la Psicología de la Personalidad: desdén por el mecanicismo psicológico y consideración del hombre como persona.

LA PSIQUIATRIA

Sobre la Psiquiatría en Costa Rica informa el Dr. Gonzalo González Murillo[334], Profesor de Psiquiatría en la Universidad y Director (hasta 1966) del Hospital Psiquiátrico Chapuí; tanto de los planes de enseñanza y programas en la Universidad, como de la organización hospitalaria, las investigaciones, el panorama de la Salud Mental en el país, el Departamento de Higiene Mental del Ministerio de Salubridad, el Comité Nacional de Salud Mental, la Higiene Mental en la Universidad, la Comisión sobre Alcoholismo.

---

334 *Estado actual de la asistencia psiquiátrica, de la salud mental y de la enseñanza psiquiátrica en Costa Rica,* en: IV Congreso Mundial de Psiquiatría (Madrid, 1966), p. 25.

FILOSOFIA DE LA EDUCACION

Situación general

No tuvo, en general, un desarrollo sistemático. Más bien, en conjunto, debería hablarse de influencias de corrientes.

En el XIX, es interesante que la primera institución que mostró preocupación intensa por la renovación de métodos y por estar al día en teoría educativa, fue la Universidad de Santo Tomás. Casi todos los discursos "de aparato" académico están dedicados a este tema, como los de Nicolás Gallegos, José María Castro, Bernardo Calvo, etc., y sobre todo Rafael Ramírez[335]. Tuvo fuerte influencia mediado el siglo J. V. Lastarria[336].

Sin embargo, la renovación más intensa, como se ha visto antes, fue debida, en el último tercio del siglo, a Valeriano Fernández Ferraz, cuyos escritos sobre enseñanza son los más valiosos del siglo en el país. En 1884, Juan Fernández Ferraz divulgó en "La Enseñanza" las ideas froebelianas[337].

De 1889 a 1894 fue profesor de Historia de la Pedagogía, Filosofía y Economía Política en el Liceo de Costa Rica, Otto Littmann. Doctor en Filosofía por la Universidad de Breslau, tuvo importancia por introducir el método fonético en la enseñanza de la lectura[338]. Supongo que sería herbartiana.

A comienzos de siglo es significativa la polémica entre Valeriano Fernández Ferraz y Antonio Zambrana sobre si el conocimiento del latín era o no instrumento imprescindible para estudiar

---

335 "Reservado estaba al célebre Owen y a otros filántropos de nuestro siglo corregir una aberración tan funesta [enseñanza meramente informativa] y establecer la educación sobre las bases incontrastables, usando por único móvil para gobernar a sus pupilos, del instinto, de sociabilidad y desterrando de las escuelas y liceos los castigos y las recompensas. Los experimentos de Owen han tenido el resultado más completo . . . La preferencia que según él merece la parte moral, parece una doctrina incuestionable". *Discurso* . . . acto inauguración 1844.

336 "Crónica de Costa Rica" (20 febrero 1858). *Ib.,* varias reproducciones en "El Instituto Nacional".

337 Sobre estas influencias, es fundamental: Luis Felipe González, *Influencia Extranjera* . . . (1921), p. 68 y sig.

338 Luis Felipe González, *Influencia Extranjera* . . . (1921), p. 66-70.

Derecho Romano. Zambrana, el profesor de esta disciplina, se inclinaba por la negativa.

Sin llegar a tratar temas específicos de Filosofía de la Educación, tiene interés la figura de Justo A. Facio, consagrado educador costarricense a lo largo de la primera mitad del siglo, por dos publicaciones suyas. *En la Brecha*[339] es recopilación de una polémica mantenida en Panamá, en la que destaca la defensa de la enseñanza secundaria estatal y laica. *Lucha por la cultura* [340] es igualmente polémica defendiendo la secundaria estatal. El espíritu humanista, y el sentido de la responsabilidad nacional por la cultura son sus características.

También pertenece a la primera década del siglo el inicio de la influencia chilena, no tanto Filosofía de la Educación, como Metodología. Ya en 1899, la "Filosofía de la Educación" de Lettelier había sido difundida desde la biblioteca del Museo Pedagógico de San José.

El método psicológico de Dewey se hizo presente con los *Programas* elaborados por Roberto Brenes Mesén y Joaquín García Monge. Y ya la influencia de Dewey sería decisiva en las Normales, en gran parte por obra de Luis Felipe González[341].

Sin embargo, fue la segunda generación de discípulos de Dewey la que le dio mayor resonancia. En esta generación destaca Emma Gamboa, cuyas ideas serán expuestas a poco.

Propiamente, el único tratado de Filosofía de la Educación de creación original, es el de Moisés Vincenzi. Es una reflexión personal sobre el sentido de la educación.

Algunos de los profesores de Filosofía de la Educación se han dedicado especialmente a Psicología aplicada a Educación, como Jorge Arce, nacido en Heredia en 1923, profesor de la disciplina en la Escuela Normal de Heredia y en la Escuela de Educación de la Universidad. La mayor parte de sus trabajos son sobre enseñanza normal, como: *Programas de la Enseñanza Normal, Reglamento para las Escuelas Normales, Elaboración de planes y programas para una Escuela Normal en Cartago, Proyecto para una reforma;* y sobre evaluación: *Evaluación de los productos del aprendizaje,* "Educación", I, 1 (1955), p. 16-21.

Es autor de dos textos de *Filosofía de la Educación,* (San José, s. a. pp. 49, San José, s.a. pp. 39), de orientación didáctica.

339 San José, Tip. Alsina, 1911, p. 54.

340 San José, Imp. Trejos, 1923, p. 95.

341 *Vid.* capítulo sobre Psicología. ". . . John Dewey, el más filósofo de los educadores y el más educador de los filósofos, . . .". *Discurso . . .* (1940), p. 25.

Un campo de especial desarrollo en Costa Rica es el de la organización y orientación de la enseñanza. Desde la gran renovación de los Fernández Ferraz, la más importante es la de los profesores formados en Chile ("chilenoides") o Argentina. De ellos, básicamente psicologistas, veremos a Luis Felipe González e Isaac F. Azofeifa, y debe mencionarse también Carlos Monge A., precedidos por Roberto Brenes Mesén.

Claro está que el número de profesores de asignaturas de este nombre ha sido variado, la mayor parte lo fue en forma poco estable.

Mario Posla, Doctor en Pedagogía por la Universidad del Sacro Cuore de Milán, profesor en la Universidad algunos años, tras una larga estancia en los Estados Unidos, es Director del Departamente en el Instituto Nacional de Aprendizaje. Autor de *Doctrinas filosóficas que fundamentan el hecho educativo en América*[342].

María Eugenia Dengo de Vargas, que veremos en el capítulo siguiente, es Profesora de la disciplina en la Escuela de Educación. Debe señalarse el de la Normal de Heredia, Miguel Angel Campos, buen estudioso de Whitehead.

Destaca Sira Jaén. Al tratar de los estudios filosóficos, señalaré sus ideas sobre la Filosofía en las Normales. Licenciada en Filosofía y Letras, con estudios en Canadá, es profesora de Ontología Pedagógica en la Universidad Nacional.

Dra. por Madrid, con tesis sobre la intransmisibilidad del saber, y varias publicaciones sobre Filosofía de la Educación, *Rev. Filosofía*, n. 18.

Es interesante su estudio sobre Pascal:

"En resumen, la *bêtise* pascaliana presenta en realidad dos aspectos: el de la inautenticidad, entendida como la senda errada desde el punto de vista personal, religioso. Y el otro concpeto, el más importante, consistente en el desprecio a la Verdad, y en la falsedad tomada como finalidad misma; es decir, la *bêtise* significando la inautenticidad, el peligro máximo existencial. Y en este sentido creemos firmemente que Pascal no se ha equivocado"[343].

Luis Felipe González

Luis Felipe González es una de las figuras más simpáticas que ha dado Costa Rica.

---

342 *Revista Fil. Univ. C. R.,* 18 (1966), p. 147-168.

343 *Nota sobre la "bêtise" pascaliana como peligro existencial,* II Congr. E. Interamer. Filos. (San José, Julio 1961). *Nota sobre la Filosofía de la Educación de Diego Domínguez Caballero,* Rev. Fil. Univ. C. R., 18 (1966), 215-221. *La enseñanza de la Filosofía en las Escuelas Normales,* Rev. Univ., 24 (1964), p. 55-59.

Anciano que inspiraba respeto por su carácter abierto y por su infatigable labor de investigación: A los 78 años publicó uno de sus mejores trabajos históricos. Y viendo todo lo que este hombre ha hecho, positivo y concreto, sin alharacas ni ruido, se perfila toda una larga y densa vida de esfuerzo tenaz, ahincada entrega al trabajo, y servicio incansable a su país.

No ha sido hombre de mentalidad administrativa, sino un forcejeador incansable para abrir rumbos nuevos. Vuelto siempre hacia la historia educativa del país, que le debe los mejores estudios, ha sido un hombre de acción: profesor entregado, incitador y director de reformas y dando en toda ocasión el ejemplo del trabajo a hacer.

Con una buena preparación en Psicología, pertenece a la corriente que denominó de "socialismo pedagógico", como contrapuesta al "individualismo", y que hace partir de Dewey[344].

Nació en Heredia en 1882. Estudió Psicología y Pedagogía en la Universidad de La Plata, Argentina. Fue profesor de Liceo (1904-1920), de la Escuela Normal (1920-1937). Ministro de Educación Pública (1914-1917). Ha sido y es el costarricense de mayor actividad y eficacia en el campo de la enseñanza tanto por la creación de instituciones, como por su intervención en la legislación; labor prolongada muchos años; por ej., el Código de Instrucción Pública (1920). Director de la Oficina de Investigaciones Psicológicas (1923-1926), Presidente fundador del Patronato Nacional de la Infancia, autor de la Declaración de los Derechos del Niño, del Código de la Infancia, etc. Calculo en más de 100 las leyes, Reglamentos, etc., vigentes, que han salido de sus manos, tanto en la redacción como en la labor para su promulgación. Acaso su obra más eficaz fuera la fundación de la Escuela Normal (1914).

En política, liberal; en enseñanza, laicista y estatista, en Psicología, materialista. Fue el que introdujo en Costa Rica, de manera metódica, la Psicología Experimental, por encima de los que, dominando, la reducían a Fisiología.

"La Psicología experimental, que estudia los fenómenos psíquicos por medio de la observación y de la experiencia, ha dado un golpe de muerte a la psicología metafísica cuyo principal objeto ha sido el de determinar mediante hipótesis, la esencia del alma, sin preocuparse al estudiar los fenómenos psíquicos, de las leyes a que están sujetos.

"Para los estudios de Psicología experimental el concepto del alma, en su valor metafísico, no interesa de. manera alguna como el concepto de vida, que es también metafísico, sino que a aquélla se la considera como una síntesis de todos los fenómenos psíquicos.

344 Es interesante la exposición que hace en: *Influencia Extranjera* . . . (1921), p. 179-198.

"Desligada de la metafísica, la Psicología experimental ha entrado por nuevos rumbos"[345].

Pero más que un teórico o un investigador de laboratorio, es hombre que ha buscado la aplicación institucional y jurídica de una serie de principios, fundamentalmente de Paidología, y también en general de mejoras sociales.

En su postura tuvo sobre todo influencia la Escuela Sociológica con Durkheim, Lévy-Bruhl, Fauconnet, Davy, y sobre todo Dumas.

"...la sociedad es la que crea nuestros sentimientos religiosos, morales, de familia y todas aquellas tendencias que no están ligadas a las excitaciones orgánicas inmediatas. De igual manera, es la sociedad la que crea los conceptos, el contenido del pensamiento, los principios generales que organizan el conocimiento; es, en fin, la sociedad la que crea las funciones intelectuales de clasificación, abstracción, generalización, que han sido sociales en su origen y su naturaleza, antes de imponerse a los organismos individuales capaces de adaptación"[346].

Adoptó una postura de recelo ante Freud, por su *dogmatismo*: "Freud es más artista que hombre de ciencia"

En educación vocacional siguió las ideas de Kerschenteiner.

Dentro de una visión humanística, filantrópica, Luis Felipe González ejerció gran influencia para lograr la consideración jurídica y moral de la infancia, tanto en el aspecto de desvalimiento, como en el de reconocimiento de la paternidad.

Ha mantenido varias polémicas en la prensa sosteniendo la organización laica de la enseñanza.

Pueden verse sus ideas resumidas así:

"...el régimen republicano es el que mejor se adapta a las aspiraciones del hombre, el que le da verdadera personería y lo liberta de las más ignominosas esclavitudes. El constructor de una democracia no puede realizar ese ideal sin poner toda su fe en la escuela, la instalación social y democrática por excelencia, efecto y causa de la vida republicana. El gobierno de los hombres tiene que ser en todo tiempo un problema de enseñanza, el muy amable y muy pacífico de conducir por medio de la razón, conforme al adjetivo específico —DOCENTE— que así lo expresa, encontrando en tal forma la dirección inteligente de la sociedad con la libertad sin límites"[347].

---

345 *La medida de los fenómenos psíquicos,* 1924.
346 *... la posición del Dr. Blondel ...,* "La Tribuna" (13 setiembre 1929).
347 *Discurso ...* (1940), p. 24.

O B R A S

Origen de la población de Heredia, "Anales del Liceo de Heredia", (1908).

Andrés Carnegie, Publicación del Liceo de Heredia (San José, 1908).

El problema de la segunda enseñanza, San José, Imp. del Comercio, 1910.

Los exámenes, "Renovación", I, 5 (1911), p. 70-72; 6 (1911), p. 90-93; 8 (1911), p. 120-121; 9 (1911), p. 151-152; 12 (1911), p. 181-183.

Educación vocacional, San José, Tip. Lehmann, 1913.

Pedagogía Experimental, "Anales del Ateneo de Costa Rica" (1913).

Desenvolvimiento intelectual de Costa Rica en la época del coloniaje, San José, Imp. Moderna, 1914.

El Estado docente, "Anales del Ateneo de Costa Rica" (1914).

Don Mauro Fernández..., Supl. "Rev. Educación" (1916).

Exposición y proyecto de Ley sobre Enseñanza Secundaria..., San José, Tip. Nacional, 1916.

Proyecto de Ley... servicios... Secretaría de Instrucción Pública, San José, Imp. Nacional, 1916.

La obra cultural de don Miguel Obregón, San José, Imp. Nacional, 1920; 2ª ed., 1936 3ª ed., 1956.

Código de Instrucción Pública, San José, Imp. Nacional, 1920.

Historia de la Influencia Extranjera en el desenvolvimiento educacional y científico de Costa Rica, San José, Imp. Nacional, 1921, 317 pp.

Evolución intelectual de Costa Rica, "Revista de Filosofía" (Buenos Aires, 1922). Reprod. en inglés: Inter-América (New York, abril y junio 1923).

Desenvolvimiento... del café y su influencia en la cultura nacional, en: *Manual de Agricultura Tropical,* San José, Imp. La Tribuna, 1921.

Importancia de la enseñanza de la Psicología, Paidología e Higiene Escolar, San José, Imp. Nacional, 1923.

Centenario de Don Jesús Jiménez, San José, Imp. Nacional 1923.

Centenario del fundador de la Instrucción Pública en Costa Rica, Boletín de la Unión Panamericana (Washington, junio 1923).

La medida de los fenómenos psíquicos. San José, Imp. Lines, 1924, 20 pp.

Informe del Director de la Oficina de Investigaciones Pedagógicas, San José, Imp. Lehmann, 1924.

Oficina de Investigaciones psicológicas de la Escuela Normal de Costa Rica, San José, Imp. Lehmann, 1924, 15 pp.

Informe... organización de las laboratorios de Psicología Experimental en la República Argentina, San José, Imp. Nacional, 1926, 26 pp.

Lo que debe durar la enseñanza en Costa Rica [en colab.], "La Tribuna" (11 mayo 1927).

Centenario del nacimiento de Don Julián Volio, San José, Imp. Trejos, 1927, Reprod.: "Diario de Costa Rica" (17 febrero 1927); Reproducción (marzo 1927).

Apuntes para una silueta psicológica, "Diario de Costa Rica", Nos. 2829, 2831, 2835, 2836, 2843, 2844, 2847, 2849, 2850; 2851; 2853, 2854, 2858, 2859 (de noviembre 1928 a enero 1929).

...la posición del Dr. [Charles] Blondel en el mundo científico, "La Tribuna" (13 setiembre 1929).

Omar Dengo, "El Maestro", III, 5 (1929), p. 497.

Omar Dengo, San José, Imp. Nacional, 1930.

Benefactores de Heredia, San José, Imp. Gutenberg, 1930.

Exposición sobre la creación del Patronato Nacional de la Infancia y Ley respectiva, "El Maestro", V, 1-2 (1930).

Boletín del Patronato Nacional de la Infancia, San José, Imp. Nacional, 1930, 1931, 1932, 1933, 1934, 1939.

Conferencia..., Cartago, Imp. El Heraldo, 1930.

Exposición y Proyecto del Código de la Infancia, San José, Imp. Nacional, 1932.

Informe... Patronato Nacional de la Infancia, San José, Imp. Lehmann, 1933; ib., 1935.

La evolución de la Instrucción Pública en Costa Rica, San José, Imp. Nacional, 1934.

La protección de la infancia en Costa Rica, Serie de Salubridad Pública, N° 84 (Unión Panamericana, Washington, 1936).

Estudio histórico y comparativo del desarrollo del Derecho Constitucional costarricense, "Rev. Ciencias Jurid. Sociales", I, 1-2, (San José, 1936).

Historia de la Escuela Normal, "Educación", 40 (abril 1937).

Paidofilaxis, San José, Imp. Nacional, 1939.

Paidofilaxis..., VIII Congr. Científico Americano (Washington, 1940).

La Casa de Enseñanza de Santo Tomás, San José, Imp. Nacional, 1940, 21 pp.

Discurso..., en: *La Escuela Normal en sus bodas de plata* N° 4 (1940), p. 24-26.

Heredia..., San José, "La Tribuna", 1942.

Origen y desarrollo de las poblaciones de Heredia, San José y Alajuela durante el régimen colonial, San José, Imp. La Tribuna, 1943.

Historia del desarrollo de la Instrucción Pública en Costa Rica, tomo I: *La Colonia,* San José, Imp. Nacional, 1945, 145 pp.

Respuesta del Sr..., en: *Ideario Costarricense* (1943), p. 249-282.

La función social del empleado público, "Surco", 45 (1944), p. 5-6.

La Enseñanza del Derecho en Costa Rica, "Anales Univ. C. R.", (1944), p. 47-48.

Psicología del político, "Surco", 48 (1944), p. 7-8.

Ponencias... Noveno Congreso Panamericano del Niño..., San José, Ed. Borrasé, 1947.

Dictamen..., en: *Asamblea Nacional Constituyente de 1949,* tomo I (1953), p. 482-489; tomo II (1954), p. 468-469, p. 573-578; tomo III (1957), p. 52-67; p. 206-212, p. 630-634.

El Derecho Tutelar de Menores y la investigación de la paternidad, San José, Imp. Nacional, 1951.

Omar Dengo y la Escuela Normal, "El Noticiario", N° 191 (noviembre 1953).

Temario y Reglamento del Primer Congreso Centroamericano y Segundo Nacional, San José, Imp. Nacional, 1955.

Reglamentación de espectáculos para menores..., X Congr. Panamericano del Niño, San José, Imp. Nacional, 1955.

El Gobierno Eclesiástico de Costa Rica durante el régimen colonial..., San José, Imp. Nacional, 1957.

Biografía del Lic. Cleto González Víquez..., San José, Imp. Lehmann, 1958.

Omar Dengo, sembrador, "Rev. Escuela Normal C .R.", 1 (1959).

Historia del desarrollo de la Instrucción Pública en Cosat Rica, tomo II: *1821-1884,* San José, Ed. Lehmann, 1961, 434 pp.

BIBLIOGRAFIA

BONILLA, A., *Hist. Ant. Lit. Costarr.* (1957), I, p. 318-319.

CORTES, RAFAEL, *Luis Felipe González Flores,* en: *La Escuela Normal en sus bodas de plata* N° 3 (1940), p. 5-14.

FORADORI, I. AMERICO, *La Psicología en América* (Buenos Aires, 1954), p. 97-99.

HERNANDEZ POVEDA, RUBEN, *Desde la barra,* San José, Ed. Borrasé, 1953.

Prof. don Luis Felipe González Flores, en: *La Escuela Normal en sus bodas de plata, N° 1* (Heredia, 1940), p. 8-10.

SOTELA, R., *Escritores de Costa Rica,* (1942), p. 385-392,

Omar Dengo

En el capítulo de Ideas Políticas se ha bosquejado la postura política de Omar Dengo. Sin embargo, su perfil nacional no se forjó en ese aspecto, sino como educador. Su labor en la Escuela

Normal de Heredia, acompañando a figuras como Luis Felipe González y Joaquín García Monge, fue decisiva. Orientó la escuela en sentido laicista (tuvo lugar la que se llamó "guerra de los lecheros" o boicot clerical a la Escuela mediante los lecheros) y buscando el logro de un maestro "activo", de "escuela nueva". Se oponía al pragmatismo y a toda pedagogía facilitona, para inculcar el sentido del deber. Colaboró en la invención del mito "Mauro Fernández" como ideal laicista del magisterio primario.

Educador pasional, sus escritos no recogen la huella honda que dejó en el país.

"Hay que jugar en el aula, se os dirá. Enseñemos jugando. No. Esa es la amenaza de la prestidigitación pedagógica, ya sin decoro. Ante ella, las palabras hondamente sugerentes de don Miguel de Unamuno. El juego pedagógico supone una doble desnaturalización. No es juego ni pedagogía".

Y el repudio de toda deshumanización:

"Qué triste, qué horrible eso de los TESTS. Medir, medir, medir qué? A este paso, el hombre, que siempre ha sido gusano, terminará por ser un gusano medidor".

Y el repudio de la superficialidad:

"Las investigaciones realizadas en el campo de la educación experimental, comprueban que las deficiencias de preparación académica causan más daño en el ejercicio del magisterio, que las de preparación profesional.

BIBLIOGRAFIA

La ya citada edición por: MARIA EUGENIA DENGO DE VARGAS y CORTES CHACON, RAFAEL, *El pensamiento de Omar Dengo en la educación costarricense,* San José, Imp. Vargas, 1956, pp. 56.

Emma Gamboa

Nació en San Ramón en 1901. Cursó la Escuela Normal de Heredia, y se doctoró en Educación por la Ohio State University. Profesora de Filosofía de la Educación en la Escuela de Educación de la Universidad Nacional, fue Decana de esta Escuela.

Según A. Bonilla, "...propone una educación integral y democrática, de acuerdo con la trayectoria histórica de la nación, basada en la conciencia de la dignidad individual y tendiente al desarrollo de la naturaleza dinámica y creadora del niño sobre los fundamentos y las relaciones de la experiencia: "El conocimiento por sí mismo —dice— no es educativo. Tiene que haber sido motivado en experiencia, para que sea incorporado en nuestra propia vida".

Buena parte de sus doctrinas se apoya en el pensamiento norteamericano y especialmente en el de John Dewey, Herbet S. Jennings y William James" (p. 286-287).

Así, parte del filantropismo, como visión liberal del hombre, para fundamentar la educación:

"La función universal de la educación es la de servir al mejoramiento humano. Esto le da a la educación sus bases filosóficas. La sola reflexión de que la escuela ha sido creada por la sociedad como agencia inteligente de progreso nos lleva a la conclusión de que ella tiene una responsabilidad social. Esta se acrecienta en presencia de las condiciones de la época en que vivimos"[348].

Su ensayo sobre Dewey (1957) es una exposición de conjunto. El punto de partida es: "La obra de John Dewey es un proceso tenaz de pensamiento generado en los problemas y condiciones de nuestro tiempo, informado en la ciencia e inspirado en las posibilidades de la cultura de la cual fue activo partícipe. Cuando transitamos su bosque de ideas austeras tenemos la impresión de ir adentrándonos en una obra muy extensa y alta, arraigada en la tierra y que ha convertido en conciencia histórica la responsabilidad profunda del vivir cotidiano". Tras señalar las influencias (Hegel, Pierce, James), es destacada su sincronización con el método científico, lo que lleva a la relatividad en el filosofar, que Dewey formuló en el concepto de la interacción o criterio relacional, como base para la validez del pensamiento filosófico. Seguidamente se estudia la inclusión del concepto de Filosofía en la Cultura, entendida ésta como experiencia individual y social. El estudio de Platón le sirve de plataforma para la reestructuración del tema del hombre, relacionando vitalmente la Filosofía con las necesidades presentes, lo que realiza mediante su instrumentalismo. De ahí, el hombre libre gracias a la inteligencia, que fructifica en una nueva paideia, al identificar Filosofía y Teoría de la Educación. De esta manera, es tomado como eje del filosofar de Dewey el concepto de libertad, inteligencia y acción a la vez, y esta concepción es presentada como mensaje de nuestra época.

O B R A S

Tendencias modernas en la Educación norteamericana, en: *La Escuela Normal en sus bodas de plata,* N° 4 (1940), p. 55-61.

Omar Dengo, "Repertorio Americano", XLII, 9 (1945), p. 144.

La función de la educación de acuerdo con la naturaleza del hombre, San José, 1946.

---

348 *Tendencias* . . . (1940), p. 55.

Omar Dengo, "El Noticiero", IX, 111, supl. (noviembre 1946).

[carta], *Asamblea Nal. Constituyente de 1949,* tomo III (1957), p. 93-94.

Evolución de la Educación Primaria en Costa Rica, San José, poligr., 1951.

Omar Dengo, "Diario de Costa Rica" (19 noviembre 1953).

John Dewey y una filosofía de la libertad, s.l., 1957, 15 pp.

Americanismo en José Martí, Actas XXXIII Congr. Int. Americanistas, San José, 1959, tomo III, p. 59-65.

Varias obras de texto para escuelas.

Numerosos escritos en la prensa en polémicas sobre orientación de la enseñanza normal y la formación de maestros.

B I B L I O G R A F I A

Bonilla, A., *Hist. Ant. Lit. Costarr.* (1957), I, p. 286-287.

C. L. C., en: "Rev. Filos. Univ. C. R.", I, 3 (1958), p. 295.

Isaac Felipe Azofeifa

Nació en Santo Domingo de Heredia en 1909. Se graduó en la Universidad de Chile. Profesor de Psicología y Literatura, en el Liceo de Costa Rica y en la Universidad Nacional. Buen escritor, ha mostrado gran preocupación por los problemas educacionales. Es autor de los programas de Psicología de Enseñanza Media. Ha sido Director de Segunda Enseñanza en el Ministerio de Educación. Actualmente Director de la Cátedra de Castellano en los Estudios Generales de la Universidad.

Los programas de Psicología comienzan por las nociones generales, buscan enseñar a grandes rasgos la psicología infantil a través del juego y del lenguaje de los niños, la psicología del adolescente, y el aporte freudiano y adleriano; terminan con la psicología colectiva. Su verdadero objeto es interesar al estudiante en la observación del acontecer psíquico y su comprensión correcta. Con ese programa se persigue abandonar la fisiología del sistema nervioso, que se daba como psicología, al par que el racionalismo y la metafísica, con el objeto de unificar el espíritu y método de la Psicología a la luz de las modernas concepciones. En un trabajo que publicó en tales circunstancias, terminaba diciendo: "Propusimos (se refiere al programa), de acuerdo a las más modernas tendencias: *a.* La vida psíquica como inespacial, frente a la especialidad de la vida física y fisiológica. La conciencia existe sólo como duración, como tiempo. *b.* La función del organismo nervioso no es otra que la de actualizar en un momento dado, y servir de medio de expresión y realización de la conciencia, en el mundo exterior, espacial, físico. *c.* Concebimos la psicología como una ciencia de observación y de experimentación. No es el estudio del espíritu, ni del alma, porque ninguna de ambas entidades es objeto de experiencia. Lo que observamos y experimentamos es una continua corriente de fenómenos de conciencia. Con la psicología moderna, reservamos las hipótesis sobre el alma y las relaciones entre espíritu y cuerpo o materia, a la filosofía. *d.* Al través de los estudios de los hechos psíquicos, hemos visto cómo la vida psíquica es eminentemente dinámica, creadora, y no pasivo y mecánico resultado de funciones fisiológicas y particularmente nerviosas, ni producto de asociaciones seriadas. *e.* Hemos mantenido al través de los estudios necesariamente analíticos de cada función, de cada proceso, de cada hecho mental, la idea de la profunda interpretación y unidad de todas las funciones psíquicas. La idea de cada hecho psíquico es una unidad sintética en que concurren todas las demás funciones y hemos procurado siempre referirnos al individuo total para comprender el hecho parcial. *f.* Hemos procurado siempre entender la vida mental y espiritual como libertad y finalidad"[349].

Una característica de sus *Lecciones de Psicología* es que pretenden claramente dirigirse directamente al estudiante, procurando despertar su interés. Como posición, va del asociacionismo a la Psicología de la Forma.

Su postura en los problemas educacionales, sobre los que ha escrito muy acertadas y numerosas páginas, es, después de examinar la falta de estudio de la situación costarricense, plantear la necesidad de refundir la secundaria sobre bases modernas y atinadas.

"La filosofía... ha vuelto a analizar los problemas fundamentales de la existencia humana. Y le ha dado a la educación, como siempre se los ha dado, los objetivos últimos: señalar a las nuevas generaciones, junto al deber ineludible de la especialización técnica, el deber superior de encontrarse a sí mismas en la cultura, en el goce de los auténticos valores humanos de la libertad, de la autonomía moral y de la responsabilidad social"[350].

Sería interesante analizar en detalle sus desarrollos sobre la orientación ideológica de la enseñanza costarricense.

O B R A S

El misticismo en los poetas de Coquimbo. Tesis de graduación.

Influencia del Liceo de Costa Rica..., "Anales del Liceo de Costa Rica", 3-4 (1937), p. 145-192.

---

349 *Problemática...*, "Rev. Univ. C. R.", 9 (1954), p. 149.
350 *Problemática...*, "Rev. Univ. C. R.", 9 (1954), p. 149.

Lecciones de Psicología, San José, Libr. Atenea, 1947, 66 pp.

Educación para la democracia, "Surco", 13 (1941), p. 8-10.

La idea liberal en nuestra educación..., "Surco", 30 (1942), p. 13-15.

El maestro y la libertad, "Surco", 33 (1943), p. 16-17.

Una nueva política, una nueva educación, "Surco", 34 (1943), p. 10-14.

Revaloración de la Cultura, "Surco", 35 (1943), p. 18-19.

Problemática de la Segunda Enseñanza, "Rev. Univ. C. R.", 9 (1954), p. 137-16[1]

Don Mauro Fernández, "Rev. Univ. C. R.", 12 (1955), p. 111-151.

Costa Rica una nación creada por maestros, "Mundo Hispánico", 141 (Madrid, 1959), p. 16-17.

[publicaciones literarias y artículos en numerosas revistas].

BIBLIOGRAFIA

Bonilla, A., *Hist. Ant. Lit. Costarr.* (1961), II, p. 418-423.

Foradori, I. Americo, *La Psicología en América,* (Buenos Aires, 1954), p. 100-103.

No recojo la bibliografía literaria y poética.

Carlos Monge

Nacido en 1909, estudió en la Universidad de Chile; profesor de Historia en la Enseñanza Media desde 1934; desde 1942, Profesor de la Facultad de Filosofía y Letras, en materias de Historia y Geografía. El campo de especialidad de sus publicaciones es la historia nacional. Desde 1961, Rector de la Universidad.

Su dedicación a la enseñanza y a la investigación históricas se ha visto complementada con una intensa entrega a la organización de la enseñanza, ya desde el Consejo de Educación, ya desde la Rectoría Universitaria:

"Historiador de oficio, administrador cuando la elección lo ha llamado, profesor a lo largo de su vida, un hombre ha evolucionado desde un primer momento hacia la filosofía, en la que, reverentemente, ha descubierto para sí la problematicidad humana: la dedicación final ha querido la unidad que vincula educación y humanismo, es decir, en términos más precisos, la elaboración de una antropología. Ahí, la cuestión incluye persona y sociedad: ¿cómo ha de ser la educación bajo el clamor de la sociedad crucial de nuestra época? La historia deja de ser un simple oficio y se transforma en la implicación de la temporalidad socio-individual. El hombre está en su época, a ella debe acudir poseído de un conocimiento claro de los deberes y derechos afirmado en su libertad. En sus manos están los hilos del destino, por una parte, y por la otra, en las manos de las instituciones de la educación —la Universidad, fundamentalmente— los compromisos de una responsabilidad social"[351].

Centra la educación en la libertad, ya que el hombre "nace *para* ser libre". Es personalista: "el acto educativo es un acto moral y un acto de relación"; "la libertad... es ... el resultado de un largo proceso educativo de profundo sentido humano". Y este proceso se fundamenta en la visión democrática del Estado.

El Prefacio (1957) a la Ley de Enseñanza Media, obra suya, es de rotunda orientación humanista. Este prefacio y sus escritos sobre educación universitaria son un constante replantearse la búsqueda de los medios de construir la sociedad costarricense.

Lo trágico del hombre, en esta época, piensa Carlos Monge, consiste, sin duda alguna, en el peligro de la animalidad. Es necesario, de ahí, que las Universidades, al formular sus fines, partan de conceptos bien fundados. Las modernas doctrinas pedagógicas han de revisar sus fundamentos, pues el ideal ya no persigue educar para la vida, sino para ser hombre. "Cultura, pues, no es educación para 'algo', 'para' una profesión, una especialidad, un rendimiento de cualquier género; ni se da tampoco la cultura en beneficio de tales adiestramientos, sino que todo adiestramiento 'para algo' existe en beneficio de la cultura, en beneficio del hombre perfecto"[352].

Los estudios y trabajos concretos los basa por consiguiente, no en el pragmatismo, sino en la Antropología filosófica como percatación del humanismo.

"Dadas las experiencias y tradiciones democráticas que constituyen patrimonio sagrado de Costa Rica; el culto por la libertad y la vida civil que amasaron y dirigieron nuestra existencia como sociedad libre; la obligación de los grupos directores de mantener y mejorar esa modalidad de la cultura en Costa Rica, los educadores tienen como tarea suprema formar ciudadanos libres. La libertad, como característica del hombre, es producto de su propia vida, de su auténtica educación. No se impone desde fuera, sino que remata un proceso interior de desarrollo espiritual. Ella ilumina, inspira y mueve la existencia como un todo; es la espina dorsal de la concepción del mundo y de la vida que cada cual tenga. Por lo tanto, es algo más que sentirse libre para hacer lo que se juzgue

351 R. A. Herra, *Carlos Monge . . .* , Rev. Filos. Univ. C. R., 17 (1965), 64.
352 *Ib.*, p. 68.

conveniente; es algo más que poseer aptitud para escoger gobernantes. En ella descansan el respeto verdadero y cierto —no farisaico— por los semejantes, la actitud objetiva que disipa odios y hace que el hombre, por sobre sus mezquinas pasiones y mentecateces de todos los días, se eleve a los cielos, es decir, alcance plenitud de espíritu. No es libre —lo cual equivale a decir no es hombre— quien vive amarrado a sus bajos sentimientos, a sus pequeños o estrechos intereses; quien, ciego, no ve ni siente el mundo del cual forma parte"[353].

BIBLIOGRAFIA

R.: A. Herra, *Carlos Monge Alfaro: La Filosofía de la Educación y la Universidad,* Revista Filosofía Univ. C. R., 17 (1965), 63-78.

OBRAS

Relación en el anterior estudio, pp. 76-78. Para Filosofía de la Educación interesan:

Anteproyecto de Plan de Estudios de Facultad de Humanidades, Revista Univ. C. R., 8 (1952), 27-50.

La enseñanza costarricense... Revista Univ. C. R., 13 (1956), 115-147.

Educación y Desarrollo Humano, San José, Univ., 1965.

La Universidad Costarricense, Polémica, 13-14-15 (San José, 1965).

Acceso a la Universidad, San José, 1967, pp. 14.

Tradición y renovación de la Universidad, 1967, pp. 12.

Y así, llegar a ser cada uno lo que es, 1967, pp. 14.

La educación como un reto, Univ. C. R., 1963, pp. 18.

Formación humana y desarrollo científico, Univ. C. R., 1967, pp. 13.

José Joaquín Trejos

Este Profesor de Matemáticas · ha tenido una trayectoria constante de dedicación a la enseñanza universitaria con una entrega plena, habiendo sido uno de los organizadores de la Reforma universitaria. Inesperadamente, en 1966, entró en la política; candidato a la Presidencia de la República por la coalición de partidos de oposición, fue electo Presidente el mismo año. Su posición es liberal.

---

353 *Discurso... Congreso Universitario,* San José, 1967, p. 12.

José Joaquín Trejos es alto, bien plantado, elegante. De hablar lento, premioso, propio de un matemático, ha sido un colaborador muy activo de la Asociación de Filosofía desde su fundación.

Decano de la Facultad de Ciencias Económicas, Vicedecano y luego Decano de la Facultad de Ciencias y Letras a lo largo de veinte años ha desempeñado en forma exigente cargos de gobierno universitario.

Filosóficamente, su trabajo más significativo es el estudio sobre el método inductivo en las ciencias deductivas.

En Filosofía de la Educación busca un planteamiento integral: "..., la educación aparece en relación directa con la vocación del hombre, con su bienestar, con su propósito en la vida, que la educación propende a prepararlo para que los alcance con la mayor plenitud y perfección. Pero la educación, considerada, digamos, desde un punto de vista social, es además, el medio que emplea una sociedad para prolongarse en el tiempo, para transmitir a las generaciones siguientes su legado cultural, para transmitirles su escala de valores, éticos y estéticos". Estas dos dimensiones determinan los fines de la educación, centrados en uno: *la libertad del hombre,* lo cual fundamenta ampliamente.

Roberto Saumells escribía:

"¿Cuáles han de ser las articulaciones de esta orientación educadora que hagan posible la constitutiva libertad del hombre? Aquí el profesor Trejos, tras muy atinadas referencias a autores clásicos, avanza una observación propia llena de doctrina, que podría resumirse así: esta orientación educadora en busca de la libertad emana, al menos en parte, de un fundamental buen sentido compartido por la colectividad nacional. 'A los costarricenses afortunadamente, quizás un poco como a los atenienses del florecimiento griego, nos resulta sumamente fácil aceptar explícitamente que la libertad del hombre es uno de los fines más nobles que ha de tener la educación. ¡Cuán justa, cuán pertinente resulta esta evocación del tradicional buen sentido de las gentes para referir a él una esencial vocación universtiaria!".

Referido concretamente a la Universidad, analiza sus fines de formación cultural, basada en las humanidades. Pero toda la organización concreta debe basarse en la visión filosófica de los fines universitarios: "Cuando la Universidad esté proporcionando a sus estudiantes esa preparación sólida en las disciplinas fundamentales de un campo del conocimiento, entonces puede, en ese campo, intentar alcanzar el siguiente y más sublime objeto: hacer retroceder las fronteras de lo desconocido".

Desde la Presidencia, su preocupación por la enseñanza se ha traducido, mediante la labor del Ministro Malavassi Vargas, en la creación de la Escuela Normal Superior.

En el plano estricto de la política, ha intentado la liberalización de la Banca (nacionalizada por el Partido Liberación Nacional). El proyecto (desechado por la Asamblea Nacional, en la cual el Gobierno está en minoría) es típicamente neo-liberal.

Filosóficamente, su trabajo más importante es el estudio *La inducción en las Ciencias deductivas.* Hay que tener presente que se trata de un Profesor de Matemáticas, y ello condiciona su interés: "... poner de relieve el papel principal que cumple la inducción en las ciencias deductivas".

Sin embargo, como humanista, pretende mucho más: "... es un ensayo que tiende a mostrar cómo el método que emplean estas ciencias es inherente al pensamiento humano. Tiene, así, el propósito de mostrar de qué manera los caminos del pensamiento aparecen iguales, ya sean transitados por el hombre en su vida diaria o por el científico que trata de explicarse los fenómenos de la naturaleza, de la vida o de la conducta".

Para sus ideas políticas, es fundamental la exposición de LUIS BARAHONA, en su *Historia de las Ideas Políticas en Costa Rica,* así como sus cuatro volúmenes en que recoge sus trabajos sobre su participación activa en la política nacional.

Primer tomo: Ideales políticos y realidad nacional. Segundo tomo: Educación y desarrollo humano, una política social para nuestra época. Tercer tomo: Producción nacional, economía y su infraestructura, Política Monetaria, Fiscal y Crediticia. Cuarto Tomo: Política electoral y de Partidos [354].

En conjunto, una postura socialcristiana, opuesta a los estatismos y tendencias monopolistas. Planificación, desarrollo, libre empresa y espíritu humanista.

O B R A S

La inducción en las Ciencias deductivas, "Rev. Filosofía Univ. Costa Rica", 4 (1958), 309-324.

Reflexiones sobre la Educación, Ed. Costa Rica, San José, 1963, pp. 168.

Discurso sobre el estado de la Nación..., San José, Imp. Nacional, 1966, pp. 24.

Discurso... Congreso Universitario, San José, Univ. 1967, pp. 17-29.

Mensaje..., 1967, San José, Imp. Nacional, 1967, pp. 33; 1968, 1969.

Dignidad del Trabajo, 1968, pp. 11.
Anhelos de cambio y de progreso en la América Latina, 1968.

---

354 *Ocho años en la Política costarricense,* 1er. tomo, 1973, p. 330; 2º tomo, 1974, p. 286; 3er. tomo, 1974, p. 457; 4º tomo, 1973, p. 387. San José, Ed. Hombre y Sociedad.

BIBLIOGRAFIA

ROBERTO SAUMELLS, en: Revista de Filosofía Univ. Costa Rica, 15-16. (1965), 455-456. Reproducido en: *Atlántida*, Madrid, 1965.

R. A. HERRA, "La importancia de un universitario en la Presidencia de la República", *La Nación* (10-febrero-1966).

OSSA, CARLOS DE LA, "Doctrina social-cristiana en don José J. Trejos F.", *La Nación*, 11 noviembre 1973.

LOS ESTUDIOS DE FILOSOFIA

LA ENSEÑANZA DE LA FILOSOFIA
(1900-1941)

En este período, como enseñanza universitaria, sólo puede mencionarse la Cátedra de Filosofía del Derecho, en la Escuela de Derecho, que vimos al tratar de esta disciplina. Esporádicamente, en esta Escuela se dieron cursos filosóficos, como el desarrollado por Roberto Brenes Mesén en 1905, sobre "Filosofía de la Historia y de las Ciencias".

En la Enseñanza Media se inicia el siglo continuando el plan krausista introducido por Valeriano Fernández Ferraz: Lógica, Psicología y Etica. Plan vigente muchos años en España. Estos cursos estuvieron, en general, a cargo de profesores sin preparación filosófica. Con las excepciones que veremos, lentamente fueron perdiendo contenido; sobre todo, al ampliarse progresivamente el número de Liceos y no prepararse profesorado, sucedió lo previsible: la desecación casi general de la enseñanza. Coincidió otro proceso: la influencia de los maestros normalistas nombrados profesores en número creciente propendió a dedicar la atención solamente a la parte de Psicología, en un nivel elemental, y terminó ésta sustituyendo a las otras dos disciplinas. Los profesores y obras de Psicología serán tratados al examinar esta disciplina.

Si nos fijamos en los centros de solera, tenemos la visión de una renovación incesante de profesorado; casi siempre de otras materias, y encargado provisionalmente de la Filosofía.

Del Colegio San Luis Gonzaga, de Cartago, conozco los siguientes datos: Porfirio Brenes Castro, profesor de Lógica y Etica en 1907-1909; Tomás Fernández Bolandi, de Lógica y Etica en 1913 y de Lógica en 1914-1915; Luis A. Silva, de Lógica en 1916-1917; Luis Fernández R., de Lógica en 1921-1922.

En la Escuela Normal de Heredia, creada en 1914 (decreto de 28 noviembre 1914), por obra de Luis Felipe González, el plan de estudios del mismo año incluyó "Lógica y debate" y "Psicología". El título de "Lógica y debate" ya da a entender la buscada finalidad práctica de tipo oratorio, que supongo fue lo que de hecho dominó[355]. Esta disciplina se mantuvo de 1915 a 1928. Fueron profesores: Omar Dengo, 1915-1917; Carlos Gagini, 1917-1919; Octavio Jiménez Alpízar, 1920; Omar Dengo, 1921-1928.

Profesores de Filosofía que dejaron huella, por sus trabajos, publicaciones, etc., fueron:

Roberto Brenes Mesén, profesor de Lógica y Psicología en Liceo de Costa Rica de 1900 a 1905; y en el Colegio Superior de Señoritas en 1917-1918. Ya hemos expuesto sus ideas al tratar de la Filosofía General. Tuvo un enorme prestigio como profesor. Es extraño que en 1941 no fuera llamado a la Universidad.

Luis Cruz Meza, profesor de Lógica, Psicología y Etica en el Liceo de Costa Rica desde 1912.

Nació en Heredia en 1877. Licenciado en Derecho por la Universidad de Guatemala en 1901, dirigió muchos años la revista *El Foro,* en la que dio importancia a los temas filosóficos. Jurista de prestigio, buen escritor, autor de numerosos estudios (publicados la mayor parte en aquella revista) sobre temas sociales. Hombre progresista, preocupado por temas intelectuales y sociales. Murió en 1932[356].

Son de interés, aparte de sus publicaciones de índole jurídica, los siguientes artículos: *Sobre elecciones.* "El Foro", I, 5 (1905), p. 74-79; *Defectos de moral nacional,* "El Foro", VIII, 8 (1912), p. 242-268; *Por los obreros: ni propaganda religiosa ni propaganda política,* "El Foro", VIII, 12 (1913), p. 425-446; *El pauperismo y el capitalismo nuestros,* "El Foro", X, 12 (1915), p. 361-378; *La crisis mundial,* "El Foro", XIV, 1 (1918), p. 2-3; *Páginas inéditas de Don Luis Cruz Meza,* "brecha", II 1 (1957), p. 12-13. Cfr.: SOTELA R., *Escritores de Costa Rica* (1942), p. 217-222.

El curso, inédito, de Lógica responde a una orientación clásica, complementada por los estudios de lógica inductiva. Entiende la lógica como ciencia de las ciencias, y considera que justifica los primeros principios; sobre todo, el de identidad, que no es simple tautología. Fundamenta la inducción en la causalidad natural, estudiable probabilísticamente. Su curso de Etica, incompleto, es básicamente psicologista, y filantrópico: la cooperación humana ha realizado las conquistas de la moral. Pero en cierta manera, es individualista: "El mundo puede considerarse como un inmenso taller...: en tal taller el amontonamiento de esfuerzos, de sacrificios, de los trabajos de pensadores solitarios, que dedican su vida a la

---

355 He visto un trabajo de Alejandro Alvarado Quirós, *Una biografía ejemplar,* en: *Prosa Romántica* (1933). p. 24-33, que es un modelo de lección para desenvolverlo en dicha Escuela, sobre Sócrates. Superficial, básico sobre la *Apología* platónica, bien escrito.

356 *Vid.: Datos biográficos ...,* en: Luis Cruz Meza, Páginas Escogidas, San José, Imp. Victoria, 1958, p. 91. Ibídem, "Pandemonium", VII, 87 (1913) p. 262-264.

realización de los grandes inventos, de los portentosos hallazgos en los intrépidos viajeros, en los industriales, los obreros, todos en fin, que trabajan y colaboran en el progreso de la humanidad, son quienes la enriquecen, mediante la base sublime de la cooperación humana".

Carlos Gagini, que vimos al tratar de Psicología y Teoría de la Ciencia. Dejó un curso de Lógica, inédito, que no he podido consultar.

Víctor Lafosse, médico alópata belga, que practicó la homeopatía. Fue profesor de la Universidad libre de Bruselas. Defendió en Costa Rica la filosofía logorquista de Colins[357], ateísmo, transmigración de las almas, etc. Profesor durante dos años de Lógica en el Liceo de Costa Rica. Esta filosofía siguió siendo difundida por P. Deliens en la prensa.

---

357 Luis Felipe González, *Influencia Extranjera* . . . (1921), p. 107.

LA UNIVERSIDAD DE COSTA RICA

La ausencia de Universidad (1888-1941)

Para los estudios filosóficos, la ausencia de Universidad producida entre 1888 y 1941 resultó funesta. Precisamente es la época de apertura a la Filosofía por la misma Filosofía, y no ya como en la época anterior. A los nombres de Mario Sancho, Roberto Brenes Mesén les faltó, tanto para madurar su sentido académico, como para propiciar una obra fecunda con su enseñanza, el marco universitario, y hubieron de buscarlo en los Estados Unidos. Un Jorge Volio, un Moisés Vincenzi, serán los iniciadores de la Filosofía académica a partir de 1941, habiendo desaprovechado el país la mayor parte de su energía mental.

Esta ausencia de Universidad fue vivida como dolorosa por todos los intelectuales de prestigio del país. Constantemente se alzaron protestas, y se expresaron deseos de reinstauración. Y eso que, en cierto modo, si una Universidad fuera solamente la docencia, hubo varias décadas (a partir de 1923) en que realmente había más Escuelas Superiores (Derecho, Farmacia, Agricultura, Bellas Artes, Cirugía Dental, Ingeniería) que en tiempos de la Universidad de Santo Tomás, pero manifestaban su insatisfacción por sentir la falta de un nivel académico y estar reducidas al profesionalismo puro.

Hemos visto el parecer, violentamente condenatorio de aquella clausura ministerial, de Valeriano Fernández Ferraz, hombre claro de palabras[358]. En el mismo año, 1905, Alfonso Jiménez escribía: "Hoy día estamos palpando los grandes defectos y el desbarajuste de la enseñanza oficial,. . ." y considera indispensable, como remedio, abrir la Universidad[359]. Es la generación universitaria de la vieja Universidad la que echa a faltar la atmósfera en que se había educado y se da cuenta del progresivo crecimiento del empirismo en la enseñanza.

---

358 Ocho años más tarde, después de una visión desoladora de la enseñanza, diría: "Aquí, pues, no aparece otro recurso salvador, ni más remedio a la enfermedad pedagógica, sino la mentada Universidad Nacional, . . .". "UNIVERSITARIO DE PASO", *Universidad Nacional,* "Renovación", III 52 (1913), p. 54-59.

359 *Discurso . . . ,* "El Foro", I, 1 (1905), p. 6-7.

En 1919 las directivas de las Facultades profesionales (Derecho, Medicina, Ingeniería, Farmacia y Cirugía Dental) se dirigieron al Secretario de Instrucción Pública, Joaquín García Monge. Comienzan: "Una de las aspiraciones más claramente manifestadas por la opinión pública en el sentido del mejoramiento futuro del país es la del restablecimiento de la Universidad de Costa Rica sobre bases más amplias que las que sirvieron a la vieja y pontificia Universidad de Santo Tomás". Solicitan que, en tanto, se facilite la construcción del edificio para la Escuela de Derecho, edificio que sirviera luego para la Universidad[360]. Por la intervención de Joaquín García Monge, el Estado obsequió el terreno, pero no dio ningún paso más.

En 1925, el Colegio de Abogados planteó un proyecto de restablecimiento de la antigua Universidad[361], que fue desoído.

En 1931, Alejandro Alvarado Quirós decía: "... crear el ambiente propicio, para erigir de nuevo, resucitándola de sus cenizas, la Universidad de Costa Rica, ..., y cumpliendo así, la recomendación de muchos pensadores para el mejoramiento y descentralización de la enseñanza"[362].

Ricardo Jiménez, que se había lavado las manos cuando la clausura de 1888, como Presidente procuró reinstaurarla, redactando incluso el proyecto de Ley y propiciando los estudios previos a su organización. Se expresó en términos que claramente son ataque a lo hecho por Mauro Fernández, acendrada declaración de liberalismo y defensa de la libertad de Cátedra:

"Recordando lo pasado, me dije: un día será restablecida [la Universidad], pero si yo lo veo y puedo, haré cuanto de mí dependa para que jamás la Universidad caiga al alcance de los gobernantes o de sus ministros. La Universidad, para ser lo que debe ser, para llenar su papel en la sociedad y en la nación, reclama autonomía y perfecta libertad de cátedra. La Universidad sirve para hacer curiosos a los jóvenes y para hacerlos investigadores. Ni las ciencias, ni las letras, ni las artes pueden tener valladares que atajen la curiosidad de los estudiantes. Yo me acongojo cuando voy a ciertas oficinas públicas y veo en todas las puertas el rótulo de "Prohibida la entrada". Posiblemente eso se haga para el buen servicio. Pero en la Universidad en que estudiantes y profesores encuentran puertas con rótulos de "Prohibida la entrada" para sus investigaciones y sus deseos de saber más, no habrá tal Universidad, sino prisión para el pensamiento y escarnio de la cultura".

360 "Rev. Costa Rica", I, 4 (1919), p. 114-116.
361 Memoria ..., "Rev. Costa Rica", VI, 1-2 (1925), p. 34.
362 Prosa Romántica (1933), p. 89-90.

Mientras tanto, en estos años, una pequeña minoría de costarricenses había realizado estudios, unos en Bélgica y Francia, otros en Chile y Argentina. Insuficientes en el campo de la enseñanza para colmar el vacío, propiciaban la apertura de la Universidad.

Siendo Presidente Ricardo Jiménez y Ministro de Educación Pública Teodoro Picado, en 1935 el Gobierno contrató una Comisión chilena que preparase un informe sobre la enseñanza en el país. En especial a Luis Galdames, que fue Rector de la Universidad de Santiago de Chile, le encargó la preparación de un proyecto de Ley. Con este motivo, Luis Galdames preparó además un volumen, *la Universidad Autónoma*[363], muy interesante. Constituye todo un estudio de teoría universitaria, en conjunto atinadamente aplicada a la situación política y social de Costa Rica. Universidad autónoma, académica y económicamente, es la tesis eje. Las ideas de este libro pesaron mucho, aunque de momento, con el cambio de gobierno de 1936, no tuvieron aplicación inmediata; ésta tardó hasta 1940.

Una observación importante es que Galdames, que no conocía la historia de la Universidad de Santo Tomás, habló con sarcasmo de las Universidades "medievales", "escolásticas", etc. (supongo que pensando en la Argentina colonial) y ya le quedaron estas muletillas a la de Santo Tomás.

En 1939 Elías Jiménez Rojas decía: "Si a nuestros gobiernos los acompañara una Universidad autónoma en la dirección intelectual del país veríamos un progreso material mucho mayor, sentado en una república más demócrata y más liberal en sus credos políticos, sociales y religiosos[364].

Trayectoria de la Universidad (1941-1961)

Siendo Presidente Rafael Angel Calderón Guardia, por especial iniciativa de Luis Demetrio Tinoco[365], Ministro de Educación Pública, se creó la Universidad Nacional (Ley de 20 agosto 1941). Prácticamente, se dio unidad jurídica a las Escuelas superiores existentes y se creó la Facultad de Filosofía y Letras, que empezó a funcionar en 1942. Los medios económicos fueron modestos, pero aun así tuvo gran efecto en el país.

Las opiniones en general de los intelectuales fueron favorables y optimistas. Y todas coincidieron en insistir en su carácter autónomo y en exigirle nivel académico.

---

363 San José. Ed. Borrasé. 1935. 519 pp. Los otros informes, de los otros comisionados, en cambio, son muy deficientes.

364 "La Prensa Libre" (24 julio 1939).

365 Especial importancia tuvo la intervención del Ministro Luis Demetrio Tinoco en la creación de la Universidad, en la cual ha sido profesor de Derecho: uno de los políticos cristianos importantes en la evolución educacional y política del país.

Es interesante cómo la saludó Roberto Brenes Mesén:

"Función primordial de la Facultad de Humanidades es la de presentar un universo organizado como base o como trasfondo de toda su enseñanza y de todas sus investigaciones originales, a fin de que el estudiante se halle con un entendimiento y un saber organizados en un universo organizado.

"La historia de las herejías en ciencias, religión o filosofía marca el progreso de la liberación del pensamiento.

"... Bienvenida la Universidad como todas las Universidades que actualmente existen en el mundo. Pero mi consejo es: estad atentos a todos los movimientos, a fin de que la educación de los jóvenes sea de tal manera que no sean los retardadores que se oponen a la reproducción de las cosas nuevas. Mi batalla no es contra los hombres inocentes, sino contra los que no sabían pero creían saber, pues son los que hacen constantemente la oposición"[366].

Dos años más tarde, Roberto Brenes Mesén echaba en falta todavía el tercer Estado: los graduados universitarios: "La Universidad debe empeñarse en establecer el equilibrio, exaltando las fuerzas espirituales del país"[367].

En 1941, fundada la Universidad, la Rectoría hizo circular una nota entre los profesores, conminando a los que tuvieran ideas totalitarias a no exponerlas en ninguna forma. A pesar del estado de guerra, Ricardo Jiménez salió en seguida a la prensa:

"Eso es lo que tengo que decir al ver esa conminación a los profesores universitarios, porque me causa pena que a estas horas se pueda pasear por los claustros de ese establecimiento la sombra inquisitorial de una imposición. Universidad, sí, pero como manantial de progreso, de las libertades y de la democracia"[368].

La Universidad Nacional celebró en agosto 1946 un Congreso Universitario, en el cual se estudió la estructura y fines de la Universidad. Entre las conclusiones, figuró: estudiar la reorganización de la Universidad, crear un curso humanístico general. Es interesante que estas dos ideas iban a ser estímulo para una labor de total refundición, que había de durar de 1946 a 1956[369].

---

366 Y se dolía de la ausencia de tradición universitaria en el país, pues por ello faltaba una seria disciplina intelectual. *Discurso de Recepción . . .* 1941).

367 *Respuesta del Sr. . . . ,* en: *Ideario Costarricense* (1943), p. 181-194.

368 Citado en: *Don Ricardo y la Universidad,* "La Nación" (15 noviembre 1958).

369 "Y la nota discordante . . . que da nuestra Universidad por falta de unidad de acción, aun cuando ya tenga unidad de destino, sólo se remediaría el día que tengamos una verdadera *unidad de empresa . . .* esta empresa se logra mediante un hacer aquí y ahora, poniendo, desde ya, a los estudiantes y a los profesores *ante esa cosa concreta que se nos imponga como impostergable,* dada su urgencia vital". Luis Barahona, *Reflexiones sobre la realidad universitaria,* "Diario de Costa Rica" 1946).

En aquel Congreso presentó Abelardo Bonilla una ponencia de grandes ambiciones, que marcó la nueva ruta doctrinal de la Universidad.

"Costa Rica tiene el deber y las posibilidades de convertirse en un gran centro de cultura, capaz de asimilar y de reflejar las grandes corrientes del pensamiento, de las ciencias y de las artes, para recibir en su seno a muchos estudiantes de diversos países de América. Pero es indispensable crear el organismo y el ambiente que hagan posible esa aspiración y que, además, sean la base del resultado efectivo que la nación reclama después del esfuerzo extraordinario que ha hecho en el desarrollo de la educación pública... la Universidad de Costa Rica carece de unidad y de orientación, debido a la autonomía y aislamiento en que viven cada una de las Escuelas o Facultades, especialmente la de Filosofía y Letras y de Ciencias, que deben ser el alma de toda la institución y el centro preparatorio para las demás. Se da una especialización prematura y limitadora en las escuelas profesionales, por falta de una base académica o humanística". "Fundamentalmente, una Universidad es *una institución académica, es decir, de cultura general humanística.* En otras palabras, prepara la incorporación del individuo a un pasado de cultura y a la comprensión general del medio y de la época en que vive. Esta es la función primordial de la Universidad. En segundo lugar, la Universidad tiene la función de preparar profesionales... Pero las mismas profesiones deben tener su aspecto académico importante. Una profesión debe ser una especialización sobre un aspecto de la cultura". Luego propuso la Universidad en tres secciones principales: Facultad de Humanidades, Facultades profesionales, y Facultad de Estudios Superiores; analiza cada una y señala las bases de su estructuración"[370].

Poco después el profesor argentino Juan Mantovani desarrolló en la Universidad una conferencia sobre *La posición de la Facultad de Filosofía en la estructura de la Universidad moderna.* La crónica universitaria comenta: "viniendo a reforzar con sus sólidos puntos de vista el movimiento de reforma universitaria iniciado a raíz de la presentación de la ponencia del profesor Abelardo Bonilla al Congreso Universitario"[371].

En el Congreso Universitario se nombró una comisión, integrada por los profesores Baudrit (Rector), Bonilla (Secretario General), Rex, Macaya y García Monge, la cual presentó un "Proyecto de Organización de la Facultad de Humanidades", redactado por Enrique Macaya[372]. Básicamente, sigue las ideas de la po-

---

370 "Rev. Univ. C. R.", 2 (1947), p. 156-166.
371 "Rev. Univ. C. R.", 2 (1947), p. 151.
372 "Rev. Univ. C. R.", 4 (1949), p. 273-283.

nencia anterior, pero limitándose a la Facultad de Humanidades, "tomando como base para ello la consolidación en una sola unidad de las ya existentes Facultades de Filosofía y Letras y de Ciencias". "Esta centralización y robustecimiento de estudios humanísticos ha traído como consecuencia necesaria el hecho de que la Facultad de Humanidades se transforme, sin lugar a dudas, en la más importante de todas las facultades universitarias, ...". "Por otro lado, la organización de la nueva Facultad de Humanidades, afecta, de una manera general, toda la actual organización de la Universidad". Por la departamentalización de las Cátedras académicas en la Facultad de Humanidades, ésta ganaba carácter de central. Luego sigue el plan detallado, sobre la base de que "el humanismo abarca a la vez las artes y las ciencias".

En mayo 1950, el Profesor Carlos Monge, Decano de la Facultad de Filosofía y Letras, presentó al Consejo Universitario un ante-proyecto de plan de estudios, con los siguientes puntos: importancia de un ciclo de Estudios Generales, tarea formativa de los Estudios Generales, criterios de organización de los Estudios Generales, Sección de Estudios Generales, Departamentos especializados, Títulos y Doctorado.

En 1952, el profesor Monge, después de una visita a las Universidades de Guatemala y El Salvador, presentó un informe sobre posibles sistemas de Estudios Generales. La idea central es que para replantear la Universidad, es necesario recurrir a las ciencias y a la Antropología Filosófica, para determinar lo que el hombre y la cultura son: "La consigna debiera ser: hay que volver al hombre; llamar a ese tránsfuga sin cuya presencia todas las cosas, las naturales y las creadas por él, carecen de significado, de sentido moral. El mundo sin el hombre vuelve al caos. He ahí el peligro que confronta la época actual: el caos que desde el punto de vista del espíritu es la muerte. En ese camino de rectificación espiritual, en el planteamiento de un nuevo humanismo que dé valor y sentido a todos los aportes de la Ciencia, de la Técnica y de la Filosofía, las universidades deben jugar un papel de enorme trascendencia. Esa es su responsabilidad histórica". La cultura es "un proceso constante de elaboración del mundo". "Pero cultura es también humanización, ...". "El doble proceso cultural ..., formación del hombre y su identificación con los ideales de vida de la comunidad de que es parte integrante, debe orientarse, dirigirse. He aquí en donde empieza a dibujarse y a tomar contenido el fenómeno educativo. "... humanización, ... socialización". Y termina proponiendo "iniciar" el estudio de la *Antropología Filosófica Americana,* con el propósito de adentrarnos en el sentido de la vida del hombre americano y de sus relaciones con las comunidades; recabar los términos en que se ha planteado una Antropología Filosófica Americana, el forjarnos una meta cultural que surja del estudio cierto del hombre y de la comunidad. De ese modo, las universidades de nuestro continente marcharán a la consecución de un destino común en la elaboración de un hombre comprensivo, libre y creador"[373].

En noviembre 1952 se aprobó el anteproyecto de Carlos Monge y el estudio de su cumplimiento.

El Rector Facio, en 1952, expresó: ". . . para 1960 . . . podrá contarse ya con el equipo humano y la planta física necesarios para seguir adelante con la obra de fondo. . .: la de la reforma estructural de la Universidad sobre el fundamento de una Facultad de Humanidades. . . . sobre la base de una cultura humanística sólida y profunda, a la vez que para darle un decidido impulso a la investigación filosófica y científica pura, y para extender ampliamente la red de servicios sociales a la comunidad . . . Faltaría ahora sólo estudiar la manera de ir produciendo la reforma en forma evolutiva, . . .".

El 30 abril 1955 la Asamblea Universitaria dictó el Acuerdo de Reorganización de la Universidad. Se sustituía el nombre de Humanidades por el de Ciencias y Letras, y se asentaba la departamentalización de esta Facultad. El texto completo del Acuerdo se publicó en los "Anales" (1955). Se nombraron ocho comisiones de trabajo. En 1956 entró en funciones el Consejo Directivo de la Facultad de Ciencias y Letras, integrado por los profesores Macaya, Trejos y Gutiérrez Carranza, que inició la organización de la Facultad.

En 1957 comenzó a funcionar.

Como orientación, el Rector, Rodrigo Facio, señaló la siguiente:

"El día en que la Universidad estuviera al servicio de un poder político, o de una confesión religiosa, o de una tendencia anti-religiosa, mutiladora de la integridad de la vida interior, o de un sectarismo doctrinario, o de una discriminación racial, o de un privilegio económico, o de una distinción social, ese día sería, pese a las brillantes apariencias y a las frases elaboradas con que se pretendiese disimularlo, el de la liquidación de la vida espiritual creadora de la institución y, por ende, el de ella misma"[374]. Se inicia en esos años, "la época de una Universidad concebida no como simple agregado de partes distintas, sino como unidad orgánica y funcional"[375].

Y en el momento en que iba a iniciarse la reforma completa, Rodrigo Facio se planteó el examen: ". . . quienes nos hallamos al frente de la institución hagamos un alto en el camino e invitemos a los demás a hacerlo, para recordar los valores fundamen-

---

373 *Hombre, Cultura y Universidad,* "Rev. Univ. C. R.", 8 (1952).

374 "Anales Univ. C. R.", (1954), p. 65.

375 "Anales Univ. C. R.", (1954), p. 70.

tales en que ella se asienta y reflexionar sobre si están siendo cumplidos a integridad o no". La Universidad de Costa Rica "... en sus pocos años ha sabido definirse como una institución libre, y la libertad es la condición para que el hombre, plenamente garantizado en su independencia y su dignidad individuales, pueda vivir espiritualmente, vida espiritual sin la cual la verdadera Universidad no existe". Además de la libertad jurídica, reconocida en la Constitución Política, considera fundamental "... la corta pero clara tradición de respeto recíproco desarrollada en las relaciones de la Universidad con los Poderes Públicos. Más importante es la comprensión por los diversos sectores políticos e ideológicos del país, de que la actividad cultural, nacional, que aquí se realiza, no debe ser turbada por las pasiones del momento...". Otro aspecto fundamental de la Universidad como institución fundada en la libertad es el de la libertad de Cátedra, por descansar la condición del progreso científico en la libérrima discusión de todas las ideas y todos los principios[376].

Este concepto de la Universidad, reflejado en su estructura interna, lo vemos reelaborado nuevamente por Carlos Monge, ya en funciones rectorales: "La Universidad de Costa Rica es una institución de carácter eminentemente educativo, su fin supremo es ayudar a formar una juventud de hondas convicciones democráticas, libre de prejuicios, independiente, capaz de decidir por la libre y razonada discriminación de su pensamiento. Continuar esa tarea es abligación de quienes estamos a cargo de la dirección de esta Casa de Estudios. Deseamos formar profesionales que enaltezcan su Alma Mater en todas partes, en los estrados de la justicia, en el magisterio, en las actividades económicas, en el foro, en la Asamblea Legislativa. Profesionales capaces de razonar con hondura antes de lanzar mordaces y mal intencionadas críticas; profesionales y ciudadanos que odien la demagogia, que actúen a la luz de los hechos comprobados para no herir reputaciones, ni maltratar instituciones. Recibimos una Universidad en plena reforma, dinámica, que marcha hacia adelante inspirada y alentada por grandes propósitos eduacitvos, que difunde conocimientos, estimula el pensamiento crítico e independiente. Una Universidad que aspira a contribuir a formar ciudadanos conscientes del papel que deben desempeñar como miembros de la colectividad costarricense, que realiza sus fines para bien de la patria sin distinción de razas, de fortunas, de credos religiosos. En este particular orden de cosas nuestra Alma Mater es una de las fuerzas de mayor importancia que le aseguran a la democracia insospechadas fuentes espirituales"[377].

---

376 2 *discursos* . . . (1956).
377 "*La Nación*" (23 diciembre 1961).

Por otra parte, consideró que la Universidad, en su nueva etapa, debe centrarse en la investigación como nerviación íntima.

Esta ideología general cuajó en una estructura institucional. La Universidad fue autónoma del Estado, tanto administrativa como económicamente. Su gobierno reside en la Asamblea Universitaria, integrada por todos los Profesores y los delegados de los estudiantes y de los Colegios profesionales. Su administración está a cargo del Consejo Universitario, integrado por Rector, Secretario General, Decanos de Facultades y Vicedecanos de Ciencias y Letras, y representante estudiantil. A su vez, cada Facultad es autónoma, en su esfera, así como, dentro de la Central de Ciencias y Letras, cada Departamento. Todos los cargos directivos son por elección trienal.

BIBLIOGRAFÍA SOBRE LA UNIVERSIDAD NACIONAL

JIMENEZ, ALFONSO, Discurso..., 1905, "El Foro", I, 1 (1905), p. 6-7.

[Solicitud... Directivas Facultades profesionales], "Rev. Costa Rica", I, 4 (1919), p. 114-116.

Memoria del Colegio de Abogados, 1923; "Rev. Costa Rica", V, 1 (1924), p. 45-56.

Memoria del Colegio de Abogados, 1925; "Rev. Costa Rica", VI, 1-2 (1925), p. 34-48.

GUARDIA QUIROS, VICTOR, El hombre nuevo, "Repetrorio Americano" (27 mayo 1933). Reprod.: SOTELA, R., Escritores de Costa Rica (1942), p. 245-249.

ALVARADO QUIROS, ALEJANDRO, El Cincuentenario del Colegio de Abogados. En: Prosa Romántica (1933), p. 83-93.

Proyecto de Ley de creación de la Universidad, 22 junio 1935,

MACAYA, ENRIQUE, La futura Universidad, "Diario de Costa Rica" (26 junio 1935).

GALDAMES, LUIS, La Universidad Autónoma, San José, Ed. Borrasé, 1935, 519 pp.

AZOFEIFA, ISAAC FELIPE, Influencia del Liceo de Costa Rica..., "Anales del Liceo de Costa Rica", 3-4 (1937), p. 145-192.

JIMENEZ ROJAS, ELIAS, "La Prensa Libre" (24 julio 1939).

NUÑEZ, SOLON, Acerca del proyecto de Universidad [1940], en SOTELA, R., Escritores de Costa Rica (1942), p. 425-433.

BRENES MESEN, R., Nueva función de las Humanidades en un mundo nuevo, "Rev. Univ. San Carlos", 1 (Guatemala, 1945), p. 127 ss.

BRENES MESEN, R., Sentido y función de los estudios humanistas, "Rev. Univ. El Salvador", 1 (1946), p. 37 ss.

Brenes Mesen, R., *El hombre social. . . y la Universidad,* "Rev. Univ. El Salvador", 1 (1946), p. 237 ss.

[Crónica], "Rev. Univ. C. R.", 2 (1947), p. 147-150.

Barahona, Luis, *Por nuestra Facultad de Filosofía y Letras,* "Diario de Costa Rica" (1946).

[Macaya, Enrique], *Proyecto de organización de la Facultad de Humanidades,* "Rev. Univ. C. R.", 4 (1949), p. 273-283.

Asamblea Nacional Constituyente de 1949 [Actas], tomo III (1957), p. 387 ss.

Monge, Carlos, *Encuesta en torno a nuestra Universidad,* "Idearium", 4 (1951), 3, 12, 5 (1951), 3; 6 (1951), 3-4, 16.

Facio, Rodrigo, [La Universidad], "La República" (18 septiembre 1952).

Monge, Carlos, *Hombre, Cultura y Universidad,* "Rev. Univ. C. R.", 8 (1952), p. 9-25.

Ante-proyecto de Plan de Estudios de Facultad de Humanidades, "Rev. Univ. C. R.", 8 (1952), p. 27-50.

Monge, Carlos, *La Universidad y la misión de los hombres de letras,* "Rev. Univ.", 10 (1954), p. 7-8.

Facio, Rodrigo, *Informe. . .,* "Anales Univ. C. R.", (1954), p. 7-62.

Facio, Rodrigo, *Discurso. . .,* "Anales Univ. C. R.", (1954), p. 63-73.

Informe de la Comisión para el establecimiento de la Facultad de Ciencias y Letras, "Anales Univ. C. R.", (1954), p. 121-146.

Hacia la reforma universitaria, "Rev. Univ. C. R.", 12 (1955), p. 9-61, p. 107-110.

Clemens, Rene, *Informe sobre el proyecto de reorganización de la Universidad de Costa Rica,* "Rev. Univ. C. R." 12 (1955), p. 63-105.

Facio, Rodrigo, *Informe. . .,* "Anales Univ. C. R.", (1955), p. 7-122. Reprod. en parte: "Rev. Univ. C. R.", 18 (1959), p. 5-13.

Facio, Rodrigo, *Discurso. . .,* "Anales Univ. C. R." (1955), p. 123-139.

2 Discursos del Rector [Rodrigo Facio], 1954 y 1955, San José, Ed. Universitaria, 1956, 34 pp.

Facio, Rodrigo, *Informe. . .,* "Anales Univ. C. R.", (1956), p. 7-116. Reprod. en parte: "Rev. Univ. C. R.", 18 (1959), p. 15-19.

Facio, Rodrigo, *Informe especial. . .,* "Anales Univ. C. R." (1956), p. 117-126.

Facio, Rodrigo, *Discurso. . .,* "Anales Univ. C. R." (1956), p. 127-142.

Macaya L., E., *La Sociología en los Estudios Generales,* "La Nación" (28 julio 1956).

Informe de los Decanos. . ., "Anales Univ. C. R.", (1956), p. 281-380.

Facio, Rodrigo, *Discurso...* (4 marzo 1957), Ed. Universitaria, n. 2, pp. 3.15.

Trejos, J. J., *Discurso...* (4 marzo 1957), Ed. Universitaria, n. 2, p. 17-29.

Facio, Rodrigo, *Informe...,* "Anales Univ. C. R.", (1957), p. 7-169. Reprod. en parte: "Rev. Univ. C. R.", 18 (1959), p. 101-154.

Facio, Rodrigo, *Discurso...,* "Anales Univ. C. R.", (1957), p. 169-182.

[Bonilla, A.], *Una etapa de la Universidad de Costa Rica,* "La Nación" (17 febrero 1957).

Don Ricardo y la Universidad, "La Nación" (15 noviembre 1958).

Facio Rodrigo, y Monge, Carlos, *Informe... visita a Puerto Rico y su Universidad,* San José, Universidad, Depto. Publ., 1958, 32 pp.

Facio, Rodrigo, *Informe...,* "Anales Univ. C. R.", (1958), p. 9-237.

Facio, Rodrigo, *Discurso...,* "Anales Univ. C. R.", (1958), p. 238-253.

Lascaris Comneno, Constantino, *Teoría de los Estudios Generales,* San José, Ed. Universitaria, 1959.

Pardo, Aristobulo, sobre: *Teoría de los Estudios Generales,* en: "Educación", V, 15 (1959), p. 72-75.

C.G.C., sobre *Teoría de los Estudios Generales,* "Rev. Filos. Univ. C. R.", II, 5 (1959), p. 89-90.

Equilibrio entre las Ciencias y las Humanidades en la Enseñanza Superior, San José, Univ. 1959, 69 pp.

Facio, Rodrigo, *Informe...,* "Anales Univ. C. R.", (1959), p. 9-204.

Facio, Rodrigo, *Discurso...,* "Anales Univ. C. R.", (1959), p. 205-218.

Facio, Rodrigo, *Informe...,* "Anales Univ. C. R.", (1960), p. 9-161.

Facio, Rodrigo, *Discurso...,* "Anales Univ. C. R.", (1960), p. 183 y sig.

Brenes, Victor, *Estudios Generales,* "Aros", 8 (1961), p. 11.

Monge, Carlos, *Fin supremo de la Universidad...,* "La Nación" (23 diciembre 1961).

La Facultad de Filosofía y Letras (1941-1956)

La organización de la Facultad fue encomendada a Jorge Volio, que actuó como Decano de 1941 a 1948. Ya hemos visto tanto sus ideas políticas como su postura neoescolástica.

La Facultad comprendió dos secciones: Literatura e Historia. En el plan de estudios, los alumnos de estas secciones debían cursar seis materias filosóficas. En un principio se denominaron: Filosofía I, Filosofía II, Filosofía III, Historia de la Filosofía I, Historia de la Filosofía II, Historia de la Filosofía III. Más tarde, los nombres de las tres últimas pasaron a designar épocas y las tres primeras pasaron a ser: Lógica, Epistemología, Metafísica. Luego, se agregaron Psicología e Introducción a la Filosofía. Tal cúmulo de disciplinas filosóficas para estudiantes que no se dedicaban a la Filosofía se justificó por considerarse a la Filosofía como la disciplina formativa por excelencia: en la práctica, supongo, fue debido a las personales preferencias de Jorge Volio.

De 1941 a 1948, Jorge Volio desempeñó los cursos sistemáticos y Moisés Vincenzi los históricos. En 1948, ambos se retiraron por razones políticas.

De 1949 a 1956, fueron profesores: Luis Barahona (Introducción a la Filosofía, Historia de la Filosofía Griega, Epistemología, Metafísica) y Ligia Herrera (Historia de la Filosofía Medieval, Historia de la Filosofía Moderna y Lógica).

De 1945 a 1952, Profesor de Psicología, José Fabio Garnier.

Desde 1954, Profesor de Psicología, Teodoro Olarte.

En 1949-1950, Profesor de Introducción a la Filosofía de las Ciencias, José Fabio Garnier. Luego, se suprimió la Cátedra.

En 1956, profesor de Introducción a la Filosofía, Claudio Gutiérrez Carranza; de Psicología y Metafísica, Teodoro Olarte; de Historia de la Filosofía, Epistemología y Lógica, Ligia Herrera.

El número de alumnos se acercó al centenar, pero en general sin interés por la Filosofía: "La Escuela no ha sido propiamente una Facultad de Filosofía y Letras, sino una especie de Instituto Pedagógico o de Escuela Normal Superior", dice un informe emanado de la misma[378].

De todos estos profesores hemos visto ya sus escritos y teoría, excepto de José Fabio Garnier. Ingeniero, este profesor había dedicado todos sus numerosos escritos a temas literarios. Su docencia filosófica se dio en los últimos años de su vida. Buen escritor, agudo y sensitivo crítico literario, no he visto de él publicaciones filosóficas.

A partir de 1957, los estudios filosóficos de esta Facultad fueron absorbidos por el Departamento de Filosofía de la nueva Facultad de Ciencias y Letras.

BIBLIOGRAFÍA SOBRE LA FACULTAD

Reglamento ..., 1941.

C. M. A. [Carlos Monge A.], *La Facultad de Filosofía y Letras,* "Rev. Arch. Nac.", VII, 11-12 (1943), p. 583-584.

Volio, Jorge, *Escuela de Filosofía y Letras... (informe... 1943-1944),* "Rev. Arch. Nac.", IX, 5-6 (1945), p. 312-323.

---

378 "Anales Univ. C. R.", (1953), p. 281.

A. B. [A. Bonilla], *La obra desconocida de la Facultad de Filosofía y Letras*, "Diario de Costa Rica" (7 junio 1951).

Wender, E. J., *Informe...*, "Anales Univ. C. R.", (1953), p. 279-296.

Wender, E. J., *Informe...*, "Anales Univ. C. R.", (1954), p. 393-401.

Wender, E. J., *Informe...*, "Anales Univ. C, R.", (1955), p. 407-413.

Informe del Decano..., "Anales Univ. C. R.", (1956), p. 483-496.

Lines, A. A., *Informe...*, "Anales Univ, C. R.", (1957), p. 283 ss.

El Departamento de Filosofía

La organización, en 1957, de la Facultad Central de Ciencias y Letras se hizo en forma departamental. De estos Departamentos, el de Estudios Generales es paso para todos los estudiantes universitarios, como veremos; los restantes son especializados, de cuatro años de estudios, para optar a la Licenciatura.

En 1957-1958, el Departamento de Filosofía funcionó con un plan menor y desde 1959 se le dio su actual organización. En 1957-1958, fue su Director el Decano de la Facultad, Dr. Enrique Macaya, y Subdirector el Lic. Claudio Gutiérrez Carranza. Hubo cursos a extinguir de la antigua Facultad de Filosofía y Letras: Metafísica, Teodoro Olarte; Historia de la Filosofía, Lógica, Epistemología, Ligia Herrera; Psicología, Margarita Dobles, Desde 1954 a 1957 funcionó un curso de Filosofía en la Escuela de Ingenieros, a cargo de Carlos Rodríguez Quirós.

En 1959 fue electo Director del Departamento Teodoro Olarte.

La orientación y función del Departamento en la Universidad la definió su Director así:

"La unidad intrínseca, lo que dé forma a la Universidad sera un saber con contenido universal y totalizador en su universalidad. Este saber es la Filosofía. Sólo la Filosofía puede fundamentar el núcleo de una cultura general y, por consiguiente, sólo la Filosofía puede ser cimiento de la unidad de la Universidad.

"La misión de la Universidad coincide con la misión de la Filosofía. ...

"La misión de la Universidad se efectúa a través de la formación de profesionales que sirvan inmediatamente a la comunidad; de especialistas investigadores que sirvan inmediatamente a la Universidad y mediatamente a la comunidad. Respecto a los últimos y desde el punto de vista de la función de la Filosofía se impone una distinción: los que preparan para una profesión cualquiera y los que preparan a los que se cuentan entre "los condenados por Dios a ser filósofos" (Hegel); en otras palabras: los investigadores de Ciencias y Letras y los investigadores de la misma Filosofía". A los primeros sirven parte de los cursos impartidos por el Departamento; a los segundos, su plan completo.

"¿Quién ha de realizar la misión de la Filosofía en la Universidad? La respuesta es ésta: El Departamento (Facultad, Instituto) de Filosofía es el órgano llamado a actualizar esa función; él ha de ser el responsable de la organización y de la coherencia de los estudios filosóficos universitarios; ... "Juzgo que esta función del Departamento de Filosofía no es de menor importancia que la de preparar filósofos profesionales. Ambas funciones ensambladas, porque de tal conjunción dependerá el principio de su vitalidad".

Han sido Directores del Departamento el Dr. Teodoro Olarte, el Lic. Víctor Brenes, el Dr. Roberto Murillo y desde 1973 el Dr. Arnoldo Mora.

La organización del Departamento es por Areas: Lógica y Teoría de la Ciencia, Filosofía Fundamental, Filosofía Social, Etica, Filosofía Política e Historia del Pensamiento. Además de los cursos de Lenguas Clásicas. El estudiante elige entre los cursos y seminarios de cada Area, hasta completar el número de créditos requeridos.

Sobre el Departamento y sobre sus Profesores, hay amplia información en el número 27 de la *Revista de Filosofía,* que aquí no recogeré.

Como característica global (y extensible a otros niveles docentes y a la reciente Universidad Nacional): el desarrollo y la calidad de los libros e investigaciones de Filosofía, en los últimos diez años, supera lo publicado en los ciento cincuenta años anteriores. Encuentro normal afirmar que el país ha pasado del período de los escritores-pensadores al período de la Filosofía técnica. ¿Será vanidad decir también que a nivel presentable internacionalmente? Las condiciones de orden político y público del país, la estabilidad de la libre y radical emisión del pensamiento, la organización de los estamentos docentes, y la *Revista de Filosofía,* así como el elevado número de profesores costarricenses doctorados en Europa (un promedio de dos o tres por año en esta década), explican que Costa Rica es uno de los escasos países de Latinomérica donde se puede filosofar. Además, la tradición educacional del país ha facilitado que los hombres de pensamiento intervengan en la vida pública.

El Departamento otorga los títulos de Bachiller, Licenciado y Doctor.

Además de los que expongo por separado en otros capítulos, debería ahora exponer y con la erudición de sus publicaciones, unos veinte nombres más. Lo haré en forma sucinta. Como característica general, puede darse la de una generación intermedia, entre los veinticinco y los cuarenta años, con un futuro creador promisorio.

En Historia de la Filosofía debo reseñar los siguientes:

Plutarco Bonilla, Licenciado por la Univ. de Costa Rica, con estudios de Doctorado en Atenas, Grecia. Profesor de Filosofía Griega. Especialista en Patrística. Master en Teología por Princeton (1).

Alfonso López, Licenciado en Filosofía y en Estudios Clásicos, helenista, profesor de Filosofía griega y de griego (2).

Guillermo García Murillo, Lic. por Costa Rica, Profesor en el Centro Universitario de Liberia, dedicado al pitagorismo, *Rev. Filosofía,* ns. 24, 33.

Guillermo Malavassi. Licenciado por la Universidad de Costa Rica, ha sido Secretario de la Universidad, Ministro de Educación, Presidente de la Asociación de Filosofía, profesor de Historia de la Filosofía Medieval y Moderna. Es Decano de la Facultad de Letras de la Universidad Nacional. Publicaciones históricas en la *Revista de Filosofía,* ns. 5, 10, 11, 28, y especialmente el n. 30-31, pp. 1-298, en el que se recogen sus escritos sobre Educación.

En Filosofía General, además de los estudiados aparte:

Luis Lara, Licenciado por la Universidad de Madrid, profesor de Introducción a la Metafísica. Influido por la Fenomenología, Hartmann y Heidegger, es de pensamiento estrictamente personal. En mi opinión, el talante metafísico más prometedor en el país (3).

Arnoldo Mora, Doctor por la Universidad de Lovaina, Director del Departamento. De lineamientos básicos hegelianos y marxistas, su preocupación es siempre dialéctica(4).

Luis Camacho, Licenciado por la Universidad de Madrid, Doctor por la Catholic Univ. de Washington. Profesor de Lógica. Alumno de Sokolowski y Gadamer, parte de la Fenomenología, desde la cual se volvió a la Analítica, con énfasis en lógica y filosofía de las ciencias (5).

Carlos de la Ossa, Licenciado por la Universidad Iberoamericana de México, Doctor por la Universidad de Costa Rica. Profesor de Etica en aquella Universidad, desde 1971 profesor de Introducción a la Filosofía en Costa Rica. Su tesis doctoral ("El problema metafísico de la predicabilidad del ser, específicamente en el modo denominado equívoco y su culminación en el pensamiento de Soeren Kierkegaard"), es un análisis del desarrollo de la Psicología Racional a partir de Aristóteles y una explicitación de las ideas de Hume y de la Estética Trascendental kantiana, que culmina en el pensamiento de Kierkegaard, del cual muestra planteamientos y tesis equívocas. Su pensamiento muestra una orientación marcada hacia la concepción kierkegaardiana de la existencia. Su obra poética, como la filosófica, muestra ese mundo de reflexión grave y vital (6).

Fernando Leal, Licenciado por la Universidad de Costa Rica, profesor de Introducción a la Filosofía, de formación marxista (7).

Yolanda Ingianna, Doctora por la Universidad de Lovaina ("El ideal trascendental en Kant"), profesora de Introducción a la Filosofía (8).

Oscar Enrique Mas Herrera, Doctor por la Universidad de Estrasburgo, profesor de Lógica y de Introducción a la Filosofía. De formación agustiniana, se halla dentro de la línea del personalismo (9).

En Filosofía Política, además de los ya estudiados:

Francisco Antonio Pacheco, Doctor por Estrasburgo, Decano de Estudios Generales por la Universidad de Estrasburgo. De formación vitalista su tesis sobre Ortega es importante (10).

Manuel Formoso, Doctor por Madrid (11).

En Etica:

Además de Víctor Brenes, Jaime González Dobles, Licenciado por Lovaina, profesor de Etica Social y de Etica profesional de las ciencias sociales. Personalistas y doctrinario de la Democracia Cristiana (12).

Marielos Giralt, Doctora por la Universidad de Lovaina. De formación en el pensamiento de Zubiri, su preocupación es por la Antropología filosófica, Bergson y Kant.

En Filosofía de la Historia:

Rosita Giberstein, Doctora por la Universidad de París, Profesora de Filosofía de la Historia, de formación historicista se interesa por el estructuralismo y los problemas metodológicos de la Historia (13).

Jorge Enrique Guier, Licenciado en Derecho, Doctor en Filosofía por la Universidad de Costa Rica, Profesor de Historia del Derecho y de Seminarios de Filosofía de la Historia. Premio Nacional (14).

Organo del Departamento es la "Revista de Filosofía de la Universidad de Costa Rica"[379], tantas veces citada en este trabajo. Iniciada en 1957, para 1961 había publicado 10 números, a dos por año.

"La Revista de Filosofía de la Universidad de Costa Rica" constituye, quizá, la contribución más sobresaliente de la Facultad de Ciencias y Letras al acervo mundial de publicaciones en las que se da cuenta de la reflexión y las conquistas del espíritu humano en cada época, donde tiene ya esta Revista un puesto y consideración"[380].

---

379 Cfr. Rodrigo Facio, *Dos palabras* . . . , "Rev. Filos. Univ. C. R. I, 1 (1957), 3-6. *Revista de Filosofía*, "Anales Univ. C. R.", (1958), p. 424-426.

380 J. J. Trejos, "Anales Univ. C. R.", (1958), p. 362.

BIBLIOGRAFIA SOBRE EL DEPARTAMENTO DE FILOSOFIA

[Comisión Reforma Universitaria], "Anales Univ. C. R.", (1953), p. 38-58.

Informe de los Decanos ..., "Anales Univ. C. R.", (1956), p. 281-380.

Informe ... *Comisión de Filosofía,* "Anales Univ. C. R.", (1957), p. 391-394.

FACIO, RODRIGO, *Informe General* ..., "Anales Univ. C. R.", (1958), p. 101-110.

TREJOS, JOSE JOAQUIN, *Informe*..., "Anales Univ. C. R.", (1958), p. 309 ss. p. 404-409.

[Crónica], "Rev. Filos. Univ. C. R.", I, 4 (1958), p. 359-360; II, 5 (1959), p. 61-63; II, 6 (1959), p. 75-76; II, 7 (1960); II, 8 (1960), p. 405-407 III, 9 (1961), p. 111-112.

FACIO, RODRIGO, *Informe general*..., "Anales Univ. C. R.". (1959), p. 79-87.

TREJOS, JOSE JOAQUIN, *Informe*..., "Anales Univ. C. R.", (1959), p. 291-346.

OLARTE, TEODORO, *Informe* ..., "Anales Univ. C. R.", (1959) p. 400-405.

TREJOS, JOSE JOAQUIN, *Informe*..., "Anales Univ. C. R.", (1960), p. 255-302.

OLARTE, TEODORO, *Informe*..., "Anales Univ. C. R.", (1960), p. 357-359.

OLARTE, TEODORO, *La función de la Filosofía en la Universidad,* II Congr. E. Interamer. Filos. (San José, 1961).

OLARTE, TEODORO, *El Departamento de Filosofía,* Rev. Fil. Univ. C. R., 11 (1962), 305 ss.

La Cátedra de Filosofía de los Estudios Generales

Al crearse, en 1956, la Facultad Central de Ciencias y Letras, su primera labor fue la organización de su Departamento de Estudios Generales. Compuesto por seis Cátedras, deben cursarlo todos los alumnos de la Universidad como etapa previa a sus estudios profesionales. De 680 alumnos en 1957, pasaron a 4.000 en 1973.

Es de tener en cuenta que parte de los profesores lo son de medio tiempo en la Cátedra y de otro medio tiempo en el Departamento de Filosofía.

Conferencias generales y clases de grupo son medios empleados. Los programas son variados cada año.

"..., es de especial importancia en esta disciplina la libertad de Cátedra. La labor conjunta de los Profesores debe manifestarse en el homogéneo desarrollo de la temática, pero salvaguardando las posibles diferencias de criterio, las cuales, manifestadas con el mayor respeto mutuo y en plena atmósfera de recíproca comprensión, pueden ser especialmente educativas, al lograr en los alumnos la conciencia del respeto a las ideas ajenas. Entiendo la Filosofía como el fruto del filosofar personal de cada hombre; cada Profesor por sí, y todos en equipo, deben buscar, no el aprendizaje, por el alumno, de una respuesta a unas preguntas, sino que el alumno abra los ojos a los problemas más permanentes, se pregunte por su razón de ser y su sentido, y afronte la tarea de adoptar posición"[381].

Además de los que ya hemos visto, son profesores, entre otros muchos jóvenes:

Marta Jiménez, Licenciada en Matemáticas por la Universidad de Costa Rica en 1944, Master en Matemáticas por la Universidad Católica de Washington en 1947. Licenciada en Filosofía por la Universidad de Costa Rica en 1959. Estudios: *La religación en el pensamiento de Xavier Zubiri,* "Rev. Filos. Univ. C. R.", II, 6 (1959), p. 59-64; *Louis Lavelle,* II Congr. E. Interamericano Filos. (San José, 1961); *El concepto de sustancia en la filosofía de J. P. Sartre,* Rev. Fil. Univ. C .R., 15-16 (1965), 295-299.

María Eugenia Dengo de Vargas, nació en Heredia en 1926. Licenciada en Filosofía en 1959. También es Profesora de Historia y Filosofía de la Educación en la Facultad de Educación. Su estudio más importante es su tesis sobre Roberto Brenes Mesén, que ya citamos. Ha preparado la ed. e introd. al *Lázaro de Betania* de R. Brenes Mesén (1960), y a *Escritos y Discursos* de Omar Dengo (1961). Desde 1965, Decana de la Facultad de Educación, hasta 1973.

Manuel Segura. Nacido en 1930. Licenciado en Filosofía y en Teología por la Pontificia Universidad de Salamanca. De 1961 a 1964, profesor de Historia de la Filosofía en el Seminario Central. Desde 1965, profesor de Filosofía en el Liceo de Costa Rica y Encargado de Filosofía en los Estudios Generales de la Universidad. Publicaciones: *Apuntes para una filosofía de los valores sociales,* Crónica Nacional, 3 (III-V-1964).

BIBLIOGRAFIA SOBRE LA CATEDRA DE FILOSOFIA

"Anales Univ. C. R.", (1956), p. 305-313.

"Rev. Filos. Univ. C. R.", I, 1 (1957), p. 62-68; I, 3 (1958), p. 227; II, 5 (1959), p. 63; II, 6 (1959), p. 76-77; 10 (1961).

"Anales Univ. C. R.", (1957), p. 336-337.

---

381 "Anales Univ. C. R.", (1956), p. 307.

"Anales Univ. C. R.", (1958), p. 342-373.

TREJOS, J. J., *Informe* ..., "Anales Univ. C. R." (1958), p. 309 ss.

TREJOS, J. J., *Informe* ..., "Anales Univ. C. R." (1959), p. 291 ss.

TREJOS, J. J., *Informe* ..., "Anales Univ. C. R." (1960), p. 255 ss.

(1) "Concepto Paulino del Logos", *Rev. Filos. Univ. C. R.,* 17 (1965), 3 ss. "Fe y Razón, ibídem, 19 (1966), 299 ss. "Hegel y la Teología", ibídem, 26 (1970), 19 ss.

(2) "La enseñanza y sus reformas", *Presencia,* 3; "Estudios filológicos y gramaticales", *Universidad,* n. 35; "Teorías del lenguaje en el *Fausto* de Goethe", *Universidad,* n. 33; "El estructuralismo lingüístico", *Rev. Filos. Univ. C. R.,* n. 32.

(3) "Tamerlin. Metafísica de las significaciones", *Rev. Filos. Univ. Costa Rica,* 26 (1970), 79 ss. "Ensayo de Filosofía de la Historia", ibídem, 21 (1967), 167 ss.

(4) *Rev. Filos. Univ. Costa Rica,* ns. 19, 33, 34. Vid.: ROSITA GIBERSTEIN, "Dr. Arnoldo Mora...", *La Nación,* 6 marzo 1975.

(5) *Pre-Conceptual and Pre-Analytical Inductive Experience,* Washington, 1973. "Induction", *The New Catholic Encyclopedia, Washington.* "Las cuatro etapas de la corriente analítica", *Rev. Filos. Univ. Costa Rica,* 34 (1974), 53 ss. *Lógica y pensamiento crítico de las Ciencias,* 1975.

(6) *Aliosha,* 1959; *Imprimatur I,* 1970; *Jahué en el huerto de los ciruelos,* 1971; *Imprimatur II,* 1972; *Rosas negras...,* 1972; *Canciones para la luna roja,* 1974.

(7) Comentario de la "Introducción de la Fenomenología del Espíritu", *Rev. Filos. Univ. C. R.,* 26 (1970), 33 ss. "La cuestión del no-ser y la dialéctica platónica de los géneros máximos", *Universidad,* n. 19. "El hombre sin Dios de Pascal", *Crátera,* n. 1. "Ideas sobre los fines de la Universidad", *Universidad,* n. 34. "La Filosofía en las naciones del tercer mundo", *Rev. Filos.* 35 (1974), 131 ss.

(8) *Rev. Filos.* n. 28.

(9) *Rev. Filos.* ns. 29, 33.

(10) *Rev. Filos.* ns. 15-16, 361 ss.

(11) *Rev. Filos.* n. 29, y los editoriales del semanario *Universidad* durante dos años.

(12) *Persona y Sociedad,* Guatemala, 1971. *Notas para una Etica Profesional del periodista,* Univ. Costa Rica, 1972; "El problema moral en Maquiavelo", *Estudios Sociales, Guatemala* ns. 4 y 5, 1971; "El hombre y la técnica", *Rev. Filos. Univ. C. R.,* 13, 1963; "Péguy filósofo", ibídem, n. 20, 1967.

(13) *Rev. Filos.* ns. 14, 18, 23, 29. "Desarrollo, Progreso y Libertad", ibídem, n. 35, 1974, es especialmente importante.

(14) Aparte de sus publicaciones de Historia del Derecho, *Rev. Filos.* n. 32 y su estudio sobre Toynbee.

EL SEMINARIO CENTRAL

La dirección del Seminario ha estado desde principios del siglo a cargo de los PP. Paulinos de la provincia alemana. El plan de estudios del Seminario hasta 1939 comprendió tres años de Filosofía, que desde 1940 se concentraron en dos.

Los profesores han sido:

José Ohlemüller, 1908-1920; y en 1928-1937 (menos la Etica). El P. Ohlemüller nació en 1879, en Alemania (como los tres siguientes). Ordenado sacerdote en 1903, tras los estudios de la Congregación. Doctor en Filosofía y Teología y Licenciado en Derecho Canónico (Roma). Llegó a Costa Rica en 1906. Desde 1937, profesor de Teología; dos veces Rector del Seminario.

Guillermo Henniken, 1921-1927, y de Etica en 1928-1937. El P. Henniken nació en 1883. Ordenado sacerdote en 1912, tras los estudios de la Congregación: llegó a Costa Rica en 1912. Desde 1937, profesor de Liturgia y Misionología.

Juan Zingsheim, 1938-1950. El P. Zingsheim nació en 1910; ordenado sacerdote en 1936, estudió en la Universidad de Graz, Austria, y en el Seminario de Tréveris, Alemania. Llegó a Costa Rica en 1937. Autor de la obra de Psicología que se ha visto en ese capítulo. Desde 1959, director del Colegio Seminario y profesor de Psicología en el mismo.

Huberto Althoff, 1951-1961 (menos Historia de la Filosofía, desde 1958). El P. Althoff nació en 1907; ordenado sacerdote en 1936; estudios en la Universidad de Graz y en el Seminario de Tréveris. Llegado a Costa Rica en 1937. Desde 1955, Vice-Provincial de la Vice-Provincia alemana de los PP. Paulinos.

Valentín Varona, profesor de Historia de la Filosofía en 1958-1961. Nació en 1907; ordenado sacerdote en 1937; estudió en Roma, donde obtuvo la Licenciatura en Teología. Llegó a Costa Rica en 1958. En estos años, profesor también de Teología Fundamental.

Desde 1965, la Orden que tenía a su cargo el Seminario lo dejó y éste quedó á cargo del clero secular nacional. Fue profesor de Filosofía el Dr. Arnoldo Mora, Doctor por la Universidad de Lovaina. Publicaciones: *La Axiología Ontológica de Luis Lavelle*, Rev. Fil. Univ. C. R., 19 (1967).

Hasta 1954 se utilizó como texto para Filosofía el *Cursus philosophiae* de Charles Boyer; desde 1955, los *Elementa philosophiae scholasticae* de Reinstadler; para Historia de la Filosofía, Tredici.

Reforma y nuevo plan de estudios desde 1970.

LA FILOSOFIA EN LA ENSEÑANZA MEDIA
Y EN LA ENSEÑANZA NORMAL
(1941-1961)

A partir de 1957 se organizaron los cursos experimentales de Filosofía en la Enseñanza Media. Como curso optativo y con asistencia voluntaria, se organizaron por año en cinco a diez Liceos y Colegios, según las disponibilidades de Profesorado. El de mayor perseverancia y éxito ha sido el del Colegio San Luis Gonzaga de Cartago. Los profesores suelen ser los mismos de la Universidad.

El Supervisor de los Cursos, del Ministerio de Educación, Lic. Guillermo Malavassi, los justificó así: "... resultan mutiladas una formación docente y una Enseñanza Secundaria que no inician, al menos, a los estudiantes en la problemática filosófica. Desde este punto de vista, incluir la Filosofía en la Enseñanza Media es simplemente reconocerla como el saber más útil para formar debidamente seres humanos"[382].

Desde 1968, la Filosofía es asignatura obligatoria en el quinto año de secundaria, en las especialidades de Ciencias y de Letras.

Profesores de Filosofía de la Educación en la Escuela Normal de Heredia:

El Dr. Jorge Charpentier. Doctor en Filosofía por la Universidad de Madrid, 1962, con una tesis sobre: "el bien y el mal en los personajes de Sófocles. Secretario de la Revista "Crátera". Numerosas publicaciones poéticas.

Miguel Angel Campos. Licenciado en Filosofía, con estudios de Sociología en Argentina. Autor de: *El escepticismo de Carlos Vaz Ferreira,* Rev. Fil. Univ. C. R., 10 (1961), 151-160.

Considero interesante el siguiente juicio: "..., la Filosofía en la Enseñanza Normal tiene una meta bien definida consistente en la formación auténtica de las futuras generaciones aprovechando los elementos que le suministra la naturaleza: la inteligencia, el sentimiento y la voluntad del sujeto que se hace. Por otra parte,

---

382 *Necesidad y significación de la Filosofía en la Enseñanza Secundaria,* II Congr. E. Interamer. Filos. (San José, 1961).

tendrá que dar razón, como reflexión sobre la vida que es, de la madurez y de la responsabilidad del educador del mañana. Y en tercer lugar, tendrá que justificar el mismo hecho educativo, e indicar el cauce por el cual ha de orientarse a los jóvenes, con miras a alcanzar la verdad y su futuro bienestar"[383].

BIBLIOGRAFÍA

"Rev. Filos. Univ. C. R.", I, 3 (1958), p. 279-280; II, 8 (1960), p. 408-411.

VIDA FILOSOFICA

La Asociación Costarricense de Filosofía fue fundada en 1957. Presidentes: Abelardo Bonilla, Teodoro Olarte, Guillermo Malavassi, Roberto Murillo. En 1958, sección "La Filosofía en América", en el XXXIII Congreso Internacional de Americanistas.

En 1961, Congreso E. Interamericano de Filosofía.

La Asociación ha organizado también tres Congresos Nacionales, los dos primeros dedicados a la Didáctica de la Filosofía y el III, 1974, a "La Filosofía y el desarrollo nacional".

---

383 Sira Jaén, *La enseñanza de la Filosofía en las Escuelas Normales*, II Congr. E. Interamer. Filos. (San José, 1961).

ANEXO

Ya en pruebas paginadas, me he dado cuenta de omisiones, o bien, han seguido apareciendo libros de importancia. Bien se sabe que es imposible mantener "al día" la información.

Por otra parte, para mantener una obra como ésta al día, necesitaría medios y equipo, de que no dispongo. Acépteseme una vez más la disculpa de la buena voluntad.

Seguramente he sido injusto con algunos de los profesores jóvenes. Me descargo de la culpa dejándoles el encargo de hacerlo más adelante mejor que yo.

Recojo en este anexo algunas notas que considero importantes.

△ △ △

Pág. 52. Falta completar la referencia de: CHESTER ZELAYA, *El Bachiller Osejo*, Ed. Costa Rica, 1971. El primer volumen es un magnífico estudio de la figura y escritos de Osejo. El segundo es una edición crítica de los escritos del Bachiller.

Pág. 222. Es injusta por insuficiente la referencia al Dr. Fernando Trejos pues es acaso el doctrinario liberal más riguroso doctrinalmente en esta década. Además de sus estudios sobre Seguridad Social, que han tenido una poderosa influencia, deben tenerse en cuenta: *Democracia, Libertad Económica y Sensibilidad Social*, ANFE, 1970, pp. 20; *Artículos y Discursos*, Impr. Lehmann, 1972, pp. 230; y especialmente para Filosofía "La Libertad", *Rev. de Filosofía*, Nº 26.

Otro doctrinario que merecería también un estudio especial es el Lic. Fernando Guier, tanto por sus artículos de prensa, como por su estudio sobre *La función presidencial en Centroamérica*, 1973, libro de líneas duras que busca la explicación en Centroamérica de la corrupción del parlamentario en dictadura, y de la dictadura en tiranía: "En Centroamérica, salvo en la Guerra Nacional de 1856, no se ha vertido una gota de sangre por una idea inmaculada ni se ha hecho revolución alguna por un principio puro".

Pág. 242. Entre otros liberacionistas, destaca por sus publicaciones el muy joven político Oscar Arias. Licenciado en Derecho y en Ciencias Económicas, Ministro de Planificación, Profesor de Economía, Doctor por la Universidad de Londres, ha publicado estudios sobre temas sociales y económicos y dirigido el Plan Nacional de Desarrollo. Especialmente, dos libros importantes para la interpretación social del país. En *Grupos de Presión,* Ed. Costa Rica, 1971, pp. 130, estudia las organizaciones profesionales y las agrupaciones de vocación ideológica, así como la importancia en Costa Rica de la opinión pública. Ve los grupos de presión solamente con una función complementaria de los Partidos Políticos. Es partidario de reforzar la autoridad gubernamental. Sostiene que en Costa Rica se ha dado el paso de una democracia de individuos a una democracia de grupos, lo cual valora como progreso. En su tesis doctoral (mimeógrafo, Londres, 1975, pp. 343), analiza los estudios sobre la procedencia socio-económica de quienes han ejercido los puestos de poder desde 1948. Estudia ocupación, educación, partido político, origen socio-económico familiar, procedencia geográfica. Así determina una democratización de los tres poderes. Compara las asambleas legislativas anteriores a 1948, para determinar las variaciones en la procedencia de sus miembros. La obra está centrada en gran parte en las figuras de Figueres y Calderón Guardia. El objetivo, estudiar la permeabilidad social. También: *Significado del movimiento estudiantil en Costa Rica,* Univ. C. R., 1970, pp. 61.

Pág. 268. Dentro de la línea de interpretación comunista de la historia nacional, es interesante: FRANCISCO GAMBOA, *Costa Rica. De la flibuste au pentagone,* Ed. Sociales, París, pp. 280. En cambio, los aportes de Georges Fournial, en esta edición, carecen de seriedad.

Pág. 275. Es especialmente interesante: CRISTIAN RODRIGUEZ, "Defino mi posición filosófica", *La Nación,* 19 agosto 1975.

Pág. 275. Es valioso: GUILLERMO SAENZ PATTERSON, *De lluvia y sol,* s.a., s.l., pp. 74. Aforismos, en estilo sentencioso y discursivo. "El pueblo es ingenuo ante el espectáculo de la belleza pura. El artista de alguna manera debe ingeniarse para pervertirla. Lo verdaderamente dramático es darla a conocer". "El dolor importa en la medida que supera. Mas el placer goza de hacer sufrir la felicidad".

Pág. 283. Con motivo del centenario de Brenes Mesén, han aparecido diversas publicaciones, algunas valiosas, especialmente un estudio con importante antología de María Eugenia Dengo.

Pág. 291. El estudio más importante sobre Moisés Vincenzi acaba de aparecer: RODRIGO CORDERO, *Moisés Vincenzi*, Minist. de Cultura, 1975, Estudio en pp. 9-70. Antología, pp. 71-300.

Pág. 300. Sobre Bonilla: CONSTANTINO LASCARIS, *Abelardo Bonilla*, Minist. de Cultura, 1973.

Pág. 317. Añadir: "La contradicción: ¿vicio formal o cifra de contenido?" *Crítica*, México, VI, n. 18, 1972, pp. 87-112.

Pág. 317. De Roberto Murillo acaba de aparecer: *Antonio Machado. Ensayo sobre su pensamiento filosófico*, Ed. Fernández-Arce, 1975. La investigación se desarrolla en tres etapas: Fenomelogía, Metafísica, Lírica. En la Fenomenología, el tema central machadiano es el de la "mirada erótica", con todas sus implicaciones existenciales. En la Metafísica, "el principio de alteridad" y la doctrina de los anversos del ser. La lírica culmina en el Gran Pleno. "En la cúspide de la Lírica encontramos la perenne ironía, que, como escepticismo de segundo grado, como castizo buen sentido, establece un equilibrio con lo grave y hermético de los ensueños donde convergen Eros y Logos". Cfra. C. LASCARIS, *La Nación*, 21 octubre 1975.

Pág. 349. La bibliografía de Luis Barahona se acrecienta, pues produce continuadamente. Especialmente, *El Pensamiento Político en Costa Rica*, San José, 1970. *Ideas, Ensayos y Paisajes*, Ed. Costa Rica, 1972; *Juventud y Política*, 1973.

Pág. 353. El Lic. Helio Gallardo, chileno, prof. de Filosofía Latinoamericana: *La libertad como dimensión humana*, Univ. Católica, Temuco, 1970; *Tres notas acerca de la filosofía*, id. 1971; *A propósito de Marcuse*, id. 1972.
Para la interpretación social del país es fundamental: SAMUEL STONE, *La dinastía de los conquistadores*, EDUCA, 1975, pp. 623. El libro más importante de interpretación político-social.

Págs. 475-476. Las notas de nueva numeración se hallan en pág. 479.

Pág. 476. Es importante señalar por su calidad académica y filosófica, la publicación de dos tesis de graduación como libros. Aprovecho este punto para señalar la calidad de las tesis de graduación en Filosofía en la Universidad de Costa Rica. La importancia de estudios ya señalados, y que fueron tesis de graduación, como los de los Profs. Herra, Soto, Bonilla, se continúa con estas dos de reciente publicación. Señalaré ahora, aunque solo de paso las tres tesis doctorales en Filosofía, recientemente presentadas, y que fueron de los Drs. Teodoro Olarte, Jorge Enrique Guier y Rose Mary Karpinski.

El devenir de la esencia en Xavier Zubiri, Uni. Costa Rica, 1975, pp. 126, de María de los Angeles Giralt (licenciada en Filosofía por la Universidad de Costa Rica, Dra. en Filosofía por Lovaina, Profesora de Etica) es, y no dudo en escribirlo, el estudio de mayor valor metafísico internacionalmente sobre el pensamiento del ilustre filósofo español, y eso que la bibliografía sobre Zubiri es ya bastante extensa. Trata el tema central del pensamiento zubiriano, *Nietzsche: la jerarquía social,* Univ. Costa Rica, 1975, pp. 121, de Giovanna Giglioli (licenciada en Filosofía por la Universidad de Costa Rica, Profesora de Fundamentos de Filosofía) es un estudio, ceñido y denso, de un punto medular del pensamiento nietzscheano: "Nietzsche es el pensador que emprende una violenta lucha contra el socialismo y que al mismo tiempo es capaz de crear para su época una nueva visión del hombre y del mundo, sustituyendo el racionalismo abstracto de los liberales de su época por un abierto irracionalismo". De ahí, concluye en la necesidad de ver la filosofía de Nietzsche desde el nivel de la construcción, por la voluntad de poder, de la jerarquía mundial futura.

Pág. 476. En el presente año de 1975, se ha creado un Departamento de Filosofía en la Universidad Nacional, Heredia, que engloba las distintas materias de esta disciplina. Director, el Lic. Jaime González. Cuarenta y dos profesores. En esta Universidad, el Instituto de Teoría de la Técnica, interdisciplinario. Entre los profs. de esta Universidad, debo al menos mencionar: Francisco Alvarez, Doctor por la Universidad de Madrid, de orientación raciovisalista. Profesor durante años en Ecuador y Chile. Autor de una importante *Historia de la Filosofía* y frecuentes estudios. En Costa Rica ha publicado un libro sobre Fichte, 1973, muy valioso. Celedonio Ramírez, de formación norteamericana, ha sido profesor en los Estados Unidos bastantes años. Influencia de Xavier Zubiri, sobre el que ha publicado varios estudios. Por ej., *Rev. de Filosofía,* ns. 19, 33. En Filosofía de la Educación, Miguel Angel Campos, Cristina Zeledón, entre otros.

INDICE ONOMASTICO

491

BRENES MESEN (Roberto): 15, 17, 150, 152, 153, 166, 167, 174, 175, 203, 206, 276, 278, 280, 281, 283, 289, 291, 297, 324, 325, 334, 341, 367, 391, 426, 429, 438, 439, 457, 458, 461, 464, 469, 470, 478.
BRIXIA (Fortunato de): 26.
BRUCCULERI (S. J. A.): 239.
BRUSCHETTI (Luis): 69, 95, 106, 121.
BÜCHNER (Eduard): 116.
BUFFON (G. L. Leclerc, Conde de): 89.
CABALLERO DE R. (A.): 432.
CABANIS (Pierre-Jean Jeorges): 100.
CABAÑAS (Trinidad): 134.
CALDERON GUARDIA (Rafael Angel): 43, 183, 225, 229, 234, 237, 238, 239, 263, 463.
CALVO (Francisco): 76, 91.
CALVO (Joaquín Bernardo): 46, 52, 66, 109, 417, 437.
CAMACHO (Daniel): 350, 353, 422.
CAMACHO (Luis): 475.
CAMPO (Rafael): 117.
CAMPOS (Miguel Angel): 439.
CAMUS (Albert): 275, 300.
CANALEJAS (Francisco de Paula de): 161, 169.
CANTOR (Moritz Benedikt): 400.
CAÑAS (Alberto F.): 234, 261, 263, 271, 343, 352, 353, 386, 422.
CARAZO (Juan Manuel): 90, 120.
CARDONA (Rafael): 275, 379.
CARDONA PEÑA (Alfredo): 199, 203, 373, 374, 386.
CARLOS III: 163.
CARLOS IV: 35.
CARLYLE (Thomas): 161.
CARNEGIE (Andrés): 442.
CARR (Archie): 308.
CARRANZA (Bruno): 4, 65, 110, 111, 113.
CARANZA (Ramón): 84, 88, 89.
CARRANZA VOLIO (C.): 346.
CARRARA (Francisco): 415.
CARREL (Alexis): 361, 396.
CARRILLO (Braulio): 43, 44, 63, 71, 120, 130, 272, 417.
CARRILLO (Nicolás): 120.
CARRILLO ECHEVERRIA (Rafael): 184.
CARRO Z. (Alfonso): 184, 241, 256, 257, 259.
CASAUS (Ramón) 29.
CASTELAR (Emilio): 140, 159.
CASTILLO (Florencio del): 38, 39, 56.
CASTRO (Alfonso de): 308, 313, 314.
CASTRO (Fernando de): 169.
CASTRO (José María): 15, 17, 30, 48, 64, 69, 71, 75, 76, 78, 79, 83, 84, 95, 96, 102, 105, 106, 107, 108, 109, 110, 113, 136, 143, 151, 205, 276, 417, 437.
CASTRO (Rafael Otón): 121.
CASTRO ESQUIVEL (A.): 249, 250, 251.
CASTRO FERNANDEZ (Alfredo): 288, 290, 291, 299, 367.
CASTRO SABORIO (Claudio): 146, 153, 291.
CASTRO SABORIO (Octavio): 128.
CASTRO Y TOSSI (Norberto de): 53, 224.
CAVALLON (Juan de): 22.
CAVANILLAS: 227.

494

DEPLOIGE (Simón): 226.
DESARGUES (Gérard): 407.
DESCARTES (René): 103, 224, 275, 322, 326, 400.
DESTTUT DE TRACY (Antoine, Comte): 15, 87, 89, 100, 103, 116, 133, 161.
DEWEY (John): 204, 438, 440, 446, 447.
DIAZ (Porfirio): 147.
DIAZ VASCONCELOS (Luis Antonio): 30.
DIEGUEZ FLORES (Manuel): 30.
DILTHEY (Wilhelm): 338, 339, 341, 373, 416.
DOBLES (Fabián): 268.
DOBLES (G.); 367, 386.
DOBLES (Margarita): 434, 473.
DOBLES SEGREDA (Luis): 117, 251, 290, 345.
DOMINGUEZ CABALLERO (Diego): 314, 439.
DONOSO CORTES (Juan): 111.
DRAPPER (J. W.): 161.
DUHAMEL (H. L.): 28.
DUMAS (Georges): 441.
DURAN (Carlos): 207.
DURAN ESCALANTE (Santiago): 213, 358.
DURERO: 321.
DURON (Rómulo E): 139.
DURKHEIM (Emile): 441.
ECHANDI (Mario): 222, 238.
ECHEVERRIA (Aquileo J.): 341, 344.
ECHEVERRIA (Arturo): 373, 374.
ECHEVERRIA (R. A.): 30.
EINSTEIN (Albert): 275, 396.
EMERSON (Rudolf Ubald): 161, 204.
ENRIQUE IV: 209 .
ERASMO: 276.
ESCOTO (Duns): 26.
ESQUIVEL (Aniceto): 91.
ESQUIVEL (Ascensión): 71.
ESQUIVEL (Eduardo): 233.
ESQUIVEL (José María): 25, 44, 45.
ESPRONCEDA: 169.
ESTRADA (Rafael): 370, 371.
EUCLIDES: 401, 408.
FACIO (Justo A.): 199, 292, 438.
FACIO (Rodrigo): 83, 184, 219, 241, 251, 255, 271, 416, 418, 432, 467, 470, 471, 476, 477.
FAJARDO P. (Carlos): 409.
FALLAS (Carlos Luis): 268.
FARADAY (Michael): 408.
FAUCONNET (Paul): 441.
FEIJOO (Jerónimo): 26, 27.
FERECIDES: 27.
FERNANDEZ (Guido): 222.
FERNANDEZ (J. M.): 226.
FERNANDEZ (León): 23, 24, 25, 35, 37.
FERNANDEZ (Mauro): 15, 71, 80, 81, 96, 129, 140, 141, 143, 144, 145, 152, 166, 204, 333, 334, 442, 449, 462.
FERNANDEZ (Próspero): 70, 73, 126.
FERNANDEZ BOLANDI (Tomás): 358, 415, 457.
FERNANDEZ FERRAZ (Juan): 70, 80, 93, 94, 96, 117, 144, 156, 160, 168, 169, 170, 172, 175, 180, 206, 207, 276, 337, 414, 437, 439.

GARNIER (José Fabio): 156, 192, 386, 472.
GAROFALO (Rafael): 415.
GARRET (Benito): 25.
GARRO (Joaquín): 234.
GENET (François): 18.
GENETO: 28.
GENTILE (Giovanni) 204.
GEOFFROY RIVAS (Pedro): 193.
GIBERSTEIN (Rosita): 476, 479.
GIDE (André): 300.
GILSON (Etienne): 328.
GINER (Hermenegildo): 161.
GINER DE LOS RIOS (Francisco): 140, 155, 161, 176, 414.
GIRALT (M. A.): 359, 476.
GOETHE (Johann Wolfgang): 368, 479.
GOMEZ (Manuel): 121.
GOMEZ URBINA (Carmen): 417.
GONGORA (Enrique): 393.
GONZALEZ (Edgar): 426, 434.
GONZALEZ (Jaime): 226, 359, 476.
GONZALEZ (Luis Felipe): 25, 30, 37, 39, 45, 48, 52, 83, 92, 94, 97, 109, 117, 121, 137, 139, 140, 144, 153, 154, 160, 167, 168, 174, 175, 425, 426, 437, 438, 439, 444, 445, 457, 459.
GONZALEZ (Manuel de la Cruz): 367, 373.
GONZALEZ FEO (Mario): 221, 226, 248.
GONZALEZ FLORES (Alfredo): 228.
GONZALEZ MURILLO (Gonzalo): 434.
GONZALEZ RUCAVADO (Claudio): 192, 357, 358.
GONZALEZ SERRANO (Urbano): 161.
GONZALEZ VIQUEZ (Cleto): 15, 63, 64, 73, 74, 108, 109, 112, 213, 214, 215, 278, 342, 398, 444.
GORKI (Máximo): 204.
GRATRY (Auguste Joseph Alphonse): 161.
GROCIO (Hugo): 29.
GUANDIQUE (J. S.): 193.
GUARDIA (Tomás): 68, 70, 99, 126, 147, 181.
GUARDIA (Víctor de la): 54.
GUARDIA QUIROS (Víctor): 469.
GUSDORF: 318.
GRASSET: 428.
GUIER (J. E.): 416, 476.
GUTIERREZ (Carlos José): 352, 418, 421.
GUTIERREZ (Ezequiel): 87, 88, 413.
GUTIERREZ (Joaquín): 268.
GUTIERREZ CARRANZA (Claudio): 304, 352, 467, 472, 473.
GUTIERREZ JIMENEZ (Mario): 213.
GUYAU (Jean Marie): 89.
GUZMAN (Enrique): 134, 135, 136, 138, 139, 153, 391.
HAMILTON (William): 89.
HAMON (Augustin): 192.
HARTMANN (Eduard von): 161.
HARTMANN (Nicolai): 296, 475.
HEGEL (Georg Wilhelm Friedrich): 146, 147, 148, 150, 176, 301, 373, 414, 446, 473, 479.
HEIDEGGER (Martin): 285, 295, 296, 299, 308, 310, 393, 475.
HEINECIO (Johan Gotlieb): 29.
HELLER: 256.
HENNIKEN (Guillermo): 481.

HENNO (Francisco): 28.
HENU (P.): 89.
HERACLITO: 301, 363.
HERN (Pedro): 88.
HERNANDEZ DE LEON (Federico): 117, 213.
HERNANDEZ POVEDA (Rubén): 184, 219, 255, 350, 444.
HERNANDEZ URBINA (Francisco): 203, 275.
HERRA (R. A.): 292, 301, 319, 320, 450, 451.
HERRERA (Dionisio de): 56.
HERRERA (Ligia): 327, 472, 473.
HERRERA (Vicente): 76, 84, 87, 96, 113.
HERRERA GARCIA (Adolfo): 99, 192.
HESS (R.): 255.
HIDALGO (Alfredo): 325.
HIPASO DE METAPONTO: 27.
HOLBACH (Barón de): 135, 391.
HÖLDERLIN: 379, 381.
HORNEY (Karen): 433.
HUERTA CASO (Monseñor de la): 33.
HUGO (Víctor): 146, 300.
HUME (David): 89, 103, 275, 475.
HUSSERL (Edmund) 320, 399.
HUTCHESON (Francis): 103.
IBARBOUROU (Juana de): 369.
IDOATE (Florentino): 434.
IGLESIAS (Francisco María): 42, 44, 47, 51, 84, 91, 117, 135.
IGLESIAS (Joaquín): 93, 94.
IGLESIAS (Joaquín de): 43.
IGLESIAS CASTRO (Rafael): 73, 277.
INGIANNA (Y.): 476.
IRISARRI (Antonio de): 116.
ITURBIDE (Agustín de): 38, 50, 52, 53.
JAEN (Sira): 439, 484.
JAMES (William): 446.
JANET (Pierre): 89.
JASPERS (Karl): 315.
JENNINGS (Herbert S.): 446.
JEREZ (Máximo): 50, 93, 94, 113, 133, 134, 135, 136, 137, 138, 139, 146, 391.
JIMENEZ (Arnoldo): 184.
JIMENEZ (Carlos María): 213, 233, 413, 417.
JIMENEZ (Jesús): 110, 122, 130, 136, 143, 156, 164, 442.
JIMENEZ (José Olivio): 376.
JIMENEZ (Juan Ramón): 299.
JIMENEZ (Manuel de Jesús): 23, 35, 52.
JIMENEZ (Manuel V.): 128.
JIMENEZ (Mario Alberto): 385, 386.
JIMENEZ (Marta): 350, 409, 478.
JIMENEZ (Max): 370.
JIMENEZ (Salvador): 176, 180, 413, 414.
JIMENEZ ALPIZAR (Octavio): 458.
JIMENEZ MESEN (M. T.): 283.
JIMENEZ OREAMUNO (Ricardo): 72, 74, 84, 96, 113, 127, 145, 146, 151, 153, 171, 176, 180, 189, 205, 206, 207, 208, 211, 213, 214, 215, 228, 230, 231, 232, 276, 342, 344, 345, 414, 462, 463, 464, 471.
JIMENEZ PACHECO (Emilio): 193, 198, 222.

504

TRISTAN (Esteban Lorenzo): 25, 45.
TRISTAN (Guillermo): 198, 399.
TROOST (L.): 194.
TRUMAN (Harry S.): 243.
TURCIOS (Froilán): 285.
UGALDE PEREZ (Francisco): 74.
ULATE (Otilio): 222.
ULLOA BARRENECHEA (Ricardo): 343, 350, 374, 375, 376, 387.
ULLOA ZAMORA (Alfonso): 198, 292, 300, 338, 343, 346, 350, 369, 399.
UNAMUNO (Miguel de): 161, 192, 200, 204, 294, 298, 299, 300, 349, 361, 362, 373.
URIARTE (Amanda C.): 214, 234.
URIBE (Juan de Dios): 129, 131.
VALENCIANO (Rosendo de J.): 357.
VALLADARES (Manuel): 30.
VALLE (Rafael Heliodoro): 112, 114, 118, 139, 145, 153, 168, 175, 179, 203, 204, 214, 246, 248, 251, 271, 275, 292, 334, 374, 399.
VALLEJO (César): 29.
VALVERDE (César): 367.
VALVERDE (Emilio): 251.
VALVERDE (Pánfilo): 82.
VAN DER LAAT (B.): 242.
VAN ROY (Léonard): 28.
VANNI (Icilio): 415.
VARELA (Félix): 89.
VARGAS CALVO (Guillermo): 145, 153, 415, 418.
VARGAS COTO (Joaquín): 234, 275.
VARGAS FERNANDEZ (Fernando): 255.
VARONA (Valentín): 481.
VASCONCELOS (José): 285, 286, 290, 292.
VAZ FERREIRA (Carlos): 204, 483.
VAZQUEZ DE CORONADO (Juan): 22, 224.
VAZQUEZ MELLA (Juan): 227.
VELA (David): 30, 118.
VELAZQUEZ: 376.
VENERO (Juan N.): 121.
VERDIER: 227.
VERLAINE (Paul): 300.
VIDAL (George): 192.
VIEILLARD-BARON (Alain): 198.
VILLALOBOS (J. F.): 292, 369.
VILLALOBOS (R.): 393.
VILLANUEVA (Jorge Luis): 242.
VILLEGAS (Rafael): 110.
VINCENZI (Moisés): 18, 283, 284, 285, 286, 287, 288, 289, 291, 292, 300, 349, 357, 367, 371, 387, 438, 461, 472.
VIQUEZ (Pío): 174, 365, 413.
VITORIA: 22.
VIVES (Lorenzo): 338, 387, 426.
VOLIO (Alfredo): 228.
VOLIO (Claudio María): 324, 325, 358.
VOLIO (Fernando): 242.
VOLIO (Jorge): 131, 189, 206, 214, 224, 225, 226, 227, 228, 229, 230, 231, 233, 234, 271, 324, 325, 461, 471, 472.
VOLIO (Julián): 88, 91, 96, 136, 213, 443.
VOLIO (Marina): 234.

INDICE

510

OBRAS DEL AUTOR

Colegios Mayores, Madrid, 1949.

Ensayos sobre Educación, Madrid, 1955.

Selección e Introducción de: M. MENENDEZ PELAYO, *Historia de la Filosofía Española,* Madrid, 1955.

Contribución al estudio de la difusión del pitagorismo, Madrid, 1956.

Teoría de los Estudios Generales, San José, 1958.

Concepto de Filosofía y Teoría de los Métodos del Pensamiento, San José, 1959.

Traducción e Introducción de: DESCARTES, *Discurso del Método,* San José, 1960.

Fundamentos de Filosofía, San José, 1961.

Desarrollo de las Ideas Filosóficas en Costa Rica, San José, 1965.

Estudios de Filosofía Moderna, San Salvador, 1968.

Historia de las Ideas en Centroamérica, 1970.

De Salomón a Demóstenes Smith, San José, 1972.

Abelardo Bonilla, San José, 1973.

(En colaboración) *La Carreta costarricense,* 1975.

Trad., introd. y paráfrasis de: PARMENIDES, *Sobre la Naturaleza,* San José, 1975.

El Costarricense, San José, 1975.

Cien casos perdidos, San José, 1983.

Este libro se terminó de imprimir
en los Talleres Gráficos de
TREJOS HNOS. SUCS., S. A.